DAS FORT
ist in großer Bewunderung
Colonel John Wessmiller a. D.
von der US Army gewidmet,
der gewusst hätte,
was zu tun ist.

Eine furchtlose Stimme, die durchs Dunkel schallt,
Und ein Wort, das immer noch widerhallt!
Denn der Nachtwind der Vergangenheit
Weht's durch die Geschichte für alle Zeit.
In dunkler Stund, wenn die Not zu groß,
Erwacht unser Volk, und dann hören wir
Den hastigen Hufschlag von jenem Roß
Und die Mitternachtsbotschaft des Paul Revere.

Aus Henry Longfellows
Der Mitternachtsritt des Paul Revere

So ließen wir ihn auf *seinem* Feld,
Blutfeucht von Heldentume,
Da liegt er und schläft er *allein*, unser Held,
Allein mit seinem Ruhme.

Aus Charles Wolfes
General Sir John Moores Begräbnis

EIN KOMMENTAR
ZU NAMEN UND BEGRIFFEN

Im Jahr 1779 gab es keinen Staat Maine, das Gebiet war damals die östlichste Provinz von Massachusetts. Auch manche Ortsnamen haben sich geändert. Majabigwaduce heißt heute Castine, Townsend wurde zu Boothbay und Falmouth zu Portland, Maine. Bucks Plantation (eigentlich Plantation Number One) ist Bucksport, Orphan Island ist Verona Island, Long Island (im Fluss Penobscot) heißt nun Isleboro Island, Wasaumkeag Point wurde zu Cape Jellison und Cross Island zu Nautilus Island.

In diesem Roman geht es vielfach um «Schiffe», «Schaluppen», «Briggs» und «Schoner». All das sind natürlich Schiffe, ebenso wie es Boote sind, aber genau genommen war ein Schiff ein großer, rahgetakelter Dreimaster, wie zum Beispiel eine Fregatte (stellen Sie sich etwa die USS *Constitution* vor) oder ein Kriegsschiff (wie die HMS *Victory*). Heutzutage denken wir bei einer Schaluppe an einen Einmastsegler, 1779 aber verstand man darunter einen Dreimaster, der normalerweise kleiner war als ein Schiff und sich von ihm durch ein ebenes Hauptdeck unterschied (und somit durch das Fehlen eines erhöhten Poopdecks). Schaluppen waren, ebenso wie Schiffe, rahgetakelt (was bedeutet, dass sie rechteckige Segel trugen, die an Querrahen hingen). Eine Brigg, oder Brigantine, war ebenfalls ein großer, rahgetakelter Segler, besaß jedoch nur zwei Masten. Auch Schoner waren Zweimaster, deren Besegelung jedoch längsschiffs ausgerichtet war, sodass die gehissten Segel eher parallel zur Achslinie des Seglers und nicht quer dazu verliefen. Es gab Varianten wie Brigg-Schaluppen, doch in der Bucht von Penobscot befanden sich 1779 nur Schiffe, Schaluppen, Briggs und Schoner.

Mit Ausnahme der *Felicity* sind die Namen sämtlicher Boote historisch verbürgt.

Die meisten Figuren dieses Romans haben wirklich gelebt. Die einzigen erfundenen Namen tragen Personen, deren Familienname mit einem F beginnt (mit Ausnahme Captain Thomas Farnhams von der königlichen Marine) und der Namen britischer Soldaten und Unteroffiziere (mit Ausnahme Sergeant Lawrence' von der königlichen Artillerie).

Auszug eines Briefes der Ratsregierung von Massachusetts an Brigadegeneral Solomon Lovell, 2. Juli 1779:

Sie werden über Ihre sämtlichen Operationen mit dem Flottenkommandeur beraten, sodass die Seestreitkräfte mit den Truppen unter Ihrem Kommando in dem Bemühen kooperieren, die gesamten feindlichen Kräfte zu Wasser und auch zu Land Gefangen zu nehmen, zu Töten oder zu Vernichten. Und nachdem guter Grund zu der Annahme besteht, dass einige hochrangige Männer in Majorbagaduce den Feind zur Besatzung aufgefordert haben, werden Sie genau darauf achten, keinen von ihnen entkommen zu lassen, sondern sie aufgrund ihrer bösartigen Machenschaften festzusetzen … Wir empfehlen Sie nun dem Allerhöchsten an und beten darum, dass Er Ihnen und den Truppen unter Ihrem Kommando Gesundheit und Sicherheit gewährt & Sie bekränzt mit dem Siegeslorbeer zurückkehren lässt.

Aus einer Nachbemerkung über Majabigwaduce in Doktor John Calefs Kriegstagebuch, 1780:

In dieses neue Land flüchten die Loyalisten mit ihren Familien … und finden Asyl vor der Tyrannei des Kongresses und seiner Steuereinnehmer … und dort leben sie in der Hoffnung und freudigen Erwartung, dass sie schon bald wieder die Freiheiten und Privilegien genießen können, die in ihren

*Augen am besten von der ... britischen Verfassung gewähr-
leistet werden.*

Brief Captain Henry Mowats, königliche Marine, an Jonathan Buck, geschrieben an Bord der HMS *Albany* auf dem
Penobscot, 15. Juni 1779:

> *Sir, nachdem ich Gehört habe, dass Sie auf diesem Fluss und
> in angrenzenden Gebieten der Anführer eines Regiments
> irregeleiteter Untertanen des Königs sind, und dass Sie im
> Rang eines Colonels unter dem Einfluss einer Versammlung
> stehen, die sich Generalkongress der Vereinigten Staaten von
> Amerika nennt, ist es meine Pflicht, Sie dazu aufzufordern,
> unverzüglich mit einer Musterrolle aller Ihrer Untergebenen
> vor General McLean und dem Kommandooffizier der König-
> lichen Flotte auf der Blonde vor Majorbigwaduce zu erschei-
> nen.*

EINS

Es herrschte kaum Wind, sodass die Schiffe nur langsam flussaufwärts vorankamen. Es waren zehn; fünf Kriegsschiffe, die fünf Transportschiffe eskortierten, und die einsetzende Flut half ihnen mehr dabei, nordwärts weiterzukommen, als es die unbeständige Brise tat. Es hatte aufgehört zu regnen, aber die grauen, unheilschwangeren Wolken hingen niedrig am Himmel. Monoton tropfte das Wasser von Segeln und Takelage.

Von den Schiffen aus war nicht viel zu erkennen, obwohl an jeder Reling Männer standen und zu den Flussufern hinüberstarrten, die so stark zurückwichen, dass sich ein großer Binnensee gebildet hatte. Die Hügel über dem See waren niedrig und bewaldet, während die Uferzone aus einem Gewirr von Wasserläufen, Landzungen, waldigen Inseln und kleinen, steinigen Stränden bestand. Hier und da waren zwischen den Bäumen Lichtungen zu erkennen, auf denen Holzstapel lagen oder wo auch einmal eine Holzhütte neben einem kleinen Kornfeld stand. Rauch stieg von diesen Lichtungen auf, und manche der Männer auf den Schiffen fragten sich, ob mit diesen Feuern die Leute in der Gegend vor der Ankunft der Flotte gewarnt werden sollten. Die einzigen Menschen, die sie sahen, waren ein Mann und ein Junge, die von einem kleinen, offenen Boot aus fischten. Der Junge, der William Hutchings hieß, winkte begeistert zu den Schiffen hinüber, doch sein Onkel spuckte nur aus. «Da kommen die Teufel», sagte er.

Die Teufel verhielten sich ruhig. An Bord des größten Kriegsschiffs, einer Zweiunddreißig-Kanonen-Fregatte namens *Blonde*, senkte ein Teufel in einem blauen Rock und einem mit Öltuch bespannten Dreispitz sein Fernrohr. Mit nachdenklich gerunzelter Stirn sah er zu den dunklen, schweigenden Wäldern hinüber, an denen sein Schiff vorüberglitt. «Ich finde», sagte er, «es sieht hier aus wie in Schottland.»

«Ja, das tut es», gab sein Begleiter, ein rotberockter Teufel, verhalten zurück, «eine Ähnlichkeit besteht zweifellos.»

«Etwas stärker bewaldet als Schottland, nicht wahr?»

«Beträchtlich stärker bewaldet», sagte der zweite Mann.

«Aber doch wie die schottische Westküste, meinen Sie nicht auch?»

«Nicht unähnlich», stimmte der zweite Teufel zu. Er war zweiundsechzig Jahre alt, recht klein gewachsen und hatte ein gewitztes, wettergegerbtes Gesicht. Es war ein freundliches Gesicht mit kleinen, strahlend blauen Augen. Er war seit über vierzig Jahren Soldat und hatte in dieser Zeit beinahe zwei Dutzend schwere Schlachten durchgestanden, die ihm einen fast unbrauchbaren rechten Arm, ein leichtes Hinken und einen nachsichtigen Blick auf die sündige Menschheit eingebracht hatten. Sein Name war Francis McLean, und er war Brigadegeneral, Schotte, kommandierender Offizier von Seiner Majestät 82stem Infanterieregiment, Gouverneur von Halifax und nun, jedenfalls den Befehlen des englischen Königs zufolge, der Herr über alles, was er vom Achterdeck der *Blonde* aus überblicken konnte. Er war seit dreizehn Tagen an Bord der Fregatte, so lange hatte es gedauert, von Halifax in Nova Scotia hierherzusegeln, und er spürte einen Anflug von Sorge darüber, dass diese Reisedauer ein schlechtes Vorzeichen sein könnte. Er überlegte, ob es nicht vielleicht besser gewesen wäre, die Fahrt auf vierzehn Tage auszudehnen, und berührte verstohlen das Holz der Reling. Am östlichen Ufer lag ein ausgebranntes

Schiffswrack. Einst war es ein stolzes Schiff gewesen, mit dem man den Ozean hatte überqueren können, doch nun war es nur noch ein Gerippe aus verkohltem Holz, das halb von der hereinkommenden Flut verschluckt wurde, mit der die *Blonde* flussaufwärts fuhr. «Wie weit sind wir jetzt vom offenen Meer entfernt?», fragte er den blauuniformierten Captain der *Blonde*.

«Sechsundzwanzig Seemeilen», antwortete Captain Andrew Barkley sofort, «und dort», er deutete über den Steuerbordbug und den löwengeschmückten Kranbalken hinweg, an dem einer der Anker hing, «ist Ihr neues Zuhause.»

McLean lieh sich das Fernrohr des Captains aus, nutzte seinen schlechten rechten Arm als Ablage und richtete das Teleskop bugwärts. Einen Moment lang behinderten ihn die Schiffsbewegungen, sodass er nichts weiter wahrnahm als verschwommene graue Wolken, dunkles Land und träge fließendes Wasser, doch dann fand er sicheren Stand und erkannte die Erweiterung des Penobscot zu dem großen See, den Captain Barkley die Bucht von Penobscot nannte. Die Bucht, dachte McLean, war eigentlich ein breiter Meeresarm, der, wie er aus der Beschäftigung mit Barkleys Karten wusste, von Osten nach Westen etwa acht Meilen maß und drei von Norden nach Süden. Am östlichen Ufer der Bucht lag ein Hafen. Der Hafenzugang war von Felsen begrenzt, und auf seiner nördlichen Seite erhob sich ein dichtbewaldeter Hügel. Eine Siedlung stand auf dem Südhang des Hügels; etwa zwanzig Holzhäuser und Scheunen zwischen kleinen Kornfeldern, Gemüsebeeten und aufgestapelten Holzbalken. Ein paar Fischerboote ankerten im Hafen neben einer kleinen Brigg, die MacLean für einen Handelsfahrer hielt. «Das ist also Majabigwaduce», sagte er leise.

«Toppsegel bergen!», rief der Captain, «Befehl an die Flotte zum Beidrehen. Geben Sie bitte das Signal für einen Lotsen, Mister Fennel!»

«Aye, aye, Sir!»

Mit einem Mal wimmelte es auf der Fregatte von Männern, die losrannten, um Segel loszumachen. «Das ist Majabigwaduce», sagte Barkley, und sein Ton machte klar, dass er den Namen genauso lachhaft fand wie den Ort.

«Erste Kanone!», rief Lieutenant Fennel und löste damit eine weitere Welle von Männern aus, die zur vordersten Steuerbordkanone hasteten.

«Haben Sie irgendeine Vorstellung davon», fragte McLean den Captain, «wofür Majabigwaduce steht?»

«Steht?»

«Bedeutet der Name irgendetwas?»

«Nein, keine Ahnung», sagte Barkley, leicht gereizt von dieser Frage. «Jetzt, Mister Fennel!»

Die Kanone, mit Pulver und einem Wergpfropfen, jedoch ohne Kanonenkugel geladen, wurde abgefeuert. Der Rückstoß war schwach, doch der Knall schien sehr laut, und die Rauchwolke hüllte das halbe Deck der *Blonde* ein. Der Schuss verhallte, wurde dann vom Land zurückgeworfen und verhallte ein zweites Mal.

«Jetzt werden wir gleich eine Entdeckung machen, nicht wahr?», sagte Barkley.

«Und was für eine?», fragte McLean.

«Ob sie loyal sind, General, ob sie loyal sind. Wenn sie von der Rebellion infiziert wurden, werden sie uns wohl kaum ein Lotsenschiff zur Verfügung stellen, oder?»

«Ich vermute, nicht», sagte McLean, obwohl er argwöhnte, dass ein illoyaler Lotse der Sache des Aufstandes sehr nützlich sein könnte, indem er die HMS *Blonde* auf einen Felsen führte. Viele davon durchbrachen den Wasserspiegel der Bucht. Auf einem, keine fünfzig Schritte von der hafenseitigen Reling der Fregatte entfernt, spreizte ein Kormoran die Flügel, um sein Gefieder zu trocknen.

Sie warteten. Die Kanone war abgefeuert worden, und

das war das übliche Signal dafür, dass ein Lotse angefordert wurde, der Rauch aber verhinderte, dass irgendwer an Bord sehen konnte, ob man ihrem Wunsch in der Siedlung von Majabigwaduce nachkam. Die fünf Transportschiffe, vier Schaluppen und eine Fregatte, glitten mit der Flut weiter flussaufwärts. Das lauteste Geräusch war das Ächzen, Keuchen und Plätschern der Pumpe auf einer der Schaluppen, der HMS *North*. Das Wasser spritzte und sprudelte rhythmisch aus einem Ulmenholz-Speier, dessen anderes Ende in den Rumpf hinunterreichte, wo Seeleute die Bilge leer pumpten. «Man hätte sie abwracken und zu Feuerholz verarbeiten sollen», sagte Captain Barkley säuerlich.

«Kann man sie denn nicht flicken?», fragte McLean.

«Die Balken sind vollständig verrottet. Sie ist das reinste Sieb», sagte Barkley geringschätzig. Kleine Wellen schwappten an den Rumpf der *Blonde*, und die blaue Flagge am Heck flatterte im unbeständigen Wind. Noch immer war kein Boot in Sicht, und Barkley befahl einen zweiten Signalschuss. Der Knall wurde zurückgeworfen und verhallte, und gerade als Barkley erwog, die Flottille ohne die Unterstützung eines Lotsen in den Hafen zu bringen, rief ein Matrose vom Vormasttopp herunter: «Boot kommt, Sir!»

Als sich der Pulverrauch gelegt hatte, sahen die Männer auf der *Blonde* in der Tat ein kleines, offenes Boot vom Hafen aus herankommen. Die Brise aus Südwest war so leicht, dass die hellbraunen Segel dem Boot gegen die hereinströmende Flut kaum etwas nützten, und deshalb hatte sich ein junger Mann an zwei lange Ruder gesetzt. Einmal in der weiten Bucht angekommen, zog er die Ruder ein, hisste mühsam die Segel und nahm, langsam gegen den Wind segelnd, Kurs auf die Flottille. Ein Mädchen saß an der Ruderpinne und lenkte das kleine Gefährt auf die Steuerbordseite der *Blonde*, wo der junge Mann flink auf die Bootsleiter sprang, die an dem sich verjüngenden Rumpf nach oben führte. Er war groß, blond, und seine Hände hatten Schwielen und Verfärbungen vom Umgang mit geteertem Takelwerk und Fischernetzen. Er trug Kniehosen aus selbstgewebtem Leinen und eine Segeltuchjacke, grobe Stiefel und eine Strickmütze. Er kletterte an Deck und rief dann zu dem Mädchen hinunter: «Pass gut auf sie auf, Beth!»

«Hört auf zu gaffen, ihr Puddingköpfe!», brüllte der Bootsmann, als die Matrosen das blonde Mädchen anstarrten, das ein Ruder benutzte, um ihr kleines Boot vom Rumpf der Fregatte abzustoßen. «Bist du der Lotse?», fragte der Bootsmann den jungen Mann.

«James Fletcher», sagte der junge Mann, «und das bin ich vermutlich, aber ihr braucht ohnehin keinen Lotsen.» Grinsend ging er zu den Offizieren im Heck der *Blonde*. «Hat einer der Gentlemen ein bisschen Tabak?», fragte er, während er den Niedergang zum Poopdeck hinaufstieg. Er erntete nur Schweigen, bis General McLean in die Tasche griff und eine kurze Tonpfeife zutage förderte, die schon gestopft war.

«Genügt das?», fragte der General.

«Das genügt vollkommen», sagte Fletcher anerkennend, klopfte den Tabak aus dem Pfeifenkopf und steckte ihn in den Mund. Dann reichte er dem General die leere Pfeife zurück. «Hatte seit zwei Monaten keinen Tabak», sagte er zur Erklärung und nickte Barkley leutselig zu. «Es gibt in Bagaduce keine großen Gefahrenstellen, Captain, solange Sie vom Dyce's Head wegbleiben. Sehen Sie?» Er deutete auf die dreizackige Felsklippe an der Nordseite des Hafeneingangs. «Da sind Felsen. Und noch mehr Felsen sind vor Cross Island auf der anderen Seite. Halten Sie sich hier in der Mitte der Fahrrinne, und Sie sind absolut sicher.»

«Bagaduce?», fragte General McLean.

«So nennen wir es, Euer Ehren. Bagaduce. Sagt sich leichter als Majabigwaduce.» Der Lotse grinste, dann spuckte er einen Strahl Tabaksaft auf die mit Sandstein gescheuerten Planken der *Blonde*. Stille hing über dem Achterdeck, während die Offiziere auf den dunklen Fleck starrten.

«Majabigwaduce», brach McLean das Schweigen, «bedeutet das irgendetwas?»

«Große Bucht mit großen Tiden», sagte Fletcher, «hat jedenfalls mein Vater immer gesagt. Aber das ist ein Indianerwort, also kann es alles Mögliche bedeuten.» Der junge Mann sah sich mit sichtbarem Wohlgefallen auf dem Deck der Fregatte um. «Das ist wirklich mal ein aufregender Tag», bemerkte er heiter.

«Aufregend?», fragte General McLean.

«Phoebe Perkins ist guter Hoffnung. Wir haben alle gedacht, der Säugling müsste inzwischen aus ihr rausgerutscht sein, ist er aber nicht. Und es wird ein Mädchen!»

«Das wissen Sie?», sagte General McLean amüsiert.

«Phoebe hat schon sechs Kinder, und allesamt sind Mädchen. Sie sollten noch eine Kanone abfeuern, Captain, dann erschrickt das Neue so, dass es aus ihr rauskommt!»

«Mister Fennel!», rief Captain Barkley durch ein Sprechrohr. «Schoten anholen, wenn ich bitten darf.»

Die *Blonde* nahm Geschwindigkeit auf. «Bringt sie rein», sagte Barkley zum Steuermann, und so kamen die *Blonde*, die *North*, die *Albany*, die *Nautilus*, die *Hope* und die fünf Transporter, die sie eskortierten, nach Majabigwaduce. Sie erreichten sicher den Hafen und warfen Anker. Es war der 17. Juni 1779, und zum ersten Mal, seit man sie im März 1776 zum Rückzug aus Boston gezwungen hatte, waren die Briten wieder in Massachusetts.

Etwa zweihundert Meilen westlich und etwas südlich von der Stelle, an der die Teufel angekommen waren, ließ Brigadegeneral Peleg Wadsworth sein Bataillon auf der Gemeindewiese exerzieren. Es waren nur siebzehn Truppenangehörige da, und von diesen siebzehn konnte keiner als ordentlicher Soldat bezeichnet werden. Der jüngste, Alexander, war fünf, wohingegen die ältesten die zwölfjährigen Fowler-Zwillinge Rebecca und Dorcas waren, und alle betrachteten den Brigadier, der einunddreißig Lenze zählte, mit ernstem Blick. «Ich möchte», sagte der General, «dass ihr in einer geraden Linie vorrückt. Auf Befehl bleibt ihr stehen. Wie heißt das Befehlswort, Jared?»

Jared, der neun Jahre alt war, dachte kurz nach. «Halt?»

«Sehr gut, Jared. Der nächste Befehl heißt ‹Vorbereiten zum Formieren einer Linie›, und ihr macht gar nichts!» Der Brigadier musterte seine Zwergentruppe, die in einer Marschlinie nach Norden ausgerichtet war. «Verstanden? Ihr macht nichts! Dann werde ich rufen, dass sich die Kompanien eins, zwei, drei und vier nach links ausrichten sollen. Diese Kompanien», und damit schritt der General die Linie ab und zeigte an, welche Kinder die ersten vier Kompanien bilden sollten, «sind der linke Flügel. Was bist du, Jared?»

«Der linke Flügel», sagte Jared und flatterte mit seinen Armen.

«Sehr gut! Und ihr», der General ging die übrige Aufstellung ab, «seid die Kompanien fünf, sechs, sieben und acht, also der rechte Flügel, und ihr dreht euch nach rechts. Dann gebe ich euch den Befehl ‹Augen geradeaus›, und ihr dreht euch um. Dann schwenken wir um. Alexander? Du bist der Fahnenträger, also bewegst du dich nicht.»

«Aber ich will einen Rotrock töten, Papa», bettelte Alexander.

«Du bewegst dich nicht von der Stelle», beharrte der Vater des Fahnenträgers, und anschließend wiederholte er alles, was er gesagt hatte. Alexander hielt einen langen Stock in der Hand, der als amerikanische Flagge herhalten musste. Nun zielte er mit dem Stock auf die Kirche und tat so, als würde er Rotröcke abschießen, sodass er in die Schlachtreihe zurückgescheucht werden musste, deren Mitglieder mehr oder weniger übereinstimmend erklärten, verstanden zu haben, was ihr einstiger Schulmeister von ihnen wollte. «Und denkt daran», ermunterte sie Peleg Wadsworth, «dass ihr bei dem Befehl ‹Schwenkt› in eurer Blickrichtung weitergeht, aber um einen Mittelpunkt herum, wie die Zeiger einer Uhr! Das soll rund laufen! Sind alle bereit?»

Eine kleine Zuschauergruppe hatte sich zusammengefunden, aus der auch mancher Ratschlag ertönte. Ein Mann, ein Pastor auf der Durchreise, entsetzte sich darüber, dass so kleine Kinder das Kriegshandwerk gelehrt wurde, und er hatte General Wadsworth deshalb getadelt, aber der Brigadier hatte dem Gottesmann versichert, es seien nicht die Kinder, die sich hier übten, sondern er selbst. Er wollte genau verstehen, wie sich eine Kolonne Kompanien zu einer Regimentslinie formierte, die den Feind mit Musketenfeuer vernichten konnte. Es war schwer, eine Truppe in einer Gefechtslinie vorrücken zu lassen, weil eine lange Reihe Männer unweigerlich auseinanderdriftete und ihren Zusammenhalt verlor, und um das zu vermeiden, mussten die Männer in Kolonnen vorrücken, einer hinter dem anderen, doch solch eine Kolonne war sehr anfällig für Kanonenbeschuss und beinahe außerstande, die Musketen einzusetzen, und deshalb bestand die Kunst des Manövers darin, in Kolonnen vorzurücken und sich dann rasch zu einer Linie zu formieren. Wadsworth wollte den Drill beherrschen, doch weil er ein General der Miliz von Massachusetts war und weil die Milizionäre zum größten Teil auf ihren Bauernhöfen und in ihren Handwerksbetrieben beschäftigt waren, musste Wadsworth mit Kindern üben. Die führende Kompanie, die normalerweise aus drei Gliedern zu dreißig oder mehr Männern gebildet wurde, bestand an diesem Tag aus der zwölfjährigen Rebecca Fowler und ihrem neunjährigen Cousin Jared. Beide waren aufgeweckte Kinder und imstande, so hoffte

Wadsworth jedenfalls, ein Beispiel zu geben, dem die anderen folgen würden. Das Manöver, das er durchführen lassen wollte, war schwierig. Das Bataillon würde in Kolonnen auf den Feind zumarschieren und dann stehen bleiben. Dann würden sich die führenden Kompanien in die eine, die nachrückenden in die entgegengesetzte Blickrichtung ausrichten, und dann würde die gesamte Linie um den Fahnenträger als Achsmittelpunkt herumschwenken, bis sie den Befehl zum Stehenbleiben erhielt. Damit würden die ersten vier Kompanien mit dem Rücken zum Feind stehen, und Wadsworth würde den acht Kindern den Befehl zum Kehrtmachen geben, und dann endlich wäre das ganze formidable Bataillon bereit, das Feuer auf den Feind zu eröffnen. Wadsworth hatte zugeschaut, als britische Regimenter ein ähnliches Manöver auf Long Island ausgeführt hatten, und er hatte widerwillig ihre Präzision bewundert und selbst mit angesehen, mit welcher Geschwindigkeit sie sich von einer Kolonne zu einer langen Linie formiert hatten, die wilde Musketensalven auf die amerikanischen Streitkräfte niedergehen ließ.

«Sind wir bereit?», fragte Wadsworth erneut. Wenn er Kindern erklären konnte, wie es funktionierte, hatte er beschlossen, dann wäre es ein Leichtes, es den Milizionären beizubringen. «Vorwärts marsch!»

Die Kinder bewegten sich in löblicher Ordnung vorwärts, wenn auch Alexander auf und ab hüpfte vor Lust, mit seinen Kameraden im Gleichschritt zu marschieren. «Bataillon!», rief Wadsworth. «Halt!»

Sie blieben stehen. So weit, so gut. «Bataillon! Vorbereiten zum Formieren einer Linie! Noch nicht bewegen!» Er hielt einen Moment inne. «Der linke Flügel dreht sich nach links! Der rechte Flügel dreht sich nach rechts! Auf mein Kommando. Bataillon! Augen geradeaus!»

Rebecca drehte sich nach rechts statt nach links, und im Bataillon brach Verwirrung aus. Jemand wurde am Haar gezogen, und Alexander begann «Peng» zu rufen, während er imaginäre Rotröcke erschoss, die vom Gemeindefriedhof her angriffen. «Schwenkt um! Marsch!», rief Wadsworth, und die Kinder drehten sich in unterschiedliche Richtungen. Inzwischen, so dachte der General verzweifelt, hätten die britischen Truppen schon zwei mörderische Salven auf sein Regiment abgefeuert. Vielleicht, überlegte Wadsworth, war der Einsatz von Kindern aus der Schule, an der er unterrichtet hatte, bevor er Soldat wurde, doch nicht der beste Weg, um sich in der Beherrschung von Infanterietaktiken zu üben. «Formiert eine Linie!», rief er.

«Es geht folgendermaßen», kam es von einem Mann auf Krücken, der zu den Zuschauern gehörte. «Man macht es Kompanie für Kompanie. Das geht zwar langsamer, General, aber langsam und beharrlich gewinnt man den Kampf.»

«Nein, nein, nein!», mischte sich jemand ein. «Der vordere rechte Kompanieführer der Ersten Kompanie macht einen Schritt nach links und einen Schritt nach vorn, dann wird er zum linken Kompanieführer, hebt die Hand, und die Folgenden schließen sich ihm an. Oder ihr, in Ihrem Regiment, General.»

«Besser eine Kompanie nach der anderen», beharrte der Krüppel auf seiner Meinung. «So haben wir es in Germantown gemacht.»

«Aber in Germantown habt ihr verloren», sagte der zweite Mann.

Johnny Fiske gab vor, erschossen worden zu sein, taumelte dramatisch herum und fiel zu Boden, und Peleg Wadsworth, dem es kaum gelang, sich selbst in der Rolle eines Generals zu sehen, kam zu dem Schluss, dass es ihm nicht gelungen war, das Manöver richtig zu erklären. Er fragte sich, ob er die Beherrschung des komplizierten Infanteriedrills überhaupt jemals benötigen würde. Die Franzosen hatten sich dem Unabhängigkeitskampf der Amerikaner angeschlossen und eine Armee über den Atlantik geschickt, und der Krieg wurde nun sehr weit von Massachusetts entfernt in den Südstaaten geführt.

«Ist der Krieg gewonnen?», unterbrach da eine Stimme seine Gedanken, und als er sich umwandte, hatte er seine Frau Elizabeth vor sich, die ihre einjährige Tochter Zilpha auf dem Arm trug.

«Ich glaube», sagte Peleg Wadsworth, «die Kinder haben die Rotröcke in Amerika bis auf den letzten Mann getötet.»

«Dafür sei Gott gedankt», sagte Elizabeth heiter. Sie war sechsundzwanzig, fünf Jahre jünger als ihr Mann, und wieder schwanger. Alexander war ihr Ältester, dann kamen der dreijährige Charles und die kleine Zilpha, die ihren Vater mit ernster Miene und weit aufgerissenen Augen anstarrte. Elizabeth war beinahe so groß wie Peleg, der nun ein Notizbuch und einen Stift in eine Tasche seiner Uniformjacke zurückschob. Die Uniform stand ihm sehr gut, dachte sie, auch wenn der blaue Soldatenrock mit den weißen Aufschlägen und den elegant geknöpften Schößen unbedingt geflickt werden musste. Aber man bekam keinen blauen Stoff, nicht einmal in Boston, jedenfalls nicht zu einem Preis, den Peleg und Elizabeth Wadsworth aufbringen konnten. Elizabeth amüsierte sich heimlich über die angespannte, besorgte Miene ihres Gatten. Er war ein guter Mann, dachte sie voller Zuneigung, immer redlich und von allen Nachbarn geachtet. Er hatte einen Haarschnitt nötig, obwohl die leicht zerzausten dunklen Locken seinem schmalen Gesicht einen anziehend verwegenen Ausdruck verliehen. «Es tut mir leid, wenn ich den Krieg unterbreche», sagte Elizabeth, «aber du hast einen Besucher.» Sie nickte in Richtung ihres Hauses, vor dem ein Uniformierter sein Pferd an die Pferdestange band.

Der Besucher war dünn, hatte ein rundes Gesicht und eine Brille, und er kam Wadsworth bekannt vor, doch er konnte ihn nicht einordnen. Als der Mann sein Pferd festgebunden hatte, zog er ein Papier aus der Schoßtasche seines Uniformrocks und kam über die sonnenbeschienene Gemeindewiese heran. Seine Uniform war hellbraun mit weißen Aufschlägen. Ein Säbel hing an einer Lederschlaufe von seinem Schwertgürtel herab. «General Wadsworth», sagte er beim Näherkommen. «Schön, Sie bei bester Gesundheit anzutreffen, Sir», fügte er hinzu, und nachdem Wadsworth einige Sekunden lang vergeblich nach einem Namen gesucht hatte, der zu diesem Gesicht passte, fiel er ihm gottlob wieder ein.

«Captain Todd», sagte er, seine Erleichterung verbergend.

«Major Todd inzwischen, Sir.»

«Glückwunsch, Major.»

«Ich bin zur Unterstützung General Wards eingesetzt», sagte Todd, «der Ihnen dies hier sendet.» Er reichte Wadsworth das Papier. Es war ein einzelnes Blatt, gefaltet und gesiegelt, und der Name General Artemas Ward stand in spinnenhafter Schrift unter dem Siegel.

Major Todd blickte ernst zu den Kindern hinüber, die immer noch in einer etwas unordentlichen Linie standen und zurückstarrten, fasziniert von der gebogenen Klinge an seiner Hüfte. «Rührt euch», befahl Todd und lächelte Wadsworth an. «Sie rekrutierten Ihre Soldaten recht jung, General.»

Wadsworth, dem es etwas unangenehm war, beim Exerzieren mit Kindern überrascht worden zu sein, antwortete nicht. Er brach das Siegel auf und las die kurze Nachricht. General Artemas Ward entbot dem Brigadegeneral Wadsworth seine besten Grüße und bedauerte, ihn darüber informieren zu müssen, dass gegen Lieutenant Colonel Paul Revere, den kommandierenden Offizier des Artillerieregiments von Massachusetts, Klage geführt werden sollte, weil er Rationen und Sold für dreißig nicht existierende Männer abgezweigt hatte, und General Ward forderte Wadsworth nun auf, den Wahrheitsgehalt dieser Beschuldigungen zu überprüfen.

Wadsworth las die Nachricht ein zweites Mal, schickte dann die Kinder weg und bat Todd mit einer Geste zu einem kleinen Spaziergang Richtung Friedhof. «Ist General Ward wohlauf?», erkundigte er sich höflich. Artemas Ward kommandierte die Miliz von Massachusetts.

«Im Großen und Ganzen», antwortete Todd, «nur die ewigen Schmerzen in den Beinen.»

«Er wird alt», sagte Wadsworth, und dann tauschten die beiden Männer eine Weile lang Neuigkeiten über Geburten, Heiraten, Krankheiten und Todesfälle aus, was es eben in ihrer kleinen Gemeinschaft an Veränderungen so gab. Sie waren im Schatten einer Ulme stehen geblieben, und schließlich wedelte Wadsworth mit dem Brief. «Es erscheint mir seltsam», sagte er bedächtig, «dass eine so unbedeutende Nachricht von einem Major überbracht wird.»

«Unbedeutend?», fragte Todd ernst. «Es handelt sich um Unterschlagung.»

«Was sich, wenn es wahr ist, aus den Musterungsbüchern belegen lässt. Braucht man einen General, um die Bücher zu prüfen? Das kann ein Schreiber machen.»

«Ein Schreiber hat es bereits getan», sagte Todd grimmig, «aber der Name eines Schreibers auf dem offiziellen Bericht hat keinerlei Gewicht.»

Wadsworth hörte Todds Gereiztheit. «Und Sie wollen, dass er Gewicht hat?», fragte er.

«General Ward will die Angelegenheit gründlich untersucht haben», gab Todd zurück, «und Sie sind der Generaladjutant der Miliz und damit für die Disziplin der Streitkräfte verantwortlich.»

Wadsworth zuckte bei diesen Worten leicht zusammen, die er für eine impertinente und überflüssige Erinnerung an

26

seine Pflichten hielt, ließ die Anmaßung jedoch kommentarlos durchgehen. Todd galt als gründlicher und fleißiger Mann, aber Wadsworth erinnerte sich auch an ein Gerücht, nach dem Major William Todd und Lieutenant Colonel Paul Revere eine tiefsitzende gegenseitige Abneigung pflegten. Todd hatte gemeinsam mit Revere in der Artillerie gedient, war dann jedoch unter Protest gegen die schlechte Organisation des Regiments ausgeschieden, und Wadsworth vermutete, dass Todd seine neue Position ausnutzte, um seinem alten Feind zu schaden. Das gefiel Wadsworth nicht. «Colonel Revere», sagte er milde, wenn auch vorsätzlich provozierend, «genießt einen Ruf als guter und glühender Patriot.»

«Er ist kein Ehrenmann», gab Todd heftig zurück.

«Wenn Kriege nur von Ehrenmännern geführt würden», sagte Wadsworth, «müssten wir dann nicht dauerhaften Frieden haben?»

«Sind Sie mit Colonel Revere bekannt, Sir?», fragte Todd.

«Mehr als eine flüchtige Bekanntschaft ist es nicht», sagte Wadsworth.

Todd nickte, als sei das die richtige Antwort. «Ihr Ruf, General», sagte er, «ist unanfechtbar. Wenn Sie eine Unterschlagung nachweisen, wird kein Mann in Massachusetts das Urteil anzweifeln.»

Wadsworth warf einen erneuten Blick auf die Nachricht. «Nur dreißig Mann?», fragte er zweifelnd. «Wegen solch einer Kleinigkeit sind Sie von Boston hierhergeritten?»

«Der Ritt ist gar nicht so lang», sagte Todd abwehrend, «und ich habe in Plymouth zu tun, also konnte ich Ihnen bequem meine Aufwartung machen.»

«Wenn Sie zu tun haben, Major», sagte Wadsworth, «dann will ich Sie nicht aufhalten.» Die Höflichkeit verlangte, dass er Todd zumindest eine Erfrischung anbot, und

Wadsworth war ein höflicher Mann, doch er ärgerte sich darüber, in etwas hineingezogen zu werden, das er für eine Privatfehde hielt.

«Es gibt Gerüchte», bemerkte Todd, während sie auf dem Rückweg die Gemeindewiese überquerten, «über einen Angriffsplan auf Kanada.»

«Über einen Angriff auf Kanada gibt es immerzu Gerüchte», sagte Wadsworth etwas ruppig.

«Sollte solch ein Angriff stattfinden», sagte Todd, «muss unsere Artillerie unter dem Befehl der besten Männer stehen, die wir haben.»

«Das ist auf jeden Fall wünschenswert», sagte Wadsworth, «ganz gleich, ob wir gegen Kanada marschieren oder nicht.»

«Wir brauchen einen redlichen Mann», sagte Todd.

«Wir brauchen einen Mann, der geradeaus schießen kann», gab Wadsworth schroff zurück und fragte sich, ob Todd selbst den Posten als Artilleriekommandeur anstrebte, doch er sagte nichts weiter. Seine Frau erwartete sie mit einem Glas Wasser an der Pferdestange, und Todd trank dankbar, bevor er Richtung Süden nach Plymouth weiterritt. Wadsworth ging ins Haus und zeigte Elizabeth den Brief. «Ich fürchte, hier geht es um Politik, meine Liebe», sagte er. «Nur um Politik.»

«Ist das schlecht?»

«Es ist unangenehm», sagte Wadsworth. «Colonel Revere ist ein Mann der Fraktionen.»

«Fraktionen?»

«Colonel Revere ist sehr eifrig», sagte Wadsworth und wägte seine Worte ab, «und sein Eifer macht ihm sowohl Freunde als auch Feinde. Ich vermute, dass Major Todd die Klage ins Rollen gebracht hat. Dahinter stecken Neid und Eifersucht.»

«Also glaubst du, die Beschuldigung trifft nicht zu?»

«Ich habe keine Meinung», sagte Wadsworth, «und ich würde nur allzu gern in meiner Unwissenheit verharren.» Er las den Brief noch einmal ganz durch.

«Es ist trotzdem ein Fehlverhalten», sagte Elizabeth streng.

«Oder ist es eine falsche Anschuldigung? Hat sich der Schreiber geirrt? Die Sache verwickelt mich jedenfalls in all diese Fraktionshändel, und das hasse ich. Wenn ich ihm ein Fehlverhalten nachweise, mache ich mir halb Boston und die gesamte Freimaurerschaft zum Feind. Und genau deshalb würde ich lieber unwissend bleiben.»

«Also wirst du nicht darauf reagieren?», fragte Elizabeth.

«Ich werde meine Pflicht tun, meine Liebe», sagte Wadsworth. Er hatte seine Pflicht immer getan, und sehr gut. Als Student in Harvard, als Schullehrer, als Captain in der Stadtgarde von Lexington, als Flügeladjutant General Washingtons in der Kontinentalarmee und nun als Brigadier in der Miliz. Doch es gab Zeiten, dachte er, in denen er mit seiner Seite sehr viel mehr Schwierigkeiten hatte als mit den Briten. Er faltete den Brief zusammen und setzte sich an den Mittagstisch.

Majabigwaduce war eine Landausbuchtung, beinahe eine Halbinsel, und geformt wie ein Amboss. Von Osten nach Westen maß sie etwas unter zwei Meilen und von Norden nach Süden kaum eine halbe Meile. Der Kamm ihres felsigen Hügelrückens stieg von Osten nach Westen an, wo er in einem stumpfen, hochgelegenen, bewaldeten Felsvorsprung endete, von dem man über die weite Bucht von Penobscot blicken konnte. Die Siedlung lag auf der Südseite des Hügelrückens, wo die britische Flotte im Hafen ankerte. Es war ein Dorf mit kleinen Häusern, Scheunen und Lagerhallen. Die kleinsten Häuser waren einfache Blockhütten, doch einige waren erheblich größer, mit zwei Stockwerken, und zum Teil mit Zedernschindeln verkleidet, die im milden Sonnenlicht silbrig schimmerten. Eine Kirche gab es noch nicht.

Auf dem Hügel über dem Dorf stand dichter Fichtenwald, nur weiter im Westen, wo sich die höchste Erhebung befand, gab es schöne Ahornbäume, Buchen und Birken. Eichen wuchsen unten am Wasser. Um die Siedlung war viel Land gerodet und mit Getreide bepflanzt worden, und nun fraßen sich Äxte in die Fichten, weil sich die Rotröcke darangemacht hatten, den Hügelkamm über dem Dorf freizulegen.

Siebenhundert Soldaten waren nach Majabigwaduce gekommen. Vierhundertfünfzig waren kilttragende Highlander vom 74sten, zweihundert waren Lowlander vom 82sten, und die übrigen fünfzig waren Pioniere und Kanoniere. Die Flotte, die sie gebracht hatte, war aufgelöst worden. Die *Blonde* segelte Richtung New York, und zurück blieben nur drei leere Transportschiffe und drei kleine Kriegsschaluppen, deren Masten nun den Hafen Majabigwaduce' dominierten. Am Strand stapelte sich der gelöschte Proviant, und ein neuer Weg, dessen Fahrspuren sich tief in die Erde gruben, führte direkt vom Wasser den Abhang hinauf zum Kamm des Hügels. Brigadier McLean stieg diesen Weg mit Hilfe eines gekrümmten Schwarzdornstocks hinauf. Er wurde von einem Zivilisten begleitet. «Unsere Einheit ist klein, Doktor Calef», sagte McLean, «aber Sie können sich darauf verlassen, dass wir unsere Pflicht tun.»

«Calf», sagte Calef.

«Verzeihung?»

«Mein Name, General, wird Calf ausgesprochen.»

«Oh, entschuldigen Sie, Doktor», sagte McLean und neigte den Kopf.

Doktor Calef war ein stämmiger Mann und ein paar Jahre

jünger als McLean. Er trug einen flachen Hut auf einer Perücke, die seit Wochen nicht gepudert worden war und ein rundliches Gesicht mit hervorspringendem Kinn einrahmte. Er hatte sich McLean selbst vorgestellt, seinen Rat, seine Hilfe und jede andere Unterstützung angeboten, die er geben konnte. «Sie werden doch hierbleiben, hoffe ich», sagte der Arzt.

«Zweifellos, Sir, zweifellos», sagte McLean und bohrte seinen Stock in die dünne Erdkrume. «In der Tat, wir beabsichtigen zu bleiben.»

«Um was zu tun?», fragte Calef knapp.

«Nun», McLean blieb stehen und schaute zwei Männern zu, die von einem halbgefällten Baum zurücktraten, der sich zunächst langsam neigte und dann in einer Explosion aus splitternden Ästen, Kiefernnadeln und Staub zu Boden stürzte. «Meine erste Pflicht, Doktor», sagte er, «ist es, die Aufständischen daran zu hindern, die Bucht als Hafen für ihre Kaperschiffe zu nutzen. Diese Piraten sind ein Ärgernis.» Das war noch milde ausgedrückt. Die amerikanischen Rebellen hielten mit Ausnahme der belagerten britischen Garnison Newport auf Rhode Island die gesamte Küstenlinie zwischen Kanada und New York, und britische Handelsschiffe konnten auf ihrer langen Fahrt jederzeit von den gutbewaffneten, schnellen Kaperseglern der Aufständischen angegriffen werden. Indem sie Majabigwaduce besetzten, würden die Briten die Bucht von Penobscot beherrschen und die Aufständischen daran hindern, den guten Liegeplatz zu nutzen, aus dem ein Stützpunkt der königlichen britischen Marine werden sollte. «Zugleich», fuhr McLean fort, «habe ich Befehl, jeden Angriff auf Kanada zu verhindern, und drittens, Doktor, soll ich den Handel hier beleben.»

«Mastbäume», knurrte Calef.

«Ja, vor allem Holz für Mastbäume», stimmte McLean zu, «und viertens sollen wir diese Region besiedeln.»

«Besiedeln?»

«Für die Krone, Doktor, für die Krone.» McLean lächelte und deutete mit seinem schwarzen Stock auf die Landschaft. «Sehet, Doktor Calef, Seiner Majestät Provinz New Ireland.»

«New Ireland?», fragte Calef.

«Von der kanadischen Grenze achtzig Meilen südwärts», sagte McLean, «all das ist New Ireland.»

«Dann wollen wir hoffen, dass es nicht so papistisch ist wie das alte Irland», sagte Calef säuerlich.

«Ich bin sicher, dass es ein gottesfürchtiges Land sein wird», sagte McLean taktvoll. Der General hatte viele Jahre in Portugal gedient und teilte die Abneigung seiner Landsleute gegen die Katholiken nicht, doch er war als Soldat erfahren genug, um zu wissen, wann es sich nicht zu kämpfen lohnte. «Und was hat Sie nach New Ireland verschlagen, Doktor?», fragte er, um das Thema zu wechseln.

«Ich wurde von den verdammten Aufständischen aus Boston vertrieben», sagte Calef wütend.

«Und anschließend haben Sie sich diesen Ort hier ausgesucht?», fragte McLean, außerstande, seine Überraschung darüber zu verbergen, dass der Arzt von Boston in diese neblige Wildnis geflüchtet war.

«Wohin hätte ich meine Familie sonst mitnehmen können?», fragte Calef, immer noch wütend. «Bei Gott, General, zwischen New York und hier gibt es keine rechtmäßige Regierung! Vom Namen einmal abgesehen, sind die Kolonien schon unabhängig! In Boston haben die Schufte eine eigene Verwaltung, ein Parlament, Staatsämter und Gerichte! Warum? Warum wird das erlaubt?»

«Sie hätten doch nach New York gehen können», sagte McLean, ohne auf Calefs empörte Frage einzugehen, «oder nach Halifax.»

«Ich komme aus Massachusetts», sagte Calef, «und ich

vertraue darauf, eines Tages nach Boston zurückkehren zu können, aber in ein Boston, in dem es keine Aufständischen mehr gibt.»

«Auch ich bete darum», sagte McLean. «Sagen Sie, Doktor, hat die Frau ihr Kind gut zur Welt gebracht?»

Doktor Calef blinzelte überrascht. «Die Frau? Oh, Sie meinen die Frau von Joseph Perkins. Ja, alles ist gut verlaufen. Ein gesundes Mädchen.»

«Also wieder ein Mädchen», sagte McLean und ließ den Blick über die weite Bucht hinter der Hafenzufahrt schweifen. «Große Bucht mit großen Tiden», sagte er leichthin und bemerkte den verständnislosen Blick des Arztes. «Mir wurde erklärt, das sei die Bedeutung von Majabigwaduce», sagte er.

Calef runzelte die Stirn und machte eine wegwerfende Geste, als wäre diese Überlegung vollkommen unwichtig. «Ich habe keine Ahnung, was der Name bedeutet, General. Da müssten Sie die Wilden fragen. Es ist ihr Name für diesen Ort.»

«Nun, jetzt ist das alles New Ireland», sagte McLean und tippte an seine Hutkrempe. «Guten Tag, Doktor, wir werden sicher noch öfter die Gelegenheit haben, miteinander zu sprechen. Ich danke Ihnen für Ihre Unterstützung, aber wenn Sie mich jetzt entschuldigen würden, die Pflicht ruft.»

Calef sah dem General nach, der weiter den Hügel hinaufhinkte. Dann rief er ihm nach: «General McLean!»

«Sir?» McLean wandte sich um.

«Sie glauben doch nicht, dass die Aufständischen Sie hier in Ruhe lassen werden, oder?»

McLean schien einen Moment lang über die Frage nachzudenken, beinahe, als hätte er sie sich noch nicht selbst gestellt. «Ich denke nicht», sagte er dann milde.

«Sie werden Sie angreifen», warnte ihn Calef. «Sobald sie

wissen, dass Sie hier sind, werden sie kommen und Sie angreifen.»

«Wissen Sie was?», sagte McLean. «Das glaube ich auch.» Er tippte sich erneut an den Hut. «Guten Tag, Doktor. Ich freue mich für Mrs. Perkins.»

«Mrs. Perkins soll der Teufel holen», sagte der Doktor, aber so leise, dass es der General nicht hören konnte. Dann wandte er sich um, starrte südwärts die langgezogene Bucht hinunter, an Long Island vorbei, wo der Fluss auf seinem Weg zum Meer verschwand, und fragte sich, wie lange es wohl dauern würde, bis eine Flotte der Rebellen auftauchte.

Und diese Flotte würde auftauchen, das war sicher. Boston würde von McLeans Anwesenheit erfahren, und Boston würde an diesem Ort keine Rotröcke dulden. Und Calef kannte Boston. Er war dort für Massachusetts Mitglied im Abgeordnetenhaus gewesen, aber er war auch ein starrköpfiger Loyalist, der aus seiner Heimat vertrieben worden war, nachdem sich die Briten aus Boston zurückgezogen hatten. Und nun lebte er hier, in Majabigwaduce, und die Aufständischen würden kommen und ihn erneut jagen. Er wusste es, er fürchtete ihre Ankunft, und er fürchtete, dass ein General, der sich nach dem Wohlergehen einer Frau und ihres Babys erkundigte, zu weich war, um zu tun, was notwendig war. «Einfach alle umbringen», knurrte er vor sich hin. «Einfach alle umbringen.»

Sechs Tage nachdem Brigadegeneral Wadsworth die Kinder hatte exerzieren lassen und Brigadegeneral McLean in den geschützten Hafen von Majabigwaduce eingelaufen war, ging ein Captain auf dem Achterdeck seines Schiffes auf und ab, der Fregatte *Warren* aus der Kriegsflotte der Kontinentalstreitkräfte. Es war an diesem Morgen warm in Boston. Nebel hing über den Hafeninseln, und ein feuchter Südwestwind brachte die Ahnung eines nachmittäglichen Gewitters.

«Das Wetterglas?», fragte der Captain knapp.

«Fallend, Sir», antwortete ein Seekadett.

«Wie ich mir dachte», sagte Captain Dudley Saltonstall, «genau wie ich mir dachte.» Er ging von Backbord nach Steuerbord und von Steuerbord nach Backbord. Sein Gesicht mit dem länglichen Kinn wurde von der vorstehenden Ecke seines Dreispitzes beschattet, unter dem heraus seine dunklen Augen aufmerksam zwischen den vielen ankernden Schiffen und seiner Mannschaft hin und her wanderten, die über das Deck, die Seitenplanken und die Takelage wuselte, um die Fregatte ihrer Morgentoilette zu unterziehen. Saltonstall hatte das Kommando über die *Warren* erst vor kurzem erhalten, und er war entschlossen, sein Schiff sauber zu halten.

«Wie ich mir schon dachte», sagte Saltonstall erneut. Der Seekadett stand in respektvollem Schweigen neben der Backbordkanone, den Fuß auf die Lafette gestützt. Der Wind war lebhaft genug, um die *Warren* an ihren Ankerseilen zerren und sie auf den niedrigen Wellen tanzen zu lassen, die mit weißen Kronen durch das Hafenbecken liefen. Die *Warren*, ebenso wie die beiden Segler neben ihr, die ebenfalls zur Flotte der Kontinentalstreitkräfte gehörten, führte die rotweiß gestreifte Flagge, auf der eine Schlange über den Worten «Don't Tread on Me» – Tritt nicht auf mich – aufstieg. Viele der anderen Schiffe in dem überfüllten Hafen führten die nagelneue Flagge der Vereinigten Staaten mit Streifen und Sternen, doch zwei elegante Briggs, die beide mit vierzehn Sechspfünder-Kanonen bewaffnet waren und beide nahe der *Warren* ankerten, ließen die Flagge der Kriegsflotte von Massachusetts flattern, die eine grüne Kiefer auf weißem Grund und die Worte «An Appeal to Heaven» – Eine Anrufung des Himmels – trug.

«Eine Anrufung des Humbugs», brummte Saltonstall unwillig.

«Sir?», fragte der Seekadett ängstlich.

«Wenn unsere Sache gerecht ist, Mister Coningsby, warum müssen wir dann den Himmel anrufen? Lassen Sie uns lieber an die Macht, an die Gerechtigkeit und an die Vernunft appellieren.»

«Aye, aye, Sir», sagte der Seekadett, verunsichert von der Angewohnheit des Captains, an dem Mann, mit dem er sprach, vorbeizuschauen.

«Anrufung des Himmels!», höhnte Saltonstall und blickte immer noch am Ohr des Seekadetten vorbei auf die beleidigende Flagge. «Im Krieg, Mister Coningsby, wäre es vermutlich sogar besser, die Hölle anzurufen.»

Die Flaggen anderer Segler waren verspielter gestaltet. Ein tiefliegendes Schiff, dessen Masten nach hinten geneigt und dessen Geschützpforten schwarz gestrichen waren, zeigte eine zusammengerollte Klapperschlange auf seiner Flagge, auf einer zweiten waren ein Schädel und gekreuzte Knochen zu sehen und auf einer dritten König George von England, der seine Krone an einen äußerst fröhlichen Yankee verlor, der eine nagelgespickte Keule schwenkte. Captain Saltonstall missbilligte all diese selbstgemachten Flaggen. Sie symbolisierten für ihn Unordnung. Ein Dutzend andere Schiffe führten britische Flaggen, doch über all diesen Flaggen waren die amerikanischen Farben aufgezogen worden, zum Zeichen, dass diese Schiffe erbeutet worden waren, und auch das missbilligte Captain Saltonstall. Nicht, dass die britischen Handelsschiffe erbeutet worden waren, das war sogar ausgesprochen vorteilhaft, und auch nicht, dass die Flaggen den Erfolg im Kampf verkündeten, denn das war ebenfalls wünschenswert, aber dass die Beuteschiffe nun als Privateigentum angesehen wurden! Nicht als Eigentum der Vereinigten Staaten, sondern als Eigentum von

Freibeutern, wie die niedrig im Wasser liegende Schaluppe mit den nach achtern geneigten Masten und der Klapperschlangen-Flagge.

«Das sind nichts weiter als Piraten, Mister Coningsby», knurrte Saltonstall.

«Aye, aye, Sir», gab Seekadett Fanning zurück. Seekadett Coningsby war in der Vorwoche am Fieber gestorben, doch sämtliche zaghaften Versuche Fannings, seinen Captain zu korrigieren, waren gescheitert, und so hatte er die Hoffnung begraben, bei seinem richtigen Namen genannt zu werden.

Saltonstall sah immer noch stirnrunzelnd zu den Kaperschiffen hinüber. «Wie sollen wir eine ordentliche Mannschaft zusammenstellen, wenn die Piraterie lockt?», beschwerte sich Saltonstall. «Erklären Sie mir das, Mister Coningsby!»

«Das weiß ich nicht, Sir.»

«Es ist unmöglich, Mister Coningsby, unmöglich», sagte Saltonstall, erbost über die Ungerechtigkeit der Gesetze. Es stimmte wohl, dass die Freibeuter patriotische Kaperer waren, die sich wie grimmige Wölfe in den Kampf stürzten, doch sie kämpften für ihren privaten Profit, und das machte es für ein Kriegsschiff der Kontinentalstreitkräfte wie die *Warren* unmöglich, eine gute Crew zu finden. Welcher junge Bostoner würde seinem Land für ein paar Pennys dienen, wenn er bei einem Freibeuter anheuern und einen Anteil der Beute einstreichen konnte? Kein Wunder, dass es auf der *Warren* an Leuten fehlte! Sie führte zweiunddreißig Kanonen und war eine der schmucksten Fregatten an der amerikanischen Küste, doch Saltonstall hatte so wenige Männer, dass er nur mit der Hälfte seiner Waffen kämpfen konnte, während die Kaperschiffe alle voll bemannt waren. «Es ist eine Schande, Mister Coningsby!»

«Aye, aye, Sir», sagte Seekadett Fanning.

«Sehen Sie sich das an!» Saltonstall unterbrach sein Auf-

und-ab-Gehen, um auf die *Ariadne* zu zeigen, ein breites britisches Handelsschiff, das von einem Kaperer erbeutet worden war. «Wissen Sie, was sie geladen hatte, Mister Coningsby?»

«Eine Fracht Nussbaumholz von New York nach London, Sir?»

«Und sechs Kanonen, Mister Coningsby! Neunpfünder! Sechs Stück. Gute, lange Neunpfünder! Ganz neu! Und wo sind diese Kanonen jetzt?»

«Das weiß ich nicht, Sir.»

«Sie werden in Boston zum Kauf angeboten!», zischte Saltonstall verächtlich. «Zum Kauf, Mister Coningsby, in Boston, während unser Land dringend Kanonen braucht! Das macht mich wütend, Mister Coningsby, wirklich wütend.»

«Aye, aye, Sir.»

«Diese Kanonen werden für irgendwelchen Firlefanz eingeschmolzen werden. Für reinen Firlefanz! Meiner Treu, das macht mich ungeheuer wütend.» Captain Saltonstall trug seinen Ärger zur Steuerbordreling, wo er stehen blieb, um einen kleinen Kutter zu beobachten, der aus Norden ankam. Seine dunklen Segel erschienen zuerst nur als Fleck im Nebel, dann gewann der Fleck deutlichere Konturen, und langsam schälte sich ein etwa vierzig Fuß langer Einmaster aus dem Dunst. Es war kein Fischerboot, dazu war der Segler zu schmal, doch in den Seitenplanken befanden sich Ruderdollen, die deutlich machten, dass der Segler an windstillen Tagen mit zwölf Rudern bewegt werden konnte, und Saltonstall erkannte in ihm eines der schnellen Kurierboote, die von der Regierung von Massachusetts eingesetzt wurden. Ein Mann stand mittschiffs und hatte die Hände um den Mund gelegt; offenkundig rief er den ankernden Seglern, an denen er vorbeifuhr, Neuigkeiten zu. Saltonstall hätte allzu gern gewusst, was der Mann rief, doch er hielt es als Captain der Kontinentalflotte für unter seiner Würde, auf solch vulgäre Art an seine Informationen zu kommen, und so wandte er sich ab, während ein Schoner, dessen Relings von Geschützpforten durchbrochen waren, Geschwindigkeit aufnahm, um an der *Warren* vorbeizufahren. Der Schoner war ein Freibeuter mit schwarzem Rumpf, auf dem in aufdringlichem Weiß der Name *King-Killer* stand. Die schmutzigen Segel der *King-Killer* waren zur Ausfahrt aus dem Hafen gerefft. Sie führte ein Dutzend Deckkanonen, die ausreichten, um die meisten britischen Handelsschiffe zur schnellen Aufgabe zu zwingen, und sie war auf Geschwindigkeit ausgelegt, sodass sie jedem Kriegsschiff der britischen Flotte entkommen konnte. Auf ihrem Deck drängten sich die Männer, und an der Gaffel hing eine blaue Flagge, auf die in Weiß das Wort «Liberty» gestickt war. Saltonstall wartete darauf, dass die Flagge als Gruß an sein eigenes Hoheitszeichen gesenkt wurde, doch der schwarze Schoner glitt ohne jedes Zeichen der Achtung vorüber. Ein Mann an der Heckreling sah Saltonstall an und spuckte anschließend ins Wasser, sodass der Captain der *Warren* wütend auffuhr, weil er eine Beleidigung vermutete. Er sah der *King-Killer* nach, die auf den Nebel zusteuerte. Sie ging auf Jagd, fuhr über die Bucht, nördlich um Cape Cod herum und hinaus auf den Atlantik, wo sich die fetten britischen Frachter auf ihrem Westkurs von Halifax nach New York heranwälzten.

«Firlefanz», knurrte Saltonstall.

Eine offene Barkasse mit gedrungenem Mast, um deren Reling ein schwarzer Streifen verlief, legte vom Kai von Castle Island ab. Ein Dutzend Männer saßen an den Rudern und legten sich gegen die niedrigen, kabbeligen Wellen in die Riemen. Beim Anblick der Barkasse fischte Captain Saltonstall eine Uhr aus der Tasche. Er ließ den Deckel aufschnappen und stellte fest, dass es zehn Minuten nach acht war. Die Barkasse war hundertprozentig pünktlich, und in einer Stunde würde er sie von Boston zurückkehren sehen, den Kommandanten der Garnison von Castle Island an Bord, der es vorzog, in der Stadt zu übernachten. Saltonstall schätzte die Castle-Island-Barkasse mit ihrem eleganten schwarzen Farbstreifen und der Mannschaft, die, auch wenn sie nicht in Uniform war, einheitlich blaue Hemden trug. Das zeugte von einem Streben nach Ordnung, nach Disziplin, nach Anstand.

Der Captain begann erneut, ruhelos von Backbord nach Steuerbord und von Steuerbord nach Backbord zu gehen.

Die *King-Killer* verschwand im Nebel.

Die Castle-Island-Barkasse zog die Ankerkette ein. Eine Kirchenglocke begann zu läuten.

Im Hafen von Boston, an einem warmen Morgen, dem 23. Juni 1779.

Der Zahlmeister von Seiner Majestät 82stem Infanterieregiment schritt auf dem Hügelkamm von Majabigwaduce westwärts. Hinter ihm hallten Axtschläge, während er selbst von Nebel eingehüllt war. Von dichtem Nebel. Seit die Flotte eingetroffen war, hatte es jeden Morgen Nebel gegeben. «Er wird sich in der Sonne auflösen», sagte der Zahlmeister gut gelaunt.

«Aye, aye, Sir», gab Sergeant McClure stumpfsinnig zurück. Der Sergeant hatte einen Feldposten von sechs Mann aus dem 82sten Infanterieregiment unter sich, dem Regiment des Herzogs von Hamilton, das deshalb auch die Hamiltons genannt wurde. McClure war mit seinen dreißig Jahren wesentlich älter als seine Männer und zwölf Jahre älter als der Zahlmeister, ein Lieutenant, der den Feldposten mit schnellem, begeistertem Schritt anführte. Sein Befehl lautete, einen ständigen Wachdienst an der westlichen Hügelspitze einzurichten, von dem aus die weite Bucht von Penobscot beobachtet werden sollte. Sollte ein Feind kommen, würde er sich höchstwahrscheinlich über die Bucht nähern. Die Feldposteneinheit befand sich nun in dichtem Wald, unter mächtigen Bäumen, durch die Nebelschwaden zogen. «Der Brigadier, Sir», wagte sich Sergeant McClure vor, «sagte, hier würden sich vielleicht Rebellen verstecken.»

«Unsinn! Hier gibt es keine Rebellen! Die sind alle geflohen, Sergeant!»

«Wenn Sie meinen, Sir.»

«Ja, das meine ich», sagte der junge Offizier lebhaft. Dann blieb er unvermittelt stehen und deutete ins Unterholz. «Da!»

«Ein Aufständischer, Sir?», fragte McClure, der unter den Kiefern nichts Besonderes entdecken konnte.

«Ist das eine Drossel?»

«Ach so.» Jetzt sah McClure, was die Aufmerksamkeit des Zahlmeisters erregt hatte, und schaute genauer hin. «Das ist ein Vogel, Sir.»

«Es mag Ihnen merkwürdig erscheinen, Sergeant, aber diese Tatsache war mir bekannt», sagte der Lieutenant belustigt. «Nehmen Sie die Brust zur Kenntnis, Sergeant.»

Pflichtbewusst nahm Sergeant McClure die Brust des Vogels zur Kenntnis. «Rot, Sir?»

«In der Tat. Rot. Glückwunsch, Sergeant. Müssen Sie da nicht an unser einheimisches Rotkehlchen denken? Aber dieser Bursche ist größer, viel größer! Ein hübscher Bursche, nicht wahr?»

«Soll ich ihn abschießen, Sir?», fragte McClure.

«Nein, Sergeant, ich ziehe es vor, dass Sie sein Gefieder bewundern. Eine Drossel trägt den roten Rock Seiner Majestät, würden Sie das nicht als gutes Omen deuten?»

«Oh, aye, Sir, das würde ich.»

«Mir fehlt bei Ihnen ein gewisser Eifer, Sergeant.» Der achtzehnjährige Lieutenant lächelte zum Zeichen, dass er das nicht ernst meinte. Er war groß, einen ganzen Kopf größer als der stämmige Sergeant, hatte ein rundliches, ausdrucksvolles Gesicht, in dem ständig ein Lächeln aufblitzte, und einen klugen, aufmerksamen Blick. Sein Uniformrock war aus kostspieligem scharlachrotem Tuch geschneidert, mit schwarzen Aufschlägen geschmückt, und es ging das Gerücht, die schimmernden Uniformknöpfe bestünden aus purem Gold. Lieutenant John Moore war nicht vermögend, er war ein Arztsohn, aber jedermann wusste, dass er mit dem jungen Herzog befreundet war, und der Herzog war angeblich reicher als die zehn reichsten Männer in ganz Schottland, und ein reicher Freund, wie ebenfalls jedermann wusste, war das Zweitbeste, wenn man nicht selbst reich war. Der Herzog von Hamilton war so reich, dass er die gesamten Kosten für die Aufstellung des 82sten Infanterieregiments aufgebracht hatte. Er hatte Uniformen, Musketen und Bajonette gekauft, und es wurde erzählt, dass er noch zehn weitere solcher Regimenter aufstellen konnte, ohne die Ausgabe auch nur zu bemerken. «Vorwärts», sagte Moore, «vorwärts, immer vorwärts.»

Die sechs Soldaten, alle aus den schottischen Lowlands, rührten sich nicht. Sie starrten Lieutenant Moore einfach nur an, wie ein seltsames Geschöpf aus einem fernen Heidenlande.

«Vorwärts!», rief Moore erneut und ging schnellen Schritts zwischen den Bäumen weiter. Der Nebel dämpfte den hellen Klang der Axtschläge aus der Richtung, in der Brigadier McLeans Leute den Hügelkamm rodeten, sodass um das geplante Fort offenes Schussfeld lag. Die Feldposteneinheit vom 82sten stieg inzwischen eine sanfte Anhöhe hinauf, die zu einem weiten Plateau mit dichtem Unterholz und dunklen Tannen führte. Moore stapfte durch das Gebüsch und blieb erneut unvermittelt stehen. «Da», sagte er und streckte den Zeigefinger aus, «*Thalassa, Thalassa.*»

«Dalassen?», fragte McClure.

«Haben Sie etwa Xenophons *Anabasis* nicht gelesen, Sergeant?», fragte Moore in gespieltem Entsetzen.

«Ist das die nach Leviticus, Sir?»

Moore lächelte. «*Thalassa*, Sergeant, *Thalassa*», sagte er, «war der Ruf der Zehntausend, als sie endlich, nach ihrem langen Marsch und nach ihrer schweren Mühsal, das Meer erreichten. Das bedeutet das Wort. Das Meer! Das Meer! Und es war ein Freudenruf, denn sie fanden ihre Sicherheit in der sanften Wölbung seines Busens.»

«Seines Busens, Sir», echote McClure und spähte eine jäh abfallende, dicht bewaldete Klippe hinunter, um durch Laubwerk und Nebelschwaden einen Blick auf das kalte Meer zu erhaschen. «Es ist aber nicht sehr vollbusig, Sir.»

«Und über dieses Wasser, Sergeant, von seinem Schlupfwinkel in den düsteren Landen Bostons, wird der Feind kommen. Sie werden zu Hunderten und zu Tausenden kommen, sie werden sich anschleichen wie die schwarzen Horden des Midian, auf uns niederkommen wie die Assyrer!»

«Aber nicht, wenn sich der Nebel hält, Sir», sagte McClure. «Dann werden sich diese Kerle nämlich verlaufen.»

Ausnahmsweise einmal sagte Moore nichts. Er blickte die Klippe hinunter. Es war keine richtige Klippe, mehr ein Steilufer, doch niemand würde leicht heraufklettern können. Ein Angreifer würde sich die zweihundert Fuß durch das wuchernde Unterholz hocharbeiten müssen, und ein Mann, der seine Hände brauchte, um sich festzuhalten, konnte seine Muskete nicht benutzen. Ein schmaler, steiniger Strand war gerade eben zu erkennen.

«Kommen die Kerle denn?», fragte McClure.

«Das können wir nicht sagen», sagte Moore unaufmerksam.

«Aber der Brigadier denkt es, Sir?», erkundigte sich McClure ängstlich. Die Soldaten hörten zu und ließen dabei ihre Blicke unruhig von dem kleinen Sergeant zu dem großen Offizier wandern.

«Wir müssen davon ausgehen», sagte Moore leichthin, «dass diesen erbärmlichen Kreaturen unsere Anwesenheit zuwider ist. Wir machen ihnen das Leben schwer. Indem wir uns in diesem Land der sauren Milch und des bitteren Honigs festsetzen, hindern wir ihre Kaperer daran, die Häfen zu nutzen, die sie für ihre schändlichen Plünderungen brauchen. Wir sind ein Stachel in ihrem Fleisch, wir sind unbequem, wir sind eine Bedrohung ihres Friedens.»

McClure kratzte sich an der Stirn. «Also glauben Sie, dass die Kerle kommen, Sir?»

«Ich hoffe sogar darauf, verdammt», sagte Moore mit plötzlicher Heftigkeit.

«Aber nicht hier, Sir», sagte McClure überzeugt. «Zu steil.»

«Sie werden irgendwo in Reichweite ihrer Schiffskanonen landen wollen», sagte Moore.

«Kanonen, Sir?»

«Große Metallrohre, die Kugeln ausspucken, Sergeant.»

«Oh, danke, Sir. Ich hatte mich das gerade gefragt, Sir», sagte McClure mit einem Lächeln.

Moore versuchte vergeblich, sein eigenes Lächeln zu unterdrücken. «Sie wollen einen Kanonenhagel auf uns niedergehen lassen, Sergeant, daran gibt es keinen Zweifel. Und ich bezweifle außerdem nicht, dass von Schiffen aus dieser Abhang unter Kanonenbeschuss genommen werden kann, aber Männer, die hier heraufklettern, würden direkt in unser Musketenfeuer laufen. Trotzdem hoffen wir, dass sie hier landen. Keine Einheit kommt diesen Hang herauf, wenn wir sie oben erwarten, was? Bei Gott, Sergeant, wir werden die Reihen dieser aufständischen Bastarde ordentlich lichten!»

«Das werden wir, Sir», sagte McClure pflichtbewusst, doch in seinen sechzehn Jahren Militärdienst hatte er sich an forsche junge Offiziere gewöhnt, deren Selbstbewusstsein wesentlich größer war als ihre Erfahrung. Lieutenant Moore, dachte der Sergeant, war ein weiteres Exemplar dieser Spezies, doch McClure mochte ihn. Der Zahlmeister besaß eine natürliche Autorität, was selten war bei einem so jungen Mann, und er wurde für einen gerechten Offizier gehalten, der sich um seine Truppen kümmerte. Dennoch, ging es McClure durch den Kopf, würde John Moore entweder Vernunft lernen müssen oder jung sterben.

«Wir werden sie niedermetzeln», sagte Moore leidenschaftlich. Dann streckte er die Hand aus. «Ihre Muskete, Sergeant.»

McClure reichte dem Offizier seine Muskete und sah zu, wie Moore eine Guinee auf den Boden legte. «Der Soldat, der schneller feuern kann als ich, wird mit dieser Guinee belohnt», sagte Moore. «Das Ziel ist dieser abgestorbene Baum, der dort auf dem Abhang umgestürzt ist. Sehen Sie ihn?»

«Zielt auf den abgeknickten Baum», erklärte McClure den Soldaten. «Sir?»

«Sergeant?»

«Wird das Knallen der Musketen nicht das Lager in Alarm versetzen, Sir?»

«Ich habe dem Brigadier gesagt, dass wir schießen werden, Sergeant. Ihren Patronenkasten, wenn es genehm ist.»

«Seid schnell, Leute», ermutigte McClure seine Männer. «Verdient euch ein bisschen Offiziersgeld!»

«Sie können laden und sich schussbereit machen», sagte Moore. «Ich schlage fünf Schüsse vor. Wenn einer von Ihnen vor mir fünf Schüsse abgefeuert hat, bekommt er die Guinee. Stellen Sie sich am besten vor, Gentlemen, dass eine Horde übelriechender Rebellen die Klippe heraufklettert, und dann tun Sie Ihren Dienst für den König und schicken die Halunken zur Hölle.»

Die Musketen wurden geladen: Das Schießpulver, das Schusspflaster und die Kugel wurden in die Läufe gestopft, die Zündschlösser vorbereitet und die Batterien geschlossen. Das Klicken, mit dem die Waffen gespannt wurden, klang seltsam laut in der nebelverhangenen Morgenluft.

«Gentlemen vom 82sten», kam es dann großartig von Moore, «sind Sie bereit?»

«Die Kerle sind bereit, Sir», sagte McClure.

«Anlegen!», befahl Moore. «Feuer!»

Sieben Musketen knallten und stießen stinkenden Pulverrauch aus, der wesentlich dicker war als der Nebel. Der Rauch verzog sich nur langsam, während Vögel durch den dichten Wald flüchteten und Möwen über dem Wasser kreischten. Über das Echo der Schüsse hinweg hörte McClure die Kugeln Blattwerk zerfetzen und klappernd auf den steinigen Strand fallen. Die Männer rissen mit den Zähnen ihre nächste Patronenkartusche auf, doch Lieutenant Moore hatte schon Vorsprung. Er hatte die Muskete schussbereit gemacht, die Zündpfanne geschlossen, und nun stellte er den schweren Kolben auf den Boden und füllte das Pulver in den Lauf. Dann stopfte er das Patronenpapier und die Kugel in den Lauf, hob den Ladestock, rammte ihn kraftvoll in den Lauf, zerrte ihn mit einem Geräusch von Metall, das auf Metall rieb, wieder heraus, steckte den Ladestock in den Boden, hob das Gewehr an die Schulter, spannte den Hahn und schoss.

Noch keiner hatte Lieutenant John Moore geschlagen. Major Dunlop hatte einmal die Zeit gemessen und danach ungläubig verkündet, dass der Lieutenant fünf Schüsse innerhalb von sechzig Sekunden abgegeben hatte. Die meisten Männer schafften drei Schüsse pro Minute, ein paar brachten es auf vier, doch der Arztsohn und Freund eines Herzogs konnte fünf Schüsse abfeuern. Moore war von einem Preußen an der Muskete ausgebildet worden, und als Junge

46

hatte er geübt und geübt, hatte die wichtigste Fertigkeit eines Soldaten perfektioniert, und er war sich seines Könnens so sicher, dass er, als er die beiden letzten Schüsse lud, nicht einmal einen Blick auf die geliehene Waffe verschwendete, sondern stattdessen McClure mit einem schiefen Lächeln ansah. «Fünf!», rief Moore, und in seinen Ohren dröhnte der Knall der Schüsse. «Hat mich jemand geschlagen, Sergeant?»

«Nein, Sir. Soldat Neill ist auf drei Schüsse gekommen, die anderen auf zwei.»

«Dann ist meine Guinee ja in Sicherheit», sagte Moore und klaubte sie vom Boden auf.

«Und wir?», murmelte der Sergeant.

«Sagten Sie etwas, Sergeant?»

McClure starrte die Klippe hinab. Der Rauch verzog sich, und er konnte erkennen, dass der umgeknickte Baum, der gerade nur dreißig Schritte entfernt war, von keiner einzigen Musketenkugel getroffen worden war. «Wir sind hier nur sehr wenige, Sir», sagte er, «und wir sind allein, und die Aufständischen sind viele.»

«Umso mehr von ihnen können wir töten», sagte Moore. «Wir sollten hier oben Posten beziehen, bis sich der Nebel lichtet, Sergeant, und dann nach einem besseren Aussichtspunkt suchen.»

«Aye, Sir.»

Der Wachposten wurde aufgestellt. Seine Aufgabe war es, nach dem anrückenden Feind Ausschau zu halten. Dieser Feind, so hatte der Brigadier seinen Leuten versichert, würde kommen. Da war McLean sicher. Also ließ er Bäume fällen und kartierte, wo das Fort entstehen sollte.

Um das Land des Königs gegen die Feinde des Königs zu verteidigen.

Auszug eines Briefes der Ratsregierung von Massachusetts an den Führungsstab der Kontinentalflotte in Boston, 30. Juni 1779:

Gentlemen: Die Generalversammlung dieses Staates hat eine Kriegsexpedition nach Penobscot beschlossen, um den Gegner der Vereinigten Staaten zu vertreiben, der dort vor Kurzem Einzug gehalten hat und, wie man hört, Feindseligkeiten gegen die Guten Leute dieses Staates begeht ... sie verschanzen sich bei Baggobagadoos, und da sie von einer beträchtlichen Seestreitkraft unterstützt werden, ist es, um unser Vorhaben bewerkstelligen zu können, notwendig, eine überlegene Seemacht dorthin zu schicken, die unsere Operationen an Land verstärkt. Deshalb erbitten wir mit diesem Schreiben ... Unterstützung für unser Vorhaben, indem Sie die Kriegsflotte dieses Staates, der sich mit Höchstmöglicher Geschwindigkeit für eine Expedition nach Penobscot vorbereitet, mit der Kontinentalfregatte und den anderen Seglern verstärken, die derzeit hier im Hafen liegen.

Auszüge aus dem Befehl zur Zwangsrekrutierung, ergangen an die Sheriffs von Massachusetts, 3. Juli 1779:

Hiermit erhalten Sie die Ermächtigung und Anordnung, mit der Unterstützung, die Sie für notwendig erachten, unverzüglich jeden gesunden Seemann oder Matrosen, den Sie in

Ihrem Bezirk finden, zum Militärdienst zu pressen … um
an Bord eines der Segler zu dienen, die auf Beschluss dieses
Staates auf der geplanten Expedition nach Penobscot genutzt
werden … Hiermit werden Sie ermächtigt, an Bord jeglichen
Schiffs oder Wasserfahrzeugs zu gehen und es zu durchsuchen
und jedes Wohnhaus oder andere Gebäude aufzubrechen und
zu durchsuchen, in dem Sie einen versteckten Seemann oder
Matrosen vermuten.

Auszug eines Briefes von Brigadegeneral Charles Cushing an
die Ratsregierung des Staates Massachusetts, 19. Juni 1779:

Ich habe den Offizieren meiner Brigade Befehl erteilt, ver-
wendbare Männer dafür anzuwerben. Hiermit informiere
ich Euer Ehren, dass derzeit keine Aussicht darauf besteht,
auch nur einen Mann zu bekommen, denn die Leute betrach-
ten das angebotene Handgeld als ungenügend.

ZWEI

Lieutenant Colonel Paul Revere stand breitbeinig im Hof des Bostoner Waffenarsenals. Er trug einen hellblauen Uniformrock mit braunen Aufschlägen, weiße Kniehosen aus Rehleder und Stiefel, und von seinem breiten braunen Gürtel hing ein Entermesser herab. Sein breitrandiger Filzhut beschattete ein großflächiges, eigensinnig wirkendes Gesicht, dessen Stirn Revere gerade nachdenklich runzelte. «Machst du diese Liste, Junge?», fragte er schroff.

«Ja, Sir», antwortete der Junge. Er war zwölf Jahre alt, der Sohn Josiah Flints, der von seinem hochlehnigen, gut gepolsterten Stuhl aus über die Waffenkammer herrschte. Nun war der Stuhl aus dem Büro geholt und neben die aufgebockte Tischplatte gestellt worden, wo der Junge seine Liste schrieb. Flint saß gern im Hof, wenn es das Wetter erlaubte, sodass er ein Auge auf das Kommen und Gehen in seinem Zuständigkeitsbereich haben konnte.

«Schleppketten», sagte Revere, «Schwämme, Rohrweitenprüfer, Auskratzer, bin ich zu schnell?»

«Auskratzer», murmelte der Junge und tauchte seine Feder ins Tintenfass.

«Heiß heute», grummelte Josiah Flint in den Tiefen seines Stuhles.

«Es ist Sommer», sagte Revere, «da sollte es auch heiß sein. Ladestöcke, Junge, und Werghaken. Nagelstifte, Mündungspfropfen, Zündeisen, Zündlochpfropfen. Was habe ich vergessen, Mister Flint?»

«Zündschnüre, Colonel.»

«Zündschnüre, Junge.»

«Zündschnüre», sagte der Junge und schloss die Liste ab.

«Und irgendetwas habe ich noch im Hinterkopf», sagte Flint stirnrunzelnd. Er überlegte einen Moment und schüttelte dann den Kopf. «Vielleicht war es nichts Wichtiges», sagte er.

«Du gehst durch das Lager deines Vaters, Junge», sagte Revere, «und stapelst diese Sachen auf. Wir müssen wissen, wie viele davon wir jeweils haben. Du schreibst die Zahl auf, und dann sagst du es mir. Ab mit dir.»

«Und Kübel», ergänzte Josiah Flint hastig.

«Und Kübel!», rief Revere dem Jungen nach. «Aber keine mit Löchern!» Er nahm sich den Stuhl des Jungen und sah Josiah Flint an, der gerade in ein Hühnerbein biss. Flint war ein gewaltiger Mann, sein Bauch quoll über seinen Gürtel, und er schien die Absicht zu haben, noch fetter zu werden, denn jedes Mal, wenn Revere die Waffenkammer besuchte, traf er seinen Freund essend an. Eine Platte mit Maisbrot, Radieschen und gebratenem Huhn stand auf dem Tisch, und Flint deutete mit einer vagen Geste darauf, als wolle er Colonel Revere einladen, sein Mahl zu teilen.

«Haben Sie noch keine Befehle erhalten, Colonel?», fragte Flint. Seine Nase war bei Saratoga von einer Gewehrkugel zertrümmert worden, nur Minuten bevor ihm ein Kanonenschuss das rechte Bein abriss. Er konnte nicht mehr durch die Nase atmen, und so musste er an dem halbzerkauten Essen in seinem Mund vorbei Luft holen, was mit einem schniefenden Geräusch verbunden war. «Sie hätten Ihnen schon Ihre Befehle geben sollen, Colonel.»

«Die wissen doch nicht mal, ob sie pissen oder kotzen, Mister Flint», sagte Revere, «aber ich kann nicht warten, bis sie endlich eine Entscheidung getroffen haben. Die Waffen müssen vorbereitet sein!»

«Kein Mann könnte das besser als Sie, Colonel», sagte Josiah Flint und kratzte ein Stück Radieschen zwischen seinen Schneidezähnen heraus.

«Obwohl ich nicht in Harvard war, was?», sagte Revere mit einem gezwungenen Lachen. «Wenn ich Latein könnte, wäre ich heute schon General, Mister Flint.»

«*Hic, haec, hoc*», sagte Flint mit dem Mund voller Brot.

«So wird's wohl sein», sagte Revere. Er zog einen zusammengefalteten *Boston Intelligencer* aus der Tasche, faltete die Zeitung auf dem Tisch auseinander und holte seine Lesebrille hervor. Er trug sie nicht gern, weil er vermutete, sie würde ihn unmilitärisch wirken lassen, aber er brauchte die Augengläser, um den Bericht über den britischen Einfall ins östliche Massachusetts zu lesen. «Wer hätte das gedacht», sagte er, «diese verfluchten Rotröcke sind wieder zurück in New England!»

«Aber nicht für lange, Colonel.»

«Ich hoffe, nicht», sagte Revere. Die Regierung von Massachusetts hatte, nachdem die Landung der Briten bei Majabigwaduce bekannt geworden war, beschlossen, eine Expedition zum Penobscot zu schicken. Dazu wurde eine Flotte zusammengezogen, Befehle ergingen an die zur Teilnahme einberufenen Milizionäre, und Offiziere wurden ernannt. «Sieh an, sieh an», sagte Revere, den Blick immer noch auf die Zeitung geheftet, «offenbar haben die Spanier den Briten den Krieg erklärt!»

«Spanien, und Frankreich genauso», sagte Flint. «Jetzt können sich diese widerlichen Rotärsche nicht mehr lange halten.»

«Ich bete, dass sie sich lange genug halten, damit wir bei Maja gegen sie kämpfen können.» Revere hielt inne. «Majabigwaduce», sagte er. «Ich frage mich, was dieser Name bedeutet.»

«Das ist bloß so ein indianischer Humbug», sagte Flint.

«Der Ort, an dem sich die Bisamratte vor Angst bepisst hat, oder so was.»

«Vermutlich», sagte Revere kühl. Er nahm seine Brille ab und sah zu einem Hebekran hinüber, mit dem ein Kanonenrohr von einem in der Feuchtigkeit verrotteten Geschützwagen heruntergehoben werden sollte. «Haben sie bei Ihnen eine Kanone angefordert, Mister Flint?»

«Nur fünfhundert Musketen, Colonel, die wir für einen Dollar das Stück an die Miliz vermieten.»

«Vermieten!»

«Vermieten», bestätigte Flint.

«Wenn man die Briten ausschalten will», sagte Revere, «sollte Geld keine Rolle spielen.»

«Geld spielt immer eine Rolle», sagte Flint. «In Applebys Hof stehen sechs neuwertige britische Neunpfünder-Kanonen, aber wir kommen nicht dran. Sie sollen versteigert werden.»

«Wozu haben wir eine Regierung? Der Rat sollte sie kaufen», sagte Revere.

«Der Rat hat aber kein Geld», sagte Flint und zog das Fleisch von einem Hühnerbein. «Es reicht weder, um den Sold zu bezahlen, noch um Kaperschiffe zu mieten oder Proviant und Kanonen zu kaufen. Sie müssen es mit den Waffen schaffen, die wir haben.»

«Das werden sie schon», sagte Revere widerwillig.

«Und ich hoffe, der Rat wird genügend Verstand haben, um Ihnen das Kommando über diese Waffen zu übertragen, Colonel!»

Darauf sagte Revere nichts, sondern starrte nur auf den Hebekran. Revere besaß ein ansteckendes Lächeln, mit dem er die Herzen der Männer gewann, doch nun lächelte er nicht. Er kochte vor Wut.

Er kochte vor Wut, weil der Rat die Kommandeure der Expedition berufen hatte, mit der die Briten aus Majabigwaduce verjagt werden sollten, doch bisher war niemand zur Führung der Artillerie benannt worden, und Revere wusste, dass Kanonen gebraucht würden. Und er wusste außerdem, dass er der beste Mann war, um über diese Kanonen zu befehlen, darüber hinaus war er der Kommandooffizier des Artillerieregiments vom Staate Massachusetts, und dennoch hatte der Rat die Herausgabe von Befehlen an ihn mit voller Absicht unterlassen.

«Sie werden Sie berufen, Colonel», sagte Flint loyal, «das müssen sie tun!»

«Nicht, wenn Major Todd seinen Willen bekommt», sagte Revere verbittert.

«Ich vermute, er war in Harvard», sagte Flint. «*Hic, haec, hoc.*»

«Harvard oder Yale, wahrscheinlich», stimmte Revere zu. «Und er wollte die Artillerie führen wie ein Kontorhaus! Nichts als Listen und Vorschriften! Ich habe ihm erklärt: Bilden Sie erst mal die Schützen aus, dann bringen Sie die Briten um, und danach können Sie immer noch Ihre Listen schreiben, aber er hat gar nicht zugehört. Er hat ständig behauptet, ich wäre schlecht organisiert, aber ich kenne meine Waffen, Mister Flint, ich kenne meine Waffen ganz genau. Man braucht Begabung zum Schießen, es ist eine Kunst, und es ist nicht jeder dazu geeignet. Das kann man nicht aus Lehrbüchern lernen, nicht in der Artillerie. Das ist eine Kunst.»

«Da haben Sie ganz recht», schnaufte Flint mit vollem Mund.

«Aber ich mache ihre Kanonen bereit», sagte Revere, «und wer immer dann den Befehl darüber führt, wird ordentliche Voraussetzungen haben. Vielleicht gibt es nicht genügend Listen, Mister Flint», er kicherte, «aber die Kanonen sind gut gepflegt und zum Einsatz bereit. Achtzehnpfünder und mehr! Rotrock-Vernichter. Waffen, um die

Engländer abzuschlachten, und sie werden Waffen haben. Dafür sorge ich.»

Flint ließ einen Rülpser los und sagte dann mit einem Stirnrunzeln: «Sind Sie sicher, dass Sie nach Maja gehen wollen, ganz gleich, wie es dort ist?»

«Natürlich bin ich sicher!»

Flint klopfte sich auf den Wanst und steckte sich zwei Radieschen in den Mund. «Besonders angenehm ist es nicht, Colonel.»

«Was meinen Sie damit, Josiah?»

«So weit im Osten?», sagte Flint. «Dort gibt es nichts außer Moskitos, Regen und Schlafen unter freiem Himmel.» Er fürchtete, dass sein Freund bei dieser Expedition das Kommando über die Artillerie nicht bekommen würde, und versuchte auf seine unbeholfene Art, etwas Tröstliches zu sagen. «Und Sie sind auch nicht mehr so jung wie früher, Colonel!»

«Fünfundvierzig ist nicht alt!», protestierte Revere.

«Alt genug, um vernünftig geworden zu sein», sagte Flint, «und ein anständiges Bett mit einer Frau darin zu schätzen.»

«Ein anständiges Bett, Mister Flint, habe ich neben meinen Waffen. Neben meinen Waffen, die auf die Engländer gerichtet sind! Das ist alles, was ich verlange, eine Gelegenheit, meinem Land zu dienen.» Revere hatte seit dem Beginn des Aufstandes versucht, am Kampf teilzunehmen, doch sein Aufnahmegesuch für die Kontinentalarmee war aus Gründen abgelehnt worden, die Revere nur vermuten konnte. General Washington, so hieß es, wollte Männer von Stand und Ehre, und dieses Gerücht hatte Revere nur noch mehr empört. Bei der Miliz von Massachusetts war man nicht so wählerisch, doch bis jetzt war Reveres Dienst eher ereignislos geblieben. Es stimmte, er war nach Newport gegangen, um die Vertreibung der Briten zu unterstützen, doch der Feldzug war gescheitert, bevor Revere mit seinen Männern ankam. So war er gezwungen gewesen, den Befehl über die Garnison von Castle Island zu übernehmen, und seine Gebete um die Ankunft einer britischen Flotte, die er mit seinen Kanonen zerschmettern konnte, waren unerfüllt geblieben. Paul Revere, der die Briten mit einer Leidenschaft hasste, deren Ungestüm seinen ganzen Körper zum Beben bringen konnte, hatte noch keinen einzigen Rotrock getötet.

«Sie haben das Trompetensignal gehört, Colonel», sagte Flint respektvoll.

«Ich habe das Trompetensignal gehört», bestätigte Revere.

Ein Wachtposten öffnete das Tor zum Innenhof des Waffenarsenals, und ein Mann in einer verblassten blauen Uniform der Kontinentalarmee betrat von der Straße aus den Hof. Er war groß, gutaussehend und ein paar Jahre jünger als Revere, der vage grüßte. «Colonel Revere?», fragte der Neuankömmling.

«Zu Diensten, General.»

«Ich bin Peleg Wadsworth.»

«Ich weiß, wer Sie sind, General», sagte Revere und schüttelte lächelnd die Hand, die Wadsworth ihm entgegenstreckte. Er registrierte, dass Wadsworth sein Lächeln nicht erwiderte. «Ich hoffe, Sie bringen mir gute Neuigkeiten vom Rat, General.»

«Auf ein Wort, Colonel», sagte Wadsworth, «es dauert nicht lange.» Der Brigadier warf einen Blick auf den monströsen Josiah Flint auf seinem gepolsterten Stuhl. «Unter vier Augen», fügte er grimmig hinzu.

Also würde das Trompetensignal warten müssen.

Captain Henry Mowat stand am Strand von Majabigwaduce. Er war stämmig und hatte ein rötliches Gesicht, das nun im Schatten einer weit hervorspringenden Spitze seines

Dreispitzes lag. Sein Marinemantel war dunkelblau mit hellblauen Aufschlägen und voller weißer Flecken vom Meersalz. Er war in den Vierzigern, ein Leben lang zur See gefahren, und er stand mit leicht gespreizten Beinen, als müsse er auf dem Achterdeck das Gleichgewicht halten. Sein dunkles Haar war gepudert, und eine feine Spur Puder war auf die Rückennaht seines Uniformmantels gerieselt. Wütend starrte er zu den großen Beibooten hinüber, die neben seinem Schiff, der *Albany*, lagen. «Warum zum Teufel dauert das so lange?», knurrte er.

Sein Begleiter, Doktor John Calef, konnte sich ebenfalls nicht erklären, was die Verzögerung an Bord der *Albany* verursachte, und deshalb antwortete er nicht, sondern stellte eine Gegenfrage: «Sie haben keine neuen Berichte aus Boston?»

«Wir brauchen keine Berichte», gab Mowat schroff zurück. Er war der ranghöchste Marineoffizier in Majabigwaduce und Schotte wie Brigadier McLean, doch während man den Brigadier einen eher sanften Mann der leisen Töne nennen konnte, war Mowat für seine derbe Sprache bekannt. Er spielte an dem kordelumwickelten Griff seines Schwertes herum. «Die Bastarde werden kommen, Doktor, denken Sie an meine Worte. Wie Fliegen zum Misthaufen werden sie kommen.»

Calef dachte, dass der Vergleich der britischen Anwesenheit in Majabigwaduce mit einem Misthaufen kein sehr glücklicher war, doch er sagte nichts dazu. «Mit einem starken Verband?», fragte er.

«Sie mögen verdammte Rebellen sein, aber verdammte Narren sind sie nicht. Gewiss kommen sie mit einem starken Verband.» Mowat schaute immer noch zu dem ankernden Schiff hinüber, dann legte er die Hände wie einen Trichter um den Mund. «Mister Farraby», brüllte er übers Wasser, «was zum Teufel geht da vor?»

«Wir ziehen eine neue Schlinge durch, Sir!», kam es zurück.

«Wie viele Waffen werden Sie an Land bringen?», fragte der Arzt.

«So viele McLean will», sagte Mowat. Seine drei Kriegsschaluppen waren hintereinander längsschiffs quer über den Hafeneingang verankert, ihre Steuerbord-Breitseiten lagen zur Hafeneinfahrt hin, um jedes Rebellenschiff zu empfangen, das einen Vorstoß versuchen wollte. Die Breitseiten waren kümmerlich ausgestattet. Die HMS *North*, die am dichtesten zum Strand hin lag, war mit zwanzig Kanonen ausgestattet, zehn auf jeder Seite, während die *Albany* in der Mitte und die *Nautilus* jeweils neun Kanonen auf den Breitseiten führten. Einem feindlichen Schiff würde also ein Empfang mit achtundzwanzig Kanonen bereitet werden, von denen keine mehr als Neunpfünder-Kugeln verschoss, und die jüngste Nachricht, die Mowat aus Boston erhalten hatte, deutete darauf hin, dass eine Fregatte der Aufständischen dort im Hafen lag, eine Fregatte mit zweiunddreißig Kanonen, von denen vermutlich die meisten größer waren als Mowats kleine Geschütze. Und die *Warren*, die Fregatte der Aufständischen, würde von Kaperern aus Massachusetts unterstützt, von denen die meisten ebenso schwer bewaffnet waren wie seine eigenen Kriegsschaluppen. «Das wird ein Kampf», sagte er säuerlich, «ein selten guter Kampf.»

Die neue Schlinge war anscheinend durchgezogen, denn nun wurde ein Neunpfünder-Kanonenrohr vom Deck der *Albany* gehievt und sanft in eines der wartenden Beiboote hinabgelassen. Über eine Tonne Metall hing an der Rah und schwebte über den Köpfen der bezopften Seeleute, die unten in dem kleinen Boot warteten. Mowat brachte seine Backbord-Kanonen an Land, sodass sie zum Schutz des Forts dienen konnten, das McLean auf dem Hügelkamm von Majabigwaduce errichten ließ. «Wenn Sie Ihre hafenseitigen

Waffen aufgeben», fragte Calef erstaunt, «was passiert dann, wenn es der Feind schafft, an Ihnen vorbeizukommen?»

«Dann, Sir, sind wir tot», gab Mowat knapp zurück. Er beobachtete, wie das Beiboot gefährlich tief ins recht bewegte Wasser einsank, als es das Gewicht des Kanonenrohrs aufnahm. Die Lafette würde auf einem anderen Boot an Land gebracht werden und, wie das Kanonenrohr, von einem der beiden Ochsengespanne, die auf dem Bauernhof der Hutchings requiriert worden waren, auf den Hügel neben das Fort gezogen werden. «Mausetot!», sagte Mowat beinahe fröhlich. «Aber um uns umzubringen, Doktor, müssen sie erst einmal an uns vorbeikommen, und ich habe nicht vor, jemanden an mir vorbeizulassen.»

Angesichts von Mowats Kampfeslust überkam Calef eine gewisse Erleichterung. Der schottische Flottenhauptmann war berühmt in Massachusetts, oder vielleicht war berüchtigt das bessere Wort, aber für alle Loyalisten wie Calef war Mowat ein Held, der Vertrauen erweckte. Er war von aufständischen Zivilisten gefangen genommen worden, diesen selbsternannten Söhnen der Freiheit, als er in Falmouth an Land gegangen war. Über seine Freilassung war von den bedeutendsten Bürgern dieser stolzen Hafenstadt verhandelt worden, und die Bedingung für Mowats Freilassung war gewesen, dass er sich am folgenden Tag selbst ergeben sollte, sodass die Rechtmäßigkeit seiner Haft von Anwälten bewiesen werden konnte, doch stattdessen war Mowat mit einer Flottille zurückgekehrt und hatte die Stadt vom Aufgang der Sonne bis zu ihrem Untergang bombardiert. Und dann, als die meisten Häuser in Trümmern lagen, hatte er Kommandos an Land geschickt, um die Trümmer in Brand zu stecken. Zwei Drittel von Falmouth waren zerstört worden, um deutlich zu machen, dass man gut daran tat, Captain Mowat nicht zu unterschätzen.

Calef runzelte leicht die Stirn, als Brigadier McLean mit

zwei jüngeren Offizieren über den Strand auf sie zukam. Calef zweifelte immer noch an dem schottischen Brigadier, er hielt sein Auftreten für zu sanft und höflich, doch Captain Mowat hatte offenkundig keinerlei solche Bedenken, denn er grinste breit, während McLean näher kam. «Sie sind doch nicht gekommen, um mich noch weiter zu drangsalieren, McLean?», fragte er mit gespieltem Ernst. «Hier kommen Ihre kostbaren Kanonen ja schon!»

«Daran habe ich auch nie gezweifelt, Mowat», sagte McLean. «Keine Sekunde.» Er grüßte Doktor Calef, indem er sich an den Hut tippte, und wandte sich dann wieder an Mowat. «Und wie geht es Ihren treuen Kameraden an diesem Morgen, Mowat?»

«Sie arbeiten, McLean, sie arbeiten!»

McLean deutete auf seine Begleiter. «Doktor, gestatten Sie mir, Ihnen Lieutenant Campbell vom 74sten vorzustellen.» McLean hielt inne, sodass der einen Kilt in dunklen Farben tragende Campbell Gelegenheit zu einer kurzen Verbeugung vor dem Arzt hatte. «Und Zahlmeister Moore vom 82sten.» John Moores Verbeugung war eleganter. Calef lüftete den Hut, und McLean richtete den Blick auf die Schaluppen, an deren Seiten die Beiboote auf dem Wasser schaukelten. «Sind Ihre Beiboote gerade alle in Gebrauch, Mowat?»

«Das sind sie, und so sollte es auch sein, verdammt. Müßiggang ist aller Laster Anfang.»

«Ganz recht», bestätigte Calef.

«Und da suche ich nach einem Augenblick der Muße», sagte McLean heiter.

«Brauchen Sie ein Boot?», fragte Mowat.

«Ich werde Ihre Matrosen nicht von ihren Pflichten abhalten», sagte der Brigadier und schaute dann an Mowat vorbei zu einem jungen Paar hinüber, das ein schweres Ruderboot gegen die hereinkommende Flut ins Wasser zog.

«Ist das nicht der junge Bursche, der uns in den Hafen gelotst hat?»

Doktor Calef wandte sich um. «James Fletcher», sagte er grimmig.

«Ist er loyal?», fragte McLean.

«Er ist ein verdammter Tunichtgut», sagte Calef und setzte dann knurrend hinzu: «Aber sein Vater war ein loyaler Mann.»

«Dann vertraue ich darauf, dass der Apfel nicht weit vom Stamm fällt», sagte McLean und drehte sich zu Moore um. «John? Fragen Sie doch Mister Fletcher, ob er eine Stunde für uns Zeit hat.» Es war offensichtlich, dass Fletcher und seine Schwester zu ihrem Fischerboot rudern wollten, der *Felicity*, die im tieferen Wasser lag. «Sagen Sie ihm, dass ich Majabigwaduce gern vom Fluss aus sehen würde und ihn für seine Zeit bezahle.»

Moore machte sich auf den Weg, um seinen Auftrag zu erfüllen, und McLean sah zu, wie ein weiteres Kanonenrohr vom Deck der *Albany* heruntergehievt wurde. Kleinere Boote brachten anderen Nachschub an Land: Patronensäcke und Salzfleisch, Rumfässchen und Kanonenkugeln, Schusspflaster und Ladestöcke, das Zubehör des Krieges, das dorthin geschleppt oder gezogen wurde, wo sein Fort noch kaum mehr war als ein freigelegtes Viereck auf der dünnen Erdkruste des Hügelkamms. John Nutting, Loyalist, Amerikaner und Pionier, der nach England gereist war, um auf die Besetzung von Majabigwaduce zu drängen, hatte die Form der zukünftigen Festung auf dem gerodeten Land abgesteckt. Das Fort sollte recht einfach gehalten werden, kaum mehr als ein Quadrat aus Erdwällen mit diamantförmigen Bastionen an den vier Ecken. Jede Längsseite würde zweihundertfünfzig Schritt lang sein und von einem vorgelagerten, steilwandigen Wassergraben begleitet werden, doch selbst ein so schlichtes Fort benötigte Trittstufen, um über den

Wall zu schießen, und Schießscharten ebenso wie gemauerte Magazine, um die Munition trocken zu lagern, und einen Brunnen, der tief genug war, um ausreichend Wasser zu liefern. Im Augenblick übernachteten die Soldaten in Zelten, doch McLean wollte, dass dieses anfällige Lager innerhalb des schützenden Forts stand. Er wollte hohe Mauern, dicke Mauern, bemannte Mauern, bespickt mit Kanonen, denn er wusste, dass der Wind aus Südwesten mehr bringen würde als Salzluft und den Geruch von Schellfisch. Er würde Aufständische bringen, einen riesigen Schwarm, und dann würde die Luft nach Schießpulver stinken und nach Exkrementen und nach Blut.

«Phoebe Perkins' Kind hat gestern Fieber bekommen», sagte Calef gefühllos.

«Ich hoffe, die Kleine überlebt», sagte McLean.

«Wenn es Gottes Wille ist», gab Calef in einem Ton zurück, der nahelegte, dass es Gott womöglich gleichgültig war, ob das Kind am Leben blieb. «Sie haben sie Temperance getauft.»

«Temperance, die Enthaltsame! Du liebe Güte, das arme, arme Mädchen. Ich werde für das Kind beten», sagte McLean. Und für uns auch, dachte er, aber er sagte es nicht.

Denn die Aufständischen kamen.

Peleg Wadsworth fühlte sich unbehaglich, als er Lieutenant Colonel Revere in eine der großen, dämmrigen Lagerhallen des Waffenarsenals führte, in der sich die Spatzen zwischen den Deckenbalken zankten, die hoch über den Gestellen mit Musketen und Tuchballen und aufgestapelten Fässern mit Eisenreifen verliefen. Wohl stand Wadsworth im Rang höher als Revere, doch er war beinahe fünfzehn Jahre jünger als der Colonel, und ein unbestimmtes Gefühl der Unzulänglichkeit beschlich ihn in der Gegenwart eines Mannes von solch offenkundiger Tüchtigkeit. Revere hatte einen guten

Ruf als Kupferstecher, als Silberschmied und als Schlosser, und das sah man auch seinen Händen an, die kräftig und mit Brandnarben übersät waren, die Hände eines Mannes, der Neues machen und Altes reparieren konnte, die Hände eines Handwerkers. Peleg Wadsworth dagegen war Lehrer gewesen, ein guter Lehrer, aber er hatte die Vorbehalte der Eltern seiner Schüler gekannt, die in Grammatik oder Bruchrechnung keine Zukunft für ihre Kinder sahen, sondern im Umgang mit Werkzeugen bei der Bearbeitung von Metall, Holz oder Stein. Wadsworth konnte Latein und Griechisch erklären, er war mit den Schriften Shakespeares und Montaignes vertraut, aber angesichts eines abgebrochenen Stuhlbeins war er hilflos. Revere, das wusste er, war das Gegenteil von ihm. Gab man Revere einen zerbrochenen Stuhl, würde er ihn so gekonnt reparieren, dass er ebenso wie Revere selbst stark, handfest und verlässlich vor einem stand.

Aber war er wirklich verlässlich? Das war die Frage, die Wadsworth in dieses Waffenarsenal gebracht hatte, und er wünschte, dieser Auftrag wäre ihm niemals übertragen worden. Er wusste nicht recht, wie er anfangen sollte, als Revere in der Mitte des Lagerraums stehen blieb und sich zu ihm umdrehte, doch dann verschaffte ein Rascheln hinter einem Haufen beschädigter Musketen willkommene Ablenkung. «Sind wir nicht allein?», fragte er.

«Das sind die Ratten, General», sagte Revere leicht belustigt. «Ratten. Sie mögen das Fett auf den Munitionskartuschen.»

«Ich dachte, die Kartuschen werden im staatlichen Waffenmagazin gelagert.»

«Sie schicken immer welche zur Abdichtung her, und die Ratten mögen sie. Die heißen bei uns Rotröcke, weil sie der Feind sind.»

«Man könnte sie doch bestimmt mit Katzen loswerden.»

«Wir haben Katzen, General, aber es ist ein harter Kampf.

Gute amerikanische Katzen und patriotische Terrier gegen schmutzige britische Ratten», sagte Revere. «Ich vermute, Sie möchten sich über den Artilleriezug in Kenntnis setzen, General?»

«Ich bin sicher, dass alles in Ordnung ist.»

«Oh, das ist es, darauf können Sie sich verlassen. Derzeit, General, haben wir zwei Achtzehnpfünder, drei Neunpfünder, eine Haubitze und noch vier kleinere.»

«Kleinere Haubitzen?»

«Vierpfünder-Kanonen, General, und ich würde damit nicht mal auf Ratten schießen. Man braucht etwas Wirksameres als die französischen Vierpfünder. Wenn Sie Einfluss haben, General, und ich bin sicher, Sie haben welchen, dann bitten Sie den Kriegsrat um mehr Achtzehnpfünder.»

Wadsworth nickte. «Ich werde es im Kopf behalten», versprach er.

«Ihre Kanonen sind bereit, General, das versichere ich Ihnen», sagte Revere, «mit allen Seitenwaffen, Schießpulver und Kugeln. Ich war in den letzten Tagen kaum auf Castle Island aufgrund der Bereitstellung des Artilleriezugs.»

«Ja, in der Tat, Castle Island», sagte Wadsworth. Er überragte Revere um Haupteslänge, sodass er dem Blick des Colonels leicht ausweichen konnte, auch wenn ihm bewusst war, dass Revere ihn genau musterte, als erwarte er von Wadsworth schlechte Nachrichten. «Sie führen das Kommando auf Castle Island?», fragte Wadsworth, nicht, weil er dafür eine Bestätigung brauchte, sondern um einfach irgendetwas zu sagen.

«Um das herauszufinden, hätten Sie nicht hierherkommen müssen», sagte Revere, «aber, ja, General, ich kommandiere das Artillerieregiment von Massachusetts, und da die meisten unserer Kanonen auf der Insel aufgestellt sind, kommandiere ich auch hier. Und Sie, General, werden Sie den Befehl in Majajuce führen?»

«Majajuce?», sagte Wadsworth, und dann wurde ihm klar, dass Revere Majabigwaduce meinte. «Ich bin der zweite Befehlshaber», fuhr er fort, «unter General Lovell.»

«Und in Majajuce sitzen britische Ratten», sagte Revere.

«Soweit wir feststellen konnten», sagte Wadsworth, «sind sie mit mindestens tausend Mann gelandet und verfügen über drei Kriegsschaluppen. Keine übermächtige Truppe, aber auch nicht gerade lächerlich.»

«Lächerlich», sagte Revere, als belustigte ihn das Wort. «Aber um diese Ratten in Massachusetts loszuwerden, General, brauchen Sie Kanonen.»

«Die brauchen wir in der Tat.»

«Und die Kanonen brauchen einen Offizier, der den Oberbefehl über sie führt», fügte Revere betont hinzu.

«Ja, den brauchen sie», sagte Wadsworth. Sämtliche ranghohen Posten bei dieser Expedition, die eilig vorbereitet worden war, um die Briten aus Majabigwaduce zu vertreiben, waren vergeben worden. Solomon Lovell würde die Bodentruppen befehligen, Commodore Dudley Saltonstall von der Kontinentalfregatte *Warren* hatte den Oberbefehl über die Flotte, und Wadsworth war Lovells Stellvertreter. Die Truppen, die aus den Milizen von York, Cumberland und Lincoln zusammengestellt worden waren, hatten ihre Kommandooffiziere, der Generaladjutant, der Generalquartiermeister, der oberste Militärarzt und alle Brigademajore hatten ihre Befehle bekommen, und nun musste nur noch der Oberbefehlshaber der Artillerie ernannt werden.

«Die Kanonen brauchen einen Kommandooffizier», drängte Revere weiter, «und ich kommandiere das Artillerieregiment.»

Wadsworth ließ seinen Blick einen Moment lang auf einer ingwerfarbenen Katze ruhen, die sich auf einem Fass die Pfoten leckte. «Niemand», sagte er zurückhaltend, «würde leugnen, dass Sie der beste Mann wären, um den Befehl über die Artillerie in Majabigwaduce zu führen.»

«Also kann ich mit einem Schreiben vom Kriegsrat rechnen?», fragte Revere.

«Wenn ich überzeugt bin», sagte Wadsworth und zwang sich damit, das Thema zur Sprache zu bringen, das ihn ins Waffenarsenal geführt hatte.

«Überzeugt wovon, General?», fragte Revere, der Wadsworth immer noch ins Gesicht sah.

Peleg Wadsworth zwang sich, Revere in die braunen Augen zu schauen. «Es ist eine Beschwerde erhoben worden», sagte er, «in Bezug auf die Rationen, die von Castle Island angefordert wurden, es geht um einen Überhang, Colonel …»

«Überhang!», unterbrach ihn Revere, nicht aggressiv, sondern eher so, als amüsierte ihn das Wort. Dann lächelte er, und Wadsworth stellte fest, dass ihm dieser Mann unerwartet sympathisch wurde. «Sagen Sie, General», fuhr Revere fort, «wie viele Truppen werden Sie nach Majajuce bringen?»

«Das wissen wir nicht ganz genau», sagte Wadsworth, «aber wir rechnen mit einer Infanteriestärke von mindestens fünfzehnhundert Mann.»

«Und Sie haben für fünfzehnhundert Mann Rationen angefordert?»

«Selbstverständlich.»

«Und wenn sich nun nur vierzehnhundert zum Einsatz melden, General, was werden Sie dann mit den Überhang-Rationen machen?»

«Die werden als solche ausgewiesen», sagte Wadsworth, «das versteht sich.»

«Aber es geht um Krieg!», sagte Revere lebhaft. «Um Krieg und Blut, Feuer und Eisen, Tod und Zerstörung, und ein Mann kann im Krieg nicht über alles Buch führen! Wenn der Krieg vorbei ist, schreibe ich Ihnen so viele Listen, wie Sie wollen.»

Wadsworth runzelte die Stirn. Zweifellos standen sie im Krieg, doch die Garnison von Castle Island hatte, ebenso wie Lieutenant Colonel Revere selbst, noch keinen einzigen Schuss auf den Feind abgegeben. «Es wird geltend gemacht, Colonel», sagte Wadsworth fest, «dass Ihre Garnison aus einer festen Anzahl von Männern besteht, in den Rationsanforderungen jedoch kontinuierlich dreißig nicht existierende Kanoniere aufgeführt wurden.»

Reveres nachsichtiges Lächeln ließ darauf schließen, dass er all das schon einmal gehört hatte. «Kontinuierlich», sagte er spöttisch, «also kontinuierlich, was? Lange Worte bringen keinen Feind um, General.»

«Ein anderes langes Wort», sagte Wadsworth, «ist Unterschlagung.»

Nun stand die Beschuldigung im Raum. Das Wort schien in der staubigen Luft hängenzubleiben. Es wurde behauptet, dass Revere Extrarationen angefordert und zum persönlichen Gewinn verkauft hatte, doch Wadsworth sprach die vollständige Beschuldigung nicht aus. Das war nicht notwendig. Colonel Revere sah zu Wadsworth auf, dann schüttelte er traurig den Kopf. Er wandte sich um und ging langsam zu einer Neunpfünder-Kanone, die hinten in der Lagerhalle stand. Die Kanone war bei Saratoga erbeutet worden, und nun strich Revere mit seiner kräftigen Hand über das lange Rohr. «Seit Jahren, General», sagte er ruhig, «setze ich mich für die Sache der Freiheit ein.» Er starrte auf das königliche Monogramm auf dem Verschlussdeckel der Kanone. «Während Sie Ihre Bücher studiert haben, General, bin ich nach Philadelphia und New York geritten, um die Idee von Freiheit und Unabhängigkeit zu verbreiten. Für die Freiheit habe ich Gefangennahme und Haft riskiert. Ich habe Teekisten in den Hafen von Boston geworfen, und ich bin nach Lexington geritten, um Vorwarnung zu geben, als die Briten diesen Krieg angefangen haben. Dort haben wir uns das erste Mal getroffen, General, in Lexington.»

«Ich erinnere mich …», begann Wadsworth.

«Und ich habe das Wohlergehen meiner lieben Frau aufs Spiel gesetzt», unterbrach ihn Revere hitzig, «und das Wohlergehen meiner Kinder, um der Sache zu dienen, die ich liebe, General.» Er drehte sich zu Wadsworth um, der in dem Viereck aus Licht stand, das die Sonne durch das weit offenstehende Tor hereinwarf. «Ich war ein Patriot, General, und ich habe meinen Patriotismus bewiesen …»

«Niemand deutet an, dass Sie …»

«Doch, das tun Sie, General!», sagte Revere leidenschaftlich. «Sie deuten an, ich wäre kein ehrenhafter Mann! Dass ich mich an der Sache bereichern würde, der ich mein Leben verschrieben habe! Dahinter steckt Major Todd, nicht wahr?»

«Ich bin nicht befugt mitzuteilen, wer …»

«Das müssen Sie auch nicht», sagte Revere ätzend. «Es ist Major Todd. Er kann mich nicht ausstehen, General, und das bedaure ich, und ich bedaure, dass der Major nicht die mindeste Ahnung hat, wovon er redet! Mir wurde berichtet, General, dass dreißig Mann von der Miliz in Barnstable zur Artillerieausbildung bei mir stationiert würden, und dementsprechend habe ich die Rationen angefordert, und dann hielt Major Fellows aus internen Gründen, General, aus guten internen Gründen, die Männer zurück, und all das habe ich längst dargelegt, aber Major Todd ist kein Mann, der vernünftigen Argumenten zugänglich wäre, General.»

«Major Todd ist ein Mann von größter Gewissenhaftigkeit», sagte Wadsworth streng, «und ich sage nicht, dass er die Beschwerde vorgebracht hat, lediglich, dass er ein sehr gründlicher und ehrenwerter Offizier ist.»

«Er war in Harvard, oder?», fragte Revere spitz.

Wadsworth runzelte die Stirn. «Ich wüsste nicht, was das zur Sache tut, Colonel.»

«Das glaube ich Ihnen gern, aber Major Todd hat die Situation trotzdem missverstanden, General», sagte Revere. Er hielt inne, und einen Augenblick lang wirkte es, als würde seine Empörung wie Donner aus ihm herausbrechen, doch stattdessen lächelte er. «Es handelt sich nicht um Unterschlagung, General», sagte er, «und ich bestreite nicht, dass es nachlässig von mir war, die Bücher nicht zu prüfen, aber Fehler werden eben gemacht. Ich habe mich darauf konzentriert, die Kanonen brauchbar zu machen, General, brauchbar!» Er kam auf Wadsworth zu und fuhr mit leiser Stimme fort: «Alles, worum ich je gebeten habe, General, ist eine Gelegenheit, für mein Land zu kämpfen. Für die Sache zu kämpfen, der mein Herz gehört. Für die Zukunft meiner geliebten Kinder zu kämpfen. Haben Sie Kinder, General?»

«Ja.»

«Wie ich. Meine geliebten Kinder. Und Sie glauben, ich würde meinen guten Namen, ihren Ruf und die Sache, die ich liebe, für dreißig Brotlaibe riskieren? Oder für dreißig Silberlinge?»

Wadsworth hatte als Schulmeister gelernt, seine Schüler nach ihrem Verhalten zu beurteilen. Jungen, so hatte er festgestellt, sahen einer Autoritätsperson beim Lügen selten in die Augen. Mädchen waren viel schwerer einzuschätzen, aber Jungen stand das Unbehagen beim Lügen für gewöhnlich ins Gesicht geschrieben. Ihr Blick irrte herum, doch Reveres Blick war fest, seine Miene ernst, und Wadsworth fühlte Erleichterung in sich aufsteigen. Er griff in die Innentasche seiner Uniform und zog ein gefaltetes und versiegeltes Papier heraus. «Ich hatte darauf gehofft, dass Sie mich überzeugen, Colonel, meiner Seel, darauf hatte ich wirklich gehofft. Und Sie haben es getan.» Lächelnd reichte er Revere das Dokument.

Reveres Augen glänzten, als er das Ernennungsschreiben entgegennahm. Er brach das Siegel, und als er das Papier auffaltete, hatte er einen Brief John Averys, des Vizeaußenministers der Ratsregierung, vor sich, der von General Solomon Lovell gegengezeichnet war. Mit dem Schreiben wurde Lieutenant Colonel Paul Revere als Befehlshaber des Artilleriezugs eingesetzt, der die Expedition nach Majabigwaduce begleiten würde, wo er laut Befehl alles in seiner Macht Stehende tun sollte, um die «gesamte Feindesmacht gefangen zu nehmen, zu töten oder zu vernichten». Revere las das Ernennungsschreiben ein zweites Mal und wischte sich dann über die Wange. «General», sagte er, und seine Stimme klang rau, «das war mein größter Wunsch.»

«Ich bin sehr erfreut, Colonel», sagte Wadsworth herzlich. «Sie werden heute noch weitere Befehle erhalten, aber ich kann Ihnen jetzt schon die wesentlichen Inhalte mitteilen. Ihre Kanonen sollen am Langen Kai zum Verschiffen bereitgestellt werden, und Sie sollen aus dem staatlichen Waffenmagazin alles an Schießpulver mitnehmen, was Sie brauchen.»

«Das muss Shubael Hewes genehmigen», sagte Revere unaufmerksam, weil er erneut das Ernennungsschreiben las.

«Shubael Hewes?»

«Der stellvertretende Sheriff, General, aber machen Sie sich keine Sorgen, ich kenne Shubael.» Revere faltete das Ernennungsschreiben sorgfältig zusammen. «Wir werden sie gefangen nehmen, sie töten und vernichten, General. Wir werden dafür sorgen, dass sich diese Bastarde von Rotröcken wünschen, niemals von England abgesegelt zu sein.»

«Wir werden sie bestimmt verjagen», sagte Wadsworth mit einem Lächeln.

«Wir werden mehr tun, als diese Ungeheuer zu verjagen», sagte Revere rachsüchtig, «wir werden sie abschlachten! Und diejenigen, die wir nicht töten, General, treiben wir durch die Stadt, damit ihnen die Leute zeigen können, wie willkommen sie in Massachusetts sind.»

Wadsworth streckte Revere die Hand hin. «Ich freue mich darauf, mit Ihnen zu kämpfen, Colonel.»

«Und ich freue mich darauf, mit Ihnen den Sieg zu teilen, General», sagte Revere und schüttelte Wadsworths Hand.

Revere sah Wadsworth nach, als er ging. Dann, noch immer das Ernennungsschreiben in der Hand haltend, als wäre es der Heilige Gral, trat er hinaus in den Hof, wo Josiah Flint gerade Butter in einen Teller Rübenmus rührte. «Ich ziehe in den Krieg, Josiah», sagte Revere ehrfürchtig.

«Da war ich auch», sagte Flint, «und ich war in meinem ganzen Leben nicht mehr so hungrig.»

«Wie lange habe ich darauf gewartet», sagte Revere.

«Dort, wo Sie hingehen, gibt es keine Nantucket-Rüben», sagte Flint. «Ich weiß auch nicht, warum sie besser schmecken, aber auf mein Wort, eine Rübe aus Nantucket ist nicht zu übertrumpfen. Meinen Sie, das hat etwas mit der salzigen Luft zu tun?»

«Ich habe den Oberbefehl über die Artillerie!»

«Sind Sie schon mal so weit im Osten gewesen? Das ist keine Gegend für einen Christenmenschen, Colonel. Nebel und Mücken, das ist alles, Nebel und Mücken, und der Nebel lässt einen bibbern, und die Mücken stechen wie der Teufel.»

«Ich ziehe in den Krieg. Mehr habe ich nie verlangt! Was für eine Gelegenheit, Josiah!» Revere strahlte. Er drehte sich einmal um sich selbst und knallte dann seine Faust auf den Tisch. «Ich ziehe in den Krieg!»

Lieutenant Colonel Paul Revere hatte die Trompete gehört, und er zog in den Krieg.

James Fletchers Boot fuhr, von einem zuvorkommenden Südwestwind angetrieben, gegen den Sog der Ebbe flussaufwärts an der Steilklippe von Majabigwaduce vorbei. Die *Felicity* war ein kleines Boot, gerade vierundzwanzig Fuß lang, mit einem gedrungenen Mast, an dessen hoher Gaffel ein verschossenes rotes Segel hing. Die Sonne warf Glitzermuster auf die niedrigen Wellen der Bucht von Penobscot, doch hinter der *Felicity* verhüllte eine Nebelbank den Blick in Richtung Ozean. Brigadier McLean, der im Bootsrumpf auf einem Haufen geteerter Fischernetze thronte, wollte Majabigwaduce so sehen, wie es auch der Feind zuerst sehen würde – vom Wasser aus. Er wollte sich in die Rolle des Feindes versetzen und entscheiden, wie er die Halbinsel angreifen würde, wenn er ein Aufständischer wäre. Er starrte konzentriert ans Ufer und stellte erneut fest, wie sehr ihn der Anblick an die Westküste Schottlands erinnerte. «Sind Sie nicht auch dieser Meinung, Mister Moore?», fragte er Lieutenant John Moore, einen der beiden jungen Offiziere, die den Befehl erhalten hatten, den Brigadier zu begleiten.

«Nicht unähnlich, Sir», sagte Moore, allerdings recht abwesend, als ob er nur der Höflichkeit Genüge tun und nicht etwa eine durchdachte Antwort geben wollte.

«Mehr Bäume hier, natürlich», sagte der Brigadier.

«In der Tat, Sir, in der Tat», sagte Moore, der den Äußerungen seines Kommandooffiziers weiterhin keine große Aufmerksamkeit schenkte. Stattdessen ruhte sein Blick auf James Fletchers Schwester Bethany, deren rechte Hand auf dem Ruder der *Felicity* lag.

McLean seufzte. Er mochte Moore sehr, hielt den jungen Mann sogar für höchst vielversprechend, doch er verstand auch, dass jeder junge Mann lieber Bethany Fletcher anschaute, als höfliche Konversation mit einem vorgesetzten Offizier zu betreiben. Eine so außerordentliche Schönheit fand man kein zweites Mal in dieser entlegenen Gegend. Ihr

Haar schimmerte wie helles Gold und rahmte ein sonnengebräuntes Gesicht ein, dem eine lange Nase Charakter und Ausdruck verlieh. Ihre blauen Augen blickten vertrauensvoll und freundlich, aber was sie tatsächlich zur Schönheit machte und womit sie die schwärzeste Nacht hätte erhellen können, war ihr Lächeln. Es war ein unglaubliches Lächeln, breit und herzlich, und es hatte John Moore ebenso geblendet wie seinen Kameraden Lieutenant Campbell, der Bethany angaffte, als hätte er in seinem ganzen Leben noch keine junge Frau gesehen. Immer wieder zupfte er an seinem dunklen Kilt herum, den der Wind von seinen Oberschenkeln hochwehte.

«Und die Seeungeheuer hier sind ebenfalls außergewöhnlich», fuhr McLean fort, «wie Drachen, würden Sie das nicht sagen, John? Rosafarbene Drachen mit grünen Tupfen?»

«In der Tat, Sir», sagte Moore und zuckte gleich darauf zusammen, als er zu spät bemerkte, dass der Brigadier ihn neckte. Er hatte den Anstand, sich zerknirscht zu geben. «Tut mir leid, Sir.»

James Fletcher lachte. «Hier gibt's keine Drachen, General.»

McLean lächelte. Er sah zu der Nebelbank hinüber. «Haben Sie viel Nebel hier, Mister Fletcher?»

«Wir haben Nebel im Frühling, General, und Nebel im Sommer, und dann kommen die Herbstnebel und danach der Schnee, den wir gewöhnlich nicht sehen, weil er in dem Nebel verschwindet», erklärte Fletcher mit einem Grinsen, das ebenso breit war wie das seiner Schwester. «Nebel, Nebel und noch mal Nebel.»

«Und doch gefällt es Ihnen hier?», erkundigte sich McLean freundlich.

«Das hier ist Gottes eigenes Land, General», gab Fletcher strahlend zurück, «und Gott versteckt es vor den Heiden, indem er es in Nebel hüllt.»

«Und Sie, Miss Fletcher?», erkundigte sich McLean bei Bethany. «Leben Sie gern in Majabigwaduce?»

«Sogar sehr, Sir», sagte sie mit einem Lächeln.

«Steuern Sie nicht zu nah ans Ufer, Miss Fletcher», ermahnte sie McLean. «Ich würde es mir nie verzeihen, wenn ein Mensch, der mit uns nicht zufrieden ist, auf unsere Uniformen schießt und versehentlich Sie trifft.» McLean hatte versucht, Bethany von der Begleitung der Aufklärungsfahrt abzubringen, aber er war dabei nicht allzu entschlossen vorgegangen, denn auch für ihn war die Gesellschaft eines schönen Mädchens ein seltenes Vergnügen.

James Fletcher tat seine Befürchtungen ab. «Niemand schießt auf die *Felicity*», sagte er voller Überzeugung, «und davon abgesehen sind die meisten Leute hier in der Gegend königstreu.»

«So wie Sie auch, Mister Fletcher?», fragte Lieutenant John Moore unverblümt.

James antwortete nicht gleich, und der Brigadier sah seinen Blick kurz zu seiner Schwester hinüberwandern. Dann grinste James. «Ich habe keinen Streit mit dem König», sagte er. «Er lässt mich in Ruhe, und ich lasse ihn in Ruhe, und auf diese Art kommen wir beide ganz gut miteinander aus.»

«Also werden Sie den Eid ablegen?», fragte McLean und sah, wie ernst Beth ihren Bruder anschaute.

«Hab ja keine große Wahl, oder, Sir? Nicht, wenn ich fischen und mir eine Existenz zusammenkratzen will.»

Brigadier McLean hatte eine Bekanntmachung verbreiten lassen, die den Bewohnern der Gegend um Majabigwaduce versicherte, dass sie, wenn sie königstreu waren und ihre Loyalität durch einen Eid beschworen, nichts von seinen Truppen zu befürchten hätten, doch wenn sich jemand weigerte, den Eid abzulegen, stellte die Bekanntmachung diesem Mann und seiner Familie schwere Zeiten in Aussicht. «Sie haben eine Wahl», sagte McLean.

74

«Wir wurden zum Respekt gegenüber dem König erzogen, Sir», sagte James.

«Ich bin froh, das zu hören», sagte McLean. Er schaute zu dem dunklen Wald hinüber. «Wie ich höre», fuhr er fort, «haben die Bostoner Behörden Männer ausheben lassen.»

«Das haben sie», bestätigte James.

«Aber Sie sind nicht rekrutiert worden?»

«Oh, sie haben es versucht», sagte James wegwerfend, «aber sie sind misstrauisch gegenüber diesem Teil von Massachusetts.»

«Misstrauisch?»

«Hier herrscht keine große Sympathie für den Aufstand, General.»

«Aber ein paar Unzufriedene gibt es auch hier, oder nicht?», fragte McLean.

«Ein paar», sagte James. «Aber manche sind eben nie zufrieden.»

«Eine Menge von den Leuten hier sind aus Boston geflüchtet», sagte Bethany, «das sind alles Loyalisten.»

«Als die Briten aus Boston abgezogen sind, Miss Fletcher? Meinen Sie das?»

«Ja, Sir. Wie Doktor Calef. Er wollte nicht in einer Stadt bleiben, die von Aufständischen regiert wird.»

«War das auch Ihr Schicksal?», fragte John Moore.

«Oh nein», sagte James, «unsere Familie lebt schon hier, seit Gott die Welt erschaffen hat.»

«Ihre Eltern leben in Majabigwaduce?», fragte der Brigadier.

«Vater liegt auf dem Friedhof, Gott hab ihn selig», sagte James.

«Das tut mir leid», sagte McLean.

«Und Mutter ist auch so gut wie tot», fuhr James fort.

«James!», sagte Bethany vorwurfsvoll.

«Verkrüppelt, bettlägerig, und die Sprache hat sie auch

verloren», sagte James. Sechs Jahre zuvor, erklärte er, als Bethany zwölf und James vierzehn gewesen war, hatte ein Stier ihre verwitwete Mutter auf die Hörner genommen, als sie ihn auf die Weide führte. Dann, zwei Jahre darauf, hatte sie der Schlag getroffen und sie stammelnd und verwirrt zurückgelassen.

«Das Leben geht hart mit uns um», sagte McLean. Er betrachtete ein Blockhaus, das nah am Flussufer errichtet worden war, und registrierte die große Menge Feuerholz, die an einer der Außenwände aufgestapelt war. «Und es muss schwer sein», fuhr er fort, «sich in der Wildnis ein neues Leben aufzubauen, wenn man eine Stadt wie Boston gewohnt ist.»

«Wildnis, General?», fragte James.

«Es ist schwer für die Leute, die aus Boston hierhergekommen sind, Sir», bestätigte Bethany.

«Sie müssen fischen lernen, General», sagte James, «oder den Ackerbau oder die Holzfällerei.»

«Wird hier viel angebaut?», fragte McLean.

«Roggen, Hafer und Kartoffeln», antwortete Bethany, «und Mais, Sir.»

«Sie können auch jagen, General», warf James ein. «Unser Vater hatte ein gutes Auskommen als Fallensteller! Biber, Marder, Wiesel.»

«Einmal hat er auch einen Hermelin gefangen», sagte Bethany stolz.

«Und jetzt wärmt dieser Pelz einer feinen Lady in London den Hals, General», sagte James. «Außerdem kann man mit Holz für Mastbäume Geld verdienen», fuhr er fort. «Nicht so sehr in Majabigwaduce, aber flussauf, und jedermann kann lernen, wie man einen Baum fällt und zurechtsägt. Und es gibt überall Sägemühlen! Wahrhaftig, es muss dreißig Sägemühlen zwischen hier und der Flussquelle geben. Man kann davon leben, Kanthölzer oder Dauben zu machen, oder Bretter oder Pfosten, alles, was einem gefällt!»

«Handeln Sie mit Holz?», fragte McLean.

«Ich fische, General, und ich wüsste nicht, welcher Mann seine Familie nicht vom Fischfang ernähren könnte.»

«Was fangen Sie?»

«Dorsch, General, und Lippfische, Schellfisch, Seehecht, Aale, Flundern, Köhlerfische, Rochen, Makrelen, Lachs, Heringe. Wir haben mehr Fisch, als wir brauchen können! Und alle schmecken gut! Davon hat Beth so eine schöne Haut, von all diesem Fisch!»

Bethany sah ihren Bruder voller Zuneigung an. «Du bist närrisch, James.»

«Sie sind nicht verheiratet, Miss Fletcher?», fragte der General.

«Nein, Sir.»

«Unsere Bethany war verlobt, General», erklärte James, «und zwar mit einem sehr guten Mann. Kapitän auf einem Schoner. Sie hätten dieses Frühjahr heiraten sollen.»

McLean sah das Mädchen freundlich an. «Sollen?»

«Er ist auf See geblieben, Sir», sagte Bethany.

«Hat auf den Sandbänken gefischt», erklärte James. «Da hat ihn ein Nordostwind erwischt, General, und der Nordoster hat schon manchen guten Mann von dieser Welt in die nächste geblasen.»

«Das tut mir leid.»

«Sie wird einen anderen finden», sagte James leichthin. «Sie ist schließlich nicht gerade das hässlichste Mädchen auf Erden.» Er grinste. «Oder, Bethany?»

Der Brigadier sah wieder zum Ufer hinüber. Manchmal gestattete er sich den kleinen Luxus der Vorstellung, dass kein Feind kommen und ihn angreifen würde, aber er wusste, wie unwahrscheinlich das war. McLeans kleine Truppe bildete jetzt die einzige britische Präsenz zwischen der kanadischen Grenze und Rhode Island, und die Aufständischen würden diese Präsenz ganz bestimmt beenden wollen. Sie würden kommen. Er deutete südwärts. «Sollen wir umdrehen?», fragte er, und Bethany drehte die *Felicity* wieder in den Wind. Ihr Bruder machte Fock, Stagsegel und Hauptsegel fest, sodass sich das kleine Boot schräg legte, als es in die lebhafte Brise schwenkte, und prickelnde Gischt benetzte die roten Uniformröcke der drei Offiziere. McLean sah wieder zu der hohen Westklippe von Majabigwaduce hinauf, die über dem breiten Fluss anstieg. «Wenn Sie hier das Kommando hätten», fragte er seine beiden Lieutenants, «wie würden Sie dann die Stellung verteidigen?» Lieutenant Campbell, ein schlaksiger Jüngling mit einer markanten Nase und einem ebenso markanten Adamsapfel, schluckte nervös und sagte nichts, während der junge Moore sich einfach auf den Stapel Fischernetze zurücklegte, als wolle er ein Nachmittagsschläfchen abhalten. «Los, los», trieb der Brigadier die beiden an, «erklären Sie mir, was Sie tun würden.»

«Hängt das nicht davon ab, was der Feind tut, Sir?», fragte Moore träge.

«Dann gehen wir von der Voraussetzung aus, dass sie mit einem Dutzend oder mehr Schiffen und, sagen wir, fünfzehnhundert Mann kommen.»

Moore schloss die Augen, während Lieutenant Campbell sich mühte, Eifer zu zeigen. «Wir bringen unsere Kanonen oben auf das Steilufer, Sir», schlug er vor und deutete auf das Hochplateau, das den Fluss und die Hafeneinfahrt beherrschte.

«Aber die Bucht ist sehr breit», hob McLean hervor, «also kann der Feind am anderen Ufer an uns vorbeifahren und stromauf an Land gehen.» Er deutete zu der schmalen, niedrigen Landbrücke, die Majabigwaduce mit dem Festland verband. «Und dann greifen sie uns von der Festlandseite aus an.»

78

Campbell runzelte die Stirn und biss sich auf die Unterlippe, während er über diesen Hinweis nachdachte. «Also stellen wir dort auch Kanonen auf, Sir», sagte er. «Wir könnten dort doch auch ein kleineres Fort anlegen, nicht?»

McLean nickte ermutigend und schaute zu Moore hinüber. «Eingeschlafen, Mister Moore?»

Moore lächelte, schlug aber die Augen nicht auf. *«Wer alles verteidigt, verteidigt nichts»*, sagte er.

«Ich glaube, das ist dem *alten Fritz* lange vor Ihnen eingefallen, Mister Moore», gab McLean zurück und lächelte Bethany zu. «Unser Zahlmeister prahlt ein bisschen, Miss Fletcher, indem er Friedrich den Großen zitiert. Aber recht hat er dennoch. Also», der Brigadier richtete seinen Blick wieder auf Moore, «was würden Sie hier in Majabigwaduce verteidigen?»

«Ich würde das verteidigen, Sir, was der Feind haben will.»

«Und das wäre?»

«Der Hafen, Sir.»

«Also würden Sie es dem Feind gestatten, seine Truppen auf der Landenge von Bord gehen zu lassen?», fragte McLean. Die Erkundungsgänge des Brigadiers hatten ihn davon überzeugt, dass die Aufständischen sehr wahrscheinlich nördlich von Majabigwaduce landen würden. Sie konnten auch versuchen, in den Hafen einzufahren, sich an Mowats Schaluppen vorbeikämpfen, um den Strand unterhalb des Forts zu erreichen, aber wenn McLean bei den Aufständischen das Kommando hätte, würde er es vorziehen, an dem breiten, zurückgesetzten Strand der Landenge von Bord zu gehen. Damit würde ihn der Feind vom Festland abschneiden und könnte, unerreichbar für den Kanonenbeschuss der königlichen Flotte, seine Befestigungen angreifen. Es bestand eine geringe Möglichkeit, dass sie einen Angriff über das Steilufer versuchen würden, um die Hochebene der Halbinsel einzunehmen, doch der Klippenabhang war gefährlich steil. McLean unterdrückte ein Seufzen. Er konnte, genau wie es der große Friedrich gesagt hatte, nicht alles verteidigen, denn indem man versuchte, alles zu verteidigen, verteidigte man gar nichts.

«Irgendwo werden sie landen, Sir», beantwortete Moore die Frage des Brigadiers, «und wir können kaum etwas daran ändern, jedenfalls nicht, wenn sie mit einem starken Verband kommen. Aber warum werden sie landen, Sir?»

«Sagen Sie es mir.»

«Um den Hafen einzunehmen, Sir, denn in ihm besteht der eigentliche Wert dieses Ortes.»

«Du bist nicht ferne von dem Reiche Gottes, Mister Moore», sagte McLean. «Sie wollen den Hafen, und sie werden kommen, um ihn zu erobern – lassen Sie uns nur hoffen, dass sie nicht zu bald kommen.»

«Je früher sie kommen, Sir», sagte Moore, «desto früher können wir sie umbringen.»

«Ich würde gern zuerst das Fort fertigstellen», sagte McLean. Das Fort, dem er den Namen Fort George geben wollte, war noch kaum angefangen. Die Erdkrume war dünn, steinig und schwer zu bearbeiten, und der Hügelkamm so dicht mit Bäumen bestanden, dass nach einer ganzen Woche harter Mühen noch nicht einmal ein ausreichendes Schlachtfeld freigelegt worden war. Wenn der Feind bald kam, das wusste McLean, würde ihm kaum etwas anderes übrigbleiben, als ein paar trotzige Kanonenschüsse abzugeben und dann die Flagge einzuholen. «Beten Sie viel, Mister Moore?», fragte McLean.

«Das tue ich tatsächlich, Sir.»

«Dann beten Sie darum, dass sich der Feind verspätet», sagte McLean leidenschaftlich. Dann sah er James Fletcher an. «Mister Fletcher, würden Sie uns wieder am Strand absetzen?»

«Das tue ich, General», sagte James fröhlich.

«Und beten Sie für uns, Mister Fletcher.»

«Ich bin nicht sicher, ob Gott auf mich hört, Sir.»

«James!», tadelte Bethany ihren Bruder.

James grinste. «Brauchen Sie Gebete, um sich hier zu schützen, General?»

McLean schwieg einen Moment und zuckte dann mit den Schultern. «Das, Mister Fletcher, kommt auf die Stärke des Feindes an, aber ich wünschte mir doppelt so viele Männer und doppelt so viele Schiffe, um mich hier sicher fühlen zu können.»

«Vielleicht kommen sie ja nicht, Sir», sagte Fletcher. «Diese Leute in Boston hat noch nie besonders interessiert, was hier vorgeht.» Der Wind trieb Nebelfetzen vor sich her, als die *Felicity* die drei Kriegsschaluppen passierte, die den Hafeneingang bewachten. James Fletcher registrierte, dass die drei Schiffe am Bug und am Heck verankert waren, sodass sie nicht mit dem Gezeitenwechsel oder dem Wind herumschwangen und die Steuerbord-Breitseiten der Schaluppen der Hafeneinfahrt zugewandt blieben. Von der Backbordseite des Schiffes, das am dichtesten am Strand lag, der *North*, klatschte in rhythmischen Abständen ein Wasserstrahl herunter, und James hörte das Geräusch der Ulmenholzpumpen, die von Männern an langen Schwengeln betrieben wurden. Der Pumpenbetrieb wurde kaum je unterbrochen, was bedeutete, dass sich die *North* in schlechtem Zustand befand, doch ihre Kanonen waren zweifellos wirksam genug, um die Verteidigung der Hafeneinmündung zu unterstützen. Und um diese Verteidigung noch zu verbessern, hackten Marinesoldaten im roten Rock des englischen Königs die Erde auf Cross Island auf, das die südliche Seite der Hafeneinfahrt begrenzte. Fletcher vermutete, dass die Marinesoldaten dort eine Batterie anlegten. Hinter den drei Schaluppen bildeten drei der Transportschiffe, mit denen die Rotröcke nach Majabigwaduce gekommen waren, eine zweite Sperrlinie quer über die Hafeneinfahrt. Diese Transporter waren nicht bewaffnet, aber schon allein ihre Größe machte sie zu einem beachtlichen Hindernis für jedes Schiff, das versuchen mochte, an den drei kleineren Schaluppen vorbeizukommen.

McLean reichte Fletcher als Bezahlung für die Nutzung seines Bootes ein Stück in Öltuch eingeschlagenen Tabak und einen der spanischen Silberdollars, die in dieser Gegend die gemeinsame Währung darstellten. «Kommen Sie, Mister Moore», rief er streng, als der Zahlmeister Bethany seinen Arm anbot, um ihr über den holprigen Strand zu helfen. «Wir haben zu tun!»

Auch James Fletcher hatte zu tun. Es war immer noch Hochsommer, aber es musste Holz für den Winter gemacht werden, und so hackte er an diesem Abend vor dem Haus Holz. Er arbeitete, bis aus dem Zwielicht beinahe schon Dunkelheit geworden war, spaltete mit schweren Axtschlägen die Holzklötze zu brauchbaren Feuerscheiten.

«Du denkst nach, James.» Bethany war aus dem Haus gekommen und sah ihm zu. Sie trug eine Schürze über ihrem grauen Kleid.

«Ist das schädlich?»

«Du arbeitest immer zu schwer, wenn du nachdenkst», sagte sie. Dann setzte sie sich auf die Bank vor dem Haus. «Mutter schläft.»

«Gut», sagte James. Er ließ die Axt in dem Stück Baumstamm stecken, das er als Hackklotz benutzte, und setzte sich neben seine Schwester auf die Bank, von der aus man den Hafen überblickte. Die Wolken am Himmel waren purpurfarben und schwarz, das Wasser um die verankerten Boote glitzerte in silbrigen Riffeln; Lampenschimmer brach sich auf den niedrigen Wellen. Ein Horn erklang auf dem Hügelrücken, auf dem in zwei Zeltlagern die Rotröcke untergebracht waren. Ein Feldposten von sechs Mann bewachte die Kanonen und die Munition, die oberhalb der Flutlinie am Strand abgestellt worden waren. «Dieser junge Offizier mag dich, Beth», sagte James. Bethany lächelte bloß, sagte jedoch nichts. «Eigentlich sind sie ganz nett», sagte James.

«Mir gefällt der General», sagte Bethany.

«Ein anständiger Kerl, wie's scheint», sagte James.

«Ich frage mich, was mit seinem Arm passiert ist.»

«Er ist Soldat, Beth. Soldaten werden verwundet.»

«Und getötet.»

«Ja.»

Sie saßen noch eine Weile in einvernehmlichem Schweigen beisammen, während die Dunkelheit langsam begann, den Fluss, den Hafen und das Steilufer der Klippe einzuhüllen. «Also wirst du den Eid unterzeichnen?», fragte Bethany schließlich.

«Hab vermutlich keine andere Wahl», sagte James niedergeschlagen.

«Aber wirst du es tun?»

James kratzte ein Stück Kautabak zwischen seinen Zähnen heraus. «Vater hätte gewollt, dass ich unterschreibe.»

«Ich weiß nicht, ob Vater darüber jemals nachgedacht hat», sagte Bethany. «Wir hatten hier nie eine Regierung, weder eine königliche noch eine aufständische.»

«Er war königstreu», sagte James. «Er hat die Franzosen gehasst und den König geliebt.» Er seufzte. «Wir müssen irgendwie leben, Beth. Wenn ich den Eid nicht leiste, werden sie uns die *Felicity* wegnehmen, und was sollen wir dann machen? Das könnte ich nicht ertragen.» Ein Hund jaulte irgendwo im Dorf, und James wartete, bis das Geräusch verklungen war. «McLean gefällt mir», sagte er, «aber ...» Er ließ den Gedanken in der Dunkelheit schweben.

«Aber?», fragte Bethany. Ihr Bruder zuckte mit den Schultern, antwortete aber nicht. Beth schlug nach einem Moskito. «‹So erwählt euch heute, wem ihr dienen wollt›», zitierte sie, «‹den Göttern, denen eure Väter gedient haben jenseits des Stroms, oder …›» Sie ließ den Bibelvers unbeendet.

«Es herrscht zu viel Verbitterung», sagte James.

«Hast du geglaubt, das alles würde uns hier nicht berühren?»

«Ich habe es gehofft. Was will überhaupt irgendwer mit Bagaduce?»

Bethany lächelte. «Die Holländer waren hier, die Franzosen haben hier ein Fort gebaut – wie es scheint, will alle Welt unsere Gegend haben.»

«Aber es ist unsere Heimat, Beth. Wir haben diesen Ort erschaffen, er gehört uns.» James hielt inne. Er wusste nicht, ob er ausdrücken konnte, was ihm durch den Kopf ging. «Weißt du, dass Colonel Buck weg ist?»

Buck war der örtliche Befehlshaber der Miliz von Massachusetts, und er war über den Lauf des Penobscot nordwärts geflüchtet, als die Briten angekommen waren. «Ich habe davon gehört», sagte Bethany.

«Und John Lymburner und seine Freunde erzählen, was für ein Feigling Buck ist, aber das ist Unsinn! Das sagen sie nur, weil sie so verbittert sind, Beth.»

«Und dir ist das alles gleichgültig?», fragte sie. «Unterschreibst du einfach den Treueid und tust so, als wäre nichts weiter?»

James starrte auf seine Hände hinunter. «Was meinst du denn, was ich tun soll?»

«Du weißt, was ich denke», sagte Bethany fest.

«Nur, weil dein Freund ein verdammter Aufständischer war», sagte James sanft und lächelte. Er betrachtete die zitternden Lichtreflexe, die von den Laternen an Bord der drei

Schaluppen aufs Wasser geworfen wurden. «Was ich will, Beth, ist, dass sie uns allesamt in Ruhe lassen.»

«Das werden sie aber nicht tun», sagte sie.

James nickte. «Das werden sie nicht, also schreibe ich einen Brief, Beth. Und du bringst ihn über den Fluss zu James Brewer. Er sorgt dafür, dass er nach Boston kommt.»

Bethany schwieg einen Moment. «Und der Eid? Wirst du ihn leisten?»

«Über diese Brücke gehen wir, wenn es keinen anderen Weg mehr gibt», sagte er. «Ich weiß nicht, wie es kommt, Beth, ich weiß es wirklich nicht.»

James schrieb den Brief auf eine leere Seite, die er hinten aus der Familienbibel herausgerissen hatte. Er schilderte in einfachen Worten, was er in Majabigwaduce und seinem Hafen gesehen hatte. Er führte auf, wie viele Kanonen auf den Schaluppen waren und wo die Briten Erdwälle aufschütteten, wie viele Soldaten seiner Meinung nach ins Dorf gekommen und wie viele Kanonen an Land gebracht worden waren. Die Rückseite des Blattes benutzte er, um einen groben Plan der Halbinsel zu zeichnen, auf dem er die Position des Forts und die Stelle markierte, an der die drei Kriegsschaluppen verankert waren. Außerdem zeichnete er die Batterie auf Cross Island ein. Dann drehte er das Blatt um, unterschrieb den Brief mit seinem Namen und biss sich auf die Unterlippe, während er die plumpen Buchstaben malte.

«Vielleicht solltest du deinen Namen besser weglassen», sagte Bethany.

James siegelte das gefaltete Blatt mit Kerzenwachs. «Die Soldaten machen dir vermutlich keine Schwierigkeiten, Beth, deshalb sollst ja auch du den Brief über den Fluss bringen, aber wenn sie es doch tun und wenn sie den Brief finden, dann will ich nicht, dass du beschuldigt wirst. Sag, du hättest nicht gewusst, was in dem Brief steht, damit ich bestraft werde.»

«Also bist du jetzt ein Aufständischer?»

Nach einem kurzen Zögern nickte James. «Ja», sagte er, «ich glaube schon.»

«Gut», sagte Bethany.

Flötenklang ertönte von einem Haus etwas höher auf dem Hügel. Immer noch schimmerten die Lichter auf dem Wasser des Hafens, und dunkle Nacht senkte sich über Majabigwaduce.

Auszüge aus einem Brief der Stadträte von Newburyport, Massachusetts, an den Allgemeinen Gerichtshof von Massachusetts, 12. Juli 1779:

Letzten Freitag kam ein gewisser James Collins, Einwohner von Penobscot, auf seinem Heimweg von Boston durch diese Stadt ... bei der Überprüfung fanden (wir)*, dass er ein Feind der vereinigten Staaten von Amerika war ... und dass dieser Collins sofort nach der Ankunft der britischen Flotte in Penobscot ... eine Schiffspassage von Kennebeck nach Boston genommen hat ... wo er vergangenen Dienstag ankam, und, wie wir festgestellt haben, jede nur Vorstellbare Information sammelte, die er Nur über die Bewegungen unserer Flotte und Armee bekommen konnte ...* (Wir) *verdächtigen ihn, ein Spion zu sein, und haben ihn folglich im Zuchthaus dieser Stadt Festgesetzt.*

Befehl an den Kriegsausschuss von Massachusetts, 3. Juli 1779:

Hiermit sei der Kriegsausschuss angewiesen, drei hundert und fünfzig Fässer Mehl, Ein hundert und sechzehn Fässer Schweinefleisch, Ein hundert und fünf und Sechzig Fässer Rindfleisch, Elf Ohm Reis, Drei hundert und Fünfzig Scheffel Erbsen, fünf hundert und zwei und fünfzig Gallonen Melasse, Zwei Tausend, Ein hundert und Sechs und Siebzig

*Pfund Seife und Sieben hundert und Acht und Sechzig Pfund
Kerzen als hinlängliche Menge … für die geplante Expedition nach Penobscot an Bord der Transporter zu schaffen.*

DREI

Am Sonntag, dem 18. Juli 1779, besuchte Peleg Wadsworth die Messe in der Christ Church, Salem Street, deren Pfarrer Hochwürden Stephen Lewis bis vor zwei Jahren britischer Armeekaplan gewesen war. Der Pfarrer war mit dem Rest der besiegten britischen Armee bei Saratoga gefangen genommen worden, doch in der Gefangenschaft hatte er die Seiten gewechselt und einen Treueid auf die Vereinigten Staaten von Amerika abgelegt, was zur Folge hatte, dass seine Gottesdienstgemeinde an diesem Sommersonntag von vielen Städtern vergrößert wurde, die neugierig darauf waren, was er wohl predigen würde, wenn sein neues Heimatland kurz vor einem Feldzug gegen seine früheren Kameraden stand. Hochwürden Lewis wählte zur Predigt einen Text aus dem Buch Daniel, der die Geschichte von Schadrach, Mesach und Abednego erzählte, den drei Männern, die in Nebukadnezars Flammenofen geworfen worden waren und, durch Gottes Gnade, das Feuer überlebt hatten. Eine Stunde oder länger fragte sich Wadsworth, wie diese Bibelstelle in Bezug zu den militärischen Vorbereitungen stand, die Boston in Atem hielten, und ob den Pfarrer womöglich alte Untertanentreue unentschlossen hatte werden lassen, doch dann kam Hochwürden Lewis zu seinem Schlusswort. Er führte aus, wie sich alle Männer des Königs Nebukadnezar versammelt hatten, um der Hinrichtung beizuwohnen, doch stattdessen sahen sie, «dass das Feuer keine Macht» hatte. «Die Männer des Königs», wiederholte der Pfarrer leidenschaftlich, «sahen, ‹dass das Feuer keine Macht› hatte! Das ist Gottes Versprechen in Daniel, Vers siebenundzwanzig, Kapitel drei! Das Feuer, das die Männer des Königs legten, hatte keine Macht!» Hochwürden Lewis sah Wadsworth direkt in die Augen, als er die letzten beiden Worte noch einmal wiederholte: «Keine Macht!», und Wadsworth dachte an die Rotröcke, die in Majabigwaduce auf sie warteten, und betete, dass ihr Feuer tatsächlich keine Macht haben würde. Er dachte an die Schiffe, die im Bostoner Hafen ankerten, er dachte an die Miliztruppen, die sich in Townsend sammelten, wo sie von den Schiffen abgeholt würden, und erneut betete er, dass sich das Feuer des Feindes als machtlos erweisen würde.

Nach dem Gottesdienst schüttelte Wadsworth viele Hände, und viele Gemeindemitglieder wünschten ihm Glück, doch er verließ die Kirche nicht. Stattdessen wartete er unter der Orgelempore ab, bis er allein war, ging dann den Mittelgang hinauf und kniete sich auf ein frisch mit der Flagge der Vereinigten Staaten besticktes Betkissen. Am Rand der Flagge waren die Worte «God Watcheth Over Us» – Gott wacht über uns – eingestickt, und Wadsworth betete, dass das auch stimmte, und er betete, dass Gott seine Familie beschützen möge, deren Mitglieder er einzeln aufzählte: Elizabeth, seine gute Frau, dann Alexander, Charles und Zilpha. Er betete, dass der Feldzug gegen die Briten in Majabigwaduce kurz und erfolgreich sein möge. Er sollte kurz sein, weil Elizabeth in fünf oder sechs Wochen ihr nächstes Kind erwartete und er sich um sie sorgte und bei ihr sein wollte, wenn das Kleine zur Welt kam. Er betete für die Männer, die er in die Schlacht führen würde. Er formte die Gebete mit den Lippen, die Worte wurden nur als leises Murmeln hörbar, doch im Geiste sah er jedes dieser Worte klar und deutlich vor sich. Es ist eine gerechte Sache, erklärte er Gott, und Männer werden dafür sterben, und er bat Gott, diese Männer in ihre neue himmlische Heimat aufzunehmen, und er betete für die Witwen und die Waisen, die zurückbleiben würden. «Und wenn es dir gefällt, Gott», sagte er etwas lauter, «lass Elizabeth nicht zur Witwe werden und gewähre es meinen Kindern, mit ihrem Vater im Haus aufzuwachsen.» Er fragte sich, wie viele andere solcher Gebete an diesem Sonntagmorgen zum Himmel gesandt wurden.

«General Wadsworth, Sir?», erklang da eine zögernde Stimme hinter ihm.

Wadsworth drehte sich um und hatte einen großen, schlanken jungen Mann in einem dunkelgrünen Uniformrock mit weißem Gürtel vor sich. Der junge Mann wirkte unsicher, vermutlich befürchtete er, Wadsworth in seiner Andacht gestört zu haben. Er hatte dunkles Haar, das zu einem kurzen, dicken Pferdeschwanz zusammengenommen war. Einen Moment lang vermutete Wadsworth, der Mann sei mit Befehlen zu ihm geschickt worden, dann aber kam ihm die Erinnerung an einen Jungen in den Sinn, und er erkannte den Mann. «William Dennis!», sagte Wadsworth mit echter Freude. Er rechnete kurz nach und stellte fest, dass Dennis inzwischen neunzehn Jahre alt sein musste. «Wir haben uns vor acht Jahren das letzte Mal gesehen!»

«Ich habe gehofft, dass Sie sich an mich erinnern», sagte Dennis erfreut.

«Natürlich erinnere ich mich an Sie!» Wadsworth schüttelte dem jungen Mann über den Rand der Kastenbank hinweg die Hand. «Sogar sehr gut.»

«Ich habe gehört, dass Sie hier sind», sagte Dennis, «also habe ich mir erlaubt, Sie aufzusuchen.»

«Das freut mich.»

«Und Sie sind jetzt ein General, Sir.»

«Ein ganz schöner Sprung für einen Schulmeister, nicht wahr?», sagte Wadsworth trocken. «Und Sie?»

«Ich bin Lieutenant bei der Marineinfanterie der Kontinentalarmee.»

«Mein Glückwunsch.»

«Und nach Penobscot verpflichtet, Sir, genau wie Sie.»

«Sind Sie auf der *Warren*?»

«Das bin ich, Sir, aber zurzeit auf der *Vengeance* eingesetzt.» Die *Vengeance* war einer der Kaperer, ein Zwanzig-Kanonen-Schiff.

«Dann werden wir den Sieg teilen», sagte Wadsworth. Er öffnete das Türchen der Kastenbank und deutete in Richtung der Straße. «Begleiten Sie mich zum Hafen?»

«Natürlich, Sir.»

«Sie haben die Messe besucht, wie ich hoffe?»

«Hochwürden Frobisher hat in der West Church gepredigt», sagte Dennis, «und ich wollte ihn hören.»

«Sie klingen nicht sehr beeindruckt», sagte Wadsworth amüsiert.

«Er hat einen Satz aus der Bergpredigt ausgewählt», sagte Dennis. «‹Denn Er lässt seine Sonne aufgehen über die Bösen und die Guten und lässt regnen über Gerechte und Ungerechte.›»

«Ah!», sagte Wadsworth und verzog das Gesicht. «Wollte er damit sagen, dass Gott nicht auf unserer Seite steht? Wenn es so ist, dann klingt es sehr entmutigend.»

«Er hat uns versichert, Sir, dass die Offenbarungen unseres Glaubens nicht vom Ausgang einer Schlacht oder eines Feldzugs und nicht einmal von einem ganzen Krieg abhängen. Er sagte, wir können Gottes Willen nicht ergründen, bis auf den Teil, der zur Erkenntnis unseres Gewissens beiträgt.»

«Ich vermute, das ist wahr», räumte Wadsworth ein.

«Und er sagte, der Krieg sei das Geschäft des Teufels, Sir.»

«Das ist ganz bestimmt wahr», sagte Wadsworth, während sie die Kirche verließen, «aber wohl kaum eine angemessene Predigt für eine Stadt, die dabei ist, ihre Männer in den Krieg zu schicken.» Er drückte das Kirchenportal hinter sich zu und stellte fest, dass die regnerische Brise abgezogen war, die ihn vom Hafen den Hügel hinauf zur Kirche begleitet hatte. Am Himmel jagten die letzten hohen Wolken davon. Er ging mit Dennis zum Wasser hinunter und fragte sich, wann die Flotte ablegen würde. Commodore Saltonstall hatte schon am vorangegangenen Donnerstag Befehl gegeben, die Segel zu setzen, doch dann hatte er die Abfahrt verschoben, weil sich der Wind zu einem Sturm entwickelt hatte, der Schiffstrossen zerreißen lassen konnte. Doch bald würde die große Flotte absegeln müssen. Ostwärts, zum Feind, zum Geschäft des Teufels.

Wadsworth warf einen kurzen Blick auf Dennis. Er hatte sich zu einem ansehnlichen jungen Mann entwickelt. Sein dunkelgrüner Uniformrock hatte weiße Aufschläge, und seine weißen Kniehosen waren grün paspeliert. Er trug ein gerades Schwert in einer Lederscheide, die mit silbernen Eichenblättern besetzt war. «Ich habe nie verstanden», sagte Wadsworth, «weshalb die Marine Grün trägt. Wäre Blau nicht viel, nun ja, wie soll ich sagen, maritimer?»

«Ich habe mir sagen lassen, Sir, dass das einzige Tuch, das in Philadelphia zur Verfügung stand, grün war.»

«Aha! Auf diesen Gedanken wäre ich nie gekommen. Wie geht es Ihren Eltern?»

«Sehr gut, Sir, danke», gab Dennis lebhaft zurück. «Es wird sie freuen zu erfahren, dass ich Sie getroffen habe.»

«Senden Sie ihnen meine Empfehlungen», sagte Wadsworth. Er hatte William Dennis lesen und schreiben gelehrt, er hatte ihn lateinische und englische Grammatik gelehrt, doch dann war die Familie nach Connecticut umgezogen, und Wadsworth hatte den Kontakt verloren. Dennoch erinnerte er sich sehr gut an Dennis. Er war ein gescheiter Junge gewesen, aufgeweckt und spitzbübisch, aber niemals boshaft. «Ich habe Sie einmal geschlagen, nicht wahr?», fragte er.

«Zweimal, Sir», sagte Dennis und grinste, «und ich hatte die Strafe beide Male verdient.»

«Das war eine Pflicht, die ich nie geliebt habe», sagte Wadsworth.

«Aber eine notwendige?»

«Oh, ganz bestimmt.»

Ihre Unterhaltung wurde immer wieder von Männern unterbrochen, die ihnen die Hand schütteln und Erfolg gegen die Briten wünschen wollten. «Bereiten Sie ihnen die Hölle auf Erden, General», sagte ein Mann, und ähnlich drückten sich alle aus, von denen die beiden angesprochen wurden. Wadsworth lächelte, schüttelte Hände und entkam all den guten Wünschen schließlich, indem er das *Bunch of Grapes* betrat, eine Schenke in der Nähe des Langen Kais. «Ich glaube, Gott wird uns verzeihen, dass wir am Sabbat die Schwelle eines Gasthauses überschreiten», sagte er.

«Es geht hier dieser Tage ohnehin mehr zu wie im Armeehauptquartier», sagte Dennis belustigt. In der Schenke drängten sich Uniformierte. Viele standen vor einer Wand, an der Nachrichtenzettel hingen, und zwar so viele, dass sie sich zum Teil gegenseitig verdeckten. Manche warben mit den Gewinnen, die man auf Freibeuterschiffen machen konnte, andere waren von Solomon Lovells Stab aufgehängt worden.

«Wir sollen heute an Bord übernachten!», rief ein Mann. Dann bemerkte er Wadsworth. «Heißt das, dass wir morgen in See stechen, General?»

«Das hoffe ich», sagte Wadsworth. «Achten Sie darauf, dass bei Einbruch der Dunkelheit alle an Bord sind.»

«Kann ich die hier mitnehmen?», fragte der Mann. Er hatte seinen Arm um eine der Gasthaushuren gelegt, ein hübsches junges, rothaariges Mädchen, das um diese Tageszeit schon betrunken zu sein schien.

Wadsworth überging die Frage und führte Dennis stattdessen an einen leeren Tisch hinten im Gastraum, der vor Gesprächen, Hoffnung und Aufbruchsstimmung vibrierte. Ein dicker Mann in einem salzverfleckten Matrosenmantel stand auf und hieb mit der Faust auf einen Tisch. Als es still geworden war, hob er seinen Krug. «Auf den Sieg bei Bagaduce!», rief er. «Tod den Tories, und auf den Tag, an dem der Kopf ihres fetten Königs George auf einer Bajonettspitze durch Boston getragen wird!»

«Da wird ja einiges von uns erwartet», sagte Wadsworth, als der Jubel sich gelegt hatte.

«König George wird uns seinen Kopf womöglich nicht zur Verfügung stellen wollen», sagte Dennis amüsiert, «aber ich bin sicher, dass wir ihre anderen Erwartungen nicht enttäuschen werden.» Er wartete, während Wadsworth Austerneintopf und Bier bestellte. Dann sagte er: «Wussten Sie, dass die Leute Anteile an der Expedition kaufen?»

«Anteile?»

«Die Eigentümer der Kaperschiffe, Sir, verkaufen jetzt schon die Beute, die sie nach ihrer Einschätzung machen werden. Ich nehme an, dass Sie nicht investiert haben?»

«Das Spekulieren hat mir noch nie gelegen», sagte Wadsworth. «Wie geht es vor sich?»

«Nun, Kapitän Thomas von der *Vengeance*, Sir, erwartet eine Beute im Wert von fünfzehnhundert Pfund zu machen, und auf dieser Grundlage bietet er hundert Anteile zum Gegenwert von je fünfzehn Pfund das Stück an.»

«Gütiger Gott! Und was, wenn er nicht an den Gegenwert von fünfzehnhundert Pfund herankommt?»

«Dann verlieren die Spekulanten, Sir.»

«Das müssen sie wohl, ja. Und es gibt Leute, die diese Anteile kaufen?»

«Sogar viele! Ich glaube, die Anteile der *Vengeance* werden inzwischen schon zu zweiundzwanzig Pfund das Stück gehandelt.»

«In was für einer Welt leben wir bloß», sagte Wadsworth. «Erzählen Sie mir», er hob seinen Bierkrug zu Dennis hin, «was Sie getan haben, bevor Sie zur Marine gegangen sind.»

«Ich habe studiert, Sir.»

«Harvard?»

«Yale.»

«Dann habe ich Sie nicht annähernd oft oder hart genug geschlagen», sagte Wadsworth.

Dennis lachte. «Mein Ziel ist das Rechtswesen.»

«Ein nobles Ziel.»

«Das hoffe ich, Sir. Wenn die Briten geschlagen sind, werde ich meine Studien wiederaufnehmen.»

«Wie ich sehe, tragen Sie Ihre Studien bei sich», sagte Wadsworth und nickte in Richtung einer buchförmigen Ausbeulung in der Schoßtasche von William Dennis' Uniform. «Oder ist das die Bibel?»

«Beccaria, Sir», sagte Dennis und zog das Buch aus der Schoßtasche. «Ich lese ihn zum Vergnügen, oder sollte ich besser sagen: zur Aufklärung?»

«Beides, hoffe ich. Ich habe von ihm gehört», sagte Wadsworth, «und würde ihn selbst gern lesen.»

«Erlauben Sie mir dann, Ihnen das Buch auszuleihen, wenn ich es ausgelesen habe?»

«Das wäre sehr freundlich», sagte Wadsworth. Er schlug das Buch auf. *Von den Verbrechen und von den Strafen* von Cesare Beccaria, neu aus dem Italienischen übersetzt. Er bemerkte die sorgsam geschriebenen Kommentare an den Rändern beinahe jeder Seite und dachte, wie traurig es war, dass ein so begabter junger Mann wie Dennis in den Krieg ziehen musste. Dann dachte er, es wäre unvorstellbar, dass

Gott, auch wenn er es gleichermaßen auf die Gerechten und die Ungerechten regnen ließ, anständige Männer, die für eine ehrbare Sache kämpften, in die Niederlage führte. Das war eine tröstliche Überlegung. «Hat Beccaria nicht recht seltsame Ansichten?», fragte er.

«Er hält die Todesstrafe sowohl für falsch als auch für gesellschaftlich wirkungslos.»

«Tatsächlich?»

«Er argumentiert recht stichhaltig, Sir.»

«Das muss er auch!»

Sie aßen und gingen anschließend die paar Schritte zum Hafen hinunter, wo die Schiffsmasten einen regelrechten Wald bildeten. Wadsworth hielt Ausschau nach der Schaluppe, die ihn in die Schlacht tragen würde, aber er konnte die *Sally* in dem Gewirr von Schiffsrümpfen, Masten und Takelwerk nicht ausmachen. Eine Möwe schrie über ihnen, ein Hund mit einem Dorschkopf im Maul rannte den Kai entlang, und ein beinloser Bettler schob sich auf Wadsworth zu. «Verwundet bei Saratoga, Sir», sagte der Bettler, und Wadsworth reichte ihm einen Shilling.

«Kann ich Ihnen ein Boot rufen, Sir?», fragte Dennis.

«Das wäre sehr freundlich.»

Peleg Wadsworth betrachtete die Flotte und erinnerte sich an seine Morgengebete. In Boston herrschte so viel Zuversicht, so viel Hoffnung, und so viele Erwartungen wurden gehegt, aber der Krieg war, das wusste er aus Erfahrung, fürwahr das Geschäft des Teufels.

Und jetzt war es an der Zeit, in den Krieg zu ziehen.

«Das ziemt sich nicht», sagte Doktor Calef.

Brigadier McLean, der neben dem Arzt stand, beachtete den Protest nicht.

«Das ziemt sich nicht!», wiederholte Calef lauter.

«Es ist notwendig», gab der Brigadier so harsch zurück, dass der Arzt zusammenzuckte. Die Truppen hatten den Sonntagsgottesdienst unter freiem Himmel gefeiert, die schottischen Stimmen hatten kräftig gegen den böigen Wind angesungen, der Regenschwaden über den Hafen trieb. Hochwürden Campbell, der Kaplan vom 82sten, hatte aus Jesaja gepredigt. «An jenem Tage wird der Herr heimsuchen mit seinem harten, großen, starken Schwert den Leviathan.» McLean erkannte die Bedeutung des Textes, aber er fragte sich, ob er ein Schwert besaß, das stark, groß und hart genug war, um die Truppen heimzusuchen, die ganz sicher zu seiner Vertreibung kommen würden. Der Regen fiel inzwischen gleichmäßiger und durchweichte den Hügelrücken, auf dem das Fort errichtet wurde und wo die zwei Regimenter auf einer leeren, quadratischen Fläche exerzierten. «Diese Männer haben keine Kriegserfahrung», erklärte McLean an Calef gewandt. «Die meisten haben noch keine einzige Schlacht erlebt, also müssen sie auch noch lernen, welche Folgen Gehorsamsverweigerung hat.» Er ging näher zum Zentrum des Exerzierfeldes, wo ein Andreaskreuz aufgerichtet worden war. Ein junger Mann mit entblößtem Oberkörper war mit dem Gesicht an das Kreuz gefesselt worden, sodass sein Rücken dem Wind und dem Regen ausgesetzt war.

Ein Sergeant drückte ihm einen gefalteten Lederstreifen zwischen die Zähne. «Beiß dadrauf, Junge, und nimm deine Bestrafung wie ein Mann.»

McLean erhob die Stimme, sodass ihn jeder Soldat hören konnte. «Soldat Macintosh hat versucht zu desertieren. Damit hat er den Eid gebrochen, den er seinem König, seinem Land und Gott geleistet hat. Deshalb wird er nun bestraft werden, genau wie jeder andere Mann, der versucht, seinem Beispiel zu folgen.»

«Es ist mir gleich, ob er bestraft wird», sagte Calef, als der Brigadier wieder zu ihm zurückkam, «aber muss es am Tag des Herrn sein? Kann das nicht bis morgen warten?»

«Nein», sagte McLean. «Das kann es nicht.» Er nickte dem Sergeant zu. «Tun Sie Ihre Pflicht.»

Zwei Trommler würden die Auspeitschung übernehmen, während ein dritter den Takt dazu schlug. Soldat Macintosh war ertappt worden, als er über die niedrige sumpfige Landenge schlich, die Majabigwaduce mit dem Festland verband. Das war der einzige Weg von der Halbinsel herunter, es sei denn, man stahl ein Boot oder man schwamm im äußersten Notfall durch den Hafen, und McLean hatte einen Wachtposten in dem Wald bei der Landbrücke aufgestellt. Sie hatten Macintosh zurückgebracht, und er war zu zweihundert Peitschenhieben verurteilt worden, der schwersten Bestrafung, die McLean jemals angeordnet hatte, aber er hatte ohnehin viel zu wenig Leute und musste andere an der Desertion hindern.

Desertion stellte ein Problem dar. Zwar waren die meisten Männer recht zufrieden, doch es gab immer ein paar, die sich in den Weiten Nordamerikas ein besseres Dasein versprachen. Das Leben dort war viel leichter als in den schottischen Highlands, und Macintosh hatte Fahnenflucht begehen wollen, und jetzt würde er dafür bestraft werden.

«Eins!», rief der Sergeant.

«Macht es mit Kraft», wies McLean die beiden Trommler an, «er soll hier nicht bloß gekitzelt werden.»

«Zwei!»

McLean ließ seine Gedanken schweifen, während die Lederpeitschen kreuz und quer über den Rücken des Mannes fuhren. Er hatte in seinen Dienstjahren viele Auspeitschungen gesehen, und er hatte auch Exekutionen befohlen, weil mit Auspeitschungen und Exekutionen die militärische Disziplin durchgesetzt wurde. Er sah viele der Soldaten entsetzt den Blick abwenden, also hatte die Bestrafung offenbar die erwünsche Wirkung. McLean genoss öffentliche Bestrafungen keineswegs, das tat niemand, der bei Verstand war, aber sie waren unvermeidlich, und mit etwas Glück würde sie Macintosh in einen ordentlichen Soldaten verwandeln.

Und gegen welchen Leviathan, fragte sich McLean, würde Macintosh zu kämpfen haben? Eine Woche zuvor hatte ein Schoner unter einem loyalistischen Kapitän in Majabigwaduce angelegt und Berichte darüber mitgebracht, dass die Aufständischen in Boston eine Flotte und eine Armee zusammenzogen. «Wir haben gehört, dass vierzig oder mehr Schiffe hierherkommen sollen, Sir», hatte der Kapitän ihm erklärt, «und sie haben schon dreitausend Mann oder noch mehr zusammen.»

Das mochte stimmen oder auch nicht. Der Kapitän des Schoners war nicht selbst in Boston gewesen, er hatte nur in Nantucket Gerüchte gehört, und Gerüchte, das wusste McLean, konnten eine Kompanie zu einem Bataillon aufblasen und ein Bataillon zu einer Armee. Dennoch hatte er die Information so ernst genommen, dass er den Schoner mit einer Meldung an Sir Henry Clinton in New York Richtung Süden zurückgeschickt hatte. In der Meldung stand lediglich, dass McLean einen baldigen Angriff erwartete, dem er ohne Verstärkung nicht standhalten konnte. Warum, frage er sich, waren ihm so wenige Männer und so wenige Schiffe zugeteilt worden? Wenn die Krone dieses Stück Land haben wollte, warum wurde hier dann keine angemessene militärische Einheit stationiert? «Achtunddreißig!», rief der Sergeant. Inzwischen lief Blut über Macintoshs Rücken. Blut, mit Regen verdünnt, aber immer noch genug, um in den Bund seines Kilts zu laufen und ihn dunkel zu färben. «Neununddreißig», brüllte der Sergeant, «und schlagt ordentlich zu!»

McLean ärgerte sich über die Zeit, die ihm durch diese öffentliche Strafaktion für seine Vorbereitungen fehlen würde. Er wusste, dass die Zeit knapp war, und das Fort war noch weit von seiner Fertigstellung entfernt. Der Graben um die vier Längsseiten war kaum zwei Fuß tief, die Wälle dahinter kaum höher. Es war ein Witz von einem Fort, ein jämmerlicher kleiner Erdwall, und er brauchte sowohl mehr Männer als auch mehr Zeit. Er hatte jedem Zivilisten, der zur Mitarbeit bereit war, eine Entlohnung angeboten, und als sich zu wenige Männer meldeten, hatte er Patrouillen losgeschickt, um sie zur Arbeit zu zwingen.

«Einundsechzig!», rief der Sergeant. Macintoshs Wimmern wurde von dem Lederstreifen erstickt, auf den er biss. Er bewegte sich leicht, und Blut rann in einen Schuh, und dann quoll es über den Rand des Schuhs.

«Er verkraftet nicht viel mehr», knurrte Calef. Calef ersetzte den Bataillonsarzt, der am Fieber erkrankt war.

«Weiter!», sagte McLean.

«Wollen Sie ihn umbringen?»

«Ich will», sagte McLean, «dass das Bataillon mehr Angst vor der Peitsche als vor dem Feind hat.»

«Zweiundsechzig!», rief der Sergeant.

«Sagen Sie», unvermittelt drehte sich McLean zu dem Arzt um, «warum wird das Gerücht verbreitet, ich hätte vor, jeden Zivilisten zu hängen, der die Aufständischen unterstützt?»

Calef schien sich bei dieser Frage unwohl zu fühlen. Er zuckte zusammen, als der Ausgepeitschte erneut wimmerte, dann sah er den General herausfordernd an. «Um solche unzufriedenen Subjekte aus der Gegend zu vertreiben, natürlich. Sie wollen nicht, dass sich irgendwelche Aufständischen hier in den Wäldern herumtreiben.»

«Noch will ich einen Ruf als Henker! Wir sind nicht hierhergekommen, um die Leute zu verfolgen, sondern um sie davon zu überzeugen, ihre rechtmäßige Obrigkeit wieder anzuerkennen. Ich wäre dankbar, Doktor, wenn ein Gegengerücht ausgestreut würde. Dass ich nämlich keineswegs die Absicht habe, Männer aufzuhängen, seien sie Aufständische oder nicht.»

«Herr im Himmel, Mann, ich sehe Knochen!», protestierte der Doktor, ohne McLeans Einlassungen zu kommentieren. Aus dem Wimmern war Stöhnen geworden. McLean sah, dass die Trommler nun weniger Kraft in ihre Hiebe legten, nicht, weil ihre Arme schwächer geworden wären, sondern aus Mitleid, und weder er selbst noch der Sergeant rügten sie dafür.

McLean beendete die Bestrafungsaktion nach dem hundertsten Peitschenhieb. «Schneiden sie ihn ab, Sergeant», befahl er, «und tragen Sie ihn ins Haus des Doktors.» Dann wandte er sich von der blutigen Sudelei auf dem Andreaskreuz ab. «Jeder von euch, der Macintoshs Beispiel folgt, wird ihm auch hierher folgen! Und jetzt an die Arbeit.»

Die Zivilisten, die sich zur Arbeit gemeldet hatten oder dazu eingezogen worden waren, stapften den Hügel hinauf. Ein Mann, groß und hager, mit wild zerzauster schwarzer Mähne und wütendem Blick, schob sich an McLeans Adjutanten vorbei, um dem General gegenüberzutreten. «Dafür werden Sie noch Ihre Strafe erhalten!», fauchte der Mann.

«Wofür?», fragte McLean nach.

«Dafür, dass Sie uns am Sabbat arbeiten lassen!», sagte der Mann. Er überragte McLean. «Zeit meines Lebens habe ich nicht am Sabbat gearbeitet, niemals! Sie machen einen Sünder aus mir!»

McLean beherrschte sich. Etwa ein Dutzend weitere Leute waren stehen geblieben und beobachteten den hageren Mann, und McLean vermutete, dass sie in den Protest einstimmen und die Entweihung des Sonntags durch Arbeit ablehnen würden, wenn er nachgab. «Also möchten Sie nicht am Sonntag arbeiten, Sir?», fragte McLean.

«Es ist der Tag des Herrn, und das Gebot lautet, ihn heiligzuhalten.» Der Mann stieß seinen Zeigefinger vor und unterbrach die Bewegung erst kurz bevor er McLeans Brust traf. «Das ist Gottes Gebot!»

«Und Jesus befiehlt uns, dem Kaiser zu geben, was des Kaisers ist», gab McLean zurück, «und heute verlangt der Kaiser von Ihnen, eine Befestigung zu bauen. Aber ich werde Ihnen entgegenkommen, Sir, indem ich Sie nicht bezahle. Arbeit ist bezahlte Tätigkeit, doch heute werden Sie mir Ihre Unterstützung kostenlos anbieten, Sir, denn das ist ein christlicher Akt.»

«Ich werde nicht …», setzte der Mann an.

«Lieutenant Moore!» McLean hob seinen Schwarzdornstock, um den Lieutenant herbeizuwinken, doch die Geste wirkte bedrohlich, und der hagere Mann trat einen Schritt zurück. «Beordern Sie die Trommler zurück!», rief McLean. «Ich muss noch einen Mann auspeitschen lassen!» Dann wandte er seinen Blick wieder dem Hageren zu. «Entweder Sie unterstützen mich, Sir», sagte er leise, «oder ich werde Sie auspeitschen lassen.»

Der große Mann warf einen Blick auf das leere Andreaskreuz. «Ich werde für Ihren Untergang beten», versprach er, aber die Leidenschaft war aus seiner Stimme geschwunden. Er sah McLean ein letztes Mal herausfordernd an, dann wandte er sich ab.

Die Zivilisten arbeiteten. Sie erhöhten den Wall des Forts um einen weiteren Fuß, indem sie Holzstämme auf die niedrige Erdaufschüttung der vier Seiten legten. Einige Männer fällten weitere Bäume und legten ein Schussfeld für das Fort frei, während andere in der Nordost-Bastion des Forts mit Picken und Schaufeln einen Brunnen aushoben. McLean befahl, einen langen Fichtenstamm zu entasten und von der Rinde zu befreien. Dann befestigte ein Matrose von der *Albany* ein kleines Riemenrad am schmalen Ende des Stammes, und eine lange Schnur wurde durch den Rollenzug gezogen. Anschließend wurde ein tiefes Loch in der Südwest-Bastion gegraben und der Stamm als Flaggenmast aufgerichtet. Soldaten füllten das Loch mit Steinen, und als der Stamm stabil stand, ordnete McLean an, die Unionsflagge unter dem regnerischen Himmel aufzuziehen. «Wir taufen diesen Ort ...», er hielt inne, als der Wind in die Flagge fuhr und sie flattern ließ. «Fort George», sagte McLean dann zögernd, als wolle er den Namen ausprobieren. Der Klang gefiel ihm. «Fort George», verkündete er entschlossen und nahm seinen Hut ab. «Gott schütze den König!»

Highlander vom 74sten begannen mit einem kleineren Erdwall, einer Kanonenstellung nahe am Strand und auf den Hafeneingang hin ausgerichtet. Der Boden in der Nähe des Ufers war lockerer, und bald hatten sie einen halbmondförmigen Erdwall aufgeworfen, der mit Steinen und Baumstämmen verstärkt wurde. Andere Stämme wurden gespalten, um daraus Plattformen für die Kanonen zu bauen, die den Hafeneingang bewachen sollten. Eine gleichartige Batterie wurde auf Cross Island angelegt, sodass es ein feindliches Schiff, das sich in die Hafeneinfahrt wagte, mit Captain Mowats drei Breitseiten und Artilleriebeschuss von den Ufern beidseits der Zufahrt zu tun bekäme.

Der Regen legte sich, und Nebel wurde über den Fluss getrieben. Die neue Flagge tanzte strahlend über Majabigwaduce im Wind, doch wie lange würde sie das tun, fragte sich McLean, wie lange?

Der Montag brach in Boston mit einer schönen Dämmerung an. Der Wind kam aus Südwest, und der Himmel war klar. «Das Barometer steigt», verkündete Commodore Saltonstall dem General Solomon Lovell auf der Kontinentalfregatte *Warren*. «Wir sollten ablegen, General.»

«Und Gott gewähre uns gute Fahrt und eine siegreiche Rückkehr», antwortete Lovell.

«Amen», sagte Saltonstall ohne Begeisterung und schnauzte gleich darauf Befehle, dass der Flotte Signal gegeben werden solle, die Anker zu lichten und dem Flaggschiff aus dem Hafen heraus zu folgen.

Solomon Lovell war fast fünfzig Jahre alt und wesentlich größer als der Commodore. Lovell war Bauer, Abgeordneter und Patriot, und in Massachusetts wurde die Einsetzung Lovells begrüßt, denn er genoss einen Ruf als kluger, gerechter und vernünftiger Mann. Seine Nachbarn in Weymouth hatten ihn ins Bostoner Abgeordnetenhaus gewählt, wo er wohlgelitten war, denn er wirkte in dem zerstrittenen Parlament als Friedensstifter. Er lebte in der unbesiegbaren Hoffnung, dass Gerechtigkeit und die Bereitschaft, die Standpunkte der anderen anzuerkennen, allen zusammen Wohlstand verschaffen würde. Zusätzlich unterstützten seine Größe und sein muskulöser Körper, der ein Ergebnis jahrelanger schwerer Arbeit auf dem Bauernhof war, seine absolut verlässlich wirkende Erscheinung. Sein Gesicht war länglich, und das Kinn sprang etwas vor, während um seine Augen Lachfältchen lagen. Sein dichtes, dunkles Haar begann an den Schläfen zu ergrauen, was ihm ein überaus distinguiertes Aussehen verlieh. Und so war es kein Wunder, dass es seinen Mitstreitern aus der Gesetzgebenden Versammlung passend erschienen war, Solomon Lovell einen hohen Posten in der Miliz von Massachusetts zu geben. Lovell, davon gingen sie aus, war vertrauenswürdig. Ein paar Unzufriedene knurrten zwar, dass seine militärische Erfahrung gegen null ging, doch Lovells Unterstützer, und das waren viele, hielten Solomon Lovell für genau den richtigen Mann. Er besaß genügend Durchsetzungsvermögen. Und seine mangelnde Erfahrung wurde von seinem Stellvertreter Peleg Wadsworth aufgewogen, der unter General Washington gekämpft hatte, und von Commodore Saltonstall, dem Flottenkommandeur, der sogar ein noch erfahrenerer Offizier war. So würde Lovell immer berufenen Rat haben, um seine eigene Einschätzung zu untermauern.

Das dicke Ankertau wurde Stück für Stück eingeholt. Die Matrosen am Ankerspill skandierten einen Gesang, während sie Runde um Runde gingen. «Das Tau euch fasst!», rief ein Bootsmann.

«Wir hängen den Papst!», gaben die Männer zurück.

«Und ein Brocken Käse!»

«Der stopft ihm das Maul!»

Lovell grinste beifällig und schlenderte dann zur Heckreling, um seinen Blick über die Flotte schweifen zu lassen. Er staunte, dass Massachusetts so schnell so viele Schiffe hatte zusammenbringen können. Am dichtesten bei der *Warren* lag eine Brigg, die *Diligent*, die von der britischen Kriegsflotte erbeutet worden war, und dahinter eine Schaluppe, die *Providence*, die sie gekapert hatte. Beide Segler führten zwölf Kanonen, und beide gehörten zur Kontinentalflotte. Hinter den beiden Schiffen ankerten zwei Briggs mit der Kiefernflagge der Flotte von Massachusetts, die *Tyrannicide* und die *Hazard*, sowie ein Zweimaster, die *Active*. Alle waren mit vierzehn Kanonen ausgerüstet und, wie die *Warren*, nun voll bemannt, weil der Gerichtshof und der Kriegsausschuss die Erlaubnis gegeben hatten, dass Trupps von Zwangsrekrutierern durch Boston zogen, um in den Schenken und auf den Handelsschiffen Matrosen zum Dienst zu verpflichten.

Die *Warren* war mit ihren Achtzehn- und Zwölfpfünder-Kanonen das kampfstärkste Schiff der Flotte, doch noch sieben weitere waren ebenso gut bewaffnet oder übertrafen sogar noch die Bewaffnung der drei britischen Schaluppen, die den Berichten nach in Majabigwaduce auf sie warteten. Diese sieben Schiffe waren sämtlich Freibeuter. Die *Hector* und die *Hunter* trugen je achtzehn Kanonen, während *Charming Sally*, *General Putnam*, *Black Prince*, *Monmouth* und *Vengeance* mit jeweils zwanzig Kanonen ausgerüstet waren. In der Flotte befanden sich auch kleinere Freibeuter, wie die *Sky Rocket* mit ihren sechzehn Kanonen. Insgesamt würden achtzehn Kriegsschiffe nach Majabigwaduce segeln, und diese Segler brachten es zusammen auf dreihundert Kanonen, während die einundzwanzig Transportschiffe Männer, Proviant, Ausrüstung und all die glühenden Hoffnungen von Massachusetts an Bord hatten. Lovell war stolz auf seinen Staat. Es war auch gelungen, die Versorgungsdefizite auszugleichen, sodass auf den Schiffen nun genügend Verpflegung war, um sechzehnhundert Männer zwei Monate lang zu versorgen. Wahrhaftig, sie führten allein sechs Tonnen Mehl mit! Sechs Tonnen!

Lovell, in Gedanken bei den außergewöhnlichen Anstrengungen, die unternommen worden waren, um die Expedition auszustatten, wurde langsam bewusst, dass Männer von anderen Schiffen etwas zur *Warren* hinüberriefen. Der Anker war noch nicht vollständig gelichtet, doch der Bootsmann befahl den Matrosen, den Gesang und die Arbeit einzustellen. Die Flotte sollte wohl doch noch nicht auslaufen. Commodore Saltonstall, der am Ruder der Fregatte gestanden hatte, drehte sich um und kam zu Lovell nach hinten. «Anscheinend», sagte der Flottenkommandant säuerlich, «ist der Kommandeur Ihrer Artillerie nicht an Bord seines Schiffes.»

«Er muss dort sein», sagte Lovell.

«Muss?»

«Die Befehle waren klar. Offiziere sollten die gestrige Nacht an Bord verbringen.»

«Die *Samuel* meldet aber, dass Colonel Revere nicht an Bord ist. Was sollen wir also tun, General?»

Die Frage schreckte Lovell auf. Er hatte geglaubt, nur eine Meldung zu erhalten, und nun sollte er eine Entscheidung treffen. Er starrte über das sonnenfunkelnde Wasser, als ob ihm der Anblick der etwas entfernt liegenden *Samuel*, einer Brigg, die Geschütze transportierte, die Antwort bringen könnte.

«Nun?», drängte Saltonstall. «Segeln wir ohne ihn und seine Offiziere?»

«Seine Offiziere?», fragte Lovell.

«Es ist bekannt geworden», Saltonstall schien sich als Überbringer dieser schlechten Nachrichten sichtlich wohl zu fühlen, «dass Colonel Revere seinen Offizieren gestattet hat, einen letzten Abend an Land zu verbringen.»

«An Land?», fragte Lovell erstaunt. Dann sah er erneut zu der Brigg hinüber. «Wir brauchen Colonel Revere», sagte er.

«Tun wir das?», fragte Saltonstall sarkastisch.

«Oh, er ist ein sehr guter Offizier», sagte Lovell mit Begeisterung. «Er war einer der Männer, die losgeritten sind, um Concord und Lexington zu warnen. Doktor Warren, Gott gebe seiner Seele Frieden, hatte sie losgeschickt, und dieses Schiff ist nach Doktor Warren benannt, nicht wahr?»

«Tatsächlich?», fragte Saltonstall desinteressiert.

«Doktor Warren war ein sehr großer Patriot», sagte Lovell gefühlvoll.

«Und was hat das mit Colonel Reveres Abwesenheit zu tun?», fragte Saltonstall ohne Umschweife.

«Es», begann Lovell, bevor ihm klarwurde, dass er keinerlei Vorstellung hatte, was er antworten sollte, und so straffte er nur die Schultern. «Wir warten», verkündete er fest.

«Wir warten!», rief Saltonstall seinen Offizieren zu. Er begann wieder auf dem Achterdeck umherzugehen. Von Steuerbord nach Backbord und von Backbord nach Steuerbord, und gelegentlich warf er Lovell einen schlechtgelaunten Blick zu, als sei der General persönlich für den fehlenden Offizier verantwortlich. Lovell war die Feindseligkeit des Commodore unangenehm, also drehte er sich um und betrachtete wieder die Flotte. Viele Schiffe hatten ihre Toppsegel losgemacht, und nun schoben sich Männer an den Rahen entlang, um die Segel zu beschlagen.

«General Lovell?», erklang da eine Stimme, und Lovell drehte sich zu einem hochaufgeschossenen Marineoffizier um, dessen urplötzliches Erscheinen Lovell unwillkürlich einen Schritt zurückweichen ließ. In der Miene des Marinesoldaten standen solche Eindringlichkeit und solche Wildheit, dass sein Gesicht höchst respekteinflößend wirkte. Diesen Mann musste man nur sehen, um beeindruckt zu sein. Er war sogar noch größer als Lovell und hatte breite Schultern, über denen sich das grüne Tuch seiner Uniformjacke spannte. Er hielt seinen Hut ehrerbietig in der Hand, sodass sein schwarzes, kurzgeschnittenes Haar sichtbar war. Nur das Nackenhaar hatte er lang wachsen lassen und trug es in einem mit Holzteer gehärteten Pferdeschwanz. «Mein Name ist Welch, Sir», sagte der Marinesoldat, dessen tiefe Stimme gut zu seinem kantigen, entschlossenen Gesicht passte. «Captain John Welch von der Marineinfanterie der Kontinentalarmee.»

«Sehr erfreut, Ihre Bekanntschaft zu machen, Captain Welch», sagte Lovell, und das traf auch zu. Jeder Mann, der in die Schlacht segelte, würde um einen Kameraden wie Welch an seiner Seite beten. Welchs Säbelgriff war blank vom vielen Gebrauch und schien, ebenso wie sein Besitzer, ausschließlich auf den wirkungsvollen Einsatz reiner Gewalt ausgerichtet zu sein.

«Ich habe den Commodore gesprochen, Sir», sagte Welch förmlich, «und er hat sein Einverständnis damit erklärt, dass Ihnen meine Männer zur Verfügung stehen, wenn sie im Flottendienst nicht gebraucht werden.»

«Das ist sehr erfreulich», sagte Lovell.

«Zweihundertsiebenundzwanzig Marineinfanteristen, Sir, voll einsatzfähig. Gute Männer, Sir.»

«Daran habe ich keinerlei Zweifel.»

«Gut ausgebildet», fuhr Welch fort und sah Lovell unverwandt in die Augen, «und sehr diszipliniert.»

«Das ist eine sehr wertvolle Verstärkung unserer Streitkräfte», sagte Lovell, ohne recht zu wissen, was er noch sagen sollte.

«Ich will kämpfen, Sir», sagte Welch, als verdächtigte er Lovell, seine Marinesoldaten nicht einsetzen zu wollen.

«Ich bin sicher, dass die Gelegenheit kommen wird», gab Lovell etwas gezwungen zurück.

«Das hoffe ich, Sir», sagte Welch, löste endlich den Blick vom Gesicht des Generals und nickte zu einem prächtigen Schiff hinüber, der *General Putnam*, einem der vier Kaperer, die unter das Kommando der Flotte von Massachusetts gestellt worden waren, weil ihre Besitzer sich dagegen gesträubt hatten, ihre Segler freiwillig zur Verfügung zu stellen. Die *General Putnam* trug zwanzig Kanonen, sämtlich Neunpfünder, und sie galt als eines der besten Schiffe an der Küste von New England. «Wir haben ein gutes Dutzend Marinesoldaten auf der *Putnam* eingesetzt, Sir», sagte Welch. «Sie stehen unter dem Befehl von Captain Carnes. Kennen Sie ihn, Sir?»

«Ich kenne John Carnes», sagte Lovell. «Er befehligt die *Hector*.»

«Das hier ist sein Bruder, und er ist ein guter Offizier. Er hat unter General Washington als Captain der Artillerie gedient.»

«Ein schöner Posten», sagte Lovell. «Und trotzdem ist er zur Marine gegangen?»

«Captain Carnes zieht es vor, seinen Gegnern in die Augen sehen zu können, wenn er sie tötet, Sir», sagte Welch gleichmütig, «aber er kennt seine Artillerie, Sir. Er ist ein sehr guter Kanonier.»

Nun begriff Lovell, dass Saltonstall Welch mit diesen Informationen zu ihm geschickt hatte, um unausgesprochen anzudeuten, dass Colonel Revere zurückgelassen und durch Captain Carnes ersetzt werden konnte. Lovell wurde wütend. «Wir brauchen Colonel Revere und seine Offiziere», sagte er.

«Ich habe auch nichts anderes andeuten wollen, Sir», sagte Welch, «nur dass Captain Carnes Erfahrungen hat, die Ihnen dienlich sein könnten.»

Lovell fühlte sich unbehaglich. Er spürte, dass Welch kein Vertrauen in die Miliz hatte und versuchte, Lovells Einsatzkräfte mit dem Können und der Erfahrung seiner Marinesoldaten zu verstärken, aber Lovell wollte, dass Massachusetts die Ehre für die Vertreibung der Briten einheimste. «Ich bin sicher, dass Colonel Revere sein Geschäft versteht», sagte Lovell entschieden. Darauf sagte Welch nichts, sondern starrte Lovell nur wieder mit seinem eindringlichen Blick an. «Gewiss, jeder Rat, den Captain Carnes zu geben hat ...», sagte Lovell und ließ den Satz unbeendet.

«Ich wollte Sie lediglich wissen lassen, dass wir einen Artilleristen in der Marine haben, Sir.» Damit trat Welch einen Schritt zurück und salutierte vor Lovell.

«Danke, Captain», sagte Lovell und war erleichtert, als der hochgewachsene Marinesoldat davonging.

Die Minuten verstrichen. Die Kirchenglocken Bostons läuteten die volle Stunde, die Viertelstunden und schließlich wieder die volle Stunde. Major William Todd, einer der beiden Brigademajore der Expedition, brachte dem General einen Becher Tee. «Frisch aus der Kombüse, Sir.»

«Danke.»

«Die Blätter sind von der Brigg *King-Killer* erbeutet worden, Sir», sagte Todd und nippte an seinem eigenen Teebecher.

«Sehr zuvorkommend vom Feind, uns mit Tee zu versorgen», sagte Lovell heiter.

«In der Tat, Sir», sagte Todd und fügte nach einem Moment des Innehaltens hinzu: «Also liegt es an Mister Revere, dass wir hier aufgehalten werden?»

Lovell wusste von der Abneigung zwischen Todd und Revere, und er tat sein Bestes, um sie zu entschärfen. Todd war ein guter Mann, peinlich genau und schwer arbeitend, doch auch recht unnachgiebig. «Ich bin sicher, Lieutenant Colonel Revere hat einen sehr guten Grund für seine Abwesenheit», sagte er fest.

«Den hat er immer», sagte Todd. «Ich bezweifle, dass er in der gesamten Zeit, die er auf Castle Island den Oberbefehl hatte, auch nur eine einzige Nacht dort verbracht hat. Mister Revere, Sir, liebt sein bequemes Ehebett.»

«Tun wir das nicht alle?»

Todd wischte einen Fussel von seiner blauen Uniformjacke. «Er hat General Wadsworth erklärt, er habe Rationen für Major Fellows Männer bereitgestellt.»

«Dafür hatte er sicherlich einen Grund.»

«Fellows ist letzten August am Fieber gestorben.» Todd trat achtungsvoll einen Schritt zurück, weil Commodore Saltonstall wieder herangekommen war und Lovell unter seinem Dreispitz hervor finster anstarrte. «Wenn Ihr verdammter Freund nicht kommt», sagte Saltonstall, «dann bekommen wir vielleicht endlich die Genehmigung, ohne ihn in diesen verdammten Krieg zu ziehen?»

«Ich bin sicher, dass Colonel Revere bald hier sein wird», gab Lovell besänftigend zurück. «Oder wir erhalten Nachricht von ihm. Ein Bote wurde schon an Land geschickt, Commodore.»

Mit einem Knurren wandte sich Saltonstall ab und ging weg. Major Todd sah ihm stirnrunzelnd nach. «Er schlägt nach der mütterlichen Seite, glaube ich. Die Saltonstalls sind normalerweise sehr umgängliche Leute.»

Rufe auf der Brigg *Diligent* bewahrten Lovell davor, hierauf eine Antwort geben zu müssen. Anscheinend war Colonel Revere gesichtet worden. Er und drei weitere Offiziere ließen sich in der eleganten weißen Barkasse herüberrudern, die zur Garnison von Castle Island gehörte, und auf den Achterbänken der Barkasse, die von einem Dutzend Männer in blauen Hemden gerudert wurde, türmten sich Gepäckstücke. Colonel Revere saß direkt vor dem Gepäck, und als die Barkasse auf ihrem Weg zur *Samuel* an der *Warren* vorbeikam, winkte er zu Lovell hinauf. «Gott verleihe uns Flügel, General!», rief er.

«Wo waren Sie?» Lovells Ton war scharf.

«Ein Abschiedsabend im Kreis der Familie, General!», rief Revere fröhlich, und dann war er außer Hörweite.

«Ein Abschiedsabend im Kreis der Familie?», wiederholte Todd erstaunt.

«Er muss meine Befehle missverstanden haben», sagte Lovell unbehaglich.

«Ich denke, Sie werden noch feststellen, Sir», sagte Todd, «dass Colonel Revere alle Befehle missversteht, die ihm nicht zusagen.»

«Er ist ein Patriot, Major», sagte Lovell, «ein guter Patriot!»

Es dauerte eine Weile, bis das Gepäck dieses guten Patrioten an Bord der Brigg gehievt war, und dann musste die Barkasse selbst für die Fahrt vorbereitet werden. Wie es aussah, wünschte Colonel Revere die Castle-Island-Barkasse als Teil seiner Ausrüstung mitzunehmen, denn ihre Ruder wurden an den Ruderbänken festgezurrt, und dann wurde sie mit einem Seil an die *Samuel* gebunden, damit sie ins Schlepptau genommen werden konnte. Dann, endlich, als die Sonne ihren höchsten Stand erreichte, war die Flotte bereit. Das Ankerspill drehte sich wieder, die großen Anker lösten sich, und mit hell in der Sommersonne leuchtenden Segeln legte die Seestreitmacht von Massachusetts aus dem Bostoner Hafen ab.

Um gefangen zu nehmen, zu töten und zu vernichten.

Lieutenant John Moore saß breitbeinig auf einem Feldstuhl, die Beine rechts und links von einem leeren Pulverfass, das ihm als Tisch diente. Ein Zelt schützte ihn vor dem böigen Westwind, der Regenschauer gegen die gelbliche Zeltleinwand trieb. Moores Aufgaben als Zahlmeister des 82sten Regiments langweilten ihn, auch wenn der lästige Kleinkram von Corporal Brown erledigt wurde, der Schreiber in einem Kontorhaus in Leith gewesen war, bevor er sich eines Vormittags betrunken und sich in diesem Zustand freiwillig zum Militär gemeldet hatte. Moore blätterte die Seiten des schwarz eingebundenen Hauptbuches um, in dem die Regimentsgehälter aufgeführt wurden. «Warum wurden Soldat Neil vier Pence vom Wochensold abgezogen?», fragte Moore den Corporal.

«Hat seine Stiefelwichse verloren, Sir.»

«Stiefelwichse kann doch nicht so teuer sein, oder?»

«Das ist teures Zeug, Sir.»

«Offenbar. Ich sollte welche kaufen und einen Handel mit dem Regiment anfangen.»

«Das würde Major Fraser vermutlich nicht gefallen, Sir. Sein Bruder tut das nämlich schon.»

Moore blätterte seufzend die nächste der steifen Seiten des dicken Hauptbuchs um. Er musste die Eintragungen überprüfen, doch er wusste, dass Corporal Brown mit peinlicher Sorgfalt arbeitete, und so starrte er stattdessen zwischen den zurückgeschlagenen Eingangsklappen des Zeltes hindurch auf den westlichen Festungswall von Fort George, wo ein paar Kanoniere eine Plattform für eine ihrer Kanonen anlegten. Der Wall war immer noch nur hüfthoch, doch der Graben davor war inzwischen mit oben angespitzten Holzstangen gesäumt, die allerdings beeindruckender anzusehen als zu überwinden waren. Jenseits des Walls erstreckte sich ein weites, abgeholztes Feld mit nackten Kiefernstümpfen. Dieses Feld stieg sanft zum Steilufer der Halbinsel an, auf dem immer noch dicht die Bäume standen und Nebelschwaden durch dunkles Geäst getrieben wurden. Corporal Brown folgte Moores Blick. «Kann ich Sie etwas fragen, Sir?»

«Was immer Ihnen in den Sinn kommt, Brown.»

Der Corporal nickte in Richtung des baumbestandenen Steilhangs, dessen höchster Punkt etwa eine halbe Meile vom Fort entfernt war. «Warum hat der Brigadier das Fort nicht dort bauen lassen, Sir?»

«Hätten Sie das getan, Corporal, wenn Sie hier den Befehl hätten?»

«Dort ist der höchste Punkt, Sir. Legt man ein Fort nicht gewöhnlich dort an?»

Moore runzelte die Stirn. Nicht weil er die Frage missbilligte, die er sogar sehr vernünftig fand, sondern weil er nicht wusste, wie er am besten antworten sollte. Für Moore lag es auf der Hand, warum McLean diesen niedrigeren Standort gewählt hatte. Es hatte etwas mit den Reichweiten der Schiffskanonen und der Kanonen des Forts zu tun, und damit, das Beste aus einer schwierigen Lage zu machen. «Von hier aus», sagte er, «kontrollieren unsere Kanonen sowohl den Hafeneingang als auch den Hafen selbst. Angenommen, wir säßen alle dort oben am höchsten Punkt, was wäre dann? Dann könnte der Feind unter uns vorbeisegeln, den Hafen und das Dorf besetzen und uns dann in aller Ruhe aushungern.»

«Aber wenn die Bastarde die Anhöhe dort einnehmen, Sir ...», wandte Brown zweifelnd ein.

«Wenn die Bastarde die Kuppe besetzen, Corporal», sagte Moore, «dann werden sie dort Kanonen aufstellen und das Fort unterhalb beschießen.» Darin bestand das Risiko, das McLean eingegangen war. Er hatte dem Feind die Gelegenheit gegeben, den höchsten Punkt der Halbinsel zu besetzen, doch nur, um seine eigentliche Aufgabe erfüllen zu können, die darin bestand, den Hafen zu verteidigen. «Wir haben nicht genügend Männer», fuhr Moore fort, «um den Steilhang zu verteidigen, aber ich kann mir nicht vorstellen, dass sie ihre Einheiten dort landen lassen. Es ist viel zu steil.»

Doch irgendwo würden die Aufständischen an Land gehen. Wenn er sich vorbeugte, konnte Moore gerade noch die drei Kriegsschaluppen sehen, die quer über dem Hafeneingang verankert waren. General McLean hatte vermutet, dass der Feind versuchen könnte, diese Linie anzugreifen, sie möglicherweise durchbrach und dann seine Männer auf dem Strand unterhalb des Forts an Land gehen ließe. Moore versuchte sich den Kampf vorzustellen. Er versuchte, die Nebelschwaden vor seinen Augen als Pulverrauch zu sehen, doch seine Vorstellungskraft war überfordert. Der achtzehnjährige John Moore hatte noch keine Schlacht erlebt, und jeden Tag fragte er sich, wie er auf den Gestank von Schießpulver und die Schreie der Verwundeten und den Tumult reagieren würde.

«Da ist eine Dame im Anmarsch», warnte Corporal Brown seinen Lieutenant vor.

«Eine Dame?», fragte Moore, aus seinen Gedanken gerissen. Dann sah er, dass Bethany Fletcher auf das Zelt zukam. Er stand auf und duckte sich unter dem Zelteingang hindurch ins Freie, um sie zu begrüßen, doch ihr Anblick raubte ihm die Sprache, sodass er einfach nur linkisch dastehen und ihr mit dem Hut in der Hand entgegensehen konnte, wobei sich ohne sein Zutun ein Lächeln auf seinem Gesicht ausbreitete.

«Lieutenant Moore», sagte Bethany und blieb einen Schritt vor ihm stehen.

«Miss Fletcher», brachte Moore heraus, «es ist mir wie immer ein Vergnügen.» Er verbeugte sich.

«Mir wurde gesagt, ich soll Ihnen das hier bringen, Sir.» Bethany streckte ihm ein Papier entgegen.

Es war eine Abrechnung für Getreide und Fisch, die James Fletcher dem Quartiermeister verkauft hatte. «Vier Shilling!», sagte Moore.

«Der Quartiermeister sagte, Ihr würdet mich bezahlen, Sir», sagte Bethany.

«Wenn Mister Reidhead das befohlen hat, gehorche ich selbstverständlich. Und zwar mit dem größten Vergnügen, Miss Fletcher», sagte Moore. Er sah sich die Abrechnung noch einmal an. «Das muss ja eine enorme Menge Getreide und Fisch gewesen sein! Im Wert von vier Shilling!»

Bethany warf den Kopf zurück. «Es war Mister Reidhead, der die Summe festgelegt hat, Sir.»

«Oh, ich wollte nicht andeuten, dass der Betrag überhöht ist», sagte Moore errötend. Wenn er schon vor einem Mädchen die Fassung verlor, wie sollte er dann je dem Feind gegenübertreten? «Corporal Brown!»

«Sir?»

«Vier Shilling für die Dame!»

«Sofort, Sir», sagte Brown. Doch er brachte aus dem Zelt keine Münzen, sondern einen Hammer und einen Meißel, mit denen er zu einem Holzblock neben dem Zelt ging. Dann legte er einen Silberdollar auf den Hackklotz und setzte vorsichtig den Meißel darauf, um einen von der Mitte ausgehenden Schnitt anzubringen. Der Hammer fuhr nieder, und die Münze sprang in die Höhe. «Es ist wirklich albern, Sir, eine Münze in fünf Teile zu spalten», grummelte Brown, während er den Dollar wieder auf den Hackklotz legte. «Warum können wir nicht vier Teile daraus machen, von denen jedes einen Shilling und drei Pence wert ist?»

«Weil es einfacher ist, eine Münze in vier statt in fünf Teile zu spalten?», fragte Moore zurück.

«Natürlich ist es das, Sir. Für vier Teile braucht man nur einen breiten Meißel und zwei Schläge.» Brown schlug erneut auf den Meißel und sprengte damit einen Keil Silber aus dem Dollar, den er Bethany hinschob. «Hier, Miss, ein Shilling.»

Bethany nahm das scharfkantige Stück Silber. «Bezahlen Sie so Ihre Soldaten?», fragte sie.

«Oh, wir werden nicht bezahlt, Miss», antwortete Corporal Brown. «Außer in Schuldscheinen.»

«Geben Sie Miss Fletcher lieber das Reststück der Münze», schlug Moore vor. «Dann hat sie ihre vier Shilling, und Sie müssen den Dollar nicht weiter zerstückeln.» Es herrschte Münzknappheit, deshalb hatte der Brigadier verfügt, dass jeder Silberdollar fünf Shilling wert war. «Hört auf zu gaffen!», rief Moore zu den Kanonieren hinüber, die ihre Arbeit unterbrochen hatten, um Beth Fletcher zu bewundern. Moore nahm den übel zugerichteten Dollar auf und hielt ihn Bethany hin. «Hier, Miss Fletcher, Ihr Entgelt.»

«Danke, Sir.» Bethany legte den winzigen Silberkeil zurück auf den Hackklotz. «Und wie viele Schuldscheine müssen Sie in der Woche ausstellen?»

«Wie viele?» Moore war einen Moment verwirrt von dieser Frage. «Oh, wir geben keine Wechsel als solche heraus, Miss Fletcher, sondern tragen in das Hauptbuch ein, welcher Sold geschuldet wird. Das Münzgeld wird für wichtigere Zahlungen aufbewahrt, wie zum Beispiel, um Sie für Getreide und Fisch zu entlohnen.»

«Und für zwei ganze Regimenter brauchen Sie sicher sehr viel Getreide und Fisch», sagte sie. «Wie viele Männer sind das? Zweitausend?»

«Wenn wir doch nur so viele wären», sagte Moore mit einem Lächeln. «In Wahrheit, Miss Fletcher, besteht das 74ste gerade einmal aus vierhundertvierzig Mann, und wir Hamiltons sind nicht einmal die Hälfte davon. Und jetzt hören wir, dass die Aufständischen eine Flotte und eine Armee zum Angriff auf uns bereitmachen!»

«Und glauben Sie, dass diese Berichte zutreffen?», fragte Bethany.

«Die Flotte ist womöglich sogar schon auf dem Weg.»

Bethany starrte an den drei Schaluppen vorbei den Penobscot hinauf, über dem Nebelfetzen hingen. «Ich bete, Sir», sagte sie, «dass es nicht zum Kampf kommt.»

«Und ich bete um das Gegenteil», sagte Moore.

«Wirklich?» Bethany drehte sich zu dem jungen Lieutenant um, als hätte sie ihn noch nie zuvor richtig wahrgenommen. «Sie möchten, dass es eine Schlacht gibt?»

«Das Kriegshandwerk ist mein selbstgewählter Beruf, Miss Fletcher», sagte Moore und fühlte sich dabei wie ein Hochstapler, «und die Schlacht ist das Feuer, in der die Soldaten geschmiedet werden.»

«Die Welt wäre gewiss besser ohne solches Feuer», sagte Bethany.

«Das ist zweifellos wahr», sagte Moore, «aber wir haben den Funken für dieses Feuer nicht geschlagen, Miss Fletcher. Das haben die Aufständischen getan, sie haben das Feuer gelegt, und unsere Aufgabe ist es nun, die Flamme zum Erlöschen zu bringen.» Bethany sagte nichts, und Moore fand, dass er zu hochtrabend geklungen hatte. «Sie und Ihr Bruder sollten heute Abend zu Doktor Calefs Haus kommen», sagte er.

«Sollten wir das, Sir?», fragte Bethany.

«Es gibt Musik im Garten, wenn es das Wetter zulässt, und Tanz.»

«Ich tanze nicht, Sir», sagte Bethany.

«Oh, die Offiziere werden tanzen», sagte Moore hastig. «Den Schwerttanz.» Er unterdrückte das Verlangen, einen Sprungschritt vorzuführen. «Sie wären höchst willkommen», sagte er stattdessen.

«Danke, Sir», sagte Bethany. Dann steckte sie die verunstaltete Münze ein und wandte sich zum Gehen.

«Miss Fletcher!», rief Moore ihr nach.

Sie drehte sich wieder um. «Sir?»

Aber Moore hatte keine Ahnung, was er sagen sollte. In der Tat war er selbst überrascht, dass er ihr hinterhergerufen hatte. Sie betrachtete ihn abwartend. «Danke für die Vorräte», rang er sich endlich ab.

«Das sind Geschäfte, Lieutenant», sagte Beth gelassen.

«Trotzdem danke», gab Moor verwirrt zurück.

«Bedeutet das, dass Sie auch mit den Yankees Geschäfte machen würden, Miss?», fragte Corporal Brown mit einem Lachen.

«Wer weiß», sagte Beth, und Moore wusste nicht, ob sie scherzte. Dann sah sie ihn noch einmal an, lächelte knapp und ging davon.

«Ein selten schönes Mädchen», sagte Corporal Brown.

«Ja, ist sie das?», fragte Moore, ganz und gar nicht überzeugend. Er blickte den Hang hinunter, an dessen Fuß die Häuser der Siedlung den Hafen säumten. Er versuchte sich dort kämpfende Männer vorzustellen, Reihen von Männern, die ihre Musketen abfeuerten, Kanonendonner, der durch das Flusstal rollte, den Hafen voller halb untergegangener Schiffe, und er dachte, wie traurig es wäre, in all diesem Durcheinander zu sterben, ohne jemals ein Mädchen wie Bethany in den Armen gehalten zu haben.

«Sind wir mit dem Hauptbuch fertig, Sir?», fragte Brown.

«Wir sind mit dem Hauptbuch fertig», sagte Moore.

Er fragte sich, ob er ein echter Soldat war. Er fragte sich, ob er den Mut hatte, in eine Schlacht zu ziehen. Er sah Bethany nach und fühlte sich verloren.

«Sie wollen nicht, Sir, sie wollen nicht. Sie sind unglaublich widerwillig.» Colonel Jonathan Mitchell, der die Miliz des Countys Cumberland befehligte, blitzte Brigadegeneral Peleg Wadsworth an, als sei alles Wadsworths Schuld. «Sträflichster Widerwille.»

«Haben Sie Zwangsverpflichtungen durchgeführt?», frage Wadsworth.

«Natürlich haben wir diese verdammten Zwangsverpflichtungen durchgeführt. Anders ging es nicht! Die Hälfte dieser Bastarde sind zwangsrekrutiert. Wir haben keine Freiwilligen bekommen, nur jämmerliche Ausreden, also haben wir das Kriegsrecht verhängt, Sir, und ich habe Truppen in jede Gemeinde geschickt und die Bastarde eingekreist, aber es sind trotzdem viele geflohen und haben sich irgendwo versteckt. Sie wollen nicht, das sage ich Ihnen.»

Die Flotte hatte zwei Tage gebraucht, um nach Townsend zu segeln, wo die Miliz zum Aufmarsch hinbefohlen worden war. General Lovell und Brigadegeneral Wadsworth hatten auf fünfzehnhundert Mann gehofft, doch nun warteten weniger als neunhundert auf die Einschiffung. «Achthundertvierundneunzig, Sir, um genau zu sein», informierte Marston, Lovells Sekretär, seinen Vorgesetzten.

«Gütiger Gott», sagte Lovell.

«Es ist doch bestimmt noch nicht zu spät, um ein Bataillon der Kontinentalarmee anzufordern», schlug Wadsworth vor.

«Undenkbar», erwiderte Lovell augenblicklich. Der Staat Massachusetts hatte erklärt, er sei selbst in der Lage, die Briten loszuwerden, und der Gerichtshof wäre sicher nicht erfreut über eine Unterstützungsanfrage bei den Truppen von General Washington. Massachusetts hatte sogar gezögert, die Hilfe des Commodore Saltonstall anzunehmen. Allerdings war die *Warren* ein so kampfstarkes Kriegsschiff, dass es unsinnig gewesen wäre, ihre Anwesenheit in den Gewässern von Massachusetts nicht zu nutzen. «Wir haben die Marinesoldaten des Commodore», betonte Lovell. «Und mir wurde versichert, dass der Commodore gerne bereit ist, sie in Majabigwaduce zum Landeinsatz freizugeben.»

«Die werden wir auch brauchen», sagte Wadsworth. Er hatte die drei Milizbataillone inspiziert und war entsetzt gewesen. Einige Männer wirkten gesund, jung und kampfeswillig, doch viel zu viele waren entweder zu alt, zu jung oder zu krank. Ein Mann war sogar auf Krücken angetreten. «Sie können nicht kämpfen», hatte Wadsworth zu dem Mann gesagt.

«Das habe ich den Soldaten auch erklärt, als sie uns holen kamen», sagte der Mann. Er hatte einen grauen Bart und wüst zerzaustes Haar.

«Dann gehen Sie nach Hause», sagte Wadsworth.

«Und wie?»

«Genau so, wie Sie hierhergekommen sind.» Die Verzweiflung hatte Wadsworth gereizt werden lassen. Als er einige Schritte an der Reihe der angetretenen Milizionäre weitergegangen war, entdeckte er einen Jungen mit Locken und zarten Wangen, die noch nie mit dem Rasiermesser Bekanntschaft gemacht hatten. «Wie heißt du, mein Junge?», fragte Wadsworth.

«Israel, Sir.»

«Israel wie?»

«Trask, Sir.»

«Wie alt bist du, Israel Trask?»

«Fünfzehn, Sir», sagte der Junge und versuchte noch aufrechter zu stehen, damit er größer wirkte. Er war noch nicht im Stimmbruch gewesen, und Wadsworth hielt ihn für kaum vierzehn. «Drei Jahre in der Armee, Sir», sagte Trask.

«Drei Jahre?», fragte Wadsworth ungläubig.

«Pfeifer bei der Infanterie, Sir», sagte Trask. Er hatte eine sackleinene Tasche auf dem Rücken hängen, aus deren zusammengezogener Öffnung eine schlanke Holzflöte herausragte.

«Hast du den Dienst bei der Infanterie quittiert?», fragte Wadsworth belustigt.

«Ich wurde gefangen genommen, Sir», sagte Trask, der diese Frage offenkundig beleidigend fand, «und ausgetauscht. Und hier bin ich wieder, Sir, bereit, gegen die syphilitischen Bastarde zu kämpfen.»

Wenn ein Junge in Wadsworths Klassenzimmer eine solche Sprache geführt hätte, wären ihm ein paar Stockschläge sicher gewesen, doch dies waren merkwürdige Zeiten, also klopfte Wadsworth dem Jungen nur auf die Schulter, bevor er weiter die lange Reihe abschritt. Einige Männer sahen ihn vorwurfsvoll an, und er vermutete, dass es die Männer waren, die man zum Dienst bei der Miliz zwangsrekrutiert hatte. Etwa zwei Drittel wirkten jung und gesund genug für den Kriegseinsatz, der Rest aber waren elende Erscheinungen. «Ich dachte, allein in Cumberland hätten sich tausend Mann verpflichtet», sagte Wadsworth zu Colonel Mitchell.

«Ha», sagte Mitchell.

«Ha?», gab Wadsworth kühl zurück.

«Die Kontinentalarmee nimmt sich unsere Besten. Wenn wir ein Dutzend ordentliche Rekruten finden, nimmt uns die Kontinentalarmee sechs davon weg, und die anderen sechs machen sich dünn, weil sie lieber auf einem Freibeuter anheuern.» Mitchell schob sich ein Stück Kautabak in den Mund. «Ich wünschte bei Gott, wir hätten tausend, aber Boston schickt ihren Sold nicht, und Verpflegung haben wir auch keine. Und dann gibt es auch noch Orte, an denen wir niemanden rekrutieren können.»

«Loyalistennester?»

«Loyalistennester», bestätigte Mitchell grimmig.

Wadsworth war weiter die Reihe abgeschritten, als ihm ein einäugiger Mann auffiel, dem ein nervöses Leiden ständig die Gesichtsmuskeln zittern ließ. Der Mann grinste, und Wadsworth überlief ein Schauder. «Hat der Mann noch seine fünf Sinne beisammen?», fragte er Colonel Mitchell.

«Bei ihm reicht es noch zum Geradeausschießen», sagte Mitchell verdrießlich.

«Die Hälfte hat ja nicht einmal Musketen!»

Die Flotte hatte fünfhundert Musketen aus dem Waffenmagazin von Boston mitgebracht, die an die Miliz vermietet wurden. Die meisten Männer wussten wenigstens, wie man sie benutzte, denn in diesen östlichen Landesteilen jagten noch genügend Leute selbst, wenn sie Fleisch essen wollten, und häuteten die Beute, um sich aus Fell und Leder Kleidung zu nähen. Sie trugen Jacken, Hosen und Schuhe aus Rehleder, und auch ihre Beutel und Taschen waren daraus gemacht. Wadsworth schritt die Reihe ab und kam zu dem Schluss, dass er sich glücklich schätzen konnte, wenn sich fünfhundert als nützliche Soldaten erweisen würden. Dann lieh er sich vom Pfarrer ein Pferd und hielt den angetretenen Männern vom Sattel aus eine Rede.

«Die Briten», rief er, «sind nach Massachusetts einmarschiert! Offenkundig verachten sie uns, denn sie haben nur wenige Männer und wenige Schiffe geschickt! Sie glauben, wir wären nicht stark genug, um sie zu vertreiben, aber wir werden ihnen zeigen, dass die Männer von Massachusetts ihr Land verteidigen! Wir werden uns auf unserer Flotte einschiffen!» Er deutete zu den Masten hinüber, die sich über den Dächern zeigten. «Und wir werden gegen sie kämpfen, wir werden sie besiegen, und wir werden sie vertreiben! Ihr werdet mit lorbeerbekränzter Stirn nach Hause zurückkehren!» Es war nicht die feurigste Rede, die man sich vorstellen konnte, dachte Wadsworth, aber die Männer jubelten ihm zu, und das ermutigte ihn. Der Jubel setzte spät ein und war zu Beginn recht schwach, doch dann wuchs die Begeisterung.

Der Pfarrer, ein leutseliger Mann, der etwa zehn Jahre

älter war als Wadsworth, half dem Brigadier aus dem Sattel. «Ich glaube auch, dass sie mit Lorbeer auf der Stirn zurückkehren werden», sagte der Pfarrer, «aber ich glaube, den meisten wäre ein Beefsteak im Bauch lieber.»

«Ich vertraue darauf, dass wir auch das bekommen», sagte Wadsworth.

Hochwürden Jonathan Murray nahm die Zügel des Pferdes und führte es zu seinem Haus. «Sie mögen nicht sehr beeindruckend aussehen, General, aber es sind gute Männer!»

«Die man zwangsrekrutieren musste?», sagte Wadsworth trocken.

«Nur ein paar davon», gab Murray zurück. «Sie machen sich Sorgen um ihre Familien und um ihre Ernte. Wenn sie erst einmal in Majabigwaduce sind, werden sie mit vollem Einsatz kämpfen.»

«Die Blinden, die Lahmen und die Krüppel?»

«Solche Männer waren unserem Herrn gut genug», sagte Murray, offenkundig in vollem Ernst. «Und was macht es schon, wenn ein paar halb blind sind? Ein Mann braucht nur ein Auge, um mit der Muskete zu zielen.»

General Lovell hatte sich in dem geräumigen Haus des Pfarrers einquartiert, und am Abend berief er sämtliche Führungsoffiziere der Expedition ein. Murray besaß einen großen runden Tisch aus Ahornholz, an dem er normalerweise Bibelkurse abhielt, um den sich an diesem Abend jedoch die Kommandeure der See- und Landstreitkräfte versammelten. Wer keinen Stuhl bekommen hatte, stand an den Wänden des Zimmers, das von acht Kerzen auf Zinnhaltern erleuchtet wurde, die auf dem Tisch standen. Motten flatterten um die Flammen. General Lovell hatte auf dem hochlehnigen Stuhl des Pfarrers Platz genommen und klopfte leise auf den Tisch, um Ruhe herzustellen. «Dies ist unsere erste gemeinsame Besprechung», sagte Lovell. «Die meisten von Ihnen kennen sich, doch erlauben Sie mir, alle noch einmal vorzustellen.» Er begann mit der Runde am Tisch, nannte zuerst Wadsworth, dann Commodore Saltonstall und die drei Kommandanten der Milizregimenter. Major Jeremiah Hill, der Generaladjutant der Expedition, nickte ernst, als sein Name genannt wurde, ebenso wie die beiden Brigademajore, William Todd und Gawen Brown. Der Quartiermeister, Colonel Tyler, saß neben Doktor Eliphalet Downer, dem obersten Militärarzt. «Ich hoffe darauf, dass wir Doktor Downers Dienste nicht in Anspruch nehmen müssen», sagte Lovell mit einem Lächeln und fuhr anschließend mit der Vorstellung der Männer fort, die an den Wänden standen. Captain John Welch von der Marineinfanterie der Kontinentalstreitkräfte starrte Captain Hoysteed Hacker von der Kriegsflotte der Kontinentalstreitkräfte finster an. Hacker befehligte die *Providence*, während Captain Philip Brown die Brigg *Diligent* führte. Auch sechs Kapitäne von Freibeutern waren gekommen, und Lovell nannte sie alle. Dann lächelte er Lieutenant Colonel Revere an, der neben der Tür stand. «Und zu guter Letzt unser Kommandeur des Artilleriezugs, Colonel Revere.»

«Dessen Dienste Sie», sagte Revere, «so hoffe ich sehr, in Anspruch nehmen werden!»

Murmeln und leises Lachen gingen durch den Raum, doch Wadsworth bemerkte den Ausdruck finsteren Abscheus auf der Miene des Brillenträgers Todd. Der Major blickte kurz zu Revere hinüber und achtete dann sorgfältig darauf, seinen Gegner nicht mehr anzusehen.

«Ich habe auch Hochwürden Murray darum gebeten, an diesem Kriegsrat teilzunehmen», fuhr Lovell fort, als sich das leise Gelächter gelegt hatte. «Und nun bitte ich ihn, unsere Sitzung mit einem Gebet zu eröffnen.»

Die Anwesenden falteten die Hände und senkten die

Köpfe, als Murray um den Segen des Allmächtigen für die Männer und die Schiffe bat, die im Hafen von Townsend ankerten. Auch Wadsworth hatte den Kopf gesenkt, doch er warf einen Seitenblick auf Revere, der, wie er feststellte, mit hocherhobenem Haupt unheilverkündend zu Todd hinüberstarrte. Wadsworth schloss die Augen. «Verleihe diesen Männern Anteil von Deiner Stärke, Herr», betete Hochwürden Murray, «und bringe diese Kämpfer sicher nach Hause, siegreich, zu ihren Frauen, ihren Kindern und ihren Familien. All dies erbitten wir in Deinem heiligen Namen, o Herr. Amen.»

«Amen», echoten die versammelten Offiziere.

«Danke, Hochwürden», sagte Lovell und lächelte heiter. Dann atmete er tief ein und ließ seinen Blick durch den Raum wandern, bevor er auf den Grund ihrer Zusammenkunft zu sprechen kam. «Wie Sie wissen, sind die Briten in Majabigwaduce gelandet, und unser Befehl lautet, sie gefangen zu nehmen, zu töten oder sie zu vernichten. Major Todd, vielleicht wären Sie so gut, für uns zu rekapitulieren, was wir über die Stellung des Gegners wissen?»

William Todd, in dessen Brillengläsern sich das Kerzenlicht spiegelte, schob einen Stapel Papier zusammen. «Wir haben Berichte von Patrioten aus der Region von Penobscot erhalten», sagte er auf seine knappe Art. «Hauptsächlich von Colonel Buck, aber auch von anderen. Wir wissen mit Sicherheit, dass beträchtliche Einsatzkräfte des Gegners gelandet sind, dass sie unter dem Schutz dreier Kriegsschaluppen stehen und dass sie von Brigadegeneral Francis McLean befehligt werden.» Todd musterte die ernsten Gesichter am Tisch. «McLean», fuhr er fort, «ist ein erfahrener Soldat. Die längste Zeit seines Dienstes hat er für Portugal abgeleistet.»

«Ein Söldner?» Die Stimme Commodore Saltonstalls triefte vor Verachtung.

«Wie ich gehört habe, wurde er vom König von England zum Dienst für Portugal verpflichtet», sagte Todd, «also ist er keineswegs ein Söldner. Seit kurzem ist er Gouverneur von Halifax und ist nun mit der Führung der Einsatzkräfte in Majabigwaduce betraut. Meiner Einschätzung nach», Todd lehnte sich zurück, als wolle er zeigen, dass er nun eher spekulierte, «handelt es sich bei ihm um einen verbrauchten Mann, der mit dem Amt in Halifax aufs Altenteil versetzt wurde, weil er seine besten Tage möglicherweise schon hinter sich hat.» Er zuckte mit den Schultern, um die Unsicherheit dieser Beurteilung zu unterstreichen. «Er führt zwei Regimenter, von denen keines in letzter Zeit im Einsatz war. In der Tat wurde sein eigenes Regiment sogar erst neu aufgestellt und ist deshalb vollständig unerfahren. Die theoretische Größe eines britischen Regiments beträgt eintausend Mann, doch in Wirklichkeit besteht es selten aus mehr als achthundert, sodass unser Gegner, realistisch geschätzt, über fünfzehnhundert oder sechzehnhundert Infanteristen verfügt, die von Artillerie unterstützt werden und natürlich von der königlichen Marine mit ihren drei Schiffsmannschaften.» Todd entrollte einen großen Bogen Papier, auf dem die Landkarte von Majabigwaduce skizziert war. Als sich die Männer vorbeugten, um den Plan sehen zu können, zeigte Todd, wo sich die Verteidigungsstellungen befanden. Er begann mit dem Fort, das als Quadrat eingezeichnet war. «Am Mittwoch», sagte er, «waren die Wallanlagen noch so niedrig, dass man darüberspringen konnte. Wie wir hören, geht die Arbeit nur langsam voran.» Er tippte auf die drei Schaluppen, die den Hafeneingang verriegelten. «Ihre Geschütze sind auf die Bucht von Penobscot ausgerichtet», sagte er, «und sie werden von Artilleriestellungen an Land unterstützt. Eine der Batterien ist hier», er deutete auf Cross Island, «und eine andere auf der Halbinsel hier. Diese zwei Batterien decken die Hafenzufahrt.»

«Und keine auf Dyce's Head?», fragte Hoysteed Hacker.

«Dyce's Head?», fragte Lovell, und Hacker, der diesen Küstenabschnitt gut kannte, deutete auf die Nordseite des Hafens und erklärte, dass die Hafeneinfahrt von einem hohen, klippenartigen Steilufer dominiert wurde, das den Namen Dyce's Head trug. «Wenn ich mich recht erinnere», fuhr Hacker fort, «ist das der höchste Punkt der Halbinsel.»

«Wir haben keine Berichte von einer Batterie auf Dyce's Head», sagte Todd zurückhaltend.

«Also haben sie den höchsten Punkt unbesetzt gelassen?», fragte Wadsworth ungläubig.

«Unsere Informationen sind schon eine paar Tage alt», gab Todd zu bedenken.

«Eine hochgelegene Stellung», sagte Lovell unsicher, «wäre ideal für unsere Kanonen.»

«Oh, ganz bestimmt», sagte Wadsworth, und Lovell wirkte erleichtert.

«Meine Kanonen sind bereit», sagte Revere kämpferisch.

Lovell lächelte Revere an. «Vielleicht wären Sie so gut, unseren Milizkommandanten zu erläutern, welche Artillerieunterstützung Sie ihnen geben können?»

Revere straffte sich, und William Todd starrte unverwandt auf die Tischplatte. «Ich habe sechs Achtzehnpfünder-Kanonen», sagte Revere laut, «mit je vierhundert Ladungen. Die sind tödlich, Gentlemen, und durchschlagskräftiger, das wage ich zu sagen, als alles, womit die Briten in Majabigwaduce aufwarten können. Ich habe zwei Neunpfünder mit je dreihundert Ladungen und ein paar Fünfeinhalb-Zoll-Haubitzen mit je hundert Ladungen.» John Welch sah ihn bei diesen Worten erstaunt an und runzelte die Stirn. Er wollte etwas sagen, hielt sich dann jedoch zurück.

«Haben Sie etwas zu bemerken, Captain?», unterbrach Wadsworth Revere.

Der große Marinesoldat in seiner dunkelgrünen Uniform runzelte noch immer die Stirn. «Wenn ich ein Fort beschießen würde, General», sagte er, «hätte ich gern mehr Haubitzen. So könnte man Kanonenkugeln direkt über die Wälle schießen und die Bastarde gleich im Fort ausschalten. Mit Haubitzen und Mörsern. Haben wir überhaupt Mörser?»

«Haben wir Mörser?», gab Wadsworth die Frage an Revere weiter.

Revere wirkte verschnupft. «Die Achtzehnpfünder werden ihre Mauern einstürzen lassen wie die Trompeten von Jericho», sagte er, «und außerdem», er sah Lovell an, als nähme er es dem General übel, dass er die Unterbrechung zugelassen hatte, «haben wir vier Vierpfünder, von denen zwei aus französischem Metall sind und sich deshalb mit jedem Sechspfünder vergleichen lassen können.»

Colonel Samuel McCobb, der die Miliz des Countys Lincoln befehligte, hob die Hand. «Wir können eine Zwölfpfünder-Feldlafette beisteuern», sagte er.

«Sehr großzügig», sagte Lovell und eröffnete dann die allgemeine Beratung, auch wenn an diesem Abend nichts entschieden wurde. Über zwei Stunden lang trugen die Männer ihre Vorschläge zusammen, und Lovell nahm jeden dankend zur Kenntnis, enthielt sich jedoch jeden Kommentars. Commodore Saltonstall vertrat die Auffassung, dass die drei britischen Schaluppen zerstört werden mussten, sodass sein Geschwader in den Hafen segeln und Breitseiten auf das Fort abfeuern konnte, doch wie das bewerkstelligt werden sollte, wusste er nicht. «Wir müssen ihre Verteidigung besser einschätzen können», gab er großspurig zu verstehen. «Ich bin sicher, Sie stimmen alle mit mir darin überein, dass der gesunde Menschenverstand eine gründliche Aufklärung befiehlt.» Er klang herablassend, so als beleidige es seine Ehre als Offizier der Kontinentalstreitkräfte, sich mit der einfachen Miliz zu beraten.

«Wir alle schätzen den Wert gründlicher Aufklärung», stimmte Lovell zu. Er lächelte wohlwollend. «Ich werde morgen die Miliz inspizieren», sagte er, «und dann sollten wir uns einschiffen. Wenn wir beim Penobscot ankommen, werden wir feststellen, mit welchen Schwierigkeiten wir es zu tun haben, doch ich bin zuversichtlich, dass wir sie überwinden werden. Ich danke Ihnen allen, Gentlemen, danke.» Und damit war die Sitzung des Kriegsrats beendet.

Einige Männer unterhielten sich im Dunkeln vor dem Haus des Pfarrers weiter. «Sie haben fünfzehnhundert oder sechzehnhundert Mann», knurrte ein Offizier der Miliz, «und wir haben nur neunhundert!»

«Und die Marineinfanterie», zischte Captain Welch, doch dann, bevor irgendjemand darauf reagieren konnte, knallte ein Schuss. Hunde begannen zu bellen. Die Offiziere hielten ihre Schwerter fest und rannten auf die Laternen der Hauptstraße zu, wo Rufe laut geworden waren, doch es kam kein weiterer Musketenschuss nach.

«Was war das?», fragte Lovell, als sich die Aufregung gelegt hatte.

«Ein Mann aus dem County Lincoln», sagte Wadsworth.

«Hat er seine Muskete versehentlich abgefeuert?»

«Hat sich die Zehen am linken Fuß abgeschossen.»

«Oh, der arme Mann.»

«Absichtlich, Sir. Um dem Einsatz zu entgehen.»

Nun würde also ein Mann weniger nach Osten segeln, und zu viele der Übrigen waren noch beinahe Kinder oder Krüppel oder alte Männer. Aber es gab noch die Marinesoldaten. Gott sei Dank, dachte Wadsworth, es gab noch die Marinesoldaten.

Aus einem Brief John Brewers, geschrieben 1779 und veröffentlicht im *Bangor Whig and Courier* am 13. August 1846:

> *«Dann habe ich dem Commodore gesagt, … dass ich auf-*
> *grund des auffrischenden Windes glaubte, er könne mit sei-*
> *nem Verband durchfahren, die zwei* (sic) *Segler und die sechs*
> *Kanonenstände ausschalten, die Truppen unter der Deckung*
> *seiner eigenen Kanonen landen lassen und innerhalb einer*
> *halben Stunde alles besetzen. Bei seiner Antwort hob er sein*
> *langes Kinn und sagte: ‹Sie scheinen sich ja verdammt gut*
> *auszukennen! Ich werde meinen Verband nicht in diesem ver-*
> *dammten Loch in Gefahr bringen!›»*

Auszüge eines Briefes von John Preble an den Ehrenwerten
Jeremia Powell, Vorsitzender des Regierungsrates von Massachusetts Bay, 24. Juli 1779:

> *Ich hatte dort fünf Wochen das Indianerkommando jetzt be-*
> *steht es aus etwa 60 Kriegern die meisten brenen auf Krieg*
> *warten nur auf Marschbefehle und stehen ihren Brüdern den*
> *Amerikanern bei. Der Feind konte ihren Missfallen nicht*
> *stärker erregen als dadurch dass er ihren Fluss hinaufgefah-*
> *ren ist oder sich ihm genährt hat um eine Festung zu baun*
> *sie haben mir erklärt sie würden Jeden Tropfen ihres Blu-*
> *tes zur verteidigung ihres Landes und ihrer Freiheit Vergie-*
> *ßen sie scheinen sich mehr und mehr der teuflischen Absich-*

ten des Feindes und Gerechtigkeit unserer Sache gewahr zu werden ... Diesen Moment kommt die Flotte in Sicht, was Freude gleichermaßen bei Weißen und Schwarzen Soldaten erregt Jeder sehnt sich begierig nach dem Kampf und ich kann eure Ehren in Kenntnis setzen dass bei meiner Fahrt hierher in einem birken Kanu die Leute in Naskeeg und weit das Ufer hinauf erklärt haben sie wären Bereit ... für uns zu kämpfen wie wohl sie der Britischen seite den Treueid geleistet haben.

VIER

Von einem lebhaften Südwestwind getrieben, segelte die Flotte ostwärts. Die Freibeuter und Kriegsschiffe, die am schnellsten waren, mussten Segel einholen, damit sie den schwerfälligeren Transportern nicht zu weit voraus waren. Die Fahrt zum Penobscot dauerte nur einen Tag, allerdings einen langen Tag von der Morgendämmerung bis zum Abendrot, an dem es nur eine kleine Aufregung gab, als Richtung Süden ein fremdes Segel gesichtet wurde. Commodore Saltonstall befahl die *Hazard* und die *Diligent*, beide Zweimaster und beide schnelle Segler, zur Erkundung des fremden Schiffes. Saltonstall hielt sich in der Nähe der Küsten, während die beiden Brigantinen mehr Segel setzten und südwärts davonjagten. Die übrige Flotte arbeitete sich inzwischen langsam weiter an felsigen Landzungen, an denen sich große Wellen weiß schäumend brachen, die Küste hinauf. Alle paar Augenblicke hallte ein dumpfer Aufprall durch eines der Schiffe, wenn wieder ein verirrter Baumstamm im Wasser trieb, der den Flößern, die das Holz die Flüsse herunterbrachten, in der Flussmündung entkommen war.

Es war Commodore Saltonstalls erste Fahrt auf der *Warren*, und er machte viel Aufhebens um ihre Trimmung und ließ Ballast nach vorn bringen, um ihre Leistung zu erhöhen. Zweimal ließ er mehr Segel setzen, um die Fregatte mit höchster Geschwindigkeit durch den Flottenverband ziehen zu lassen. «Wie ist sie?», fragte er den Steuermann während der zweiten schnellen Fahrtprobe, nachdem Seekadett Fanning die Umladung einer weiteren halben Tonne Ballast aus dem Heck überwacht hatte.

«Sie steigt kaum mehr auf, Sir. Ich schätze, Sie haben sie gezähmt.»

«Sieben Knoten und ein paar zerquetschte!», rief ein Matrose, der von der Heckreling aus ein Log ausgeworfen hatte. Die Männer auf den Transportern brachen beim Anblick der prächtigen Fregatte, die unter vollen Segeln durch den Verband zog, in Jubel aus.

«Gegen den Wind haben wir sie vielleicht gezähmt», sagte Saltonstall matt, «aber ich wage zu behaupten, dass sie noch weiter getrimmt werden muss, bevor sie ihre Grenzen erreicht.»

«Das glaube ich auch, Sir», stimmte der Steuermann zu. Er war schon älter, hatte einen enormen Oberkörper und langes weißes Haar, das er zu einem Zopf geflochten trug, der ihm bis zur Taille reichte. Auf seinen bloßen Unterarmen waren Tätowierungen entstellter Anker und Kronen zu sehen, die zeigten, dass er früher in der britischen Flotte gesegelt war. Er ließ das Steuerrad los, worauf es sich schnell im Uhrzeigersinn drehte, um dann stehen zu bleiben und sich langsam zurückzudrehen. «Sehen Sie, Sir? Sie mag es.»

«Genau wie ich», sagte Saltonstall, «aber wir können es noch besser. Mister Coningsby! Noch zweihundert Pfund Gewicht nach vor! Und zwar hurtig!»

«Aye, aye, Sir», sagte Seekadett Fanning.

Die *Hazard* und die *Diligent* holten am späten Nachmittag wieder zur Flotte auf. Auf der *Diligent* wurden die Segel gerefft, und sie glitt leeseits neben die *Warren*, sodass der Bericht über das fremde Segel in Richtung Süden abgegeben werden konnte. «Es war die *General Glover* aus Marblehead, Sir!», rief Captain Philip Brown zu Saltonstall hinüber. «Ein Transporter auf dem Weg nach Frankreich, Sir, die Ladung besteht aus Tabak, Rum und Balkenholz!»

«Position einnehmen!», rief Saltonstall zurück und sah zu, wie die Brigg hinter ihm zurückfiel. Captain Brown, neu auf seinem Posten, war zuvor First Lieutenant auf der Schaluppe *Providence* gewesen, als sie die *Diligent* von der britischen Flotte erbeutet hatte, und sein Schiff trug noch immer die Spuren des Kampfes. Browns altes Schiff, die *Providence*, deren Rumpf an vielen Stellen ebenfalls mit neuen Planken geflickt war, segelte nun in der Vorhut von Saltonstalls Flotte und ließ das Schlangen-und-Streifen-Banner der Kriegsschiffe aus dem aufständischen Lager flattern.

Die Flotte war eindrucksvoll und von drei weiteren Schiffen verstärkt worden, die direkt nach Townsend gekommen waren, sodass nun zweiundvierzig Segler, von denen die Hälfte Kriegsschiffe waren, nach Osten fuhren. Brigadegeneral Lovell betrachtete vom Achterdeck aus die geblähten Segel, und erneut erfüllte ihn Stolz auf seinen Staat, auf sein Land, weil es eine solche Anzahl von Schiffen vereinen konnte. Die *Warren* war das größte, doch ein Dutzend weiterer Kriegsschiffe war beinahe ebenso prachtvoll wie die Fregatte. Die *Hampden*, die zweiundzwanzig Kanonen führte und damit das zweitstärkste Schiff der Flotte war, hatte der Staat New Hampshire entsandt, und als sie in Townsend eingelaufen war, hatte sie einen Salut geschossen und den Hafen mit dem donnernden Gruß ihrer Neunpfünder-Kanonen erfüllt. «Ich wünschte nur, wir würden jetzt einem von König Georges Schiffen begegnen», sagte Solomon Lovell, «auf mein Wort, wir würden es zerschmettern!»

«Das würden wir, mit Gottes Hilfe, das würden wir gewiss!», pflichtete ihm Hochwürden Jonathan Murray von ganzem Herzen bei. Peleg Wadsworth war etwas überrascht davon gewesen, dass der Pfarrer von Townsend zur Begleitung der Expedition eingeladen worden war, doch es war offenkundig, wie sehr sich Murray und Lovell schätzten, und deshalb war der Kirchenmann, der an Bord der *Sally* mit einem Paar gewaltiger Pistolen am Hüftgürtel erschienen war, nun der Expeditionskaplan. Lovell hatte darauf beharrt, dass sie ab Townsend auf der Schaluppe *Sally* und nicht auf Saltonstalls größerer Fregatte weiterfuhren. «Es ist besser, sich bei den Männern aufzuhalten, denken Sie nicht?», hatte der Brigadier zu Wadsworth gesagt.

«In der Tat, Sir», hatte Wadsworth zugestimmt, wenn er insgeheim auch dachte, dass Solomon Lovell Commodore Saltonstalls Gesellschaft schwer erträglich fand. Lovell war ein geselliger Mann, während man Saltonstall wortkarg bis zur Unhöflichkeit nennen konnte. «Die Männer machen mir allerdings Sorgen, Sir», fügte Wadsworth hinzu.

«Sie machen Ihnen Sorgen!», gab Lovell heiter zurück. «Aber warum denn bloß?» Er hatte sich Kapitän Carvers Fernrohr geliehen und schaute seewärts Richtung Monhegan Island.

Wadsworth zögerte, weil er an einem strahlenden Morgen wie diesem, dessen Wind sie mühelos übers Wasser gleiten ließ, nicht den Schwarzseher spielen wollte. «Wir hatten mit fünfzehn- oder sechzehnhundert Mann gerechnet, Sir, und nun haben wir weniger als neunhundert. Und viele davon sind noch dazu von fragwürdiger Einsatzfähigkeit.»

Hochwürden Murray, der seinen breitrandigen Hut festhielt, machte eine Geste, als wolle er zu verstehen geben, dass Wadsworths Bedenken überflüssig waren. «Lassen Sie mich Ihnen etwas erklären, das mich das Leben gelehrt hat», sagte Hochwürden Murray. «In jeder Unternehmung, General Wadsworth, wann immer sich Männer zusammenfinden, um Gottes Aufgaben zu erfüllen, ist es immer ein kleiner Kern, nur ein kleiner Kern Männer, der die Arbeit tut! Die übrigen sehen nur zu.»

«Wir haben genügend Männer», sagte Lovell, schob das Fernrohr zusammen und drehte sich zu Wadsworth um. «Damit sage ich nicht, dass ich nicht gerne mehr hätte, aber wir haben genügend. Und wir haben genügend Schiffe, und Gott ist auf unserer Seite!»

«Amen», warf Hochwürden Murray ein. «Und wir haben Sie, General!» Er verbeugte sich leicht vor Lovell.

«Oh, Sie sind zu freundlich», sagte Lovell verlegen.

«Gott wählt Seine Instrumente in unendlicher Weisheit aus», sagte Murray überschwänglich und verbeugte sich erneut vor Lovell.

«Und Gott, darauf vertraue ich, wird uns noch mehr Männer schicken», fuhr Lovell hastig fort. «Mir wurde versichert, dass in der Gegend von Penobscot glühende Patrioten leben, und ich bin sicher, dass sie unserer Sache dienen werden. Und die Indianer werden Krieger schicken. Denken Sie an meine Worte, Wadsworth, wir werden die Rotröcke hinwegfegen, wir werden sie hinwegfegen!»

«Ich wünschte trotzdem, wir hätten mehr Männer», sagte Wadsworth ruhig.

«Und ich wünschte dasselbe», sagte Lovell leidenschaftlich, «aber wir müssen mit dem zurechtkommen, was uns der Herr zur Verfügung stellt, und dürfen nie vergessen, dass wir Amerikaner sind!»

«Darauf sage ich amen», sagte Hochwürden, «und noch einmal amen.»

Im Laderaum der *Sally* befanden sich vier flache Leichter, die im Hafen von Boston requiriert worden waren. Sämtliche Transporter hatten ähnlich flache Boote dabei, die zur Landung der Truppen gebraucht wurden. Wadsworth richtete den Blick auf die Miliztruppen, deren Mitglieder ihrerseits von der Backbordreling der *Sally* aus die Küste betrachteten. Hohe Rauchsäulen stiegen geheimnisvoll aus den dunklen Wäldern der Hügel empor, und Wadsworth hatte das unangenehme Gefühl, dass diese Rauchsäulen von Signalfeuern stammten. War die Küste mit Loyalisten verseucht, die den Briten mitteilten, dass die Amerikaner kamen?

138

«Kapitän Carver hat gemurrt.» Lovell unterbrach Wadsworths Gedanken. Nathaniel Carver war der Kapitän des Kaperers *Sally*. «Er hat sich darüber beschwert, dass der Staat das Kommando über zu viele Transportschiffe hat!»

«Wir haben mit mehr Männern gerechnet», sagte Wadsworth.

«Und ich habe zu ihm gesagt», fuhr Lovell gut gelaunt fort, «‹wie sollen Ihrer Meinung nach all die britischen Gefangenen nach Boston verbracht werden, wenn wir nicht genügend Schiffe haben?› Darauf wusste er nichts mehr zu sagen!»

«Fünfzehnhundert Gefangene», sagte Hochwürden Murray mit einem glucksenden Lachen. «Das wird eine Menge Verpflegung erfordern.»

«Oh, ich glaube, es werden mehr als fünfzehnhundert!», sagte Lovell zuversichtlich. «Major Todd hat ja nur eine Schätzung abgegeben, nichts weiter als eine Schätzung, und ich kann mir nicht vorstellen, dass der Gegner weniger als zweitausend geschickt hat! Wir werden auf jedem einzelnen Transporter zweihundert Gefangene unterbringen müssen, aber Carver hat mir schon versichert, dass die Decksluken dicht gemacht werden können. Wahrhaftig! Das wird eine Rückkehr nach Boston, was, Wadsworth?»

«Darum bete ich, Sir», sagte Wadsworth. Hatten die Briten wirklich fünfzehnhundert Mann, fragte er sich, und wenn sie tatsächlich so viele hatten, welchen Grund konnte Lovell dann für seinen Optimismus haben?

«Es ist nur schade, dass wir keine Kapelle haben!», sagte Lovell. «Dann könnten wir eine Parade abhalten!» Als Politiker stellte sich Lovell den Lohn des Erfolgs in einer jubelnden Menschenmenge, dem Dank der Regierungsbehörden und einer Parade vor, wie bei den Triumphzügen im alten Rom, wo dem johlenden Volk die Gefangenen vorgeführt worden waren. «Ich glaube», fuhr der Brigadier fort und beugte sich etwas näher zu Wadsworth, «dass McLean den größten Teil der Garnison von Halifax nach Majabigwaduce gebracht hat!»

«Ich bin sicher, dass Halifax nicht unbewacht zurückgeblieben ist», sagte Wadsworth.

«Aber mit einer zu kleinen Verteidigungseinheit!», sagte Lovell herzlich. «Ich meine, Wadsworth, wir sollten vielleicht einen Angriff in Betracht ziehen!»

«Ich kann mir denken, dass General Ward und der Allgemeine Gerichtshof ein solches Vorhaben gerne erörtern würden, bevor es durchgeführt wird», sagte Wadsworth trocken.

«Artemas ist ein guter, braver Mann, aber wir müssen nach vorne schauen, Wadsworth. Was sollte uns, wenn wir McLean erst einmal besiegt haben, daran hindern, die Briten noch anderswo anzugreifen?»

«Die britische Kriegsflotte vielleicht, Sir?», legte Wadsworth mit einem gezwungenen Lächeln nahe.

«Oh, wir bauen mehr Schiffe! Noch mehr Schiffe!» Lovell war nicht aufzuhalten, jetzt, wo er sich ausmalte, wie sich sein Sieg bei Majabigwaduce zur Besetzung von Nova Scotia und, wer weiß, vielleicht ganz Kanadas ausweiten könnte. «Sieht die *Warren* nicht einfach prächtig aus?», rief er. «Sehen Sie dieses Schiff bloß an! Kann es eine herrlichere Fregatte auf den Meeren geben?»

Im Zwielicht des Abends schwenkte die Flotte in die weite Mündung des Penobscot ein und ankerte vor den Fox Islands. Die Ausnahme dabei bildeten die *Hazard* und die *Tyrannicide*, die Befehl erhielten, den Fluss stromaufwärts zu erkunden. Die zwei kleinen Briggs, beide aus der Flotte von Massachusetts, segelten behäbig nordwärts und nutzten das nur langsam schwindende Licht des Sommerabends, um etwas näher an Majabigwaduce heranzufahren, das volle sechsundzwanzig Seemeilen vom offenen Meer entfernt lag.

Commodore Saltonstall blickte den beiden Briggs nach, bis ihre Segel mit dem Zwielicht verschmolzen waren. Dann nahm er auf dem Achterdeck unter einem Himmel voll blitzender Sterne sein Nachtmahl ein. Seine Mannschaft ließ ihn allein, bis eine hochgewachsene Gestalt zu dem Commodore hinüberging. «Einen Krug Wein, Sir?»

«Captain Welch», grüßte Saltonstall den großen Marinesoldaten, «da wäre ich Ihnen sehr zu Dank verpflichtet.»

Die beiden Offiziere stellten sich nebeneinander an die Heckreling der *Warren*. Eine Violine erklang vom Vorderdeck der Brigg *Palas*, die neben der Fregatte ankerte. Einen guten Moment lang hörten sowohl der Commodore als auch der Marinesoldat schweigend der Musik und dem leise klatschenden Geräusch zu, mit dem die Wellen gegen den Rumpf der *Warren* schlugen. «Und?», brach Saltonstall schließlich das einvernehmliche Schweigen. «Was denken Sie?»

«Das Gleiche wie Sie, Sir, vermute ich», sagte Welch mit seiner tiefen Stimme.

Der Commodore schnaubte verächtlich. «Boston hätte ein Regiment von der Kontinentalarmee anfordern sollen.»

«Das hätten sie tun sollen, Sir.»

«Aber sie wollen die ganze Ehre für Massachusetts! So stellen sie es sich vor, Welch. Denken Sie an meine Worte: Wir werden kaum einen Dank bekommen.»

«Und doch sind wir es, die diese Sache erledigen, Sir.»

«Oh, das müssen wir!», sagte Saltonstall. Schon jetzt, in seiner kurzen Zeit als Befehlshaber, hatte sich der Commodore einen Ruf als schwieriger und überheblicher Charakter geschaffen, doch mit dem Marineoffizier hatte er so etwas wie eine Freundschaft begonnen. Saltonstall fand in ihm einen Seelenverwandten, einen Mann, der danach strebte, das Beste aus seinen Leuten herauszuholen. «Wir müssen die Aufgabe für sie erfüllen», fuhr Saltonstall fort, «wenn es überhaupt gelingen kann.» Er hielt inne, um Welch Gelegenheit zu einem Kommentar zu geben, doch der Marinesoldat sagte nichts. «Kann es gelingen?», forderte ihn Saltonstall zu einer Antwort auf.

Welch schwieg noch einen Moment und nickte dann. «Wir haben die Marineinfanterie, Sir, und ich wage zu behaupten, dass jeder Marinesoldat zwei Gegner aufwiegt. Wir bekommen vielleicht fünfhundert Milizionäre zusammen, die wirklich kämpfen können. Das sollte genügen, Sir, wenn Sie sich um die Schiffe kümmern können.»

«Drei Kriegsschaluppen», sagte Saltonstall in einem Ton, der weder Zuversicht noch Zweifel darüber ausdrückte, wie schwierig es würde, das britische Geschwader zu zerstören.

«Meine Männer werden kämpfen», sagte Welch, «und bei Gott, sie kämpfen wie die Teufel. Es sind gute Männer, Sir, gut ausgebildet.»

«Das weiß ich wohl», sagte Saltonstall, «aber ich werde Lovell bei Gott daran hindern, sie zu verheizen. Sie werden nur mit meiner Genehmigung an Land kämpfen.»

«Selbstverständlich, Sir.»

«Und wenn Sie Befehle bekommen, die keinen Sinn ergeben, dann erstatten Sie mir Bericht, verstehen Sie?»

«Vollkommen, Sir.»

«Er ist ein Bauer», sagte Saltonstall verächtlich, «kein Soldat, sondern ein gottverdammter Bauer.»

Der Bauer saß auf der *Sally* in der engen Kapitänskajüte und hielt einen Becher Tee mit Rum in der Hand. Mit Lovell am Tisch saßen sein Sekretär John Marston, Wadsworth und Hochwürden Murray, der offenbar zum leitenden Einsatzberater aufgestiegen war. «Wir werden Majabigwaduce morgen erreichen», sagte Lovell und ließ seinen Blick im schwachen Licht der Laterne, die von einem Balken herabhing, von einem Gesicht zum anderen wandern. «Ich vermute, der Commodore wird die gegnerischen Schiffe daran hindern, den Hafen zu verlassen und uns Schwierigkeiten zu machen. In diesem Fall sollten wir unverzüglich mit unseren Truppen an Land gehen, denken Sie nicht?»

«Wenn es möglich ist», sagte Wadsworth zurückhaltend.

«Hoffen wir es!», sagte Lovell. Er träumte von der Siegesparade in Boston und den Dankesbekundungen des Parlaments, doch leise Zweifel beschlichen ihn, als er die grob gezeichnete Karte Majabigwaduce' betrachtete, die sie zwischen den Resten des Abendessens auf dem Tisch ausgebreitet hatten. Der Koch der *Sally* hatte für einen guten Fischeintopf mit frischgebackenem Brot gesorgt. «Wir sollten etwas weiter vom Ufer entfernt Anker werfen und die Leichter aussetzen», sagte Lovell zerstreut und pochte dann mit einer Maisbrotkruste auf den Steilhang im Westen der Halbinsel. «Kann McLean diese Anhöhe wirklich ungeschützt gelassen haben?»

«Jedenfalls hat er dort keine Befestigung gebaut, wenn die Berichte stimmen», sagte Wadsworth.

«Dann sollten wir seine Einladung annehmen, denken Sie nicht?»

Wadsworth nickte zögernd. «Morgen wissen wir mehr, Sir», sagte er.

«Ich möchte bereit sein», sagte Lovell. Erneut pochte er auf die Karte. «Wir können unsere Einsatzkräfte nicht untätig herumsitzen lassen, während der Commodore den gegnerischen Verband zerstört. Wir müssen die Männer schnell an Land bringen.» Lovell betrachtete die Karte, als könne sie ihm die Lösung der Probleme des nächsten Tages liefern. Warum hatte McLean sein Fort nicht auf dem höchsten Punkt des Steilhangs gebaut? War das eine Falle? Hätte man Lovell die Aufgabe übertragen, die Halbinsel zu verteidigen, dann hätte er ganz sicher eine Festung am Hafeneingang errichtet, und zwar ganz oben auf dem Geländeabschnitt, der sowohl die weite Bucht als auch den Hafen dominierte. Warum also hatte McLean das nicht getan? Und McLean war, wie sich Lovell ins Gedächtnis rief, ein erfahrener Soldat. Was wusste McLean, das Lovell nicht wusste? Er spürte, wie Unruhe in ihm aufstieg, doch dann tröstete er sich mit dem Gedanken, dass er nicht allein mit seiner Verantwortung war. Commodore Saltonstall war der Flottenkommandeur, und die Anzahl von Saltonstalls Schiffen überstieg die der Gegner derartig, dass auch kein noch so großes militärisches Können dieses Ungleichgewicht aufwiegen konnte. «Wir müssen davon ausgehen», sagte Lovell, «dass unsere Gegner unter übersteigertem Selbstbewusstsein leiden.»

«Es sind eben Briten», sagte Hochwürden Murray zustimmend, «und ‹Wer zugrunde gehen soll, der wird zuvor stolz, und Hochmut kommt vor dem Fall›. Sprüche achtzehn», fügte er hilfreich hinzu, «Vers sechzehn.»

«Worte der Weisheit», sagte Lovell. «Und sie unterschätzen uns in der Tat!» Der General schaute unverwandt auf die Karte und suchte in seinem Inneren nach dem Optimismus, der ihn noch am Morgen erfüllt hatte.

«Sie werden den Preis für ihre Überheblichkeit zahlen», sagte Murray und hob andachtsvoll die Hand. «‹Was ist das, das ihr tut? Wollt ihr von dem König abfallen? Da antwortete ich ihnen und sprach: Der Gott des Himmels wird es uns gelingen lassen.›» Er lächelte gütig. «Die Worte des Propheten Nehemia, General.»

«Er wird es uns in der Tat gelingen lassen», wiederholte Lovell. «Würden Sie uns vielleicht vorbeten, Hochwürden?»

«Sehr gerne.» Die Männer senkten die Köpfe, und Hochwürden Murray flehte Gott um einen schnellen Sieg an. «Mögen die Mächte der Gerechtigkeit Deinen Namen verherrlichen, o Herr», betete Murray, «und mögen wir Edelmut in dem Triumph beweisen, den uns Deine Worte verheißen haben. Darum bitten wir Dich in Deinem heiligen Namen, amen.»

«Amen», sagte Lovell inbrünstig mit fest geschlossenen Augen, «und nochmals amen.»

«Amen», murmelte Brigadier McLean nach dem Tischgebet vor dem Abendessen. Er war in Doktor Calefs Haus eingeladen, das rund zweihundert Schritt östlich von Fort George lag. Dieser Name, dachte er betrübt, war äußerst großartig für eine Anlage, die kaum zu verteidigen war. Captain Mowat hatte einhundertundachtzig kräftige Seeleute geschickt, die beim Bau helfen sollten, doch immer noch waren die Wälle erst hüfthoch, und erst zwei Kanonen waren in den Eckbastionen aufgestellt worden.

«Also sind die Schufte angekommen», sagte Calef.

«Wie wir hören, Doktor, wie wir hören», gab McLean zurück. Vom Mündungsgebiet des Flusses war ein Bericht über die feindliche Flotte gekommen. Ein Fischer hatte sie gesehen, doch er war so überstürzt vor den Aufständischen geflüchtet, dass er die Schiffe nicht zählen, sondern nur sagen konnte, es seien schrecklich viele. «Anscheinend haben sie eine beträchtliche Flotte geschickt», bemerkte McLean, bevor er der Frau des Doktors dankte, die ihm einen Teller Bohnen gereicht hatte. Drei Kerzen erhellten den Tisch, ein schön poliertes Oval aus schimmerndem Walnussholz. Der größte Teil des Mobiliars stammte aus dem Bostoner Haus des Doktors und machte sich in Majabigwaduce seltsam aus, genau so, als sei die Einrichtung eines luxuriösen Edinburgher Herrenhauses in einer abgelegenen Bauernkate auf den Hebriden gelandet.

«Werden sie heute Nacht kommen?», erkundigte sich Mrs. Calef unruhig.

«Mir wurde versichert, dass niemand bei Dunkelheit den

Fluss herauffahren kann», sagte McLean, «also nein, Madam, nicht heute Nacht.»

«Sie werden morgen hier sein», behauptete Calef.

«Damit rechne ich.»

«Mit einem großen Kampfverband?»

«Das sagt der Bericht, Doktor, allerdings sind mir noch keine weiteren Einzelheiten bekannt.» McLean zuckte leicht zusammen, als er auf einen Splitter Mahlstein biss, der mit dem Maismehl ins Brot gekommen war. «Sehr gutes Brot, Madam», sagte er.

«In Boston sind wir drangsaliert worden», sagte Calef.

«Es tut mir leid, das zu hören.»

«Meine Frau wurde auf der Straße beleidigt.»

McLean wusste, was in Calef vorging. Wenn die Aufständischen Majabigwaduce einnähmen, dann würde die Verfolgung der Loyalisten von Neuem einsetzen. «Das bedaure ich, Doktor.»

«Ich kann wohl davon ausgehen, General», sagte Calef, «dass die Aufständischen mich einsperren würden, wenn sie mich fänden.» Der Doktor stocherte nur auf seinem Teller herum, während ihn seine Frau ängstlich ansah.

«Dann muss ich mein Äußerstes tun», sagte McLean, «um Sie vor dem Gefängnis und Ihre Frau vor Beleidigungen zu bewahren.»

«Machen Sie die Rebellen nieder», sagte Calef wild.

«Ich versichere Ihnen, Doktor, ebendas ist unsere Absicht», sagte McLean und lächelte dann Calefs Frau an. «Diese Bohnen schmecken vorzüglich, Madam.»

Danach aßen sie schweigend weiter. McLean wünschte, er hätte den Loyalisten in Majabigwaduce größere Beruhigung zu bieten gehabt, doch die Ankunft dieser Flotte bedeutete sicher eine unmittelbar bevorstehende Niederlage. Sein Fort war nicht fertiggestellt. Wohl hatte er drei Geschützbatterien aufbauen lassen, um den Hafeneingang zu decken. Eine auf Cross Island, dann die recht große Half-Moon-Batterie unten am Ufer und eine dritte, wesentlich kleinere, auf dem Steilhang über der Hafeneinfahrt, allerdings war keine dieser Batterien ein Fort. Sie hatten einfach nicht genügend Zeit gehabt, und nun war der Gegner da.

Viele Jahre zuvor, als er für die Holländer kämpfte, war McLean in französische Gefangenschaft geraten. Das war gar nicht so unangenehm gewesen. Die Franzosen waren großzügig und höflich mit ihm umgegangen. Er fragte sich, wie sich die Amerikaner in einem solchen Fall wohl verhalten würden, und fürchtete, während er die harten, noch halbrohen Bohnen aß, dass er vermutlich kurz davorstand, es herauszufinden.

Am nächsten Tag.

Marinelieutenant Downs von der *Tyrannicide* ging mit einigen Männern auf der nördlichsten der Fox Islands an Land. Es war schon vollständig dunkel, als ihr Beiboot auf einen Kiesstrand unterhalb der schwarzen Umrisse von einem halben Dutzend Häusern lief, die etwas erhöht standen. Schwache Lichter drangen durch die Ritzen von Türen und Fensterläden, und als die Marinesoldaten ihr Boot höher auf den Strand zogen, erklang eine Stimme in der Dunkelheit. «Wer ist da?»

«Die königliche Marine Seiner Majestät!», rief Downs zurück. Die Fox Islands waren für ihre loyalistischen Bewohner bekannt, und Downs wollte nicht, dass einer seiner Männer von einem heimtückischen Tory verwundet oder getötet wurde, der im Schutz der Dunkelheit auf sie schoss. «Eine Unterstützungseinheit für Majabigwaduce!»

«Und was wollen Sie dann hier?» Die Stimme klang immer noch misstrauisch.

«Frisches Wasser, Neuigkeiten, und gegen ein paar Frauen hätten wir auch nichts einzuwenden!»

Stiefel knirschten über den Kies, und aus den Schatten tauchte ein großer Mann auf. Er trug eine Muskete, die er sich an einer Lederschlaufe über die Schulter hängte, als er das Dutzend Männer neben dem Beiboot sah. Er hatte ihre gekreuzten weißen Bandeliers bemerkt, doch konnte er in der Dunkelheit nicht erkennen, dass ihre Uniformröcke grün und nicht rot waren. «Merkwürdige Zeit, um sich Wasser zu suchen», sagte er.

«Wir brauchen Wasser und das Neueste zur Lage», sagte Downs fröhlich. «Ist General McLean immer noch in Majabigwaduce?»

«Bis jetzt hat ihn noch keiner rausbefördert.»

«Haben Sie ihn selbst gesehen?»

«Ich war gestern dort.»

«In diesem Fall, Sir, werden Sie mir die Ehre erweisen, mich auf mein Schiff zurückzubegleiten», sagte Downs. Seine Marinesoldaten waren ebenso wie die der *Hazard* losgeschickt worden, um Männer zu suchen, die McLeans Verteidigungsstellungen gesehen hatten.

Der Inselbewohner trat einen Schritt zurück. «Von welchem Schiff sind Sie?», fragte er, immer noch durch und durch misstrauisch.

«Packt ihn», befahl Downs, und zwei seiner Leute ergriffen den Mann, konfiszierten seine Muskete und schleppten ihn zum Beiboot. «Keinen Laut», warnte Lieutenant Downs den Mann, «oder wir schlagen Ihren Schädel ein wie ein Hühnerei.»

«Schweinehunde», sagte der Mann und keuchte auf, als ihm einer der Marinesoldaten die Faust in den Bauch stieß.

«Wir sind Patrioten», korrigierte ihn Downs, ließ zwei Männer zur Bewachung des Gefangenen zurück und suchte nach weiteren Loyalisten, die der Expedition berichten konnten, was sie flussauf erwartete.

Die Morgendämmerung brachte dichten Nebel, in den Lieutenant John Moore mit zwanzig Mann eintauchte, als er zu der kleinen Geschützbatterie ging, die McLean hoch oben auf dem Steilufer von Majabigwaduce hatte einrichten lassen. Die Batterie bestand aus drei Sechspfünder-Kanonen, die auf Seelafetten montiert waren. Sie wurden von Matrosen der HMS *North* bedient, die unter dem Befehl eines Seekadetten standen, der auf den achtzehnjährigen Moore kaum älter als zwölf oder dreizehn wirkte. «Ich bin fünfzehn, Sir», gab der Seekadett auf Moores Nachfrage zurück. «Und drei Jahre bei der Flotte, Sir.»

«Ich bin John Moore», stellte sich Moore vor.

«Pearce Fenistone, Sir, und geehrt, Ihre Bekanntschaft zu machen.» Fenistones Batterie war nicht gesichert, sie war kaum mehr als ein nackter Geschützstand. Eine Lichtung war im Wald freigelegt und eine kleine Fläche eingeebnet worden, sodass eine Plattform aus gespaltenen Holzstämmen als fester Grund für die Lafetten gebaut werden konnte. Vier bestimmte Bäume waren mit Bedacht nicht gefällt worden, sodass die Kanoniere ihre Stämme für die Verankerung der Brooktaue und Richttakel benutzen konnten. Schiffskanonen wurden von Brooktauen festgehalten, die am Schiffsrumpf festgemacht waren und verhinderten, dass eine Kanone vom Rückstoß über das Deck geschleudert wurde, während das Richttakel benutzt wurde, um die Kanone wieder in Position zu ziehen, und Fenistones Männer benutzten die Bäume, um ihre Ungetüme zu zähmen. «Damit haben wir den Rückstoß unter Kontrolle, Sir», sagte Fenistone, als Moore die ausgeklügelte Anordnung bewunderte, «allerdings regnet es jedes Mal Kiefernnadeln auf uns herunter, wenn wir feuern.» Die Batterie hatte keinen Wall, und ihr Munitionslager bestand aus einer flachen Grube, die hinter der grob zurechtgezimmerten Plattform gegraben worden war. Auf zwei Gittern waren Kanonenkugeln aufgeschichtet,

149

und daneben befanden sich Stapel mit etwas, das nach Wurfringen für Kinder aussah. «Ringeinlagen, Sir», erklärte Fenistone.

«Ringeinlagen?»

«Die Kanonen sind abwärts ausgerichtet, Sir, und die Ringeinlagen halten die Kugel im Rohr. Wir würden ziemlich dumm dastehen, wenn wir laden und die Kugel herausrollt, bevor wir gezündet haben. Es ist überaus peinlich, wenn das passiert.»

Die Batterie war eher oberhalb der Hafeneinfahrt als ganz im Westen des Steilufers angelegt worden. Die Sechspfünder, die aus der Backbordbewaffnung der *North* stammten, waren zu leicht, um auf weite Entfernung viel ausrichten zu können, doch wenn die gegnerischen Schiffe einen Versuch machten, in den Hafen einzulaufen, wären sie gezwungen, unter den drei Kanonen entlangzusegeln, die ihre Decks treffen konnten. «Ich wünschte, ich hätte schwerere Geschütze, Sir», sagte Fenistone sehnsüchtig.

«Und ein ordentliches Fort, um Ihre Kanonen zu verteidigen?»

«Falls ihre Infanterie angreift?», fragte Fenistone. «Nun, gegen die Infanterie zu kämpfen ist nicht unsere Aufgabe, Sir, das ist Ihre.» Der Seekadett lächelte. Für einen Fünfzehnjährigen, dachte Moore, besaß Fenistone eine bewunderungswürdige Selbstsicherheit. «Captain Mowat hat uns strikte Befehle für den Fall erteilt, dass wir von Land aus angegriffen werden, Sir», fuhr er fort.

«Und die wären?»

«Die Kanonen vernageln und die Beine unter die Arme nehmen, Sir», antwortete Fenistone mit einem Grinsen, «und die Kanoniere zurück auf die *North* bringen, Sir.» Er schlug nach einem Moskito.

Moore sah zu Mowats Schiffen hinunter, die in Nebelschleier gehüllt waren. Die drei Schaluppen wirkten recht beeindruckend, wie sie so in einer Reihe lagen, doch er wusste, dass sie im Vergleich zu den meisten Kriegsschiffen nur leicht bewaffnet waren. In einer parallelen Linie hinter ihnen lagen die drei Transportschiffe, die viel größer und bedrohlicher aussahen, in Wahrheit aber nur wehrlose Hüllen waren und als Hindernis dienen sollten, falls es dem Feind gelang, Mowats erste Linie zu durchbrechen.

«Kommen sie heute, Sir?», fragte Fenistone, und man hörte die Unruhe in seiner Stimme.

«Davon gehen wir aus», sagte Moore.

«Dann bereiten wir ihnen einen herzlichen britischen Empfang, Sir.»

«Ganz gewiss», sagte Moore und lächelte. Dann bedeutete er seinen Männern aufzuhören, die Schiffskanonen anzustarren und ihm weiter durch den Wald nach Westen zu folgen.

Am Rande des Steilufers blieb er stehen. Vor ihm lag der breite Penobscot unter seiner dünner werdenden Nebeldecke. Moore spähte angestrengt Richtung Süden, konnte jedoch keinerlei Bewegung in der weißlichen Ferne entdecken. «Also kommen sie heute, Sir?», fragte Sergeant McClure.

«Damit müssen wir rechnen.»

«Und unsere Aufgabe, Sir?»

«Ist es, hier Posten zu beziehen, Sergeant, für den Fall, dass die Halunken einen Landungsversuch unternehmen.» Moore schaute den steilen Hang hinunter und dachte, die Aufständischen müssten vollkommen töricht sein, um eine Landung auf dem engen, steinigen Strand am Fuße des Steilufers zu versuchen. Er nahm an, dass sie weiter im Norden an Land gehen würden, vielleicht hinter der Landenge, und er wünschte, er wäre bei der Landbrücke postiert worden. Dort würde gekämpft werden, und er hatte noch nie gekämpft. Ein Teil von ihm fürchtete die Feuertaufe, und ein anderer sehnte sich nach der Erfahrung.

«Sie wären Narren, wenn sie hier landen würden, Sir», sagte McClure, der an Moores Seite stand und den abschüssigen Hang hinuntersah.

«Dann hoffen wir eben, dass sie Narren sind.»

«Wir können die Bastarde leicht abschießen, Sir.»

«Wenn wir genügend Leute haben.»

«Das stimmt, Sir.»

Der Nebel verflüchtigte sich, als der Wind auffrischte. Lieutenant Moore hatte Posten auf Dyce's Head, der hochgelegenen südwestlichen Spitze der Halbinsel, bezogen, und als die Sonne höher stieg, kamen immer mehr Männer zu dieser günstig gelegenen Stelle, um nach dem Feind Ausschau zu halten. Brigadier McLean stapfte mit seinem Stock über den engen Pfad zwischen den Kiefern, sieben weitere Offiziere der Rotröcke im Schlepptau, und alle blickten Richtung Süden den Fluss hinunter, der so heiter in der Sommersonne glitzerte. Immer mehr Offiziere kamen, und mit ihnen Zivilisten wie Doktor Calef, der sich zum Brigadier stellte und versuchte, Konversation zu betreiben. Auch Captain Mowat war mit zwei anderen Flottenoffizieren gekommen; sie alle benutzten ihre langen Fernrohre, doch es war nichts zu sehen. Der Fluss lag verlassen unter ihnen.

«Ich habe gestern Abend zu fragen vergessen», sagte McLean zu Calef. «Wie geht es Temperance?»

«Temperance?», fragte Calef verwirrt, doch dann erinnerte er sich. «Oh, sie erholt sich. Wenn ein Neugeborenes den ersten Tag Fieber übersteht, erholt es sich gewöhnlich. Sie wird überleben.»

«Das freut mich», sagte McLean. «Es gibt kaum etwas Bedauerlicheres als ein leidendes Kind.»

«Haben Sie Kinder, General?»

«Ich habe nie geheiratet», sagte McLean und lüftete seinen Hut, als weitere Dorfbewohner zusammen mit Colonel Goldthwait auf die Klippe kamen. Goldthwait war Amerikaner und Loyalist, ein Pferdezüchter, der sich seinen Rang in der alten königlichen Miliz verdient hatte. Er fürchtete, dass aufständische Einheiten auf dem Fluss anfangen würden, Loyalisten zu verfolgen, und deshalb hatte er seine Familie unter den Schutz von McLeans Männern gestellt. Seine beiden Töchter waren mit ihm auf das Steilufer gekommen, zusammen mit Bethany Fletcher und Aaron Banks Zwillingstöchtern, und die Gegenwart so vieler junger Damen zog die schottischen Offiziere magisch an.

Lieutenant Moore stahl sich in Bethanys Nähe. Er nahm seinen Hut ab und verbeugte sich vor ihr. «Ist Ihr Bruder nicht hier?», fragte er.

«Er ist fischen gegangen, Lieutenant», log Bethany.

«Ich dachte, niemand habe Erlaubnis, die Halbinsel zu verlassen?»

«James war schon weg, als diese Anordnung erteilt wurde», sagte Bethany.

«Ich bete darum, dass er sicher wiederkommt», sagte Moore. «Wenn ihn die Aufständischen erwischen, Miss Fletcher, dann fürchte ich, dass sie ihn festsetzen könnten.»

«Und wenn sie Sie erwischen, Lieutenant», sagte Bethany mit einem Lächeln, «dann könnten sie Sie festsetzen.»

«Dann muss ich darauf achten, mich nicht erwischen zu lassen», sagte Moore.

«Guten Morgen, Miss Fletcher», sagte Brigadier McLean gut gelaunt.

«Guten Morgen, General», sagte Bethany und erhellte den Tag des Brigadiers mit ihrem bezauberndsten Lächeln. Sie fühlte sich unbehaglich. Ihr zartgrünes Leinenkleid war mit unansehnlichem braunem Stoff geflickt, und ihre Haube mit den langen Spitzen war längst außer Mode. Die Goldthwait-Mädchen dagegen trugen reizende gemusterte Baumwollkleider, die sie in Boston gekauft haben mussten, bevor die Briten aus der Stadt vertrieben worden waren. Die britischen Offiziere, dachte Bethany, mussten sie für höchst unansehnlich halten.

Thomas Goldthwait, ein hochgewachsener, gutaussehender Mann in dem blassroten Rock der alten Miliz, nahm McLean beiseite. «Auf ein Wort, General», sagte Goldthwait. Er klang unsicher.

«Zu Ihren Diensten, Sir», gab McLean zurück.

Einen Augenblick lang starrte Goldthwait schweigend Richtung Süden auf den Penobscot. «Ich habe drei Söhne», sagte er schließlich, ohne seinen Blick vom Fluss abzuwenden, «und als Sie angekommen sind, General, habe ich ihnen die Wahl gelassen.»

McLean nickte. «‹So erwählt euch heute, wem ihr dienen wollt›?», riet er und zitierte dazu die Bibel.

«Ja.» Goldthwait zog eine Schnupftabaksdose aus der Tasche und spielte mit ihrem Deckel. «Ich bedaure», fuhr er fort, «dass sich Joseph und Benjamin entschieden haben, zu den Aufständischen zu gehen.» Schließlich sah er McLean direkt an. «Das war nicht mein Wunsch, General, aber ich wollte, dass Sie es wissen. Ich habe sie diese Aufsässigkeit nicht gelehrt, und ich versichere Ihnen, dass wir keine Familie sind, die versucht, auf zwei Hochzeiten zu tanzen.» Er unterbrach sich und zuckte ratlos mit den Schultern.

«Wenn ich einen Sohn hätte», sagte McLean, «würde ich mir wünschen, dass er dieselben Überzeugungen hat wie ich, Colonel, aber ich würde auch darum beten, dass er seine eigenen Entscheidungen treffen kann. Ich versichere Ihnen, dass wir aufgrund der Torheit Ihrer Söhne nicht schlechter von Ihnen denken.»

«Danke», sagte Goldthwait.

«Reden wir nicht mehr darüber», sagte McLean und drehte sich abrupt um, als Captain Mowat rief, es wären Toppsegel in Sicht gekommen.

Einige Augenblicke lang sagte niemand etwas, denn es gab nichts Sinnvolles zu sagen.

Der Gegner war da. Das erste Zeichen seiner Anwesenheit bestand in dem großen Schwarm Toppsegel, die durch den letzten Nebel hinter einer Landspitze erkennbar wurden. Doch langsam, unaufhaltsam kam bei Long Island die gesamte Flotte in Sicht, und keiner der Männer und keine der Frauen, die sie auftauchen sahen, konnte etwas anderes als beeindruckt sein vom Anblick so vieler Segel und so vieler dunkler Schiffsrümpfe. «Es ist eine Armada», brach Colonel Goldthwait das Schweigen.

«Guter Gott», sagte McLean leise. Er betrachtete den riesigen Schiffsverband, der sich in dem flauen Wind langsam weiterschob. «Aber es ist ein prachtvoller Anblick.»

«Prachtvoll, Sir?», fragte Bethany.

«Man sieht nicht oft so viele Schiffe zusammen. Dieses Bild sollten Sie im Gedächtnis behalten, Miss Fletcher, um eines Tages Ihren Kindern davon zu erzählen.» Er lächelte sie an, bevor er sich zu den drei Flottenoffizieren umdrehte. «Captain Mowat! Konnten Sie schon feststellen, wie viele es sind?»

«Noch nicht», gab Mowat knapp zurück. Er schaute durch sein Fernrohr, das auf der Schulter eines Rotrocks abgestützt lag. Der gegnerische Flottenverband hielt sich dicht beisammen, während er die tückischen Felsvorsprünge vor Long Island passierte, doch dann schwärmten die Schiffe leicht aus, um vor dem Wind in die weite Bucht westlich der Halbinsel zu segeln. Die schnellen Kriegsschiffe lagen vor den Transportern, und Mowat rückte mit winzigen Bewegungen das Fernrohr zurecht, während er versuchte, die unterschiedlichen Segler zu klassifizieren, was durch die Bäume, die ihm einen Teil der Sicht nahmen, noch schwieriger wurde. Lange ruhte sein Blick auf der *Warren*. Er zählte ihre Geschützpforten und versuchte, von der Anzahl der

Männer an Deck auf die gesamte Bemannung zu schließen. Als er mit seiner Inspektion fertig war, knurrte er verhalten und rückte dann das Glas ein Stückchen nach links, um die Transportschiffe zu zählen. «Soweit ich erkennen kann, General», sagte er endlich, «haben sie zwanzig Transporter. Vielleicht auch einundzwanzig.»

«Guter Gott im Himmel», sagte McLean milde. «Und wie viele Kriegsschiffe?»

«Ungefähr genauso viele», sagte Mowat.

«Sie sind in voller Stärke gekommen», sagte McLean immer noch milde. «Zwanzig Transporter, sagen Sie, Mowat?»

«Vielleicht auch einundzwanzig.»

«Zeit für ein bisschen Arithmetik, Zahlmeister», sagte McLean zu Lieutenant Moore. «Wie viele Männer hatten unsere Transporter jeweils an Bord?»

«Die meisten Männer waren auf vier der Transportschiffe, Sir», sagte Moore. «Ungefähr zweihundert pro Schiff?»

«Und wenn Sie das mit zwanzig multiplizieren?»

Es entstand eine kleine Pause, in der sich jeder Offizier in Hörweite an dieser Kopfrechenaufgabe beteiligte. «Viertausend, Sir», sagte Moore schließlich.

«Ah, also haben Sie die gleiche Arithmetik gelernt wie ich, Mister Moore», sagte McLean und lächelte.

«Mein Gott.» Ein Offizier der Highlander starrte entsetzt auf die herankommende Flotte. «In so vielen Schiffen? Sie könnten ebenso gut fünftausend Männer haben!»

McLean schüttelte den Kopf. «In Abwesenheit unseres Herrn und Heilands», sagte der Brigadier, «vermute ich, dass sie Schwierigkeiten hätten, so viele Männer zu verpflegen.»

«Manche der Schiffe sind kleiner als unsere», gab Mowat eine andere Beobachtung weiter.

«Und wie lautet Ihre Einschätzung, Mowat?», fragte McLean.

«Zwischen dreitausend und viertausend Mann», sagte Mowat knapp. «Genügend jedenfalls. Und die Bastarde haben beinahe dreihundert Kanonen in den Breitseiten.»

«Ich stelle fest, dass wir ausreichend zu tun haben werden», sagte McLean leichthin.

«Mit Ihrer Erlaubnis, General», Mowat hatte seine Observierung beendet und schob das Fernrohr zusammen, «kehre ich auf die *Albany* zurück.»

«Gestatten Sie mir, Ihnen einen guten Tag zu wünschen, Mowat», sagte McLean.

«Lassen Sie sich das Gleiche von mir wünschen, McLean», gab Mowat zurück und schüttelte dem Brigadier die Hand.

Die drei Flottenoffiziere machten sich auf den Weg zu ihren Schiffen. McLean blieb auf dem Steilufer und beobachtete schweigend, wie der Gegner immer näher kam. Es galt allgemein als Faustregel in der Kriegsführung, dass ein Angreifer dem Verteidiger drei zu eins überlegen sein musste, wenn ein Angriff auf ein Fort Erfolg haben sollte. Aber Fort George war nicht fertiggestellt. Mit einem kräftigen Satz konnte man über die Verteidigungswälle springen. Der Bau der Geschützstellungen war kaum angefangen. Tausend Aufständische würden das Fort mit Leichtigkeit einnehmen, und es war angesichts dieser Flottenstärke in der Bucht klar, dass sie mindestens zwei- oder dreitausend Mann hatten. «Wir müssen unser Bestes tun», sagte McLean schließlich zu niemandem im Besonderen. Dann lächelte er. «Fähnrich Campbell!», rief er schneidend. «Zu mir!»

Sechs Offiziere im Kilt eilten heran, und Bethany schaute sie erstaunt an. «Wir sind mit Campbells überversorgt», sagte Moore.

«Im 74sten gibt es dreiundvierzig Offiziersstellen», erklärte McLean etwas verständlicher, «und es stammt aus Argyle, Miss Fletcher, wo überaus viele Campbells leben. Dreiundzwanzig der dreiundvierzig Offiziere heißen Campbell. Wer vor ihren Zelten diesen Namen ruft, Miss Fletcher, kann für heillose Verwirrung sorgen.» Der Brigadier wusste, dass jeder Loyalist, der die Vorgänge auf der Halbinsel verfolgte, eine Katastrophe drohen sah, und deshalb wollte er umso entschlossenere Zuversicht zeigen. «Wie mir gerade einfällt», sagte er zu den sechs jungen Offizieren im Kilt, «spielte Sir Walter Raleigh Bowling, als die Armada heransegelte. Was Unbekümmertheit angeht, können wir es doch mit den Engländern allemal aufnehmen, glauben Sie nicht?»

«Indem wir Bowling spielen, Sir?», fragte einer der Campbells.

«Ich bevorzuge Schwerter», sagte McLean und zog sein Breitschwert. Sein gelähmter rechter Arm machte es ihm schwer, die Waffe zu ziehen, und so musste er seine linke Hand zu Hilfe nehmen, um die Klinge aus der Scheide gleiten zu lassen. Dann beugte er sich vor und legte das Schwert auf den Boden.

Elf weitere Schwerter wurden darübergelegt. Es waren keine Musiker auf Dyce's Head, also klatschte der Brigadier den Rhythmus, und die sechs Offiziere begannen über den gekreuzten Klingen zu tanzen. Einige der anderen Offiziere aus dem 74sten klatschten ebenfalls den Takt, sangen dazu auf Gälisch, und McLean fiel in den Gesang ein.

Zusammen mit den anderen Zuschauern klatschte auch Bethany mit. Die Tänzer kamen bei ihren Schritten sehr nahe an die Schwertklingen, berührten sie jedoch nie. Dann endete das gälische Lied, McLean gab Zeichen, dass der trotzige Schwerttanz abgeschlossen werden könne, und die jungenhaften Offiziere grinsten, als sie unter dem Beifall der Zuschauer ihre Schwerter aufhoben. «Auf Ihre Posten, Gentlemen», sagte McLean zu seinen Offizieren. «Ladies and Gentlemen», er sah die Zivilisten an, «ich kann nicht voraussagen, was nun geschehen wird, aber wenn Sie in Ihren Häusern bleiben, gehe ich zuversichtlich davon aus, dass Sie mit Höflichkeit und Anstand behandelt werden.» Diese Zuversicht erfüllte ihn keineswegs, aber was sollte er sonst sagen? Er warf einen letzten Blick auf die Flotte. Ein Platschen und das Rumoren von ablaufendem Tau war über das Wasser hinweg deutlich zu hören, als das erste Schiff Anker warf. Seine gelösten Segel flatterten heftig im Wind, bis Männer auf die Rahen kletterten und die breiten Tuchbahnen zähmten. Ein Aufblitzen auf dem Achterdeck des Schiffes zeigte McLean, dass ein Aufständischer das Ufer mit einem Fernrohr beobachtete. Dann wandte er sich um und ging zurück zu seinem halbfertigen Fort.

James Fletcher hatte die Nacht am Ostufer des Penobscot auf der *Felicity* verbracht, die in einer kleinen Bucht versteckt lag. Er beobachtete die Ankunft der Flotte von Massachusetts aus dem Süden, und er wartete, bis die Schiffe Majabigwaduce beinahe erreicht hatten, bevor er aus seinem sicheren Hafen herausruderte. Dann griff der Wind in sein Hauptsegel, James konnte die Ruder einziehen, und er fuhr vor der Brise bis zum Ankerplatz der Flotte. Die Transporter lagen am weitesten im Norden, westlich vom Steilufer der Halbinsel, und sie waren, ebenso wie die Kriegsschiffe, außerhalb der Reichweite jeder britischen Kanone, die sich auf Majabigwaduce befinden mochte.

Fletcher nahm Kurs auf das größte der Kriegsschiffe, weil er vermutete, dass er dort den Flottenkommandanten finden würde, doch lange bevor er die *Warren* erreichte, wurde er von einem Wachboot abgefangen, das mit einem Dutzend Ruderern und vier Marinesoldaten in grünen Uniformröcken bemannt war. Sie riefen ihn an, und so drehte er die *Felicity* in den Wind und wartete, bis das Beiboot längsseits war. «Ich habe Neuigkeiten für den General», rief er dem Marineoffizier zu.

«Sie müssen mit dem Commodore sprechen», erwiderte der Marinesoldat und deutete auf die *Warren*. Seeleute auf der Fregatte fingen das Tau auf, das Fletcher ihnen hinaufwarf, dann ließ er die Gaffel los und kletterte seitlich an der Bordwand der Fregatte hinauf.

Als er an Deck stand, tauchte ein junger und unsicherer Seekadett zu seinem Empfang auf. «Der Commodore ist sehr beschäftigt, Mister Fletcher», erklärte er.

«Kann ich mir vorstellen.»

«Aber er möchte Sie trotzdem sehen.»

«Das hoffe ich!», sagte James fröhlich.

Die Kriegsschiffe der Aufständischen ankerten westlich der Hafeneinfahrt, die von Captain Mowats drei Kriegsschaluppen blockiert war. Diese längsseits verankerten Schaluppen hatten ihre Geschützpforten geöffnet und ließen an ihrem Heck die blaue Flagge flattern, während an den jeweils drei Mastspitzen jedes Schiffes die britische Flagge hing. In einem weißschäumenden Doppelstrahl sprudelte Wasser aus der Seite der *North*, und Fletcher grinste. «Die hören nie auf, sie auszupumpen», sagte er.

«Sie?»

«Die *North*.» James deutete zu der Schaluppe hinüber. «Sie liegt am dichtesten zum Dyce's Head, sehen Sie? Ich schätze, die Ratten haben sich gradewegs durch die Bodenplanken genagt.»

Seekadett Fanning blickte mit ernster Miene zu dem gegnerischen Schiff hinüber. «Also ist die *North* ein altes Schiff?», fragte er.

«Alt und verrottet», sagte James. «Ein paar Kanonenkugeln, und das Ding ist Feuerholz.»

«Wohnen Sie hier?», fragte Fanning.

«Schon mein ganzes Leben lang.»

Commodore Saltonstall duckte sich unter seiner Kajütentür hindurch ins Freie. Ihm folgte ein Mann, den James

Fletcher gut kannte. John Brewer war Captain der regionalen Milizeinheit, auch wenn er so knapp an Rekruten war, dass er kaum jemanden zu befehligen hatte. Es war Captain Brewer gewesen, dem James Fletcher seine Landkarte mit dem Brief geschickt hatte. Brewer lächelte, als er ihn nun vor sich sah. «Willkommen, Fletcher!» Brewer machte eine Geste in Richtung des Commodore. «Das ist Captain Saltonstall. Ich wage zu vermuten, dass der junge James hier Neuigkeiten für Sie hat, Sir.»

«Das stimmt, Sir», sagte James eifrig.

Saltonstall wirkte völlig unbeeindruckt. Er sah James Fletcher kurz an und drehte sich daraufhin zur Backbordreling um, wo er lange stand, um Mowats Schiffe durch ein Fernrohr zu beobachten. «Mister Coningsby!», schnauzte er mit einem Mal.

«Sir?», gab Seekadett Fanning zurück.

«Die Kopfschlag-Enden des Richttakels an Nummer vier sehen aus wie ein Schlangennest in der Hochzeitsnacht! Bringen Sie das in Ordnung!»

«Aye, aye, Sir.»

Captain Brewer, ein leutseliger Mann in Kleidung aus selbstgewebtem Leinen, der ein altertümliches Entermesser mit breiter Klinge am Gürtel trug, grinste Fletcher an, während Saltonstall seine Betrachtung der drei Schiffe fortsetzte, die den Hafeneingang bewachten. «Wie heißen Sie?», fragte der Commodore dann brüsk.

James Fletcher kam zu dem Schluss, dass diese Frage ihm gelten musste. «James Fletcher, Sir. Ich wohne in Bagaduce.»

«Dann kommen Sie her, James Fletcher aus Bagaduce», befahl Saltonstall, und James trat an seine Seite, um wie der Commodore ostwärts zu schauen. Zur Linken konnte er das dichtbewaldete Steilufer sehen, das einem von diesem Standpunkt aus den Blick auf das Fort nahm. Dann kamen die drei Schaluppen mit ihrer Breitseitenbewaffnung von insgesamt achtundzwanzig Kanonen, und dann, in südlicher Richtung, die Kanonen auf Cross Island. «Sie wohnen hier», sagte Saltonstall in einem Ton, der beinahe Mitleid mit einem solchen Schicksal ausdrückte, «und ich sehe drei Schaluppen und eine Geschützbatterie. Was sehe ich nicht?»

«Eine weitere Batterie auf Dyce's Head, Sir», sagte James und deutete in die Richtung.

«Genau, was ich Ihnen gesagt habe, Sir!», warf Brewer lebhaft ein.

Saltonstall beachtete den Captain der Miliz nicht. «Welche Stärke?»

«Ich habe nur gesehen, dass drei kleinere Kanonen hinaufgeschafft wurden, Sir», sagte James.

«Sechspfünder vermutlich», sagte Brewer.

«Aber sie werden ihre Munition auf uns regnen lassen, wenn wir die Hafeneinfahrt erreichen», stellte Saltonstall fest.

«Schätze, deshalb sind sie da oben, Sir», sagte James. «Und auf dem hafenseitigen Ufer ist auch noch eine Batterie.»

«Also drei Batterien und drei Schaluppen», sagte Saltonstall und schob das Fernrohr zusammen, bevor er sich Fletcher zuwandte. Der Anblick schien ihm nicht zu gefallen. «Wie viel Wasser ist im Hafen?»

«Wie viel Tiefgang haben Sie, Sir?»

«Elf Fuß, neun Zoll», sagte Saltonstall. Er sprach zwar immer noch mit James, hatte seinen Blick aber an James' Kopf vorbei auf den Niedergang des Achterdecks geheftet.

«Dann ist da mehr als genug Wasser für Sie, Sir», sagte James mit seiner üblichen Unbekümmertheit.

«Der Gezeitenhub?»

«Fünfzehn bis achtzehn Fuß, so etwa», sagte James.

«Aber sogar bei Ebbe können Sie an ihr vorbei.» Er deutete auf die *Nautilus*, die am südlichen Ende der Dreierreihe lag. «Sie kommen an ihr vorbei, Sir, und haben noch mindestens zehn Fuß Luft, und wenn Sie erst im Hafen sind, brauchen Sie sich überhaupt keine Sorgen mehr zu machen.»

«An ihr vorbei?», fragte Saltonstall höhnisch.

«Da ist genügend Platz, Sir.»

«Mit einer Batterie keine hundert Schritt entfernt?», fragte Saltonstall schroff und meinte die Geschützstellung auf Cross Island. Diese Kanonen waren von ihrem Standpunkt auf dem Schiff aus gerade eben zu sehen, und dahinter erhoben sich die Zelte der Kanoniere, über denen an einem behelfsmäßigen Fahnenmast die britische Flagge hing. «Und wenn ich drin bin», fuhr er fort, «wie zum Teufel komme ich dann wieder raus?»

«Raus?», fragte James, den die augenscheinliche Abneigung verunsicherte, die der Commodore gegen ihn hegte.

«Wenn ich Ihren Rat befolge», gab Saltonstall sarkastisch zurück, «segle ich also in den Hafen von Majabigwaduce. Aber wenn ich erst mal dort bin, befinde ich mich in Reichweite der Kanonen ihres Forts, oder etwa nicht? Und bin noch dazu unfähig, wieder auszufahren.»

«Unfähig, Sir?», sagte James, den der tadellose Saltonstall immer mehr aus der Fassung brachte.

«Herr im Himmel, Sie Holzkopf!», zischte Saltonstall. «Jeder Narr kann in diesen Hafen fahren, aber wie zum Teufel läuft man wieder aus? Beantworten Sie mir das!»

«Aber Sie müssen doch nicht wieder auslaufen, Sir», sagte James. Der Commodore hatte natürlich recht. Während es einfach war, unter der normalerweise vorherrschenden Windrichtung in den Hafen zu kommen, wäre es eine vertrackte Angelegenheit, sich wieder herauszulavieren. Ganz besonders unter feindlichem Kanonenbeschuss aus dem Fort.

«Gepriesen sei der Herr», sagte Saltonstall. «Ich soll also einfach dort liegen, nicht wahr, und abwarten, bis die Geschützstellungen an Land mein Schiff in einen Trümmerhaufen verwandelt haben?»

«Da sei Gott vor, Sir, nein. Sie können weiter den Bagaduce hinaufsegeln, das ist der Fluss auf der anderen Seite der Halbinsel», sagte James. «Das Wasser dort ist tief genug, Sir, und zwar weit über die Reichweite jeder ihrer Kanonen hinaus.»

«Flussaufwärts muss es sogar bei Ebbe ungefähr dreißig Fuß tief sein», warf Brewer ein.

«Mindestens zwanzig», sagte James.

«Sie scheinen sich ja verdammt gut auszukennen.» Saltonstall hatte sich zu Captain Brewer umgedreht.

«Ich wohne hier.»

«Ich werde meinen Verband nicht in diesem verdammten Loch aufs Spiel setzen», sagte Saltonstall entschlossen. Dann wandte er sich erneut ab, um die Verteidigungsanlagen zu studieren.

«In welchem verdammten Loch, Commodore?», erklang da eine helle Stimme.

Saltonstall drehte sich um und hatte Peleg Wadsworth vor sich, der gerade an Bord der Fregatte gekommen war. «Guten Morgen, General», knurrte der Commodore.

Brigadier Wadsworth wirkte zufrieden. Seine Bedenken zur Einsatzfähigkeit seiner Miliztruppen hatten sich beim ersten Anblick der britischen Verteidigungsstellungen zerstreut. Wadsworth hatte vom Deck der *Sally* aus mit einem Fernrohr einige Blicke auf das Fort oberhalb des Dorfes erhascht und festgestellt, dass die Wälle tatsächlich so jämmerlich niedrig waren, wie es die Berichte gemeldet hatten. Zwei Männer aus der Gegend, die von den Marinesoldaten der *Tyrannicide* zur Flotte gebracht worden waren, hatten ebenfalls bestätigt, dass McLeans Arbeiten noch lange nicht beendet und die Kanonen des Forts noch nicht montiert waren. «Gott ist uns gnädig», sagte Wadsworth, «und die Briten sind nicht vorbereitet.» Er lächelte Fletcher an. «Hallo, junger Mann, ist das Ihr Boot, das da längsseits vertäut ist?»

«Ja, Sir.»

«Sieht mir nach einem sehr zuverlässigen Gefährt aus», sagte Wadsworth, bevor er weiter zum Commodore ging. «General Lovell ist entschlossen, heute Nachmittag einen Angriff zu führen», erklärte er Saltonstall.

Saltonstall knurrte bloß.

«Und wir bitten darum, dass Sie uns Ihre Marineinfanterie als Unterstützung zur Verfügung stellen, Sir.»

Saltonstall knurrte erneut, und dann, nach einem Moment des Innehaltens, rief er laut: «Captain Welch!»

Der hochgewachsene Marineoffizier stapfte über das Deck heran. «Sir?»

«Welche Art Angriff, General?», wollte Saltonstall wissen.

«Direkt über das Steilufer», sagte Wadsworth zuversichtlich.

«Da ist eine Kanonenstellung auf dem Steilufer», gab Saltonstall zu bedenken und beschrieb eine achtlose Geste zu Fletcher und Captain Brewer hin, «die beiden wissen es.»

«Sechspfünder vermutlich», sagte Captain Brewer, «aber südwärts ausgerichtet.»

«Die Kanonen zielen auf die Hafeneinmündung, Sir», erklärte James. «Nicht auf die Bucht», fügte er hinzu.

«Die Kanonen sollten uns keine Sorgen machen», sagte Wadsworth gut gelaunt. Er hielt inne, als erwarte er eine Bestätigung dieser Meinung von Commodore Saltonstall, doch der sah einfach nur an dem Brigadier vorbei, und seine Miene schien auszudrücken, dass er Besseres zu tun hatte, als sich mit Wadsworths Problemen abzugeben. «Wenn Ihre

Marinesoldaten die rechte Seite der Linie übernehmen würden?», schlug Wadsworth vor.

Der Commodore sah Welch an. «Nun?»

«Es wäre uns eine Ehre, Sir», sagte Welch.

Saltonstall nickte. «Dann können Sie meine Leute haben, Wadsworth», sagte er. «Aber passen Sie gut auf sie auf!» Das sollte offenbar ein Scherz sein, denn der Commodore stieß ein kurzes, bellendes Lachen aus.

«Ich bin Ihnen überaus verbunden», sagte Wadsworth herzlich, «und General Lovell bat mich außerdem zu erfragen, Commodore, ob Sie einen Angriff auf ihre Schiffe planen.» Wadsworth bemühte sich bei dieser Frage um äußersten Takt.

«Sie wollen es gleich auf alle beide Arten, was, Wadsworth?», frage der Commodore erbittert. «Sie wollen meine Marinesoldaten an Land angreifen lassen, aber mir verweigern Sie deren Unterstützung bei einem Angriff auf das feindliche Geschwader? Also was möchten Sie, Land oder See?»

«Ich möchte, dass die Freiheit siegt», sagte Wadsworth und wusste, wie hochtrabend er klang.

Doch die Worte schienen etwas in Commodore Saltonstall zu bewirken, denn er runzelte die Stirn und sah wieder zu den drei gegnerischen Schaluppen hinüber. «Sie sind der Korken im Flaschenhals», sagte er. «Zwar kein besonders stabiler Korken, könnte man glauben, aber eine verdammt enge Flasche. Ich kann ihre Schiffe zerstören, Wadsworth, aber zu welchem Preis, ha? Sagen Sie mir das! Zu welchem Preis? Die Hälfte unserer Flotte?»

Captain Brewer und James Fletcher waren respektvoll einige Schritte zurückgetreten, damit sich die beiden hohen Offiziere in Ruhe besprechen konnten, während Captain Welch mit finsterer Miene neben dem Commodore stehen geblieben war. Einzig Wadsworth schien ganz ungezwungen. Er lächelte. «Drei Schiffe können so viel Schaden anrichten?», fragte er Saltonstall.

«Nicht ihre verdammten Schiffe, aber ihr verdammtes Fort und ihre verdammten Geschützstellungen», sagte Saltonstall. «Wenn ich dort reinsegle, Wadsworth, bringe ich meine Flotte direkt unter die Kanonen des Forts. Und dann werden wir zerschmettert, Mann, zerschmettert.»

«Die Kanonen im Fort sind noch nicht …», setzte Captain Brewer an.

«Ich weiß selbst, wie wenige Kanonen sie haben!» Saltonstall drehte sich wütend zu Brewer um. «Aber diese Information stammt von gestern. Wie viel mehr Kanonen sind heute dort oben? Wissen wir das? Nein, wir wissen es nicht! Und wie viele Feldkanonen sind in dem Dorf dort drüben versteckt? Wissen wir das? Nein, das wissen wir ebenfalls nicht. Und wenn ich erst einmal in dieser verdammten Flasche stecke, komme ich nur wieder heraus, wenn wir Ebbe und Ostwind haben. Und nein», er schaute James Fletcher säuerlich an, «ich habe nicht vor, mein Schiff einen Fluss hinauffahren zu lassen, wenn dort gegnerische Feldgeschütze stationiert sein können. Und Sie, General», er wandte sich wieder Peleg Wadsworth zu, «haben Sie wirklich den Wunsch, dem Flottenausschuss den Verlust einer weiteren Kontinentalfregatte zu erklären?»

«Mein Wunsch ist es, Commodore», sagte Wadsworth und behielt seinen respektvollen Ton bei, «dass die gegnerischen Marinesoldaten an Bord ihrer Schiffe sind und uns nicht an Land erwarten.»

«Ach, das ist etwas ganz anderes», sagte Saltonstall widerwillig. «Sie möchten, dass ich ihren Verband angreife. Sehr gut. Aber ich werde meine Flotte nicht in dieses verdammte Loch führen, verstehen Sie? Wir greifen sie von außerhalb des Hafens an.»

«Und ich bin sicher, dass allein die drohende Aussicht auf

einen solchen Angriff die gegnerischen Marinesoldaten dort hält, wo wir sie haben wollen», sagte Wadsworth.

«Haben Sie mir die Stellungen in die Karte eingezeichnet?», fragte Saltonstall Captain Brewer.

«Noch nicht, Sir.»

«Dann tun Sie es jetzt. Sehr gut, Wadsworth, ich vernichte diese Schiffe für Sie.»

Wadsworth fühlte sich, als hätte er gerade mit einer brennenden Kerze in ein Fass Schießpulver hineingeleuchtet und sei einer Explosion nur um Haaresbreite entkommen. Er lächelte James Fletcher zu. «Habe ich es recht verstanden, dass Sie sich in Majabigwaduce auskennen, junger Mann?», fragte er.

«Bagaduce, Sir? Ja, Sir.»

«Dann erweisen Sie mir doch die Ehre und begleiten Sie mich. Sie auch, Captain Welch? Wir müssen die Befehle ausarbeiten.»

Die *Felicity* blieb längsseits der *Warren* vertäut, während James Fletcher zusammen mit Wadsworth und Welch zur *Sally* gerudert wurde, die im Moment als Armeehauptquartier diente. Wadsworth taxierte James Fletcher, und was er sah, gefiel ihm. «Nun, Mister Fletcher», fragte er, «weshalb sind Sie hier?»

«Um zu kämpfen, Sir.»

«Guter Mann!»

Die Sonnenstrahlen brachen sich im Wasser und brachten es zum Glitzern. Die Expedition war in Majabigwaduce angekommen und würde den Kampf sofort beginnen.

Brigadier McLean hatte sämtlichen Zivilisten befohlen, in ihren Häusern zu bleiben, denn er wollte unnötige Opfer vermeiden, wenn die Aufständischen kamen. Nun stand er vor dem langen Lagerhaus, das innerhalb des halbfertigen Forts errichtet worden war. In dem langgestreckten Holzbau befanden sich die wertvollen Vorräte der Garnison, mit Ausnahme der Artilleriemunition natürlich, die in mit Steinen ausgekleideten Gräben kurz hinter den unfertigen Festungswällen lagerte. Die Unionsflagge knatterte laut über der Bastion, die der Hafenzufahrt am nächsten lag. «Ich glaube, es kommt mehr Wind auf», sagte McLean zu Lieutenant John Moore.

«Das glaube ich auch, Sir.»

«Ein Wind, der unseren Gegner in den Hafen blasen könnte», sagte McLean.

«Sir?» Moore klang leidend.

«Ich kenne Ihre Wünsche, John», bemerkte McLean mitfühlend.

«Bitte, Sir.»

McLean schwieg, während ein Sergeant einem Soldaten zubrüllte, er solle gefälligst auf der Stelle seine verdammte Pfeife ausmachen. Innerhalb des Forts war das Rauchen unzulässig, denn die Munitionslager waren noch nicht ganz fertiggestellt, und die Pulverladungen wurden vor Funkenflug und dem Wetter lediglich durch Planen aus schwerem Segeltuch geschützt. «Sie sind unser Zahlmeister, Lieutenant», sagte McLean. «Ich kann es mir nicht leisten, einen guten Zahlmeister zu verlieren, nicht wahr?»

«Ich bin Soldat, Sir», sagte Moore dickköpfig.

McLean lächelte, und dann lenkte er ein. «Nehmen Sie zwanzig Mann. Und nehmen Sie Sergeant McClure mit. Sie sind Captain Campbell unterstellt, Archibald Campbell. Und John?»

John Moore, dem soeben gestattet worden war, sich dem Posten auf dem Steilufer anzuschließen, wandte seine erfreute Miene dem Brigadier zu. «Sir?»

«Der Herzog wird es mir nicht danken, wenn Sie umkommen. Also passen Sie auf.»

«Ich bin unsterblich, Sir», sagte Moore fröhlich, «und danke, Sir.»

Moore rannte los, und McLean drehte sich zur Begrüßung Major Dunlops um, des ranghöchsten Offiziers des
82sten Regiments, der McLean als Bataillonskommandant
vertrat, solange dieser vorrangigere Verpflichtungen zu erfüllen hatte. Der Wind war inzwischen so kräftig, dass er
Major Dunlop den Dreispitz vom Kopf riss. «Ich schicke
Lieutenant Moore zu dem Posten auf dem Steilufer, Dunlop», sagte McLean, während ein Wachposten hinter dem
Hut herlief. «Ich hoffe, Sie haben keine Einwände dagegen.»

«Keineswegs», sagte Dunlop, «aber ich bezweifle, dass er
dort oben ein Gefecht erleben wird.»

«Ich bezweifle das ebenfalls, aber es hält den jungen Helden bei Laune.»

«Das ganz gewiss», stimmte Dunlop zu, und dann unterhielten sie sich noch einen Moment, bis der Brigadier zu der
einzelnen Zwölfpfünder-Kanone in der Südwestbastion von
Fort George hinüberging. Die Männer von der königlichen
Artillerie in ihren blauen Uniformröcken standen auf, als der
General herankam, aber er bedeutete ihnen mit einer Handbewegung, dass sie sich wieder setzen konnten. Ihre Kanone
zielte auf die Hafenzufahrt, ihr Rohr war über die Geschütze
der Half-Moon-Batterie ausgerichtet, die unterhalb von ihnen am Ufer lag. McLean blickte über Mowats Schiffe hinweg und konnte eine Handvoll gegnerischer Kriegsschiffe
ausmachen, doch der größte Teil der feindlichen Flotte lag
hinter dem Abhang des Steilufers verborgen.

«Werden sie heute kommen, Sir?», fragte ein Artillerie-
sergeant.

«Wie heißen Sie, Sergeant?»

«Lawrence, Sir.»

«Nun, Sergeant Lawrence, ich fürchte, Ihnen nicht sagen
zu können, was der Gegner tun wird, aber wenn ich an seiner Stelle wäre, würde ich ganz bestimmt heute angreifen.»

Lawrence, ein Mann in den Dreißigern mit einem flächigen Gesicht, tätschelte den Knauf seiner Kanone. «Wir werden ihnen einen ordentlichen englischen Empfang bereiten, Sir.»

«Und einen ordentlichen schottischen Empfang dazu», sagte McLean tadelnd.

«Das selbstverständlich auch, Sir», gab Lawrence beherzt zurück.

Anschließend ging der Brigadier am Festungswall entlang. Es war eine jämmerliche Verteidigungsanlage, kaum hüfthoch und nur von zwei Kanonen und einer Reihe hölzerner Spieße geschützt, die in den seichten Graben gerammt worden waren. McLean hatte seine Vorkehrungen getroffen, doch er war zu alt und zu erfahren, um sich selbst zu betrügen. Der Gegner war in voller Stärke angerückt. Die Rebellen waren ihm sowohl an Schiffen als auch an Männern überlegen. Seiner Ansicht nach gab es nur zwei Stellen, an denen sie an Land gehen konnten. Entweder würden sie sich in den Hafen kämpfen und am nächstgelegenen Strand landen, oder sie würden ihre Männer an der Landenge von Bord gehen lassen. Die Kompanien, die er an diesen beiden Stellen postiert hatte, würden sich bestimmt tapfer schlagen, doch schließlich wären sie zum Rückzug in das Fort gezwungen, und dann würden die Aufständischen gegen die lächerlichen Festungswälle vorrücken. Seine Kanonen würden sie begrüßen, aber was konnten zwei Kanonen schon gegen dreitausend oder mehr Männer ausrichten?

«Gottes Wille wird geschehen», sagte McLean.

Wenn der Abend kam, so dachte er, wäre er ein Gefangener. Wenn er Glück hatte.

Lieutenant Colonel Paul Revere saß in einer Ecke der überfüllten Achterkajüte der *Sally*. Die Kajüte wurde von einem ungeheizten schwarzen Metallofen beherrscht, um den sich die leitenden Offiziere der Expedition scharten. Captain Welch, dessen Marinesoldaten die Miliz bei dem Angriff unterstützen würden, war ebenfalls anwesend. General Lovell stand auf dem Fliesenband, mit dem der Ofen eingefasst war, doch die Deckenbalken der Kajüte waren so niedrig, dass er gebückt stehen musste. Ein frischer Wind umspielte die Schaluppe, ließ sie zittern und an ihrem Ankertau reißen. «General Wadsworth hat gute Neuigkeiten», eröffnete Lovell die Beratung.

Wadsworth, der sogar noch größer als Lovell war, stand nicht auf, sondern blieb auf einer Seekiste sitzen. «Wir haben Verstärkung von einundvierzig Penobscot-Indianern bekommen», sagte er. «Der Gegner hat versucht, die Moral des Stammes mit Muschelketten und Versprechungen zu untergraben, aber sie sind fest entschlossen, für die Freiheit zu kämpfen.»

«Lob sei Gott», warf Hochwürden Jonathan Murray ein.

«Und ich bin sicher, dass sich uns noch mehr Indianer anschließen werden», fuhr Wadsworth fort, «und das sind tapfere Burschen.»

«Das sind verdammte Wilde», murmelte jemand in der dunkelsten Ecke der Kajüte.

Wadsworth überhörte diesen Kommentar geflissentlich und deutete stattdessen auf einen gutaussehenden jungen Mann, der an einer Wand kauerte. «Und Mister Fletcher war noch gestern in Majabigwaduce. Er berichtet uns, dass das Fort weit von seiner Fertigstellung entfernt ist und dass die Zahl der gegnerischen Kräfte unter tausend Mann liegt.»

«Der Herr sei gepriesen», kam es von Hochwürden Murray.

«Also wird Commodore Saltonstall», ergriff Lovell das Wort, «heute Nachmittag die gegnerischen Schiffe angreifen!» Er führte nicht weiter aus, dass es der Commodore abgelehnt hatte, mit seinem Geschwader in den Hafen einzulaufen, sondern es vorzog, die Schaluppen mit Geschützen großer Reichweite unter Beschuss zu nehmen. «Wir beten darum, dass die Flotte erfolgreich ist», fuhr Lovell fort, «aber wir können sie nicht den ganzen Kampf allein übernehmen lassen! Wir gehen an Land, Gentlemen. Wir werden dem Feind mit Mut und Entschlossenheit entgegentreten!» Die Wirkung des feurigen Blicks, der diese Worte begleitete, wurde von der verkrampften Haltung des Generals etwas unterhöhlt. «Auf dem rechten Flügel wird Captain Welch mit seiner Marineinfanterie landen.»

«Gott segne sie», warf Hochwürden Murray ein.

«Colonel McCobb wird zwei Kompanien abstellen, um die Marinesoldaten zu unterstützen», sagte Lovell, «während die übrigen Männer seines vortrefflichen Regiments in der Mitte angreifen.»

Samuel McCobb, der die Miliz von Lincoln County befehligte, nickte zustimmend. Er hatte ein hageres, wettergegerbtes Gesicht, aus dem die Augen sehr blau herausstrahlten und gegen das sich sein Schnurrbart sehr weiß abhob. Er warf einen Blick auf Captain Welch und schien den Mann zu billigen.

«Die Männer aus dem County Cumberland werden unter Colonel Mitchell auf der linken Seite angreifen», sagte Lovell. «Colonel Davies wird jedem Transport die Boote zuweisen, nicht wahr, Colonel?»

«Die Befehle liegen schriftlich vor», sagte Davis knapp. Er war einer von Lovells Adjutanten und verantwortlich für die Verbindung zu den zivilen Schiffskapitänen der Transporter.

«Und was ist mit uns?», fragte ein Mann, der etwa in Wadsworths Alter war. Er trug Kleidung aus selbstgewebtem Leinen und Rehleder und hatte ein kräftiges, sonnengebräuntes, lebhaftes Gesicht. «Sie werden die Männer aus York County bei dem Einsatz doch nicht vergessen, Sir?»

«Ah, Major Littlefield», begrüßte Lovell den Mann.

«Unsere Kameraden warten schon ungeduldig auf den Kampf und sind bestimmt nicht sehr glücklich, wenn sie an Bord der Schiffe zurückgelassen werden.»

«Es ist eine Frage der Boote und Leichter», gab Lovell zurück. «Wir haben nicht genügend, um alle Männer gleichzeitig an Land zu bringen, daher werden die Boote für die Miliz von York County noch einmal zurückkommen.»

«Also sorgen Sie dafür, dass Ihre Leute bereit sind», sagte Colonel Davis.

«Und Sie sorgen dafür, dass noch ein paar Gegner übrig bleiben, gegen die wir kämpfen können!», sagte Daniel Littlefield. Er wirkte enttäuscht.

«Wir haben nicht genügend Landungsboote?», ließ sich Revere zum ersten Mal hören. Er schien es nicht glauben zu können. «Nicht genügend Boote?»

«Nicht annähernd», sagte Davis schroff, «also bringen wir an Männern an Land, was wir können, und dann drehen die Boote um und holen die übrigen.»

«Und was ist mit meinen Kanonen?», fragte Revere.

«General Wadsworth wird den Angriff leiten», gab Lovell zurück, «also könnten Sie vielleicht Colonel Reveres Frage beantworten?»

Wadsworth lächelte den empörten Revere an. «Ich hoffe, Colonel, dass Ihre Kanonen nicht gebraucht werden.»

«Nicht gebraucht! Ich habe sie nicht als Ballast den ganzen Weg hierhergebracht!»

«Wenn unsere Informationen zutreffen», sagte Wadsworth besänftigend, «dann können wir wohl das Steilufer einnehmen und direkt das Fort angreifen.»

«Und zwar im Sturm», warf Welch ein.

«Im Sturm?», fragte Lovell.

«Je schneller wir vorrücken, desto größer ist der Schreck», sagte Welch. «Es ist wie beim Preisboxen», erklärte er. «Wir versetzen dem Gegner einen harten Schlag und gleich darauf den nächsten, während er noch halb betäubt ist. Und dann noch einen. Er darf aus seiner Betäubung gar nicht mehr herauskommen, er muss aus dem Gleichgewicht geraten, und deshalb muss man ihm Schlag auf Schlag versetzen.»

«Wir hoffen», sagte Wadsworth, «mit solchem Schwung vorzurücken, dass wir das Fort überrannt haben, bevor der Gegner einen vernünftigen Gedanken fassen kann.»

«Amen», sagte Hochwürden Murray.

«Aber wenn das Fort nicht unverzüglich eingenommen werden kann», Wadsworth hatte sich wieder an Revere gewandt, «dann werden Ihre Kanonen an Land gebracht.»

«Und jede Kanone, die wir erbeuten», sagte Revere, «gehört dem Staat Massachusetts. Das trifft doch zu?»

Captain Welch fuhr bei diesen Worten auf, sagte jedoch nichts.

«Gewiss», sagte Lovell. «In der Tat, alles, was wir erbeuten, soll dem großen Staat Massachusetts gehören.» Strahlend blickte er in die Versammlung.

«Ich glaube, Sir», gab John Marston, der Sekretär des Generals, leise zu bedenken, «der Rat hat verfügt, dass alles, was die Kaperer erbeuten, in ihren Privatbesitz übergeht.»

«Selbstverständlich, selbstverständlich!», sagte Lovell betroffen, «aber ich bin sicher, dass es mehr als genug Beute geben wird, damit sie ihre Investoren befriedigen können.» Er wandte sich an Hochwürden Murray. «Kaplan? Ein Wort des Gebets, bevor wir die Versammlung auflösen?»

«Bevor Sie beten», unterbrach ihn Captain Welch, «noch eine letzte Sache.» Er sah die Kommandeure der Miliz mit hartem Gesichtsausdruck an. «Es wird Lärm und Rauch und Durcheinander geben. Blut und Schreie. Es wird Verwirrung und Unsicherheit geben. Also lassen Sie Ihre Männer Bajonette aufstecken. Sie werden diese Bastarde nicht Salve auf

Salve erledigen, aber scharfer Stahl wird sie zu Tode ängstigen. Stecken Sie Bajonette auf und stürmen Sie unmittelbar auf den Feind los. Und wenn Sie beim Angriff auch noch laut brüllen, dann, glauben Sie mir, werden die anderen Fersengeld geben.» Er hielt inne und ließ seinen finsteren Blick von einem der Milizkommandanten zum nächsten wandern, die mit Ausnahme Major Daniel Littlefields, der bei seinen Worten eifrig genickt hatte, etwas eingeschüchtert wirkten. «Setzen Sie scharfen Stahl und eiserne Tapferkeit ein», knurrte Welch, «und wir werden siegen.» Die letzten vier Worte hatte er langsam, deutlich und mit grimmiger Entschlossenheit ausgesprochen.

In der Kajüte blieb es still, als die Männer über die Ausführungen Welchs nachsannen. Dann räusperte sich Hochwürden Murray. «Gentlemen», sagte er, «neigen wir unser Angesicht vor Gott.» Er hielt inne. «O Herr», fuhr er dann fort, «Du hast versprochen, uns unter Deinen starken Fittichen in Schutz zu nehmen, also behüte uns auch nun, da wir …» Er wurde von dem Geräusch eines Kanonenschusses unterbrochen. Der Knall kam völlig unvermittelt und war entsetzlich laut. Das Echo wurde von dem Steilufer zurückgeworfen, und dann erfüllte mit einem Mal Kanonendonner die ganze Bucht, Schuss auf Schuss, Echo auf Echo, und der Rest des Gebetes blieb ungesprochen, denn die Männer hasteten an Deck, um zuzusehen, wie Commodore Saltonstalls Kriegsschiffe ihren ersten Angriff durchführten.

Aus dem Eid, der den Bewohnern aus der Umgebung des Penobscot von Brigadegeneral Francis McLean abverlangt wurde, Juli 1779:

Den allmächtigen und heiligen Gott zum Zeugen meiner Absichten anrufend, verspreche ich feierlich und schwöre, dass ich echte Gefolgschaft leisten und ein treuer Untertan sein werde Seiner heiligen Majestät König George dem Dritten König von Großbritannien Frankreich und Irland und von den Kolonien von N. Amerika, Die sich nun fälschlicherweise als Vereinigte Staaten von Amerika titulieren ...

Aus der Proklamation an die Einwohner der Penobscot-Region, herausgegeben von Brigadegeneral Solomon Lovell, 29. Juli 1779:

Hiermit versichere ich die Einwohner von Penobscot und der angrenzenden Gegend, dass sie, sollten sie sich als allen Tugenden guter Bürger unzugänglich erweisen ... indem sie die ersten werden, die die Sache der Freiheit der Tugend und Gottes verraten ... auch damit rechnen müssen, die ersten zu sein, die die gerechtfertigte Verbitterung dieses verletzten und verratenen Landes zu spüren bekommen, in der angemessenen Bestrafung, die ihr Verrat verdient.

Auszug aus einem Brief Colonel John Frosts, Miliz von Massachusetts, an die Ratsregierung von Massachusetts, 20. Juli 1779:

Ich erlaube mir euer Ehren zu informieren Im Zuge meiner Einberufung von Offizieren des dritten Regiments zur Brigade stellte ich zu meiner Überraschung fest, dass es in besagtem Regiment keinen Offizier gab ... der ein Ordentliches Offizierspatent hatte der Grund ist dass sämtliche Offiziere in besagtem Regiment ihr Patent im Jahr 1776 erhielten im Stile Georges des Dritten Königs und Colonel Tristrum Jordan der besagtes Regiment damals befehligte jedoch nicht dafür sorgte, dass die Patente korrekt in einen geltenden Vertrag dieses Staates umgewandelt wurden ... wäre sehr erfreut über euer Ehren Anweisungen in dieser Sache und erwarte euer Ehren Befehle.

FÜNF

Die *Tyrannicide*, die unter der Marineflagge mit der Kiefer von Massachusetts fuhr, war das erste Kriegsschiff, das den Feind angriff. Sie kam von Westen und glitt vor dem auffrischenden Wind auf die enge Hafeneinfahrt zu. Für die Männer, die das Manöver vom Ufer aus beobachteten, wirkte es so, als wolle sich das Schiff die Einfahrt erzwingen, indem es in die schmale Lücke zwischen der HMS *Nautilus* und der Geschützbatterie auf Cross Island segelte, doch dann schwang die *Tyrannicide* backbord herum, sodass sie nach Norden und parallel zu den britischen Schaluppen ausgerichtet war. Ihre vorderste Steuerbordkanone eröffnete die Schlacht. Die *Tyrannicide* war mit Sechspfünder-Geschützen bewaffnet, sieben in jeder Breitseite, und ihr erster Schuss hüllte die Brigg in dicken Rauch. Die Kugel traf etwa hundert Schritt vor der *Nautilus* aufs Wasser, sprang noch einmal hoch und sank in dem Moment, in dem die gesamte britische Linie hinter ihrem eigenen Pulverrauch verschwand, weil Captain Mowats Schiffe die Herausforderung angenommen hatten. Sodann schaltete sich die *Hampden*, das große Schiff aus New Hampshire, in das Geschehen ein und feuerte mit ihren Neunpfündern in den britischen Rauch. Alles, was Captain Salter von der *Hampden* von den drei gegnerischen Schaluppen erkennen konnte, waren ihre Toppmasten über der Rauchwolke. «Zerschmettert sie, Männer!», rief er seinen Kanonieren vergnügt zu.

Der Wind war lebhaft genug, um den Rauch schnell zu

vertreiben. Titus Salter beobachtete, wie die *North* wieder hinter der Rauchwolke auftauchte, dann schoss ein weiterer heller Feuerstoß aus einer der Geschützpforten auf den englischen Schaluppen, und er hörte das Krachen, mit dem eine Kugel die *Tyrannicide* vor ihm traf, dann wurde ihm der Blick erneut von dem grauen, beißenden Rauch seiner eigenen Kanonen genommen. «Nachladen!», brüllte ein Mann. Die *Hampden* segelte aus ihrem Rauch heraus, und Captain Salter legte die Hände als Trichter an den Mund und rief: «Feuer einstellen! Einstellen!» Eine britische Kanonenkugel fuhr kreischend über seinen Kopf und riss ein Loch in das Besansegel der *Hampden*. «Feuer einstellen, verflucht!», schrie Salter wütend.

Es war nämlich unvermittelt eine Brigg auf der Steuerbordseite der *Hampden* aufgetaucht. Das Schiff war wesentlich kleiner, mit vierzehn Sechspfündern bewaffnet, und ihr Befehlshaber überholte die *Hampden*, statt hinter ihr zu bleiben, und brachte damit sein Schiff zwischen die Kanonen der *Hampden* und die britischen Schaluppen. «Verdammter Holzkopf», knurrte Salter. «Abwarten, bis sie durch ist!», rief er seinen Kanonieren zu.

Die Brigg, die unter der Kiefernflagge der Flotte von Massachusetts fuhr, war die *Hazard*. Ihr Captain übergab sich, weil er sich den Magen verdorben hatte, daher stand sie unter dem Befehl ihres First Lieutenant George Little. Er nahm die *Hampden* kaum wahr, denn seine einzige Sorge bestand darin, sein Schiff so nahe wie möglich an den Gegner heranzubringen, um dann mit sieben Kanonen eine Breitseite auf ihn abzufeuern. Er wünschte, der Commodore hätte einen echten Vorstoß befohlen, einen Angriff geradewegs auf die Hafenzufahrt, aber wenn er schon auf nichts weiter als einen Kanonenbeschuss eingeschränkt wurde, dann sollten seine Kanonen beim Gegner wenigstens richtigen Schaden verursachen. «Tötet die Bastarde!», rief er seinen Kanonieren zu. Little war Anfang zwanzig, ein Fischer, der sich in einen Flottenoffizier verwandelt hatte, ein leidenschaftlicher Mann, ein Patriot, und nun ließ er die Segel losmachen, um Wind herauszunehmen, sodass die *Hazard* langsamer wurde und das Schiff vor dem Schuss der Kanoniere weniger schwankte. «Feuer, ihr Bastarde!» Er spähte zu der Rauchwolke hinüber, die das britische Schiff *Nautilus* einhüllte, und sah es in einem rötlichen Schein aufleuchten, als dort eine Kanone abgefeuert wurde. Die Kugel traf die *Hazard* dicht über der Wasserlinie und brachte den gesamten Rumpf zum Beben. Das Schiff zitterte erneut, als seine eigenen Kanonen abgefeuert wurden. Der Lärm schien das gesamte Universum zu erfüllen. «Wo zum Teufel ist die *Warren?*», beschwerte sich Little.

«Er hält sie zurück, Sir», antwortete der Steuermann.

«Wozu?»

Der Steuermann zuckte mit den Schultern. Die Kanoniere an der ihm nächsten Sechspfünder-Kanone wischten das Rohr aus, wobei ein Rauchfaden durch das Zündloch entwich, bei dem Little an den Atem eines Wales denken musste. «Stopft das Zündloch zu!», schrie er die Männer an. Der Luftzug, der durch den Wischer erzeugt wurde, konnte sehr leicht Pulverrückstände entzünden, deren Explosion dem Kanonier den Ladestock in die Eingeweide trieb. «Nimm deinen Handschuhdaumen, Mann», schnauzte er den Kanonier an, «und halte beim Auswischen das Zündloch zu!» Danach beobachtete er beifällig, wie die Pulverkartusche, der Pfropfen und die Kugel geschickt in die gereinigte Kanone eingebracht und die Ladung festgestoßen wurde. Anschließend wurden die Richttakel angezogen und die Kanone ausgerannt. Die Räder rumpelten über das Deck, die Mannschaft trat zur Seite, der Kanonier berührte den pulvergefüllten Federkiel mit dem Zündeisen, und die Kanone stieß mit wütendem Gebrüll die Kugel und eine Rauchwolke aus. Little war sicher, das befriedigende Knirschen eines Einschlags beim Gegner gehört zu haben. «So ist es richtig, Männer!», rief er. «Das ist die einzige Sprache, die diese Bastarde verstehen! Tötet sie!» Er konnte nicht stillhalten. Er trat von einem Fuß auf den anderen und zappelte herum, als bahne sich seine aufgestaute Energie einen anderen Weg, weil er nicht näher an den verhassten Feind herankommen konnte.

Captain Salter hatte die *Hampden* inzwischen wieder vor die *Hazard* manövriert. Früher am Nachmittag hatte der Commodore auf dem wendigen Schoner *Rover* eine Runde bei der vor Anker liegenden Flotte gedreht und den Captains, die den Angriff auf die Briten fahren sollten, seine Instruktionen zugerufen. Auf ihre Ankertaue zielen, hatte er befohlen, und Salter tat sein Bestes, um diese Forderung zu erfüllen. Seine Kanonen waren mit Barrengeschossen und Kettenkugeln geladen, die dazu gedacht waren, Takelwerk zu zerfetzen, und auch wenn er die Treffgenauigkeit seiner Kanoniere bei all den Rauchwolken bezweifelte, verstand Salter, was Saltonstall wollte. Die drei britischen Schaluppen wurden am Bug und am Heck von Ankern in Position gehalten, an denen Vor- und Achtersprings befestigt waren, und indem die Springs angezogen oder lockerer gelassen wurden, konnten sie die Schiffe dem Wind und der Strömung anpassen und so ihren schwimmenden Wall quer über der Hafenzufahrt aufrechterhalten. Wenn es gelang, eine Spring oder ein Ankertau zu beschädigen, dann würde eines der gegnerischen Schiffe zur Seite schwingen wie ein sich öffnender Torflügel und eine erhebliche Lücke entstehen lassen, in die ein Schiff der Aufständischen vorstoßen konnte, um die Schaluppen zu durchlöchern.

Die Kettenkugel bestand aus den zwei Hälften einer Kanonenkugel, die mit einer dicken Kette verbunden waren. Beim Fliegen machte dieses Geschoss ein durchdringendes, seufzendes Geräusch wie eine Sense. Die durch die Kette verbundenen Halbkugeln wirbelten im Flug umeinander, doch dann verschwanden sie im Rauch, und Salter, der angestrengt zu den Masttopps hinüberstarrte, konnte kein Anzeichen dafür erkennen, dass die Ketten ein Tau zerfetzt hatten. Stattdessen erwiderten die Briten das Feuer rasch, sodass sich der Rauch um ihre Schiffe nicht mehr auflöste, und noch mehr Feuer, schwereres Feuer, wurde von der Batterie auf Cross Island auf die *Hampden* eröffnet. Auch das hohe Steilufer der Halbinsel war in gelblich grauen Rauch gehüllt, seit sich die kleinere Batterie auf Dyce's Head am Kampf beteiligte.

Die Flut kam herein und drückte die Schiffe stärker Richtung Hafeneingang, also befahl Salter, die Segel zu straffen, um die *Hampden* aus der gefährlichen Zone zu bringen, in der sie auf Grund laufen konnte. Die Kontinental-Brigg *Diligent* mit ihren kümmerlichen Dreipfündern segelte in die Rauchwolke, die von der *Hampden* zurückgelassen wurde, und spie eine schwache Breitseite gegen den Feind. Die *Hazard*, die ebenfalls der Gefahr entkommen wollte, auf Grund zu laufen, hatte beschleunigt und kreuzte nun dicht bei Salters Heck. «Wo zum Teufel ist die *Warren*?», rief Lieutenant Little zu Salter hinüber.

«Liegt noch vor Anker!», rief Salter zurück.

«Sie hat doch Achtzehnpfünder! Warum zum Teufel macht sie kein Kleinholz ...»

Salter hörte den Rest des Satzes nicht, weil eine Sechspfünderkugel vom Dyce's Head im Deck seines Schiffes einschlug und lange Spleiße aus den Planken riss, bevor sie über die Backbordseite verschwand. Wie durch ein Wunder war niemand verletzt worden. Zwei weitere Schiffe folgten der *Diligent* in den Rauch, um Feuer zu speien und Eisen aus ihren Kanonen auf die königlichen Schaluppen zu schicken. Das Getöse hörte nicht mehr auf, es war ein unablässiges, ohrenbetäubendes Dröhnen. Lieutenant Little rief Salter immer noch etwas zu, doch die *Hazard* hatte leicht abgedreht, und in all dem Lärm konnte Salter ihn nicht mehr hören. Eine Kugel kreischte über ihn hinweg, und als Salter aufsah, entdeckte er ein zweites Loch in seinem Besansegel. Dann krachte erneut eine Kanonenkugel gegen den Schiffsrumpf. Er lauschte auf einen Schrei und war erleichtert, als keiner ertönte. Die Rauschschwaden, hinter denen die drei britischen Schaluppen verborgen waren, wurden unablässig von den Zündstößen der Kanonen erhellt, sodass die grauen Wolken einen kurzen Moment lang zu glühen, zu erlöschen und gleich wieder aufzuglühen schienen. Ein Aufblitzen nach dem anderen, nie erlahmend, flackerte durch die Rauchbank, manchmal in hellerem Rot, wenn zwei, drei oder vier Zündstöße zugleich aufschienen, und Salter erkannte das Können, das hinter dieser schnellen Abfolge von Zündstößen stand. Mowat, dachte er grimmig, hatte seine Männer gut ausgebildet. «Vielleicht geht dem Bastard ja die Munition aus», sagte er zu niemandem im Besonderen, und dann, als sein Schiff unterhalb von Dyce's Head Richtung Westen einschwenkte, sah er Rotröcke dort oben zwischen den Bäumen des Steilufers. Eine kleine Rauchwolke zog durch den Wald, und Salter vermutete, dass man einen Musketenschuss auf sein Schiff abgegeben hatte, doch er wusste nicht, wohin die Kugel geflogen war. Zwei weitere Rauchschwaden erschienen zwischen den Bäumen, und dann war die *Hampden* im offenen Wasser, fuhr in Richtung der verankerten Transportschiffe, und Salter ließ eine Halse ausführen.

Der Schiffszimmermann der *Hazard*, dessen Kleidung bis zur Hüfte völlig durchnässt war, tauchte aus der Heckluke auf. «Wir haben einen Schuss direkt unter der Wasserlinie abbekommen», berichtete er Lieutenant Little.

«Wie schlimm?»

«Ziemlich hässlich. Ein paar Planken sind zertrümmert. Ich vermute, Sie müssen beide Pumpen einsetzen.»

«Zustopfen», sagte Little.

«Eine Ratte hat's auch erwischt», sagte der Zimmermann belustigt.

«Das Loch zustopfen!», schrie Little den Mann an. «Wir werden nämlich noch einen Angriff fahren. Kanonen doppelte Ladung!», rief er in Richtung der Kanoniere, dann drehte er sich wütend zum Steuermann um. «Ich will das nächste Mal dichter dran!»

«Da sind Felsen vor der Zufahrt», gab der Steuermann zu bedenken.

«Näher dran, habe ich gesagt!»

«Aye, aye, Sir, also näher dran, Sir», sagte der Steuermann. Er vermied es, einen Streit anzufangen, ebenso wie er es vermied, das Schiff näher an Cross Island heranzusteuern, als er es zuvor schon getan hatte. Er schob das Stück Kautabak in seinem Mund in die andere Backentasche und ließ das Steuerrad herumwirbeln, um die Brigg wieder südwärts auszurichten. Eine britische Kanonenkugel verfehlte den Klüverbaum der *Hazard* nur knapp, erzeugte im Wasser eine kleine Bugwelle und versank schließlich ein paar hundert Schritt von der vor Anker liegenden *Warren*.

Lieutenant John Moore beobachtete das Geschehen von Dyce's Head herunter. Die Schlacht schien ihm sehr langsam vonstattenzugehen. Der Wind war lebhaft, dennoch schienen die Schiffe bloß über das qualmüberzogene Wasser zu kriechen. Die Kanonen stießen dicke, quellende Rauchwolken aus, und die amerikanischen Schiffe durchzogen sie mit vornehmer Würde. Der Lärm war furchterregend. Ständig wurden dreißig oder vierzig Kanonen zugleich bedient, und der Hall ihrer Schüsse floss in ein durch die Luft rollendes Beben zusammen, das lauter und anhaltender war als jeder Gewitterdonner. Die Stichflammen der Kanonenzündungen ließen den Rauch für Augenblicke grell aufblitzen, und einen Moment lang erfüllte Moore der Gedanke, dass wahrhaftig sogar die Hölle keinen anderen Anblick bieten konnte. Und doch schien trotz des Getöses und all dem erbitterten Kampf auf keiner Seite großer Schaden angerichtet zu werden. Mowats drei Schiffe lagen fest und sicher an ihrem Platz, keine ihrer Breitseiten schien von dem gegnerischen Beschuss in besondere Mitleidenschaft gezogen worden zu sein, und die amerikanischen Schiffe segelten gelassen durch die hoch aufspritzenden Fontänen der ins Wasser schlagenden Kanonenkugeln. Zwar trafen einige Kugeln ihr Ziel, und Moore hörte das Krachen splitternder Balken, doch er sah keinen Schaden und keine Blutflecke auf den hellgeschrubbten Decks der gegnerischen Schiffe.

Eines der gegnerischen Schiffe, es war größer als die übrigen, segelte dicht unterhalb von Dyce's Head vorbei, und Moore erlaubte seinen Männern, eine Musketensalve hinabzufeuern, auch wenn er wusste, dass die Entfernung erheblich und es beinahe aussichtslos war, etwas anderes als das Wasser zu treffen. Ganz deutlich sah er, wie sich ein Mann auf dem Achterdeck des Schiffes umdrehte, um zum Steilufer hinaufzusehen, und Moore überkam das absurde Verlangen, ihm zuzuwinken. Doch er beherrschte sich. Mit einem Mal frischte der Wind auf und trieb den Rauch von den drei britischen Schaluppen weg. Moore konnte tatsächlich keinerlei Schaden an ihren Rümpfen entdecken, die Masten standen alle noch, und die Flaggen wehten im Wind. Auf der *Albany* wurde eine Kanone abgefeuert, und kurz bevor die neue Rauchwolke das Schiff wieder einhüllte, sah Moore, wie das Wasser vor der Geschützpforte durch den Luftdruck flach gedrückt und fächerförmig weggetrieben wurde.

Neun gegnerische Schiffe griffen Mowats Verteidigungslinie an, doch zu Moores Überraschung versuchte keines, die Linie zu durchbrechen. Stattdessen kreuzten sie davor und wechselten sich darin ab, Breitseiten auf die Schaluppen abzufeuern. Dicht hinter Mowats Schaluppen und ebenso verankert lagen die drei großen Transportschiffe, die Mc-Leans Männer nach Majabigwaduce gebracht hatten. Ihre Mannschaften lehnten an den Relings und beobachteten den Kampf. Einige feindliche Kanonenkugeln flogen an den Schaluppen vorbei und krachten in die Transporter, deren Aufgabe es war, abzuwarten, ob es einem amerikanischen Schiff gelang, Mowats Linie zu durchbrechen. Dann sollten sie versuchen, es aufzuhalten. Doch kein Feind machte Anstalten, in den Hafen zu segeln.

Lieutenant George Little wollte zwar allzu gern in den Hafen segeln, doch seine Befehle lauteten, sich auf der westlichen Seite der Zufahrt zu halten, und deshalb wendete er die *Hazard*, deren Segel bei der Halse wie Kanonenschüsse knallten, um mit der kleinen Brigg wieder auf Cross Island zuzusteuern. Eine Kanonenkugel, die von der Batterie auf der Insel abgefeuert worden war, fuhr, nur eine Handbreit vom Steuermann entfernt, kreischend ins Deck. «So kann man seine Munition verschwenden», knurrte Little. «Das Schiff ruhig halten.»

«Felsen voraus, Sir.»

«Zum Teufel mit den Felsen, zum Teufel mit Ihnen und zum Teufel mit den Briten. Ich will näher dran!»

Aber der Steuermann richtete die *Hazard* trotzdem nordwärts aus, um ihre Breitseite in Angriffsposition zu bringen. Da packte Little das Steuerrad und drehte es zurück. «Näher, habe ich gesagt!»

«Lieber Herr Jesus», sagte der Steuermann und trat einen Schritt zurück.

Eine weitere Kanonenkugel, dem Geräusch nach ein schweres Kaliber, fuhr in den Bug der *Hazard*, und dann erbebte das Schiff, und ein Knirschen ertönte, als sein Rumpf auf einen unter Wasser liegenden Felsen traf. Little verzog das Gesicht und drehte das Steuerrad, doch die *Hazard* wollte sich nicht bewegen. Tief unter ihnen erklang weiter das knirschende Geräusch, doch dann machte die Brigg einen Satz, befreite sich von dem Felsen und schwenkte auf den neuen Kurs ein. «An die Pumpen!», rief Little. «Und Kanoniere! Genau zielen!» Die Kanonen rollten donnernd zurück, bis sie von den Brooktauen aufgefangen wurden, der Rauch blühte auf, und eine britische Kanonenkugel ließ die Belegnägel des Fockmastes zersplittern, und Little brüllte seinen Kanonieren den Befehl zum Nachladen zu.

Hoch oben auf dem Steilufer beobachtete Moore die kleine Brigg. Einen Moment lang glaubte er, der Angreifer wolle die *Nautilus* rammen, doch dann schwenkte die Brigg ab und segelte in die Rauchwolke, die von der *Black Prince*, einem großen Freibeuter, hinterlassen worden war. Die Brigg spie Feuer und Eisen. «Ein tapferes kleines Schiff», sagte Moore.

«Wenn er noch näher kommt, kann er sie als Anmachholz verkaufen, Sir», sagte Sergeant McClure.

Moore beobachtete, wie die *Hazard* an der Verteidigungslinie entlangsegelte. Er sah, dass sie von einer Kanonenkugel getroffen wurde, und dennoch feuerte sie mit unverminderter Geschwindigkeit weiter. Unter ihm drehte sie nach Westen, und Moore konnte zusehen, wie ihre Kanoniere erneut nachluden. «Ein echter Terrier, dieser Kapitän», sagte er.

«Aber wir sind keine Ratten, oder, Sir?»

«Nein, wir sind keine Ratten, Sergeant», sagte Moore belustigt. Pearce Fenistones kleine Kanonen hinter dem Posten wurden abgefeuert, und ihre Kugeln rasten zu den gegnerischen Schiffen hinab, und ihr Rauch zog in Schwaden zwischen den Bäumen hindurch. Die Sonne stand inzwischen schon recht niedrig am westlichen Himmel und ließ den Rauch aufleuchten.

«Captain Campbell im Anmarsch, Sir», murmelte McClure.

Als sich Moore umwandte, sah er den hochgewachsenen Kiltträger Captain Archibald Campbell von Norden her auf sie zukommen. Campbell, ein Highlander vom 74sten, hatte den Oberbefehl über alle Feldposten auf dem Steilufer. «Moore», grüßte er den Lieutenant, «ich glaube, die Yankees wollen uns Ungelegenheiten machen.»

«Dazu sind sie schließlich hergekommen, Sir», gab Moore fröhlich zurück.

Campbell sah den jüngeren Mann blinzelnd an, als habe er ihn in Verdacht, sich über ihn lustig zu machen. Dann zuckte er zusammen, als der nächste Kanonenschuss der Batterie abgegeben wurde. Der Hall schien zwischen den Bäumen hängenzubleiben. Die drei Brooktaue der Kanonen waren um Kiefern geschlungen, und jeder Schuss führte zu einem Schauer aus Kiefernnadeln und -zapfen. «Kommen Sie mit und sehen Sie sich das an», befahl Campbell, und Moore folgte dem schlaksigen Highlander zum höchstgelegenen Punkt des Steilufers, wo eine Lücke zwischen den Bäumen den Blick auf die weite Bucht freigab.

Die gegnerischen Transporter lagen in der Bucht verankert, deren Wasser von dem lebhaften Wind zu niedrigen Wellen aufgepeitscht wurde. Der Schiffsverband hatte sicher außerhalb der Reichweite jeder Kanone festgemacht, die McLean möglicherweise auf dem hochgelegenen Gelände hätte stationieren können. «Sehen Sie?» Campbell deutete auf die Flotte, und Moore, der die Augen gegen die Strahlen der untergehenden Sonne beschattete, entdeckte zu Wasser gelassene Beiboote dicht bei den Transportern.

Moore zog ein kleines, ausziehbares Fernrohr aus der Tasche. Es dauerte einen Moment, bis er es auf volle Länge gebracht und die Schärfe eingestellt hatte, dann aber sah er Männer in grünen Uniformröcken in eines der Beiboote hinunterklettern. «Ich glaube», sagte er, ohne das Fernrohr abzusetzen, «sie wollen uns einen Besuch abstatten.»

«Ich habe kein Fernrohr», sagte Campbell verbittert.

Moore verstand den Wink und bot dem Captain seines an. Campbell benötigte eine Ewigkeit, um die Linsen einzustellen. Dann sah er ebenfalls, dass Männer in die Beiboote stiegen. Und er sah außerdem, dass sie mit Musketen bewaffnet waren. «Glauben Sie, die werden uns angreifen?», fragte er, als überrasche ihn solch eine Vorstellung.

«Ich denke, wir sollten besser davon ausgehen», sagte Moore. Es war möglich, dass die Männer auf den Transportern neu verteilt werden sollten, aber warum sollten die Amerikaner das gerade jetzt tun? Es war viel wahrscheinlicher, dass sie eine Landung planten.

«Bringen Sie Ihre Einheit her», befahl Campbell.

Die amerikanischen Kriegsschiffe feuerten immer noch auf Mowats Schaluppen, allerdings kamen die Schüsse vereinzelter, und kein Schiff, nicht einmal die *Hazard*, wagte sich auch nur in die Nähe der Hafeneinfahrt. Zwei der angreifenden Schiffe waren schon außer Reichweite gesegelt und hatten Anker gesetzt. Moore kam mit seinen Männern in dem Augenblick bei Campbells Posten an, in dem die Beiboote den Schutz der Transportschiffe verließen und Kurs aufs Ufer nahmen. Die Sonne stand nun sehr niedrig und blendete die Rotröcke zwischen den Bäumen. «Sie kommen!» Captain Campbell klang beinahe erstaunt.

«Sind die Musketen geladen, Sergeant?», erkundigte sich Moore bei McClure.

«Aye, aye, Sir.»

«Die Hähne werden noch nicht gespannt», befahl Moore. Er wollte keinen Schuss dadurch vergeuden, dass ein Mann versehentlich den Abzug betätigte.

«Fähnrich Campbell, John Campbell!», rief Captain Campbell, «laufen Sie zurück zum Fort und berichten Sie dem Brigadier, dass die Schufte anrücken!»

Der Fähnrich im Kilt lief los, und Moore beobachtete, wie sich die Boote näherten. Es fiel ihm auf, dass die Männer es gegen den aufkommenden Wind schwer hatten. Die Wellen in der Bucht waren niedrig und kraftvoll, sie schlugen heftig an die großen Ruderboote und hüllten die Ruderer und Mitfahrer in Wassernebel.

«McLean sollte uns Verstärkung schicken», sagte Campbell beunruhigt.

«Wir werden auch allein mit diesen Kerlen fertig», gab Moore zurück. Er war selbst davon überrascht, wie zuversichtlich er sich fühlte. Es waren etwa achtzig Rotröcke auf dem Steilufer, und der Feind war nach seiner Schätzung mindestens zweihundert Mann stark, aber diese zweihundert mussten das Steilufer hinaufkommen, und die ersten fünfzig oder sechzig Fuß waren so abschüssig, dass kein Mann zugleich klettern und eine Muskete bedienen konnte. Danach wurde der Hang etwas flacher, doch er fiel immer noch recht stark ab, und die Rotröcke konnten von ihrer Stellung auf dem Gipfel die Männer unter Beschuss nehmen, die sich mühsam emporkämpfen mussten. Inzwischen grollten nur noch vereinzelt Kanonenschüsse, und da sprang Moore, ohne sich von Campbell eine Genehmigung erteilen zu lassen, ein paar Schritte den oberen Hangabschnitt hinunter zu einer Stelle, von der aus er die Angreifer besser sehen konnte.

«Wir warten auf die Verstärkung», rief Campbell tadelnd.

«Selbstverständlich, Sir», sagte Moore, seine Geringschätzung für den hochgewachsenen Highlander verbergend. Campbell hatte zwar den Fähnrich zum Fort geschickt, aber das lag beinahe eine Dreiviertelmeile entfernt, und ein Gutteil der Strecke war mit dichtem Unterholz bewachsen, und dann musste McLeans Verstärkung die Strecke auf umgekehrtem Weg ja auch noch hinter sich bringen. Bis sie ankamen, wären die Yankees längst gelandet. Wenn die Amerikaner aufgehalten werden sollten, dann mussten Campbells Männer diese Aufgabe erledigen, doch Moore spürte die Aufgeregtheit seines Kommandanten. «Bringen Sie die Männer hierher, Sergeant», rief er zu McClure hinauf und beachtete Campbells wehleidig vorgebrachte Frage, was er sich dabei denke, gar nicht. Stattdessen führte er McClure und die anderen Hamiltons nördlich an der Schulter des Steilhangs entlang bis dorthin, wo der etwas weniger abschüssige Teil in den steilsten Abschnitt überging, und postierte seine Männer direkt oberhalb des Strandes, auf den die Amerikaner zuhielten. Eine rauschhafte Begeisterung stieg in ihm auf. Er hatte so lange von der Schlacht geträumt, und nun stand sie unmittelbar bevor, auch wenn sie ganz und gar nicht seinen Träumen entsprach. Darin nämlich hatte sie auf offenem Feld stattgefunden, und der Feind stand in dichten Reihen unter seinen Flaggen, und auf den Flügeln ritt die Kavallerie, und Marschmusik wurde gespielt. Oft hatte sich Moore vorgestellt, wie er die feindlichen Salven überlebte, um dann seinen eigenen Männern die Erwiderung des Feuers zu befehlen, doch nun stolperte er durchs Gebüsch und beobachtete eine Flottille Beiboote, die in Richtung Ufer gerudert wurde.

Die Boote waren inzwischen schon recht nahe, kaum mehr als einhundert Schritt von dem schmalen Strand entfernt, auf dem sich die niedrigen, windgepeitschten Wellen weißschäumend brachen. Dann ertönte ein einzelner Kanonenschuss. Moore sah auf einem der Transporter mittschiffs eine Rauchwolke aufsteigen, und ihm wurde klar, dass auf diesem Schiff eine kleine Kanone aufgebaut worden sein musste. Die Kanonenkugel raste lärmend durch das Laubwerk der Bäume auf dem Steilufer, erschreckte Vögel flatterten in den Himmel auf, und Moore dachte, dieser einzelne Schuss wäre der Vorbote neuer Kanonensalven gewesen, doch kein weiteres Geschütz wurde gezündet. Stattdessen wurden zwei Flaggen an der Rah des Schiffes aufgezogen, und mit einem Mal standen die Ruder der Beiboote still. Die Boote tanzten auf dem bewegten Wasser, dann wurden sie auf Gegenkurs gebracht. Sie fuhren zurück.

«Zur Hölle mit ihnen», sagte Moore. Er beobachtete das schwerfällige Wendemanöver der Boote. «Schicken Sie ihnen eine Salve hinterher», befahl er McClure. Die Entfernung war sehr groß, aber Moores Enttäuschung ließ in ihm die Wut hochkochen. «Feuern!», knurrte er seinem Sergeant zu.

Also spannten die Hamiltons die Hähne der Musketen, zielten und feuerten eine Salve ab. Die Musketenschüsse hallten durch den Wald. Moore stand neben den Musketieren und war sicher, einen Mann in dem Boot, das am dichtesten am Strand war, unvermittelt nach vorn kippen zu sehen. «Feuer einstellen!», rief Campbell zornig vom Rand des Steilhangs zu ihnen herunter.

«Wir haben einen Mann getroffen», erklärte Moore seinem Sergeant.

«Tatsächlich?», sagte McClure ungläubig.

«Ein Aufständischer weniger, Sergeant», sagte Moore. «Gott verdamme ihre Verräterseelen.»

Der Wind trug den Musketenrauch weg, und die Sonne, die einen Moment lang von einem Wolkenband über dem Westufer der Bucht verdeckt worden war, strahlte mit einem Mal hell und blendend auf. Bis auf das Rauschen des Windes und das Zischen der Wellen, die sich am Strand brachen, herrschte Stille.

Bei Sonnenuntergang erklang Jubel. Brigadier McLean hatte seine Offiziere zum Ufer hinunter und am Strand entlang zu einer Stelle dicht hinter der Half-Moon-Batterie geführt. Und dort, in Hörweite der drei britischen Schaluppen, ließ er die Schiffsmannschaften hochleben. Für McLean hatte es von den unfertigen Wällen des Fort George so ausgesehen, als hätten die Amerikaner versucht, in den Hafen zu kommen, wären aber von Mowats Kanonen zurückgeschlagen worden, und deshalb wollte McLean der Flotte danken. Seine Offiziere sahen zu den Schiffen hinüber, schwenkten ihre Hüte, und McLean dirigierte sie bei drei lauten Hochrufen.

Immer noch wehte der Union Jack über Fort George.

«Ein Indianer namens John», sagte Wadsworth.

«Was war das? Wer?» General Lovell hatte gerade seinem Sekretär etwas zugeflüstert und die Worte seines Stellvertreters verpasst.

«Der Mann, der gestorben ist, Sir. Es war einer der Indianer, und er hieß John.»

«Und da waren's nur noch vierzig», sagte ein Mann, der hinten in der Kajüte an der Wand stand.

«Also keiner von uns», sagte Saltonstall.

«Ein tapferer Mann», erklärte Wadsworth und quittierte die beiden Kommentare mit einem Stirnrunzeln. Der Indianer war am Vorabend von einer Musketenkugel getroffen worden, als die Angriffsboote gerade umgekehrt waren. Eine kleine, knatternde Musketensalve war aus dem Wald des Steilufers abgefeuert worden, und auch wenn die Entfernung viel zu groß war, um auf einen annähernd präzisen Schuss hoffen zu können, hatte die britische Kugel den Indianer in die Brust getroffen und innerhalb von Sekunden getötet. Wadsworth hatte vom Deck der *Sally* aus gesehen, wie die Rückkehrer mit Johns Blut bespritzt aus den Booten geklettert waren.

«Aber warum haben wir gestern die Landung abgebrochen?», fragte Saltonstall mürrisch. Der Commodore hatte seinen Stuhl zurückgekippt, sodass er die Infanterieoffiziere an seiner langen Nase vorbei ansah.

«Der Wind war zu stark», erklärte Lovell. «Wir mussten feststellen, dass wir Schwierigkeiten damit bekommen würden, die Boote zur Abholung der zweiten Division zu den Transportern zurückfahren zu lassen.»

Die Führer der Expedition hatten sich zum Kriegsrat an Bord der *Warren* in der Kajüte des Commodore getroffen. Einundzwanzig Mann saßen um den Tisch, zwölf von ihnen Captains von Kriegsschiffen, während die übrigen Majore oder Colonels der Miliz waren. Es war Montagmorgen, der Wind hatte sich gelegt, es gab keinen Nebel, und der Himmel über der Bucht von Penobscot war klar und blau. «Die Frage ist», Lovell eröffnete die Beratungen, indem er mit seinem knochigen Zeigefinger auf den polierten Holztisch des Commodore klopfte, «ob wir heute unsere gesamte Streitmacht gegen den Feind einsetzen sollen.»

«Was denn sonst?», fragte Captain Hallet, der den Zweimaster *Active* aus der Flotte von Massachusetts befehligte.

«Wenn die Schiffe die gegnerischen Segler angreifen», erklärte Lovell zurückhaltend, «und wir zugleich mit unseren Truppen landen, dann sollte Gott unsere Anstrengungen belohnen, denke ich.»

«Ganz gewiss wird er das», sagte Hochwürden Murray zuversichtlich.

«Sie wollen, dass ich in den Hafen einfahre?», fragte Saltonstall aufgebracht.

«Ist das denn notwendig, um das feindliche Geschwader zu zerstören?», antwortete Lovell mit einer Gegenfrage.

«Lassen Sie mich daran erinnern», der Commodore ließ seinen Stuhl mit einem Knall wieder in die Senkrechte kippen, «dass der Gegner mit drei Breitseiten Schiffskanonen aufwartet, die von Batterien an Land und der Artillerie des Forts unterstützt werden. Ohne vorhergehende Aufklärung mit unseren Schiffen in dieses verdammte Loch zu segeln wäre der Gipfel des Wahnsinns.»

«Der Wahnsinn der Schlacht», murmelte jemand im hinteren Teil der Kajüte, und Saltonstall blitzte die Offiziere dort an, sagte jedoch nichts.

«Wollen Sie damit sagen, dass wir nicht genügend Aufklärung betrieben haben?» Lovell sprach immer noch in Fragen.

«Das haben wir nicht», erklärte Saltonstall fest.

«Und doch wissen wir, wo die feindlichen Kanonen positioniert sind», sagte Wadsworth ebenso fest.

Saltonstall warf dem jüngeren Brigadier einen finsteren Blick zu. «Wenn ich meine Flotte in dieses verdammte Loch bringe», sagte er, «verkeile ich mich mit ihren verdammten Schiffen, und alles, was Sie davon haben, ist ein Haufen Wracks, die womöglich noch in Flammen stehen, während uns der Gegner die ganze Zeit von seinen Landbatterien aus unter Beschuss hält. Möchten Sie dem Flottenausschuss erklären, dass ich eine wertvolle Fregatte verloren habe, weil die Miliz von Massachusetts auf diesem Plan beharrt hat?»

«Sie stehen unter dem Schutz des Herrn», versicherte Hochwürden Murray dem Commodore.

«Gott, Sir, bemannt aber meine Kanonen nicht!», schnauzte Saltonstall den Geistlichen an. «Ich wünschte wahrhaftig, Er wäre hier. Aber was habe ich stattdessen? Einen Trupp zwangsverpflichteter Männer! Die Hälfte dieser Kerle hat noch nie gesehen, wie eine Kanone abgefeuert wird!»

«Wir wollen uns doch nicht streiten, Gentlemen», warf Lovell hastig ein.

«Würde es denn helfen, Commodore, wenn die Batterie auf Cross Island beseitigt wäre?», fragte Wadsworth.

«Ihr Beseitigung ist von grundlegender Bedeutung», sagte Saltonstall.

Lovell warf Wadsworth einen hilflosen Blick zu, und Wadsworth begann zu überlegen, mit welchen Truppen er die Insel angreifen könnte, doch da schaltete sich Captain Welch ein. «Wir können das übernehmen, Sir», sagte der große Marinesoldat selbstbewusst.

Lovell lächelte erleichtert. «Dann haben wir ja einen Einsatzplan, wie es aussieht, Gentlemen», sagte er. Und so war es. Es kostete eine Stunde, um die Einzelheiten des Plans auszuarbeiten, doch als die Stunde vorüber war, stand fest, dass Captain Welch mehr als zweihundert Marineinfanteristen beim Angriff auf Cross Island befehligen sollte und dass während dieser Operation die Kriegsschiffe erneut die drei Schaluppen unter Feuer nehmen sollten, sodass sie ihre Kanonen nicht auf Welchs Männer richten konnten. Zugleich würde General Lovell einen Angriff auf die Halbinsel führen, um zu verhindern, dass die Briten Verstärkung auf Cross Island schickten. Schließlich legte Lovell dem gesamten Kriegsrat den Plan zur Abstimmung vor und erhielt ungeteilte Zustimmung. «Ich bin zuversichtlich», sagte Lovell, «überaus zuversichtlich, dass der Allmächtige unser Vorhaben mit Seinem Segen bedenkt.»

«Amen», sagte Hochwürden Murray, «und nochmals amen.»

Captain Michael Fielding suchte General McLean kurz nach der Morgendämmerung auf. Der General saß im ersten Sonnenlicht vor dem großen Lagerhaus innerhalb des Forts, das gerade fertiggestellt worden war. Ein Bediensteter war dabei, ihn zu rasieren, und McLean lächelte Fielding kläglich an. «Es ist ziemlich schwierig, sich mit einem verkrüppelten rechten Arm zu rasieren», erklärte der General.

«Heben Sie das Kinn, Sir», sagte der Bedienstete, und einen Moment lang herrschte Schweigen, während das Rasiermesser über die Kehle des Generals kratzte.

«Was beschäftigt Sie, Captain?», fragte McLean, als das Rasiermesser abgespült wurde.

«Wir könnten einen Verhau anlegen, Sir.»

«Ein exzellenter Einfall», sagte McLean leichthin und schwieg dann erneut, weil der Bedienstete ihm das Gesicht abtrocknete.

«Danke, Laird», sagte er anschließend. «Haben Sie schon gefrühstückt, Captain?»

«Schmale Kost, Sir.»

McLean lächelte. «Wie ich höre, haben die Hennen angefangen zu legen. Ich kann Sie ja nicht hungern lassen. Laird? Seien Sie so gut und stellen Sie fest, ob Graham ein paar pochierte Eier zaubern kann.»

«Aye, aye, Sir.» Der Bedienstete nahm Wasserschüssel, Handtuch, Rasiermesser und das Abziehleder. «Und Kaffee, Sir?»

«Wenn Sie mir Kaffee herschaffen, befördere ich Sie zum Colonel, Laird.»

«Sie haben mich gestern schon zum General befördert, Sir», sagte Laird grinsend.

«Tatsächlich? Dann geben Sie mir Grund, Ihnen diesen hohen Rang zu lassen.»

«Ich werde mein Bestes tun, Sir.»

McLean führte Fielding zum westlichen Befestigungswall des Forts, das auf die höhergelegene, bewaldete Klippe ausgerichtet war. Es war immer noch ein lächerlich niedriger Wall, den ein gesunder Mann leicht überspringen konnte. Der Graben davor war seicht, und die angespitzten Pflöcke, die in seinem Grund steckten, würden den feindlichen Angriff kaum verzögern können. McLeans Männer arbeiteten schon seit dem Morgengrauen wieder daran, den Wall zu erhöhen, doch der General wusste, dass er zumindest eine Woche ununterbrochenen Arbeitseinsatz bräuchte, um die Befestigungswälle auf eine sinnvolle Höhe bringen zu können. Mit Hilfe seines Stocks kletterte er auf den Wall, der aus Holzbalkenabdeckungen über der festgetretenen Erde bestand, und blickte über den Hafen und Mowats Flottille hinweg zum Ankerplatz der gegnerischen Kriegsschiffe in der Bucht. «Kein Nebel heute Morgen, Captain.»

«Nein, keiner, Sir.»

«Gott liebt uns, was?»

«Er ist schließlich Engländer, Sir», sagte Fielding mit einem Lächeln. Captain Michael Fielding war ebenfalls Engländer, ein Angehöriger der Artillerie im dunkelblauen Uniformrock. Er war dreißig Jahre alt, blond, blauäugig und von einer irritierenden Eleganz, die mehr in einen Londoner Salon als in die amerikanische Wildnis zu passen schien. Er war der Inbegriff der Sorte Engländer, gegen die McLean eine unwillkürliche Abneigung hegte. Er war zu lässig, zu überlegen und zu gut aussehend, doch zu McLeans Überraschung war Captain Fielding zugleich auch effizient, kooperativ und intelligent. Er kommandierte fünfzig Kanoniere, denen ein merkwürdiges Sammelsurium an Artilleriegeschützen zur Verfügung stand: Sechspfünder, Neunpfünder und Zwölfpfünder, einige davon auf Feldlafetten, einige auf Garnisonsgeschützständen und die übrigen auf Schiffslafetten. Die Kanonen waren in den Depots von Halifax zusammengesucht worden, um wenigstens notdürftig ein paar Batterien zusammenstellen zu können. Allerdings, ging es McLean durch den Kopf, war mehr oder weniger alles an dieser Expedition notdürftig zusammengeschustert. Er hatte weder genügend Männer noch genügend Schiffe, und die Kanonen reichten ebenfalls nicht aus.

«In der Tat», sagte McLean wehmütig, «ich hätte sehr gerne einen Verhau.»

«Könnten Sie mir vierzig Mann zur Verfügung stellen, Sir?», fragte Fielding.

McLean dachte darüber nach. Er hatte fast zweihundert Männer auf einer Postenlinie stehen, um die Stellen zu überwachen, an denen die Yankees möglicherweise einen Landungsversuch unternehmen würden. Er vermutete, dass der gegnerische Vorstoß auf das Steilufer am Vorabend nur eine Finte gewesen war. Sie wollten ihn glauben lassen, dass sie im Westen der Halbinsel angreifen würden, er war jedoch sicher, dass sie sich entweder für den Hafen oder für die Landenge entscheiden würden. Trotzdem musste er auch alle anderen in Frage kommenden Landungsstellen überwachen, und die Postenkette, die das Ufer beobachtete, verschlang beinahe ein Drittel seiner Einsatzkräfte. Die Übrigen arbeiteten an dem Graben und dem Befestigungswall des Forts, und wenn er Fieldings Wunsch entsprach, musste er einige dieser Männer abstellen, was langsamere Arbeitsfortschritte an den überaus wichtigen Wällen zur Folge hätte. Dennoch war die Anlage eines Verhaus ein guter Vorschlag. «Würden vierzig Mann denn ausreichen?»

«Wir würden auch noch ein Ochsengespann brauchen, Sir.»

«Gut, das sollen Sie haben», sagte McLean, auch wenn seine beiden Ochsengespanne damit beschäftigt waren, Material vom Hafen heraufzubringen, in dem auch noch die meisten von Fieldings Kanonen standen.

McLean schaute zu den Zwillingsbastionen am Westwall des Forts hinüber. Bisher waren erst zwei Kanonen montiert, und das war eine läppische Verteidigung. Es war zwar leicht möglich, mehr Kanonen ins Fort zu bringen, doch inzwischen war der Wall so hoch, dass für die Kanonen erhöhte Plattformen gebraucht würden, und Plattformen kosteten Zeit und Einsatzkräfte. «Wo würden Sie den Verhau anlegen?», fragte er.

Fielding nickte in Richtung Westen. «Ich würde diesen Angriffsweg decken, Sir, und auch die nördliche Seite.»

«Gut», sagte McLean. Mit einem Verhau, der um die westliche und die nördliche Seite des Forts verlief, würde man einen Angriff der Yankees sowohl vom Steilhang als auch von der Landenge aus erheblich behindern können.

«Und der größte Teil des Holzes ist schon geschlagen, Sir», sagte Fielding, um McLean vollständig zu überzeugen.

«Das ist es, das ist es», sagte McLean unaufmerksam. Er gab dem Engländer ein Zeichen, ihm vom Wall herunter und ein Stück von dem Graben weg zu folgen, sodass sie außer Hörweite der Arbeitstrupps waren, die den Wall mit Balken ausstatteten. «Kann ich offen mit Ihnen sprechen, Captain?», fragte McLean bedeutungsschwer.

«Selbstverständlich, Sir.»

«Die niederträchtigen Rebellen sind zu Tausenden hier angerückt. Wenn sie angreifen, Captain, und das werden sie, dann muss ich mit zweitausend oder dreitausend Mann auf der Gegenseite rechnen. Ist Ihnen klar, was das bedeutet?»

Fielding schwieg einige Sekunden lang, bevor er nickte. «Das ist mir klar, Sir.»

«Ich habe schon genügend Krieg erlebt», sagte McLean bitter.

«Sie meinen, Sir, dass wir gegen dreitausend Mann nichts ausrichten können?»

«Oh, das können wir sehr wohl, Captain. Wir können ihnen die Nasen blutig schlagen, ihnen sogar ordentlich zusetzen, aber die Frage lautet: Können wir sie besiegen?» McLean wandte sich um und deutete auf den halbfertigen Wall. «Wenn diese Umwallung zehn Fuß hoch wäre, könnte ich in diesem Fort eines Tages an Altersschwäche sterben, und wenn wir ein Dutzend gefechtsbereite Kanonen hätten, dann, wage ich zu sagen, könnten wir auch zehntausend Mann bezwingen. Aber was ist, wenn sie heute kommen? Oder morgen?»

«Dann werden sie uns überrennen, Sir.»

«Ganz recht, das werden sie. Und es ist keine Feigheit, die mich so reden lässt, Captain.»

Fielding lächelte. «Niemand, Sir, kann General McLean der Feigheit bezichtigen.»

«Ich danke Ihnen, Captain», sagte McLean und schaute dann westwärts zu der Anhöhe hinüber. Der Hügelkamm schwang sich sanft empor, und überall ragten die Stümpfe gefällter Bäume auf. «Ich werde ehrlich mit Ihnen sein, Captain», fuhr er fort. «Der Feind wird anrücken, und wir werden ihm die Stirn bieten, aber ich will hier kein Massaker haben. Ich habe das schon erlebt. Ich habe Männer gesehen, die sich in einen Blutrausch gesteigert und eine ganze Garnison abgeschlachtet haben, und ich bin nicht hierhergekommen, um anständige, junge Schotten in ein frühes Grab zu führen.»

«Ich verstehe, Sir», sagte Fielding.

«Das hoffe ich.» McLean drehte sich nach Norden um, wo das freigelegte Gelände zu dem Wald hin abfiel, hinter dem sich die Landenge befand. Von dort, glaubte er, würde der Gegner kommen. «Wir werden unsere Pflicht tun, Captain», sagte er, «aber ich werde nur dann bis zum letzten Mann kämpfen, wenn ich eine Möglichkeit sehe, die Schufte zu besiegen. Es haben schon genügend Mütter in Schottland ihre Söhne verloren.» Er hielt inne, dann lächelte er den Artillerieoffizier an. «Aber zu leicht gebe ich auch nicht auf, also tun wir Folgendes: Legen Sie Ihren Verhau an. Fangen Sie damit auf der Nordseite an, Captain. Wie viele Kanonen auf Feldlafetten haben Sie?»

«Drei Neunpfünder, Sir.»

«Die stellen Sie an der nordwestlichen Ecke knapp außerhalb des Forts auf. Haben Sie Kartätschen?»

«Mehr als genug, Sir, und Captain Mowat hat noch ein paar Traubenkartätschen geschickt.»

«Bestens. Wenn also der Gegner von Norden kommt, wovon ich überzeugt bin, dann bereiten Sie ihm einen herzlichen Empfang.»

«Und wenn sie von dort kommen, Sir?», fragte Fielding und deutete auf das hochgelegene Steilufer im Westen.

«Dann verlieren wir das Spiel», räumte McLean ein. Er hoffte, den großgewachsenen Engländer richtig eingeschätzt zu haben. Ein törichter Mann mochte diese Unterhaltung als Zeichen von Feigheit deuten, sogar als verräterische Feigheit, doch McLean vermutete, dass Fielding klug und vernünftig genug war, um zu verstehen, was gerade gesagt worden war. Brigadier Francis McLean hatte genügend Kriegserfahrung, um beurteilen zu können, wann ein Kampf sinnlos war, und er wollte nicht Hunderte unnötiger Tode auf seinem Gewissen haben, aber zugleich wollte er den Aufständischen den Sieg auch nicht leichtmachen. Er würde kämpfen, er würde seine Pflicht erfüllen, und er würde den Kampf einstellen, wenn er erkannte, dass die Niederlage unausweichlich war. McLean drehte sich wieder zum Fort um. Dann fiel ihm unvermittelt eine Angelegenheit ein, die geklärt werden musste. «Haben Ihre Halunken Kartoffeln aus Doktor Calefs Garten gestohlen?», fragte er.

«Nicht dass ich wüsste, Sir.»

«Nun, irgendjemand hat es getan, und der Doktor ist nicht gerade erfreut darüber!»

«Ist es nicht noch ein bisschen früh für Kartoffeln, Sir?»

«Das hält doch einen Dieb nicht auf! Und bestimmt schmecken sie schon gut genug, also richten Sie Ihren Leuten aus, dass ich den nächsten Mann auspeitschen lasse, der beim Kartoffelklau im Garten des Doktors erwischt wird. Das gilt übrigens auch für jeden anderen Gemüsegarten. Wahrhaftig, manchmal verzweifle ich am Soldatenvolk.

Würde man mit ihm durch den Himmel marschieren, wären nicht mal die Engelsharfen vor den Kerlen sicher.» McLean deutete auf das Fort. «Und jetzt sehen wir nach, ob die Eier gekocht sind.»

Es gab eine Chance, dachte McLean, eine ganz geringe Chance, dass ein Angriff der Aufständischen zurückgeschlagen werden konnte, und Fieldings Verhau würde diese Chance ein wenig erhöhen. Ein Verhau war einfach ein Hindernis aus unbearbeitetem Holz; ein ineinander verkeiltes, langgezogenes Hindernis aus großen Ästen und ungeschälten Stämmen. Ein Verhau konnte keinen Angriff verhindern, aber er konnte ihn stark verlangsamen, weil sich die Männer durch das Gewirr arbeiten mussten. Und während sich die Yankees durch diesen Filz aus Zweigen drängten, konnten Fieldings Kanonen sie mit Kartätschenschüssen überziehen wie mit riesigen Schrotflinten. McLean würde die drei Neunpfünder auf seiner rechten Flanke postieren, sodass der Feind, wenn er nach dem Verhau auf das offene Feld käme, geradewegs in den Kanonenbeschuss vorrücken musste, und einfache Truppen ohne Kriegserfahrung würden sich von solch konzentriertem Artilleriefeuer einschüchtern lassen. Vielleicht, aber nur vielleicht, würde ihm der Verhau genügend Zeit verschaffen, um den Feind mit Kanonen von einem Abbruch des Angriffs zu überzeugen. Darin bestand seine kleine Chance. Wenn die Yankees allerdings von Westen über das Steilufer kamen, dann, so vermutete McLean, hatte er nicht die geringste Chance. Er hatte einfach nicht genügend Artillerie, also würde er den Gegner mit ein paar Schüssen aus den beiden Kanonen am westlichen Befestigungswall des Forts empfangen und sich dann ins Unvermeidliche fügen.

Laird hatte auf dem Tisch im Freien pochierte Eier angerichtet. «Und für Sie gibt es Bratkartoffeln, Sir», sagte er gut gelaunt.

«Kartoffeln, Laird?»

«Neue, kleine Kartoffeln, Sir, frisch wie Gänseblümchen. Und Kaffee, Sir.»

«Sie sind ein Gauner, Laird, ein skrupelloser Gauner.»

«Ja, Sir, das bin ich, Sir, und danke, Sir.»

McLean setzte sich an sein Frühstück. Er sah zu der Flagge hinauf, die so fröhlich im Morgenlicht flatterte, und fragte sich, welche Flagge dort wohl bei Sonnenuntergang wehen würde. «Wir müssen unser Bestes tun», erklärte er Fielding, «und das ist alles, was wir tun können. Unser Bestes.»

Die Marinesoldaten würden die britische Stellung auf Cross Island angreifen, was bedeutete, dass General Wadsworth sie beim Vorstoß über das Steilufer nicht einsetzen konnte. «Das hat keinerlei Bedeutung», hatte Solomon Lovell erklärt. «Ich bin überzeugt, dass die Marinesoldaten sehr tapfere Männer sind, aber die eigentliche Herausforderung müssen wir Männer aus Massachusetts bestehen! Und wir sind dieser Aufgabe gewachsen, meiner Treu, das sind wir!»

«Unter Ihrer begnadeten Führung, General», hatte sich Hochwürden Murray eingeschaltet.

«Unter Gottes Führung», gab Lovell vorwurfsvoll zurück.

«Der Herr wählt Seine Instrumente mit Bedacht», sagte Murray.

«Und deshalb wird dieser Sieg der Miliz allein gehören», hatte Lovell Wadsworth erklärt.

Und Wadsworth dachte, dass Lovell möglicherweise recht hatte. Diese Hoffnung erfüllte ihn, als er auf dem Achterdeck der Schaluppe *Bethaiah* stand und der Rede zuhörte, die Major Daniel Littlefield der Miliz des Countys York hielt. «Die Rotröcke sind noch halbe Kinder!», erklärte Littlefield seinen Männern. «Und sie sind nicht so gut auf den Kampf vorbereitet wie wir. Erinnert ihr euch noch an all die Nachmittage auf dem Übungsfeld? Manche von euch haben darüber gemurrt, hätten lieber Ichabod Flanders' Fichtenbier getrunken, aber ihr werdet es mir danken, wenn wir landen. Ihr seid geschult! Und ihr seid besser als jeder verdammte Rotrock! Sie sind nicht so ausgefuchst wie ihr, sie schießen nicht so gut wie ihr, und noch dazu haben sie Angst! Denkt dran! Das sind verängstigte kleine Jungen, weit weg von daheim.» Littlefield grinste seine Männer an. Dann deutete er auf einen bärtigen Riesen, der in der ersten Reihe der Truppe hockte. «Isaac Whitney, beantworte mir folgende Frage: Warum tragen die Briten einen roten Uniformrock?»

Whitney runzelte die Stirn. «Vielleicht, damit man das Blut nicht sieht?»

«Nein!», rief Littlefield. «Sie tragen Rot, um sich zur Zielscheibe zu machen!» Die Männer lachten. «Und ihr seid alle gute Schützen», fuhr Littlefield fort, «und heute schießt ihr für die Freiheit, für eure Häuser, für eure Frauen, für eure Liebsten, sodass niemand von uns unter fremder Tyrannei leben muss!»

«Das walte Gott», rief ein Mann.

«Und keine Steuern mehr!», rief ein anderer.

«Das walte Gott!», sagte Littlefield. Der Captain des Countys York strahlte Selbstsicherheit aus, und davon fühlte sich Wadsworth beim Zuhören sehr ermutigt. Die Miliz war unterbesetzt, und zu viele der Männer waren entweder alt oder noch kaum Männer, und dennoch gelang es Daniel Littlefield, sie zu begeistern. «Wir gehen an Land», sagte Littlefield, «und wir müssen diesen wirklich steilen Hang hinauf. Seht ihr ihn, Männer?» Er deutete auf das Steilufer. «Der Aufstieg wird nicht leicht werden, aber ihr seid zwischen Bäumen. Die Rotröcke können euch zwischen den Bäumen nicht sehen. Natürlich werden sie schießen, aber sie können nicht zielen, und ihr steigt einfach den Hang rauf, Männer. Und wenn ihr nicht wisst, wo es langgeht, dann folgt mir einfach. Ich werde diesen Hang hinaufsteigen, und wenn ich oben bin, schieße ich ein paar von diesen rotberockten Kindern quer über den Ozean zurück nach Hause. Und denkt daran», er hielt inne und ließ seinen Blick ernst von einem zum anderen wandern, «denkt daran! Sie fürchten sich vor euch viel mehr als ihr euch vor ihnen. Oh, ich weiß, sie machen eine sehr gute Figur bei jeder Militärparade, aber ein Soldat verdient sich seinen Sold im Gelände, wenn der Beschuss losgeht, und wir sind die besseren Soldaten. Hört ihr? Wir sind die besseren Soldaten, und wir werden sie mit einem Tritt in ihren königlichen Hintern direkt ins Jenseits befördern!» Die Männer jubelten. Littlefield wartete, bis sich der Jubel gelegt hatte. «Und jetzt, Männer, reinigt eure Flinten, ölt eure Schlösser und schärft die Bajonette. Wir haben Gottes Aufgabe zu erfüllen.»

«Eine schöne Rede», gratulierte Wadsworth dem Major.

Littlefield lächelte. «Und wahr gesprochen, Sir.»

«Das würde ich nie bezweifeln.»

«Diese Rotröcke sind nichts weiter als verschreckte Kinder», sagte Littlefield und schaute zu dem Steilufer hinüber, wo, wie er vermutete, die britische Infanterie zwischen den Bäumen auf sie wartete. «Wir stellen den Gegner stärker dar, als er ist, Sir. Wir denken, nur weil sie rote Uniformröcke tragen, müssen sie wahrhaftige Menschenfresser sein, aber es sind nur kleine Jungen. Sie können reizend aufmarschieren und wissen, wie man in einer geraden Linie Aufstellung nimmt, aber das macht noch keine Soldaten aus ihnen! Wir werden sie schlagen. Sie waren bei Lexington dabei, wenn ich nicht irre, Sir?»

«Ja, das war ich.»

«Dann haben Sie doch gesehen, wie die Rotröcke die Beine in die Hand genommen haben.»

«Ich habe ihren Rückzug gesehen, ja.»

«Oh, ich bestreite nicht, dass sie diszipliniert sind, Sir,

aber sie wurden dennoch zurückgeschlagen. Sie sind für diese Art von Kampf nicht ausgebildet. Sie sind für offene Feldschlachten ausgebildet, nicht für den Tod im Unterholz, also machen Sie sich keine Sorgen, Sir. Wir werden siegen.»

Und der Major hatte recht, überlegte Wadsworth. Die Rotröcke waren dazu ausgebildet, große Schlachten zu schlagen, in denen die Männer in langen Reihen auf offenen Feldern gegeneinander antraten und sich mit Musketensalven beschossen. Das hatte Wadsworth auf Long Island gesehen, und er hatte dabei widerwillig die eiserne Disziplin des Gegners bewundert. Aber hier? Hier im dunklen Wald von Majabigwaduce? Hier würde die Disziplin von der Angst aufgefressen werden.

Die britische Batterie auf dem Steilufer spie Lärm und Rauch. Sie war von der *Bethaiah* aus nicht zu sehen, weil die Rotröcke die Geschütze südlich auf den Hafeneingang und nicht westlich auf den Ankerplatz der Transporter ausgerichtet hatten. Die Kanonen beschossen die *Hampden*, die erneut die britischen Schaluppen unter Feuer genommen hatte. Die *Tyrannicide* und die *Black Prince* segelten hinter dem Schiff aus New Hampshire. Ihre Aufgabe war es, die Briten beschäftigt zu halten, sodass die britischen Marineeinheiten auf ihren Schaluppen bleiben mussten. Wadsworth fragte sich, wie gut die Kanonen auf der Anhöhe von Dyce's Head geschützt waren. «Ihre Aufgabe», sagte er zu Littlefield, «besteht lediglich darin, den Gegner zu bedrohen. Haben Sie das verstanden?»

«Eine Machtdemonstration, um den Feind daran zu hindern, Verstärkung nach Cross Island zu bringen.»

«Ganz genau.»

«Aber wenn sich uns eine Gelegenheit bietet?», fragte Littlefield mit einem Lächeln.

«Es wäre gewiss ein Segen für den Commodore, wenn wir

diese Kanonen unschädlich machen könnten», sagte Wadsworth und nickte in Richtung des Pulvernebels, der über der Steilklippe hing.

«Ich verspreche nichts, Sir», sagte Littlefield, «aber ich glaube, meine Männer werden mehr Mut entwickeln, wenn sie wieder Gottes Erde unter den Füßen haben. Lassen Sie mich den Feind ein wenig beschnuppern, Sir. Wenn es wenige sind, dann werden wir sie noch ein bisschen weiter dezimieren.»

«Aber keine unnötigen Risiken, Major», sagte Wadsworth fest. «Wir landen morgen in voller Stärke. Ich will Sie nicht heute noch verlieren.»

«Oh, Sie werden mich nicht verlieren!», sagte Littlefield gut gelaunt. «Ich habe vor, auch noch den allerletzten Rotrock aus Amerika abziehen zu sehen, und dem werde ich dann mit einem Tritt meines Stiefels in seinen königlichen Hintern nachhelfen.» Er wandte sich wieder an seine Männer. «Also, ihr Halunken! In die Boote! Wir haben ein paar Rotröcke abzuschießen!»

«Seien Sie vorsichtig, Major», sagte Wadsworth und bedauerte seine Worte augenblicklich, weil sie, jedenfalls in seinen eigenen Ohren, schwach und feige geklungen hatten.

«Keine Sorge, Sir», sagte Littlefield, «wir werden gewinnen!»

Und Wadsworth glaubte ihm.

An diesem Nachmittag, als die amerikanischen Schiffe wieder zum Hafeneingang fuhren und das Feuer auf die drei britischen Segler eröffneten, befand sich Captain Welch an Bord der Kontinentalschaluppe *Providence*, die den beiden Briggs *Pallas* und *Defence* von der Flotte aus Massachusetts vorausfuhr. Der Wind war schwach, und alle drei Schiffe wurden gerudert. «Bei uns heißt das der Eschen-Wind», vernahm Welch von Hoysteed Hacker, dem Captain der *Providence*.

Die Eschenruder waren von monströser Länge und sehr schwer durchs Wasser zu ziehen, doch die Besatzung des Flottenschiffs legte sich eifrig ins Zeug, um die Schaluppe südwärts gegen die Flut voranzubringen. Sie ruderten zu dem Wasserlauf, der südlich um Cross Island verlief. «Dort liegt ein verdammter Felsen mitten in der Fahrrinne», sagte Hacker. «Und kein Mensch weiß, wie tief unter der Wasseroberfläche. Aber die Flut wird uns schon helfen, wenn wir erst mal in diesem Wasserlauf sind.»

Welch nickte, sagte jedoch nichts. Er schaute zurück nach Norden. Die amerikanischen Schiffe beschossen wieder die drei britischen Schaluppen, die nun das Feuer erwiderten und sich dabei in grauweiße Rauchwolken hüllten. Noch mehr Rauch sammelte sich an der Nordseite von Cross Island, wo die britische Geschützbatterie auf die angreifenden Amerikaner feuerte. Noch weiter nördlich sah Welch die Beiboote von den Transportschiffen ablegen. Gut. Die Briten mussten wissen, warum die *Providence*, die *Pallas* und die *Defense* um Cross Island herumfuhren, aber sie wagten keine Verstärkung quer über den Hafen zu schicken, während ein Großangriff auf das Steilufer drohte. «Gleich gehen wir an Land», sagte Welch an seine Männer gewandt, als die Ruderer die Schaluppe in den engen Wasserlauf gleiten ließen, «und dann stecken wir die Bajonette auf und rücken vor, so schnell es geht! Verstanden? Wir rücken vor, so schnell es geht!»

Doch dann stieg ein knirschendes Geräusch tief aus dem Rumpf der *Providence* auf, und die Schaluppe bewegte sich kein Stück mehr weiter. «Fels», erklärte Hoysteed Hacker knapp.

Also konnten die Marinesoldaten, über zweihundert Mann, doch nicht schnell vorrücken, denn sie mussten warten, bis die Flut die *Providence* über den Felsen hob. Welch kochte vor Wut. Er wollte töten, er wollte kämpfen, und nun war er stattdessen mitten in diesem Wasserlauf gestrandet, und alles, was er sehen konnte, war die bewaldete Erhebung von Cross Island und darüber den Rauch, der das Himmelsblau verschluckte. Der Geschützlärm riss nicht ab, war ein unaufhörlicher, rollender Donner, und manchmal hörte man in diesem Trommelwirbel des Teufels Holz splittern, wenn eine Kanonenkugel eingeschlagen war. Ungeduldig lief Welch auf und ab. Er stellte sich vor, dass Rotröcke über den Hafen gebracht würden, und immer noch kam die *Providence* nicht weiter.

«Verflucht!», schrie Welch.

«Das Wasser steigt», sagte Hoysteed Hacker. Er war groß, ebenso groß wie Welch. Er hatte ein massiges Gesicht mit dicken Augenbrauen und einem eckigen Kinn. Über seine linke Wange lief eine gezackte Narbe. Die Narbe stammte von einem Enterspieß, den ihm ein britischer Seemann auf der HMS *Diligent* entgegengerammt hatte, als sie das Schiff kaperten. Dieser Seemann war gestorben, ausgeweidet mit Hackers schwerem Entermesser, und nun lag die *Diligent* in der Bucht von Penobscot verankert und führte die Flagge der Kontinentalflotte. Hoysteed Hacker ließ sich von Welchs Ungeduld nicht aus der Ruhe bringen. «Die Flut kann man nicht beschleunigen», sagte er.

«Und wie lange wird es dauern, Herrgott noch mal?»

«Solange es eben dauert.»

Sie mussten eine halbe Stunde warten, doch schließlich kam der Kiel der *Providence* frei, und die Schaluppe hielt auf einen schmalen, steinigen Strand zu. Dann wurde sie mit dem Bug leicht auf den Strand gefahren, wo sie, von dem leichten Wind gehalten, liegen blieb. Die beiden kleineren Briggs liefen zu ihren beiden Seiten auf den Strand, und die Marinesoldaten in ihren grünen Uniformröcken sprangen ins seichte Wasser, hielten Patronenkästen und Musketen hoch über den Kopf und wateten an Land. Welch führte eine der Kompanien an, während Captain Davis, der immer noch den blauen Uniformrock der Kontinentalarmee und nicht den grünen der Marine trug, die andere befehligte. «Los», sagte Welch.

Die Marinesoldaten steckten die Bajonette auf. Die Bäume dämpften den Geschützlärm der Batterie, die nur etwa dreihundert Schritt nördlich lag. Die Briten hatten auf der Südseite der Insel keine Wachposten aufgestellt, aber Welch wusste, dass sie über die Bäume hinweg die Schiffsmasten gesehen haben mussten, und er ging davon aus, dass sie eine der Kanonen umdrehen würden, um den Angriff abzuwehren. «Schnell!», rief Welch und setzte sich an die Spitze.

Zweihundertzwanzig Marinesoldaten schlugen sich in den Wald. Sie rückten in loser Ordnung vor, ihre Bajonette blitzten in den Strahlen der niedrigstehenden Sonne, die durch den dichten Kiefernwald schien. Sie brachten die Anhöhe hinter sich, erreichten den Gipfel des niedrigen Hügels, und als sie auf der anderen Seite hinabschauten, konnten sie zwischen den Bäumen hindurch gerade eben ein kleines Feldlager am Ufer erkennen. Es bestand aus vier Zelten, einem Flaggenmast und der Batterie, um die sich Männer in blauen und roten Uniformröcken bewegten. Und als Welch den Feind so dicht vor sich sah, spürte er die Kampfeswut in sich aufsteigen, eine Wut, die von seinem Hass auf die Briten genährt wurde. Keine Kanone war auf sie gerichtet. Der verdammte Gegner feuerte immer noch auf die amerikanischen Schiffe. Er würde sie lehren, Amerikaner zu töten! Er ließ das Entermesser aus seiner Scheide gleiten, brüllte einen Kriegsruf und führte den Angriff den Hügel hinunter.

Zweiundzwanzig Artilleristen bemannten die Batterie, und zwanzig britische Marinesoldaten deckten sie. Sie hörten die gegnerischen Marinesoldaten brüllen, sie sahen das

Sonnenlicht auf den langen Klingen der Bajonette blitzen, und da flüchteten sie. Ihre Beiboote lagen nahe bei der Batterie auf dem Strand, und sie ließen ihre Kanonen im Stich, ließen alles im Stich und rannten zu ihren Booten. Sie schoben die drei Boote vom Kiesstrand ins Wasser und kletterten an Bord, während die Amerikaner aus dem Wald herausbrachen. Ein Boot war langsamer als die anderen. Es lag schon im Wasser, doch als sich die beiden Männer, die es angeschoben hatten, über die Seite hineinrollten, lief es wieder auf Grund. Ein Sergeant der Kanoniere sprang heraus und stemmte sich gegen das Boot, und ein Warnruf zerschnitt die Luft, als ein hochgewachsener amerikanischer Marinesoldat ins seichte Wasser lief. Der Sergeant stemmte sich erneut gegen das Boot, dann wurde er an der Uniform gepackt und auf den Strand gezerrt. Das Beiboot kam frei, und seine Besatzung ruderte verzweifelt in Richtung der *Nautilus*, der nächsten britischen Schaluppe. Die amerikanischen Marinesoldaten feuerten auf die Boote, Musketenkugeln schlugen in die Seitenwände ein, ein Ruderer ließ mit einem Mal sein Ruder fahren und griff sich an den Arm, an dem das helle Blut herabströmte. Dann wurde von der *Nautilus* eine Musketensalve abgefeuert, und die Kugeln zischten über die Köpfe der Marinesoldaten.

Der Artillerie-Sergeant in seinem blauen Uniformrock holte nach Welch aus, doch er blockte den Hieb mit der linken Hand ab und schlug dem Sergeant voll Raserei das Entermesser in den Hals. Die Klinge traf ihr Ziel, Welch drehte sie, und Blut spritzte weit in die Höhe. Noch immer schrie Welch. Rote Schlieren trübten seinen Blick, als er den verwundeten Mann am Haar packte und ihn tiefer in die frisch geschliffene Klinge drückte, und da spritzte noch mehr Blut empor, der Kanonier machte würgende, gurgelnde Geräusche, und Welch, den grünen Uniformrock von britischem Blut dunkel verfärbt, knurrte, während er versuchte, die

Klinge noch tiefer in den zuckenden Körper zu stoßen. Das Wasser verdünnte das Blut, und dann fiel der Sergeant in das seichte Wasser, in dem sich um seinen zitternden Körper Blutwolken bildeten. Welch stellte dem Mann einen Stiefel auf den Kopf und drückte ihn unter Wasser. So hielt er den Sterbenden fest, bis er sich nicht mehr rührte.

Weitere Musketenschüsse kamen von der *Nautilus*, doch die britischen Marinesoldaten auf dem Vordeck der Schaluppe konnten den Amerikanern auf diese Entfernung kaum gefährlich werden, und sie verletzten niemanden am Strand von Cross Island. Die *Nautilus* lag mit der bewaffneten Breitseite nach Westen, und ihre Kanonen konnten nicht Richtung Strand umgeschwenkt werden, deshalb mussten die britischen Marinesoldaten die Musketen einsetzen. «Zur Batterie!», rief Captain Davis. Die erbeutete Geschützbatterie war nach Nordwesten ausgerichtet, und ein niedriger felsiger Hügelstreifen lag schützend davor, sodass die Aufständischen auch hinter den niedrigen Feldschanzen des Geschützstandes recht sicher vor etwaigem Beschuss von der *Nautilus* waren. Sie fanden vier Kanonen in der Stellung. Bei zweien waren die Rohre noch so heiß vom Angriff auf die amerikanischen Schiffe, dass sie nicht berührt werden konnten, aber die anderen beiden waren noch nicht einmal auf die Lafetten montiert, die verloren neben einem Graben standen, der als Munitionslager ausgehoben worden war. Captain Davis fuhr mit dem Finger über das königliche Monogramm auf einer der unmontierten Kanonen und dachte, wie liebenswürdig es von König George doch war, den Freiheitskampf mit seinen Kanonen zu unterstützen. Die Männer plünderten die Zelte. Sie fanden Decken, Messer mit Horngriffen, eine Spiegelscherbe und ein Kästchen aus Walnussholz, in dem sich drei Rasiermesser mit elfenbeinernen Griffen befanden. Da war eine Bibel, augenscheinlich viel gelesen, zwei Sätze Spielkarten und ein paar Spielwürfel aus

Walrosszahn. Außerdem ein offenes Fass Salzfleisch, eine Kiste Schiffszwieback und zwei kleine Rumfässchen. Neben den Kanonen lagen die Hämmer und Nägel, mit denen die Kanonen unbrauchbar gemacht werden sollten, wenn sie in die Hand der Gegner zu fallen drohten, doch der Angriff hatte die Briten vertrieben, bevor sie die Kanonen vernageln konnten.

Die britische Flagge war immer noch gehisst. Welch holte sie ein, und zum ersten Mal an diesem Tag zeigte sich ein Lächeln auf seinem blutverschmierten Gesicht. Er faltete die Flagge sorgfältig zusammen und winkte dann einen seiner Sergeants heran. «Bringen Sie diesen Lumpen zur *Providence*», befahl er, «und fragen Sie Captain Hacker, ob er Ihnen ein Boot und eine Rudermannschaft zur Verfügung stellt. Er erwartet, dass er gefragt wird. Und dann bringen Sie die Flagge zu General Lovell.»

«Zu General Lovell?», fragte der Sergeant erstaunt. «Nicht zum Commodore, Sir?» Commodore Saltonstall war der Kommandant der Marine, nicht der Brigadier.

«Bringen Sie die Flagge zu General Lovell», sagte Welch. «Diese Flagge», er deutete über die felsige Erhebung hinweg dorthin, wo in der Abenddämmerung gerade noch die Flagge über Fort George zu erkennen war, «diese Flagge ist es, die der Marine gehören wird.» Er senkte den Blick auf das sonnengebleichte Tuch in seinen großen Händen, dann erschauderte er und spuckte auf die Flagge. «Richten Sie General Lovell aus, dies sei ein Geschenk.» Er drückte dem Sergeant die Flagge in die Hand. «Haben Sie das verstanden? Sagen Sie ihm, dies sei ein Geschenk von der Marine.»

Denn Welch fand, dass Brigadegeneral Gottverdammt Solomon Lovell wissen sollte, wer diesen Kriegszug gewinnen würde. Nämlich nicht Lovells Miliz, sondern die Marine. Die Marineinfanterie, die Besten, die Sieger. Und Welch würde sie zu diesem Sieg führen.

Aus einer Petition an Commodore Saltonstall, die von zweiunddreißig Offizieren der amerikanischen Kriegsflotte in der
Bucht von Penobscot unterzeichnet wurde, 27. Juli 1779:

*An den Ehrenwerten Commodore und leitenden Flottenkom-
mandanten ... wir die Antragsteller möchten Euer Ehren
in dem starken Bewusstsain von der wichtigkeit der Expedition und im tiefempfundenen Wunsch unserem Land mit
all unseren kräften zu Dienen erklären, dass die baldmög-
lichste Kraftanstrengung unternommen werden sollte um das
Ziel zu erreichen, auf das wir überein gekommen sind. Wir
halten jede Verzögerung im vorliegenden Fall für überaus
gefährlich: nachdem unsere Gegner jeden Tag ihre Befestigungen verbessern und Stärker werden ... Wir erlauben uns
keinen Rat, oder Kritik an Ihrem zurückliegenden Verhalten, Doch möchten wir unserem Wunsch Ausdruck geben die
gegenwärtige Gelegenheit auszunutzen, Unverzüglich in den
Hafen vorzustoßen und die Gegnerischen Schiffe Anzugreifen.*

Aus dem Tagebuch Sergeant William Lawrenc', Königliche
Artillerie, 13. Juli 1779:

*Die Dunkelheit der Nacht hält unser Gegner für die Güns-
tigste zeit zur Lagererstürmung ... und Niemand ist so sehr
bereit diesen Vorteil auszunutzen als die Untertanen Seiner*

Majestät, die sich nun am Aufstand beteiligen, und im Offe-
nen Feld vor jedem britischen Soldaten zittern.

Aus General Lovells Befehlsbuch, 24. Juli 1779, Hauptquartier an Bord des Transporters *Sally*:

Die Offiziere werden dafür sorgen dass jeder Mann voll-
ständig mit Waffen und Munition Ausgerüstet ist und dass
ihre Feldflaschen gefüllt sind und sie einen Hapen in der Ta-
sche haben ... der General kann sich damit schmeicheln dass
wenn es eine Gelegenheit geben sollte jeder Offizier und Sol-
dat die äußersten Strapazen auf sich nimmt, nicht nur um
den Ruhm der Miliz von Massachusetts zu erhalten sondern
ihn mit neuem Glanz erhöhen wird.

SECHS

Langsam schwand das Tageslicht. Der westliche Himmel glühte rot, und sein Licht wurde im Wasser der Bucht von niedrigen, funkelnden Kräuselwellen zurückgeworfen. Die Schiffe der Aufständischen hatten die drei britischen Schaluppen beschossen, doch, ebenso wie am Vortag, keinen Versuch unternommen, Mowats Linie zu durchbrechen und in den Hafen vorzustoßen. Sie feuerten aus der Entfernung, zielten auf die schwankende Wolke aus rötlichem, von Masten durchbohrtem Pulverrauch, der die Schiffe des Königs einhüllte.

Jubel erklang auf den Schiffen der Aufständischen, als sie sahen, dass die britische Flagge auf Cross Island eingeholt wurde. Jeder Mann wusste, was das bedeutete. Die Briten hatten die Batterie auf dem Südufer der Hafeneinfahrt verloren, und die Amerikaner konnten dort nun ihre eigene Batterie einrichten, eine Batterie, die sehr nahe an Mowats Linie lag und die drei Schiffe gnadenlos zerschmettern konnte. Die südliche Verteidigungsposition des Hafens, Cross Island, war besetzt worden, und während die Sonne scharlachrote Streifen an den westlichen Himmel malte und die Schiffe der Aufständischen weiter ihre Schüsse auf die britischen Schaluppen abfeuerten, wurde Major Daniel Littlefields Miliz in Richtung der nördlichen Verteidigungsposition gerudert.

Diese Verteidigungsposition lag auf Dyce's Head, dem hohen, felsigen Steilufer, auf dem die Rotröcke warteten und von dessen Batterie aus mit Sechspfündern auf die angreifenden Schiffe geschossen worden war. Der Abendwind war so schwach, dass der Kanonenrauch in den Bäumen hängenblieb und die amerikanischen Schiffe, die Mündungsflammen, Barrengeschosse, Kettengeschosse und Kugeln gegen Mowats drei Schaluppen schleuderten, kaum manövrieren konnten. Doch eine kleine Windbewegung, ein unvermittelter Zug durch die Sommerluft, dauerte lange genug, um den Rauch von der HMS *Albany* wegzutreiben, die in der Mitte von Mowats Linie lag, und der schottische Captain sah von seinem Achterdeck aus, wie die Beiboote von den amerikanischen Transportern weggerudert wurden und auf das Steilufer zuhielten. «Mister Frobisher!», rief Mowat.

Der First Lieutenant der *Albany*, der die Steuerbordkanonen überwachte, drehte sich zu seinem Captain um. «Sir?»

Mit einem Pfeifen flog ein Geschoss über sie hinweg. Eine Kettenkugel oder ein Barrengeschoss, nahm Mowat dem Geräusch nach an. Die Aufständischen hatten wohl hauptsächlich sein Takelwerk im Visier, doch ihre Artillerie schoss schlecht und hatte bisher keiner der Schaluppen ernsthaft in Gefahr bringen können. Ein paar Wanten und Fallen waren durchschlagen worden, und die Schiffskörper trugen Narben, aber es gab weder Verluste an Männern noch an Waffen. «Da fahren Barkassen auf den Strand zu», rief Mowat zu Frobisher hinüber, «sehen Sie sie?»

«Aye, aye, Sir, ich sehe sie!»

Frobisher klopfte einem Kanonenführer auf die Schulter. Der Kanonier war im mittleren Alter, und sein langes graues Haar hatte er zu einem Pferdeschwanz zusammengebunden. Um die Ohren hatte er sich einen Schal gewickelt. Er sah, wohin Frobisher deutete, und nickte zum Zeichen, dass er verstanden hatte, was von ihm verlangt wurde. Seine Kanone, eine Neunpfünder, war schon mit einer Kugel geladen. «Ausrennen!», befahl er, und seine Geschützmannschaft packte das Richttakel und zog die Kanone damit in Position, sodass ihre Mündung aus der Geschützpforte in der seitlichen Schiffswand herausragte. Dann brüllte er seinen vom Geschützlärm halbtauben Männern zu, sie sollten die schwere Lafette leicht drehen, was sie mit Hilfe von langen Nägeln bewerkstelligten, die sich in Mowats mühselig mit Sandstein gescheuertes Deck gruben. «Glaube nicht, dass wir die Kerle treffen», sagte der Geschützführer zu Frobisher, «aber eine Dusche kriegen sie bestimmt ab.» Er konnte die Ruderboote der Aufständischen nicht mehr sehen, weil die leichte Brise sich gelegt hatte und die *Albany* wieder von dickem, beißendem Rauch eingehüllt wurde. Dennoch glaubte er, dass seine Kanone jedenfalls grob in die richtige Richtung zeigte. Der Geschützführer stach einen Nagel durch das Zündloch, um das Leinensäckchen mit dem Schwarzpulver hinten im Kanonenrohr anzustechen, dann steckte er eine Lunte durch das Zündloch, die aus einem mit feinem Zündpulver gefüllten Federkiel bestand. «Zurück, ihr Mistkerle!», brüllte er und zündete die Federlunte.

Der Kanonenknall dröhnte durch den Abend. Stinkender Rauch, so dick wie Londoner Nebel, breitete sich aus. Eine Zündflamme schoss durch den Rauch, erleuchtete ihn und erlosch sofort wieder. Die Kanone sprang zurück, die Lafettenräder kreischten, bis die Auffangtaue sich spannten, um den Rückstoß abzufangen. «Auswischen!», rief der Geschützführer und steckte zugleich seinen Daumen im Lederhandschuh in das Zündloch.

«Noch einen Schuss auf die Boote», schrie Frobisher über den Kanonenlärm hinweg, «dann zielen Sie wieder auf die Schiffe.»

«Aye, aye, Sir.»

Die Kanonen hatten auf die amerikanischen Schiffe gefeuert, die eine Dreiviertelmeile weiter westlich manövrierten. Die Boote waren etwa genauso weit entfernt, also hatte der Geschützführer die leicht erhöhte Ausrichtung des Kanonenrohrs nicht verändern müssen. Er hatte eine Viertelladung mit zweieinviertel Pfund Schwarzpulver eingesetzt, und die Vollkugel schoss mit neunhundertachtzig Fuß pro Sekunde aus dem Rohr. Die Kugel verlor etwas an Geschwindigkeit, bis sie ihren viertausenddreihundert Fuß langen Flug vor ihrer ersten Wasserberührung hinter sich gebracht hatte, doch sie hatte nur fünf Sekunden gebraucht, um diese Entfernung zurückzulegen. Die Kugel traf auf eine Welle, sprang noch einmal etwas hoch und schlug, einen Schwanz aus Gischt hinter sich herziehend, mittschiffs in Major Littlefields Beiboot ein.

Für General Wadsworth, der das Geschehen von der *Bethaiah* aus beobachtete, sah es aus, als löste sich das an der Spitze liegende Beiboot einfach auf. Holzplanken flogen durch die Luft, ein Mann wurde Hals über Kopf emporgeschleudert, dann schien das Wasser weiß schäumend zu kochen, und schließlich waren nur noch dahintreibende Ruder, zersplittertes Holz und Männer übrig, die sich mühten, an der Wasseroberfläche zu bleiben. Die anderen Beiboote kamen ihnen zu Hilfe, und die Schwimmenden wurden aus dem Wasser gezogen, während eine zweite Kanonenkugel in der Nähe unterging, ohne Schaden angerichtet zu haben.

Danach gaben die Bootsbesatzungen den Landeversuch auf. Wadsworth hatte erwartet, dass sie weiterruderten, die Männer absetzten und dann zurückkehrten, um die zweite Landetruppe abzuholen, mit der er selbst hatte an Land gehen wollen. Nun aber drehten die Ruderboote um und fuhren zurück zu den Transportschiffen. «Hoffentlich ist Littlefield nicht verwundet», sagte Wadsworth.

«Es braucht mehr als eine Kanonenkugel, um den Major kleinzukriegen, Sir», bemerkte James Fletcher fröhlich. Fletcher gehörte nun als eine Art inoffizieller Berater und Ortsführer zu Wadsworths Stab.

221

«Anscheinend hat Littlefield entschieden, doch nicht zu landen», sagte Wadsworth.

«Es kämpft sich nicht leicht, wenn man nass ist wie eine ersäufte Ratte, Sir.»

«Stimmt», sagte Wadsworth mit einem Lächeln und tröstete sich damit, dass die Drohung, das Steilufer anzugreifen, auch so seine Wirkung gezeigt hatte. Die Briten waren an der Entsendung von Verstärkungstrupps oder einem Gegenangriff auf Cross Island gehindert worden.

Das letzte Tageslicht schwand nun schnell. Im Osten war der Himmel schon dunkel, auch wenn noch keine Sterne zu sehen waren, und der Geschützdonner nahm zusammen mit dem Tageslicht ab. Die amerikanischen Kriegsschiffe segelten langsam zurück zu ihren Ankerplätzen, während Mowats Männer, die unbeschadet durch den abendlichen Kampf gekommen waren, ihre Kanonen sicherten. Wadsworth lehnte sich an die Reling der *Bethaia* und schaute hinunter zu den Booten, die als bloße Schatten auf die Schaluppe zuglitten. «Major Littlefield!», rief er. «Major Littlefield!»

«Ertrunken, Sir», rief jemand zurück.

«Was?»

«Er und noch zwei Männer, Sir. Drei Verluste, Sir.»

«O Gott im Himmel», sagte Wadsworth. An Land, oben auf dem Steilufer, schimmerte ein Feuer zwischen den Bäumen hindurch. Jemand kochte dort vielleicht Tee oder ein Abendessen.

Und Major Littlefield war tot.

«Tragisch», sagte General Lovell, als Wadsworth ihm die Nachricht von Daniel Littlefields Tod brachte, doch Wadsworth war nicht ganz sicher, dass sein Kommandooffizier seine Worte überhaupt recht gehört hatte. Lovell musterte die britische Flagge, die von einem untersetzten Marinesergeant an Bord der *Sally* gebracht worden war. «Ist das nicht vortrefflich?», rief Lovell aus. «Wir werden sie dem Allgemeinen Gerichtshof schicken, denke ich. Die erste Trophäe, Wadsworth!»

«Die erste von vielen, die Euer Exzellenz nach Boston senden wird», kommentierte Hochwürden Murray.

«Sie ist ein Geschenk der Marine», warf der Sergeant dickfellig ein.

«So sagten Sie, so sagten Sie», erwiderte Lovell eine Spur gereizt. Dann lächelte er. «Und Sie müssen Captain Welch meines aufrichtigen Dankes versichern.» Er warf einen Blick auf den Tisch, der mit Papieren übersät war. «Nehmen Sie diese Dokumente einen Augenblick weg, Marston», befahl er seinem Sekretär, und als der Tisch frei von Papier, Tinte und Federkielen war, breitete er die Flagge unter den leicht schwingenden Lampen aus. Es war inzwischen dunkel, und die Kajüte wurde von vier Laternen erhellt. «Meiner Seel!» Lovell trat einen Schritt zurück, um die Flagge zu bewundern. «Die wird sich in Faneuil Hall glänzend ausmachen.»

«Vielleicht wäre es auch ein Gedanke, sie an Major Littlefields Frau zu schicken», sagte Wadsworth.

«An seine Frau?», fragte Lovell, offenkundig höchst erstaunt über diesen Vorschlag. «Was um alles in der Welt sollte sie mit einer Flagge anfangen?»

«Sie als Erinnerung an die Galanterie ihres Mannes in Ehren halten?»

«Oh, Sie werden ihr schreiben», sagte Lovell, «und ihr versichern, dass Major Littlefield für die Freiheit gestorben ist, aber ich kann mir nicht denken, dass sie eine gegnerische Flagge brauchen kann. Wirklich, das kann ich nicht. Sie muss nach Boston geschickt werden.» Er wandte sich an den Marinesergeant. «Ich danke Ihnen, Kamerad, danke! Und ich lasse auch den Commodore von meinem Beifall für Ihren Einsatz erfahren.»

Lovell hatte seine militärische Familie einberufen. John

Marston, sein Sekretär, trug etwas in das Befehlsbuch ein. Wadsworth blätterte im Dienstplan der Miliztruppen und Lieutenant Colonel Davis, der Verbindungsoffizier für die Transportschiffe, rechnete über der Zahl der Boote, die für eine Landung zur Verfügung standen. Hochwürden Murray strahlte hilfsbereit, Major Todd reinigte mit einem Flanelltuch seine Pistole. «Haben Sie meine Befehle an das Artillerieregiment weitergeleitet?», wollte Lovell von Todd wissen.

«Gewiss, Sir», sagte Todd und blies auf den Verschlussmechanismus der Waffe, um etwas Staub zu entfernen.

«Hat Colonel Revere verstanden, wie eilig es ist?»

«Das habe ich in unmissverständlicher Klarheit ausgedrückt, Sir», sagte Todd geduldig. Lieutenant Colonel Revere hatte den Befehl erhalten, Kanonen nach Cross Island zu bringen, das nun von einer Garnison Matrosen verteidigt werden würde, die von der *Providence* und der *Pallas* kamen und unter dem Kommando Hoysteed Hackers standen.

«Dann werden Colonel Reveres Kanonen bei Tagesanbruch wohl gefechtsbereit sein, nicht wahr?», fragte Lovell.

«Ich wüsste nichts, was dagegen spräche», sagte Wadsworth.

«Und damit sollten die gegnerischen Schiffe für uns erledigt sein», sagte Lovell aufgeräumt, «und uns den Weg zum Sieg freigeben. Ah, Filmer! Danke!»

Filmer, ein Bediensteter, hatte ein Nachtmahl aus Schinken, Bohnen und Maisbrot gebracht, das Lovell mit seinen Getreuen am Tisch verzehrte, auf dem die erbeutete Flagge als willkommene Serviette für die fettigen Hände des Generals herhalten musste. «Sind die Marineeinheiten zurück auf ihren Schiffen?», fragte Lovell.

«Das sind sie, Sir», antwortete Wadsworth.

«Nun werden wir den Commodore nochmals um ihre Bereitstellung bitten müssen», sagte Lovell schicksalsergeben.

«Sie sind großartig», sagte Wadsworth.

Lovell wirkte mit einem Mal beinahe verschmitzt, und die Andeutung eines Lächelns lag auf seinem üblicherweise ernsten Gesicht. «Haben Sie gehört, dass die Flottenoffiziere dem Commodore einen Brief geschickt haben? Herrje! Sie haben ihn dafür gerügt, nicht in den Hafen vorgestoßen zu sein! Können Sie sich so etwas vorstellen?»

«Der Brief zeigt bewunderungswürdigen Pflichteifer», sagte Wadsworth in gleichmütigem Ton.

«Und er muss ihn in Verlegenheit gebracht haben!», sagte Lovell, den diese Vorstellung unübersehbar erfreute. «Der arme Mann», fügte er pflichtgetreu hinzu, «aber möglicherweise werden ihn diese Vorhaltungen ja zu größerem Eifer anspornen.»

«Darum kann man bloß beten», sagte Hochwürden Murray.

«Beten wir lieber darum, dass ihn dieser Brief nicht noch starrsinniger im Umgang werden lässt», sagte Wadsworth, «insbesondere, da wir seine Marineeinheiten brauchen, wenn wir einen ernstzunehmenden Angriff führen wollen.»

«Ja, vermutlich müssen wir sie einsetzen», sagte Lovell widerwillig, «falls es dem Commodore genehm ist, selbstverständlich.»

«Um mit allen Marineeinheiten zu landen, bräuchten wir ein Dutzend Beiboote», sagte Davis, «und wir haben so schon nicht genügend.»

«Es gefällt mir nicht, wenn die Landung nicht gemeinsam erfolgt», sagte Lovell und spielte offensichtlich mit der Idee, ohne die Marine anzugreifen und damit den Siegerruhm für die Miliz allein einzuheimsen.

«Warum nehmen wir nicht einen von den kleineren Schonern?», schlug Wadsworth vor. «Ich habe gesehen, dass sie gerudert werden können. Ich bin sicher, wir könnten damit nahe genug ans Ufer kommen, und auf einen Schoner passen mindestens hundert Mann.»

Davis dachte über den Vorschlag nach und nickte dann. «Die *Rachel* hat wenig Tiefgang», sagte er.

«Und wir brauchen die Marine», betonte Wadsworth.

«Ja, wahrscheinlich», räumte Lovell ein. «Nun, dann bitten wir um ihre Unterstützung.» Er hielt inne und klopfte mit dem Messer an seinen Zinnteller. «Wenn wir das Fort einnehmen», sagte er dann nachdenklich, «will ich nicht, dass irgendwelche Rotröcke über die Landenge im Norden entkommen. Sollten wir dort nicht eine Einheit aufstellen? Eine Sperreinheit?»

«Wollen wir dafür die Indianer einsetzen?», schlug Major Todd vor, in dessen Brillengläsern sich das Licht der Laternen spiegelte. «Die Briten fürchten sich vor unseren Wilden.»

«Sie sind viel zu wertvoll als Kämpfer», warf Wadsworth hastig ein. «Ich möchte sie bei dem Angriff dabeihaben.»

«Wertvoll vielleicht, wenn sie nüchtern sind», sagte Major Todd mit sichtbarem Erschauern, «aber heute Morgen waren sie schon wieder im Vollrausch.»

«Die Indianer?», fragte Lovell. «Sie waren betrunken?»

«Bis zur Besinnungslosigkeit, Sir. Ein paar Männer von der Miliz haben ihnen Rum gegeben, um sich an ihrem Getorkel zu belustigen.»

«Der Teufel ist mitten unter uns», sagte Murray finster. «Er muss ausgetrieben werden.»

«Das muss er wirklich, Kaplan», sagte Lovell und fuhr an Marston gerichtet fort: «Also fügen Sie dem Tagesbefehl eine Order hinzu. Kein Mann darf Rum an die Indianer verteilen. Und, natürlich, erwähnen Sie auch unsere Anteilnahme am Tod von Major ...», er unterbrach sich.

«Littlefield», sagte Wadsworth.

«Littlefield», sprach Lovell weiter, als hätte er nicht innegehalten. «Der arme Littlefield. Er kam aus Wells, nicht wahr? Eine schöne Stadt. Vielleicht können seine Männer die Sperrung der Landenge übernehmen. Oh, und Marston, schreiben Sie auch etwas Anerkennendes über die Marine, würden Sie das tun? Wir müssen sie loben, wenn es angebracht ist, ganz besonders, wenn wir sie noch einmal um ihren Einsatz bitten wollen.» Er wischte das Fett auf seinem Teller mit einem Stück Brot auf und steckte es genau in dem Moment in den Mund, in dem es an der Kajütentür klopfte. Bevor irgendjemand reagieren konnte, wurde die Tür aufgestoßen, und ein höchst ungehaltener Lieutenant Colonel Revere kam herein, stellte sich ans untere Ende des Tisches und starrte Lovell an, der mit vollem Mund nichts weiter tun konnte, als Revere mit einer einladenden Geste zu begrüßen.

«Sie haben mir Befehl erteilt, mit den Kanonen an Land zu gehen», sagte Revere anklagend.

«Das habe ich», brachte Lovell mit vollem Mund heraus. «Das habe ich. Sind sie schon aufgestellt?»

«Sie können nicht von mir verlangen, dass ich sie an Land bringe», sagte Revere empört. Er warf seinem Gegner Major Todd einen kalten Blick zu und sah dann wieder den General an.

Leicht verwirrt musterte Lovell den Kommandeur seines Artilleriezugs. «Wir brauchen Kanonen auf Cross Island», sagte er schließlich, «und eine neue Batterie. Ihre Aufgabe ist es doch wohl, sie in Stellung zu bringen, nicht wahr?»

«Ich habe meine Pflichten», gab Revere heftig zurück.

«Ja, Colonel, gewiss haben sie die», sagte Lovell.

«Ihre Pflicht ist es, die Batterie auf der Insel in Stellung zu bringen», sagte Wadsworth nachdrücklich.

«Ich kann nicht überall gleichzeitig sein», erklärte Revere an Lovell gewandt und ignorierte Wadsworths Einwurf, «das ist unmöglich.»

«Ich denke, meine Befehle waren eindeutig», sagte der General, «und sie verlangen von Ihnen, die benötigten Kanonen an Land zu bringen.»

«Und ich erkläre Ihnen, dass ich meine Verpflichtungen habe», protestierte Revere.

«Mein lieber Colonel», sagte Lovell und lehnte sich zurück, «ich möchte eine Geschützbatterie auf Cross Island haben.»

«Und die bekommen Sie auch!», sagte Revere fest. «Aber es ist nicht die Aufgabe eines Colonels, Wege anzulegen, Munitionslager zu graben oder Bäume für ein freies Schussfeld zu fällen!»

«Nein, nein, selbstverständlich nicht!» Lovell zuckte vor Reveres geballtem Ärger leicht zurück.

«Die Aufgabe eines Colonels ist es, eine Batterie einzurichten und zu kommandieren», sagte Wadsworth.

«Sie werden Ihre Batterie bekommen!», fauchte Revere.

«Dann bin ich ja zufrieden», sagte Lovell begütigend. Revere starrte den General noch einen Moment lang an, dann drehte er sich mit einem knappen Nicken um und ging hinaus. Lovell lauschte auf seine schweren Schritte, die sich über den Niedergang entfernten, und atmete tief aus. «Was um Himmels willen hat diesen Auftritt provoziert?»

«Das weiß ich nicht», antwortete Wadsworth ebenso ratlos wie Lovell.

«Der Mann ist eben ein Querulant», sagte Todd bissig und warf Wadsworth einen anklagenden Blick zu, weil er wusste, dass er es gewesen war, der den Weg für Reveres Berufung zum Artilleriekommandanten frei gemacht hatte.

«Das muss ein Missverständnis gewesen sein, da bin ich sicher», sagte Lovell. «Er ist ein sehr feiner Kerl! Ist er nicht nach Lexington geritten, um Sie zu warnen?», fragte er Wadsworth.

«Er und noch wenigstens zwanzig weitere», antwortete

Todd, bevor Wadsworth reagieren konnte, «und jetzt raten Sie, wer der einzige Reiter war, der es nicht geschafft hat, Concord zu erreichen. Mister Revere», gehässig betonte er das Wort «Mister», «wurde von den Briten gefangen genommen.»

«Ich erinnere mich daran, dass Revere uns die Nachricht brachte, dass die britischen Truppen kommen würden», sagte Wadsworth. «Er und Wiliam Dawes.»

«Revere war in britischer Gefangenschaft?», sagte Lovell. «Oh, der arme Kerl.»

«Unsere Gegner haben ihn laufenlassen, Sir», sagte Todd, «aber sein Pferd haben sie behalten. Das ist doch ein sehr schönes Sinnbild für die Wertschätzung, die Mister Revere entgegengebracht wurde.»

«Oh, jetzt mäßigen Sie sich doch», tadelte Lovell seinen Brigademajor. «Was haben Sie denn gegen ihn?»

Todd nahm seine Brille ab und putzte sie mit einem Zipfel der Flagge. «Mir scheint es so, Sir», und sein Ton legte nahe, dass er die Frage des Generals vollkommen ernst genommen hatte, «dass die Grundlagen des militärischen Erfolges gute Organisation und Zusammenarbeit sind.»

«Einen Mann, der besser organisiert ist als Sie, kenne ich nicht!», warf Lovell ein.

«Danke, Sir. Aber Colonel Revere, Sir, steht nur sehr ungern unter dem Befehl eines anderen. Vermutlich glaubt er, dass er selbst das Oberkommando haben sollte. Er wird seine eigenen Entscheidungen treffen, und wir werden unsere treffen, und wir werden bei ihm weder gute Zusammenarbeit noch gute Organisation erleben.» Sorgsam schob Todd die Bügel seiner Brille hinter seine Ohren. «Ich habe mit ihm gedient, Sir, in der Artillerie, und es gab ständig Reibereien, Ärger und Streit.»

«Er ist fähig», sagte Lovell unsicher und setzte dann energischer hinzu, «jeder versichert mir, dass er sehr fähig ist.»

«Wenn es um seine eigenen Interessen geht, schon», sagte Todd.

«Und er kennt sich mit seinen Kanonen aus», machte Wadsworth geltend.

Todd sah ihn an und sagte nach einem Moment des Innehaltens: «Das hoffe ich, Sir.»

«Er ist Patriot!», bemerkte Lovell in abschließendem Ton. «Das kann niemand bestreiten! Und nun, Gentlemen, zurück an die Arbeit.»

Es war Vollmond, und er goss sein Licht wie Silber über die Bucht. Die Ebbe zog das Wasser von Penobscot hinaus zum weiten Atlantik, während die Aufständischen auf Cross Island eine neue Stellung für die Kanonen aushoben, die Mowats Schiffe zertrümmern würden.

Und auf dem Steilufer warteten die Rotröcke.

General McLean war für die zwei Tage Aufschub, die ihm die Aufständischen gewährt hatten, überaus dankbar gewesen. Die gegnerische Flotte war am Samstag eingetroffen, nun war Dienstagabend, und es hatte immer noch keinen Angriff auf Fort George gegeben, sodass er Gelegenheit gehabt hatte, zwei weitere Kanonen in Stellung zu bringen und den Befestigungswall um zwei weitere Fuß zu erhöhen. McLean wusste nur zu gut, wie angreifbar seine Position war. Er hatte sich damit abgefunden. Er hatte sein Bestes getan.

An diesem Abend stand er am Tor von Fort George, das nichts weiter war als eine Barrikade aus Gestrüpp, die von zwei Wachen beiseitegezogen werden konnte. Er schaute nach Süden und bewunderte den Schimmer des Mondlichts auf dem Wasser des Hafens. Es war höchst bedauerlich, dass die Artilleristen von ihrer Batterie auf Cross Island verdrängt worden waren, aber McLean hatte von Anfang an gewusst, dass diese Stellung nicht zu verteidigen war. *Wer alles verteidigt, verteidigt nichts.* Diese Batterie einzurichten hatte Männer und Zeit gekostet, die vielleicht besser auf den Ausbau des Forts verwendet worden wären, trotzdem bedauerte McLean die Entscheidung nicht. Die Batterie hatte ihre Aufgabe erfüllt, hatte die amerikanischen Schiffe daran gehindert, in den Hafen einzulaufen, und ihm so die beiden letzten Tage Zeit verschafft. Nun aber, vermutete McLean, würden die Schiffe der Aufständischen ihren Angriff fahren, und mit ihnen würde die Infanterie der Angreifer kommen.

«Sie wirken sehr nachdenklich, Sir.» Lieutenant Moore trat zu dem General ans Tor.

«Sollten Sie nicht schlafen?»

«Ich schlafe doch, Sir. Das hier ist nichts weiter als ein Traum.»

McLean lächelte. «Wann fängt Ihr Wachdienst an?»

«Erst in zwei Stunden, Sir.»

«Dann können Sie mich noch begleiten», sagte der General und ging ostwärts voran. «Haben Sie gehört, dass der Gegner einen neuen Vorstoß auf das Steilufer gemacht hat?»

«Major Dunlop hat mir davon erzählt, Sir.»

«Und wieder haben sie sich zurückgezogen», sagte McLean. «Ich habe den Eindruck, dass sie uns mit Finten verwirren wollen.»

«Oder fehlt ihnen der Mut zu einem Angriff, Sir?»

McLean schüttelte den Kopf. «Man sollte einen Feind niemals unterschätzen, Lieutenant, und mit jedem Gegner so umgehen, als hielte er die Trumpfkarten in der Hand. Wenn er dann nämlich seine Karten auf den Tisch legt, erleben Sie keine unangenehme Überraschung. Ich nehme an, unser Gegner will uns glauben lassen, dass er über das Steilufer angreift, um uns dazu zu bringen, unsere Truppen dort zu konzentrieren, während er in Wahrheit woanders landen will.»

«Dann stellen Sie mich woanders auf, Sir.»

«Sie bleiben auf dem Steilufer», sagte McLean fest. Der General hatte entschieden, die Postenreihe zu verstärken, die nach Norden auf die Landenge ausgerichtet war, die Majabigwaduce mit dem Festland verband, denn er war weiterhin davon überzeugt, dies sei die wahrscheinlichste Stelle für einen gegnerischen Vorstoß. Die Postenreihe sollte den Angriff der Aufständischen verzögern, und der Verhau würde sie weiter aufhalten, doch dann hätten sie diese Verteidigungslinien durchbrochen und würden das Fort angreifen. «Wenn der Gegner an der Landenge auftaucht», erklärte er Moore, «werde ich Ihren Posten zur Verteidigung des Forts zurückrufen.»

«Ja, Sir», sagte Moore schicksalsergeben. Er fürchtete sich vor der Schlacht und sehnte sich zugleich nach ihr. Wenn der entscheidende Kampf am nächsten Tag an der Landenge stattfand – falls es am nächsten Tag überhaupt zu einem Kampf kam –, dann wollte Moore dort sein, aber er wusste, dass er McLean nicht umstimmen konnte, also versuchte er es gar nicht erst.

Die beiden Männer, der eine blutjung, der andere ein Veteran aus den Kriegen in Flandern und Portugal, gingen den Pfad am Nordrand des Maisfeldes der Bauernfamilie Hatch entlang. Licht schimmerte aus den Fenstern von Doktor Calefs Haus, zu dem sie unterwegs waren. Der Doktor musste sie im hellen Mondlicht bereits gesehen haben, denn er öffnete die Haustür, bevor McLean geklopft hatte. «Ich habe ein Haus voller Frauen», grüßte der Arzt die beiden verdrießlich.

«Manche Männer werden von Gott stärker bevorzugt als andere», sagte McLean. «Guten Abend, Doktor.»

«Wir haben Tee, glaube ich», sagte Calef. «Oder etwas Stärkeres?»

«Tee wäre sehr schön», sagte McLean.

Ein Dutzend Frauen hatte sich in der Küche versammelt. Die Frau des Arztes war dabei, ebenso die beiden Töchter Colonel Goldthwaits, die Banks-Mädchen und Bethany Fletcher. Sie saßen auf Stühlen und Hockern um den großen Tisch, der mit Stoffresten übersät war. Offensichtlich beendeten sie gerade ihren gemeinsamen Abend, denn sie waren damit beschäftigt, ihre Sachen einzupacken. «Ein Handarbeitszirkel?», fragte McLean.

«Auch der Krieg lässt die Arbeit einer Frau nicht enden, General», gab Mrs. Calef zurück.

«Nichts lässt die Arbeit einer Frau enden», sagte McLean. Die Frauen hatten anscheinend Kinderkleidung genäht und geflickt, und McLean erinnerte sich daran, dass seine eigene Mutter ebenfalls einem solchen Zirkel angehört hatte. Die Frauen unterhielten sich, erzählten Geschichten, und manchmal sangen sie auch, während sie stopften und nähten. «Ich bin froh, dass Sie alle hier sind», sagte McLean, «denn ich wollte den guten Doktor und alle anderen vorwarnen: Ich erwarte morgen einen Angriff der Aufständischen. Ah, danke.» Dies galt dem Hausmädchen, das ihm einen Becher Tee gebracht hatte.

«Sind Sie sicher, dass es morgen sein wird?», fragte Doktor Calef.

«Ich kann nicht für den Gegner sprechen», sagte McLean, «aber wenn ich an seiner Stelle wäre, würde ich morgen angreifen.» In Wahrheit hätte McLean, wenn er an Stelle des Gegners gewesen wäre, schon längst angegriffen. «Ich wollte Ihnen sagen», fuhr er fort, «dass Sie bei einem Vorstoß in Ihren Häusern bleiben sollten.» Er sah in die ängstlichen Gesichter um den Tisch. «Es kann verlockend sein, einen Kampf zu beobachten, aber in all dem Durcheinander, Ladys, kann ein Gesicht im Pulverrauch leicht für das eines Feindes gehalten werden. Ich habe keinen Anlass anzunehmen, dass die Aufständischen Ihre Häuser besetzen wollen, also sind Sie zwischen Ihren eigenen vier Wänden vermutlich am sichersten.»

«Wären wir im Fort nicht noch sicherer?», fragte Doktor Calef.

«Das ist der letzte Ort, an dem Sie sein sollten», sagte McLean nachdrücklich. «Ich bitte Sie alle, bleiben Sie zu Hause. Dieser Tee ist ausgezeichnet!»

«Aber wenn die Aufständischen ...», begann Mrs. Calef, doch dann wusste sie nicht mehr, ob sie ihren Gedanken wirklich aussprechen sollte.

«Wenn die Aufständischen das Fort einnehmen?», half ihr McLean weiter.

«Dann finden sie all die beurkundeten Treueide», sagte Mrs. Calef.

«Und rächen sich dafür», fügte Jane Goldthwait hinzu, die aus einem lange vergessenen Grund von jedermann Lil genannt wurde.

«Mister Moore», McLean sah den jungen Lieutenant an, «wenn es danach aussieht, als sollte das Fort fallen, dann sind Sie dafür verantwortlich, dass diese Eideserklärungen verbrannt werden.»

«Ich würde lieber auf dem Wall stehen und Feinde töten, Sir.»

«Ganz bestimmt würden Sie das lieber tun», sagte McLean, «aber zuerst verbrennen Sie die Urkunden. Das ist ein Befehl, Lieutenant.»

«Ja, Sir», sagte Moore verhalten.

Mehr als sechshundert Bewohner der Region waren nach Majabigwaduce gekommen und hatten den Treueid auf König George unterzeichnet, und Lil Goldthwait hatte recht. Die Aufständischen würden sich an diesen Leuten rächen wollen. Dutzende Familien, die am Fluss lebten, hatten zuvor schon aus ihren Häusern in Boston und Umgebung flüchten müssen, und nun sahen sie eine weitere Vertreibung vor sich. McLean lächelte. «Aber wir spannen hier den Karren vor das Pferd, Ladys. Das Fort ist noch nicht gefallen, und, das versichere ich Ihnen, wir werden das Äußerste unternehmen, um den Gegner zurückzuschlagen.» Das war nicht die Wahrheit. McLean hatte nicht vor, bis zum letzten Mann zu kämpfen. Solch eine Verteidigung wäre zwar heldenhaft, aber vollkommen nutzlos.

«Wir haben hier Männer, die sofort bereit wären, zusammen mit Ihren Leuten das Fort zu verteidigen», sagte Doktor Calef.

«Dafür bin ich ihnen zu großem Dank verpflichtet», sagte McLean, «aber ein solches Vorgehen würde ihre Familien dem Zorn des Feindes aussetzen, und das möchte ich vermeiden. Ich bitte Sie, bleiben Sie alle zu Hause.»

Der General trank noch seinen Tee aus, dann verabschiedete er sich gemeinsam mit Moore. Im Garten des Doktors blieben sie stehen und betrachteten das glitzernde Mondlicht im Hafen. «Ich denke, morgen wird es Nebel geben», sagte McLean.

«Es ist allerdings recht warm», sagte Moore.

McLean trat einen Schritt zur Seite, um eine Gruppe Frauen vorbeizulassen, die aus dem Haus kamen. Er verbeugte sich leicht vor ihnen. Die Banks-Mädchen, beide noch sehr jung, kehrten zum Haus ihres Vaters zurück, das auf der westlichen Seite des Dorfes unterhalb des Forts stand. Bethany Fletcher dagegen ging geradewegs hügelabwärts zum Haus ihres Bruders. «Ich habe Ihren Bruder in letzter Zeit gar nicht gesehen, Miss Fletcher», sagte McLean.

«Er ist fischen gegangen, Sir», sagte Bethany.

«Und ist nicht wiedergekommen?», fragte Moore.

«Manchmal bleibt er eine ganze Woche weg», sagte Bethany nervös.

«Mister Moore», sagte McLean. «Haben Sie Zeit, Miss

Fletcher sicher nach Hause zu bringen, bevor Sie sich zum Wachdienst melden?»

«Ja, Sir.»

«Dann tun Sie es bitte.»

«Ich komme auch allein sicher nach Hause, Sir», sagte Bethany.

«Zeigen Sie Nachsicht für die Wünsche eines alten Mannes, Miss Fletcher», sagte der General. Dann verbeugte er sich vor ihr. «Und eine gute Nacht wünsche ich.»

Moore und Bethany gingen schweigend den Hügel hinunter. Es war nicht weit bis zu dem kleinen Haus. Bei dem Holzstapel davor blieben sie stehen. Beide fühlten sich leicht verlegen. «Danke», sagte Bethany.

«Es war mir ein Vergnügen, Miss Fletcher», sagte Moore, ohne sich vom Fleck zu rühren.

«Was wird morgen passieren?», fragte Bethany.

«Vielleicht gar nichts.»

«Die Aufständischen werden nicht angreifen?»

«Ich glaube, das müssen sie. Aber die Entscheidung liegt bei ihnen. Ich glaube, sie sollten bald angreifen.»

«Sollten?», fragte Bethany. Das Mondlicht ließ ihre Augen silbern aufschimmern.

«Wir haben nach Verstärkung geschickt», sagte Moore. «Ob allerdings auch welche kommt, weiß ich nicht.»

«Aber wenn sie angreifen», fragte Bethany, «kommt es dann zum Kampf?»

«Dafür sind wir hergekommen», sagte Moore und spürte, wie sein Herz einen Satz bei dem Gedanken machte, dass er am nächsten Tag entdecken würde, was das Kriegshandwerk tatsächlich bedeutete. Aber vielleicht hatte sein Herz auch einen Satz gemacht, weil er Bethany in diesem silbrigen Mondlicht in die Augen gesehen hatte. Er wollte ihr so vieles sagen, doch mit einem Mal war er ganz verwirrt und brachte keinen Ton mehr heraus.

«Ich muss wieder ins Haus», sagte sie. «Molly Hatch sitzt bei meiner Mutter.»

«Geht es Ihrer Mutter besser?»

«Es wird ihr nie mehr bessergehen», sagte Bethany. «Gute Nacht, Lieutenant.»

«Ihr Diener, Miss Fletcher», sagte Moore und verbeugte sich, aber noch bevor er sich wieder aufgerichtet hatte, war sie verschwunden. Und Moore ging zurück, um mit seinen Männern zur Wachübernahme beim Posten auf Dyce's Head aufzubrechen.

Die Morgendämmerung war neblig, doch die britischen Schiffe waren von der neuen Batterie auf Cross Island aus deutlich zu sehen. Am dichtesten an der Insel lag die HMS *Nautilus*, und die Entfernung von ihr zu den großen Kanonen, die Reveres Männer an Land gebracht hatten, betrug nur eine Viertelmeile. Die Männer hatten die ganze Nacht über schwer und gut gearbeitet. Sie hatten einen Pfad durch den Wald frei gehauen und zwei Achtzehnpfünder-Kanonen, eine Zwölfpfünder und eine Fünfeinhalb-Zoll-Haubitze zum Gipfel des Hügels hinaufgeschafft, dessen felsiger Grund eine perfekte Plattform für den Gefechtsstand bildete. Noch mehr Bäume waren gefällt worden, um offenes Schussfeld für die Kanonen zu haben, und als der Morgen graute, blickte Captain Hoysteed Hacker, dessen Mannschaft zum Schutz der Kanoniere mit Musketen bewaffnet war, zu den drei britischen Schaluppen hinüber. Am weitesten entfernt lag die *North*. Sie war nur als grauer Schemen im grauen Nebel zu erkennen und wurde größtenteils von den Rümpfen der beiden anderen Schaluppen verdeckt, doch das Schiff, das am dichtesten bei der Insel lag, die *Nautilus*, war deutlich sichtbar. Ihre Galionsfigur war ein holzgeschnitzter Matrose mit nacktem Oberkörper, in dessen gelb angemaltem Haar sich Seetang verfangen hatte. «Sollten wir dieses

Schiff nicht zu Kleinholz verarbeiten?», fragte Hacker den Artillerieoffizier. Die Kanoniere standen um ihre eindrucksvollen Geschütze herum, doch keiner von ihnen schien mit dem Laden und Ausrichten der Kanonen anfangen zu wollen.

«Uns fehlen die Wergpfropfen», erklärte Lieutenant Philip Marett, ein Cousin Colonel Reveres und der befehlshabende Offizier der Batterie.

«Wie bitte?»

Marett war verlegen. «Anscheinend fehlen uns ebenso die Ringeinlagen, Sir.»

«Und die Kugeln haben auch die falsche Größe», sagte ein Sergeant schlecht gelaunt.

Hacker konnte kaum glauben, was er da hörte. «Die Kanonenkugeln? Falsches Kaliber?»

Der Sergeant führte es vor, indem er eine Kugel in das Rohr einer der beiden Achtzehnpfünder schob. Dann drückte einer seiner Männer die Ladung mit dem Stock tiefer in das lange Rohr hinein, das, weil die Kanone auf dem höchsten Punkt von Cross Island stand, etwas nach unten auf den Bug der *Nautilus* ausgerichtet war. Der Kanonier zog den Ladestock zurück und trat einen Schritt zur Seite. Hacker vernahm ein leises Geräusch aus der Kanone. Das dumpfe Rollen von Metall auf Metall wurde lauter, als die Kugel durch das Rohr lief, bis sie schließlich mit einem jämmerlichen Plumps aus der Mündung des Rohrs auf den Kiefernnadelteppich fiel, der hier den Boden bedeckte. «O Gott», sagte Hacker.

«Es hat in Boston wohl eine Verwechslung gegeben», sagte Marett hilflos. Er deutete auf eine fein säuberlich aufgeschichtete Pyramide aus Kanonenkugeln. «Anscheinend gehören sie zu Zwölfpfündern», fuhr er fort, «und selbst wenn wir sie mit Ringeinlagen und Pfropfen als Ladung einbringen könnten, würde der Durchzug sie nahezu wirkungs-

238

los machen.» Der Durchzug war der winzige Abstand zwischen dem Geschoss und dem Kanonenrohr. Alle Kanonen hatten mit den Auswirkungen des Luftdurchzugs zu kämpfen, doch wenn der Abstand zu groß wurde, ging rund um die Kugel sehr viel von der Kraft der Treibladung verloren.

«Haben Sie nach Colonel Revere geschickt?»

Maretts Blick huschte über das Schussfeld, als suche er nach einem Plätzchen, an dem er sich verstecken könnte. «Ich bin sicher, dass die *Samuel* Achtzehnpfünder-Munition mitführt, Sir», sagte er ausweichend.

«Verflucht», sagte Hacker wild, «es wird Stunden dauern, sie flussabwärts herzubringen!» Die *Samuel* ankerte weit nördlich von Cross Island.

«Wir könnten das Feuer mit den Zwölfpfündern eröffnen», schlug Marett vor.

«Haben Sie denn dafür die Pfropfen?»

«Wir könnten vielleicht Torf nehmen.»

«O nein. Wir machen es ordentlich», sagte Hacker. Dann fiel ihm etwas ein. «Die *Warren* ist doch mit Achtzehnpfündern bewaffnet, oder?»

«Das weiß ich nicht, Sir.»

«Doch, das ist sie, und sie liegt ein verdammt großes Stück näher als die *Samuel*. Wir fragen dort nach Munition.»

Hoysteed Hackers Einfall erwies sich als gut. Commodore Saltonstall suhlte sich zwar geradezu im Hohn, als ihm die Bitte um Munition vorgetragen wurde, doch er stimmte zu, und Captain Welch schickte einen Befehl an Captain Thomas Carnes von der *General Putnam*, einen Trupp Marinesoldaten zusammenzustellen, um die benötigten Pfropfen und Kanonenkugeln an Land zu bringen. Carnes hatte, bevor er in die Marine eingetreten war, in Colonel Gridleys Artillerieregiment gedient und danach eine Batterie der Artillerie von New Jersey in der Kontinentalarmee kommandiert. Er war ein entgegenkommender, tatkräftiger Mann, der sich erfreut die Hände rieb, als er sah, wie nahe die *Nautilus* vor den Kanonen lag. «Wir können die Zwölfpfünder-Kugeln in den Achtzehnpfünder-Kanonen einsetzen», erklärte er.

«Können wir das?», fragte Marett.

«Wir beladen sie zweifach», sagte Carnes. «Zuerst eine Achtzehnpfünder-Kugel als Ladung, und dann setzen wir mit den Pfropfen noch eine Zwölfer obendrauf. Das Schiff da vorne machen wir zu Anmachholz, Freunde!» Er sah den Kanonieren aus Massachusetts zu, die, von Carnes' Tatkraft angesteckt, die Kanonen luden und ausrichteten. Carnes beugte sich vor, um an dem Kanonenrohr entlangspähen zu können. «Zielt ein bisschen höher», sagte er.

«Höher?», fragte Marett. «Sollen wir auf die Masten zielen?»

«Ein kaltes Rohr schießt niedriger», sagte Carnes, «aber wenn es aufgewärmt ist, verläuft die Schussbahn korrekt. Senkt die Anhebung nach drei Schüssen und richtet sie einen Grad niedriger aus, als ihr es normalerweise für richtig halten würdet. Ich weiß nicht warum, aber Vollkugeln steigen immer etwas auf, wenn sie aus dem Rohr austreten. Es ist nur eine winzige Abweichung, aber wenn sie ausgeglichen wird, trifft man mit aufgewärmten Kanonen ganz genau ins Ziel.»

Die Sonne stand schon strahlend hinter dem Nebel, als die Batterie endlich das Feuer eröffnete. Die beiden großen Achtzehnpfünder sollten die Schiffe zerstören, und Carnes ließ damit auf die *Nautilus* schießen, während die Zwölfpfünder Barrengeschosse auf ihre Takelung abfeuerten und die Haubitzen Granaten über die *Nautilus* hinweghoben, um die Decks der *North* und der *Albany* zu verwüsten.

Die Kanonen hatten auf dem felsigen Grund enormen Rückstoß. Sie mussten nach jedem Schuss neu ausgerichtet werden, und jede Entladung erfüllte den freigelegten Raum zwischen den Bäumen mit dickem Pulverrauch, der in der windstillen Luft stehen blieb. Der Rauch verdichtete den Nebel so sehr, dass es unmöglich wurde zu zielen, bis sich der Ausblick wieder geklärt hatte, und dies führte notwendigerweise zu einer Verlangsamung der Schussrate, doch Carnes hörte das befriedigende Geräusch, mit dem die Kugeln in die Schiffsplanken einschlugen. Die Briten konnten das Feuer nicht erwidern. Die *Nautilus* besaß keine Buggeschütze, und ihre Breitseite mit den neun Kanonen war nach Westen zur Hafeneinfahrt gerichtet. Captain Tom Farnham, der die *Nautilus* befehligte, hätte sein Schiff herumschwenken lassen können, um die Breitseite auf Cross Island zu richten, doch dann hätte Mowat ein Drittel der Kanonen verloren, die den Hafenkanal deckten, und so musste die Schaluppe an Ort und Stelle bleiben.

Der Commodore, zufrieden, dass die Batterie endlich den Kampf aufgenommen hatte, schickte einen Befehl, um Carnes und seine paar Marinesoldaten auf ihre Schiffe zurückzubeordern. Bevor er ging, richtete Carnes ein kleines Fernrohr auf die *Nautilus* und sah, dass Löcher in ihren Bug gerissen worden waren. «Sie nehmen die Nautilus weiter unter schweren Beschuss, Marett!», befahl er dem Lieutenant. «Denken Sie dran: Wenn Sie von dieser Entfernung aus niedrig zielen, haben Sie den Bastard bis zum Mittag versenkt. Guten Tag, Sir!» Der Gruß war an Brigadegeneral Lovell gerichtet, der gekommen war, um die neue Batterie im Einsatz zu sehen.

«Guten Morgen! Guten Morgen!» Lovell strahlte die Kanoniere an. «Meiner Treu, Sie machen diesem Schiff echte Schwierigkeiten, Männer!» Er lieh sich von Carnes das Fernrohr aus. «Wahrhaftig, Sie haben dieser hässlichen Galionsfigur einen Arm abgeschossen! Gut gemacht! Weiter so, und bald ist die *Nautilus* Geschichte.»

Als Colonel Revere um elf Uhr mit Achtzehnpfünder-Munition von der Samuel eintraf, war die *Nautilus* noch nicht versenkt. Revere kam mit seiner eleganten weißen Barkasse von der Castle-Island-Garnison, die er für die Expedition requiriert hatte. Er befahl einigen Matrosen von der *Providence*, die Kanonenkugeln zur Batterie zu bringen, und stieg den Hügel hinauf, wo er General Lovell bei den Geschützen antraf. Der Nebel hatte sich gelichtet, und der General spähte durch ein Fernrohr, das er auf der Schulter eines Kanoniers abstützte. «Colonel!», grüßte er Revere gut gelaunt. «Wie ich sehe, setzen wir sie schwer unter Druck!»

«Was zum Teufel meinst du? Die falsche Munition?» Revere hatte Lovell ignoriert, um mit Marett zu streiten, der auf die Zwölfpfünder-Kugeln deutete und stockend auszuführen begann, mit welchen Schwierigkeiten er es zu tun gehabt hatte, doch Revere wischte seine Erklärungen beiseite. «Wenn ihr die falsche Munition mitgebracht habt», sagte er, «dann ist das euer Fehler.» Er sah zu, wie die Kanoniere eine der großen Achtzehnpfünder-Kugeln bei der Kanone ablegten. Dann bückte sich der Geschützführer, um an dem Rohr entlangzuspähen, und nahm anschließend einen langstieligen Spalthammer, um einen Keil unter das Bodenfeld der Kanone zu treiben. Der Keil hob das hintere Ende der Kanone leicht an, sodass die Mündung etwas abgesenkt wurde, und der Geschützführer, zufrieden mit dem Schusswinkel, nickte seiner Mannschaft zu, damit sie die Kanone lud.

«Sie werden schwer in Mitleidenschaft gezogen, Colonel», sagte Lovell fröhlich. «Ich kann ernsthafte Beschädigungen am Rumpf feststellen.»

«Was tut ihr da?» Erneut ignorierte Revere die Worte des Generals und drehte sich stattdessen zu Marett um. Der Colonel hatte ebenfalls an dem Kanonenrohr entlanggespäht und war nicht zufrieden mit dem, was er sah. «Schießt ihr aufs Wasser, Captain? Was bringt es, auf das Wasser zu zielen?»

«Captain Carnes ...», setzte Marett an.

«Captain Carnes? Ist er ein Offizier dieses Regiments? Sergeant! Ich will, dass das Rohr angehoben wird. Lösen Sie den hinteren Keil um zwei Grad. Guten Tag, General», begrüßte er endlich Lovell.

«Ich bin gekommen, um den Kanonieren zu gratulieren», sagte Lovell.

«Wir tun nur unsere Pflicht, General», sagte Revere knapp und kontrollierte nochmals den Schusswinkel der Kanone, nachdem der Sergeant den Keil gelockert hatte. «Viel besser!»

«Kann ich davon ausgehen, dass Sie heute Nachmittag zum Kriegsrat kommen?», sagte Lovell.

«Ich werde da sein, General. Worauf wartet ihr?» Der letzte Satz galt den Kanonieren. «Schickt den Bastarden ein paar Eisenpillen!»

Der Sergeant hatte das Schwarzpulversäckchen mit einem Nagel angestochen und führte nun eine Lunte ein. «Zurück!», rief er, und dann, als er sich versichert hatte, dass niemand hinter der Kanone stand, zündete er die Ladung. Es gab ein Zischen, Rauch stieg aus dem Zündloch auf, dann brüllte die Kanone, und Rauchwolken stiegen über dem Gefechtsstand auf. Die Kanone ruckte zurück, und die Räder der Lafette holperten auf dem steinigen Grund.

Die Kugel flog auf das Deck der *Nautilus* zu, verfehlte knapp ihre Masten, auch wenn sie nahe genug daran vorbeifegte, um ein Gestell mit Enterpiken zu zerschmettern, und schlug, ohne weiteren Schaden zu verursachen, auf dem Strand der Halbinsel ein. Ein Matrose auf der Schaluppe brach zusammen und griff sich an den Hals, und Captain Farnham sah Blut, wo der Splitter einer zerschmetterten Enterpike in die Kehle des Mannes gefahren war. «Bringt ihn unter Deck», befahl er.

Der Arztgehilfe versuchte den Splitter herauszuziehen,

doch der Mann verkrampfte sich, bevor es ihm gelang. Blut lief über das düstere Unterdeck, der Mann starrte mit weit aufgerissenen Augen ins Leere, dann drang ein keuchendes, gurgelndes Geräusch aus seiner Kehle, und noch mehr Blut quoll aus seinem Hals und seinem Mund. Wieder verkrampfte er sich, und dann rührte er sich nicht mehr. Er war tot. Der erste Mann, der an Bord der Schaluppe umgekommen war. Der Arzt selbst war ebenfalls verwundet, ein scharfkantiges Holzstück, das von einer früher eingeschlagenen Kanonenkugel aus dem Schiffskörper gerissen worden war, hatte ihm den Oberschenkel aufgeschlitzt. Sechs Männer lagen im Schiffslazarett, alle mit ähnlichen Verletzungen durch Holzsplitter. Der Arzt und sein Gehilfe zogen Holzfragmente aus den Wunden und legten Verbände an, ständig in Erwartung des nächsten Knalls, mit dem eine Kanonenkugel ins Schiff einschlagen würde. Der Schiffszimmermann besserte mit Plankenstücken und Werg die Löcher im Bug aus, und die ganze Zeit über ratterten die Schiffspumpen, mit denen die Männer verhindern wollten, dass das Wasser im Laderaum anstieg.

«Ich glaube», sagte Captain Farnham, nachdem eine weitere Achtzehnpfünder-Kugel mit einem kreischenden Laut über das Deck hinweggeflogen war, «sie haben das Kanonenrohr höher ausgerichtet. Jetzt versuchen sie, unsere Masten zu treffen.»

«Immer noch besser als den Rumpf, Sir», bemerkte der First Lieutenant.

«Allerdings», sagte Farnham sichtlich erleichtert, «allerdings.» Er richtete sein Fernrohr auf die Hafenzufahrt und sah zu seiner noch größeren Erleichterung, dass die Kriegsschiffe der Aufständischen keinen Angriff zu planen schienen.

«Signal von der *Albany*, Sir!», rief ein Fähnrich. «Vorbereiten zum Manövrieren, Sir!»

«Das ist wohl kaum eine Überraschung, was?», sagte Farnham.

Colonel Reveres Batterie auf Cross Island hatte den Tageseinsatz recht ungeordnet begonnen, nun aber eines ihrer Ziele erreicht. Die drei britischen Schaluppen, die den Hafeneingang blockierten, gaben ihre Stellung auf.

Und das Tor nach Majabigwaduce war offen.

General McLean stand auf dem Dyce's Head und blickte zu der gegnerischen Batterie auf Cross Island hinüber. Er konnte nichts von den Kanonen der Aufständischen erkennen, weil der Pulverrauch die Lichtung einhüllte, die von den Aufständischen auf dem Gipfel des Hügels angelegt worden war, doch er sah den Schaden, den sie anrichteten. Er wusste, wie schwer der Verlust der Batterie auf Cross Island wog, doch er hätte niemals genügend Männer abstellen können, um die Insel ordentlich zu verteidigen. Es war unausweichlich gewesen, dass sie diese Stellung verloren. «Die elenden Yankees haben ihre Sache gut gemacht», sagte er widerwillig.

«Sie schießen in recht großen Abständen», bemerkte Captain Michael Fielding.

Doch auch wenn die Kanoniere der Aufständischen langsamer waren als Fieldings Männer von der königlichen Artillerie, so war es ihnen doch gelungen, die Hafenblockade aufzulösen. Captain Mowat hatte einen jungen Lieutenant an Land geschickt, der zu McLean auf das hohe Steilufer kam. «Der Captain bedauert, Sir, dass er die Schaluppen weiter von der gegnerischen Geschützstellung wegbringen muss.»

«Ja, das muss er», stimmte McLean zu. «Das muss er unbedingt.»

«Er schlägt vor, eine neue Sperre in der Hafenmitte anzulegen.»

«Richten Sie Captain Mowat meine besten Wünsche aus», sagte McLean, «und danken Sie ihm an meiner Stelle für den Bericht.» Die drei Schaluppen und die begleitenden Transportschiffe bewegten sich schon langsam ostwärts. Captain Mowat hatte die neue Sperrlinie mit Bojen aus alten Fässern markiert, und McLean erkannte, dass die neue Position nicht annähernd so günstig war wie die alte. Die Sperrlinie der Schiffe lag nun ein gutes Stück östlich der Hafeneinfahrt. Die Schiffe bildeten nicht länger den Korken in einem Flaschenhals, sondern waren halbwegs in der Flasche, und ihr Rückzug würde sicher einen Angriff der gegnerischen Flotte zur Folge haben. Das war höchst bedauerlich, dachte McLean, aber er verstand, dass Mowat keine andere Wahl hatte, nachdem die Aufständischen Cross Island besetzt hatten.

Der Brigadier war auf das Steilufer gekommen, um festzustellen, ob Fieldings Zwölfpfünder zum Beschuss der niedriger liegenden Batterie auf Cross Island eingesetzt werden konnten. Die kleinen Sechspfünder auf dem Steilufer feuerten schon auf die Stellung der Aufständischen, aber es waren kümmerliche Kanonen, und davon abgesehen lag die neue gegnerische Batterie im Zentrum der Insel und feuerte durch einen freigelegten Schusskorridor, der nordwärts ausgerichtet war. Von Dyce's Head aus konnte man die gegnerischen Kanonen nicht sehen, und Seekadett Fenistone schoss mit seinen drei Kanonen in der höchst optimistischen Hoffnung kleine Kugeln in Richtung des Waldes auf Cross Island, dass er hinter Rauch und Laubwerk schon irgendetwas treffen werde. «Ich weiß nicht, ob wir viel mehr ausrichten können, wenn wir Zwölfpfünder einsetzen, Sir», sagte Fielding, «außer dass wir damit die Bäume noch mehr ramponieren.»

McLean nickte und ging ein paar Schritte westwärts, um zu dem gegnerischen Schiffsverband hinüberzuschauen. Es wunderte ihn, dass die Amerikaner keinen Angriffsversuch unternommen hatten. Er hatte erwartet, dass die Kriegsschiffe der Aufständischen vom Hafeneingang aus den Beschuss ihrer neuen Batterie unterstützten und dass ihre Infanterie auf dem Weg zum Angriff war. Stattdessen aber lag die Flotte friedlich unter der Sonne. Er sah Wäsche, die zum Trocknen auf Leinen gehängt worden war, die man zwischen den Masten der Transportschiffe gespannt hatte. «Meine Sorge, wenn wir hier Zwölfer in Stellung bringen», sagte er zu Fielding, «ist, dass wir keine Zeit haben werden, sie bei einem Gegenangriff wieder abzuziehen.»

«Ohne Pferdegespanne», stimmte Fielding zu, «würde uns das sicher nicht gelingen.»

«Ich vermisse meine Pferde», sagte McLean leise. Er nahm seinen Dreispitz ab und starrte betrübt auf das lederne Innenband, das sich langsam ablöste. Ein plötzlicher Windstoß blies sein weißes Haar empor. «Nun», sagte er, «ich wage zu behaupten, dass wir den Verlust von drei Sechspfündern verschmerzen können, aber ich möchte nicht, dass wir auch nur eine einzige Zwölfer verlieren.» McLean drehte sich um, blickte zu den Rauchwolken auf Cross Island hinüber und setzte dann seinen Hut wieder auf. «Lassen wir die Zwölfer im Fort», entschied er. «Danke, Captain Fielding.» Im Wald wurden laute Schritte hörbar. Lieutenant Caffrae, ein Hamilton, rannte auf den General zu. «Noch mehr schlechte Neuigkeiten, schätze ich», sagte McLean.

Caffrae, ein schlanker, lebhafter junger Mann, blieb keuchend vor McLean stehen. «Die Aufständischen haben Einheiten nördlich der Landenge abgesetzt, Sir.»

«Also haben sie es wahrhaftig getan! Rücken sie vor?»

Caffrae schüttelte den Kopf. «Wir haben ungefähr sechzig Mann in Booten gesehen, Sir. An Land gegangen sind sie außerhalb unserer Sicht, Sir, aber sie befinden sich im Wald hinter dem Sumpfstreifen.»

«Nur sechzig Mann?»

«Mehr haben wir nicht gesehen, Sir.»

«Ist Major Dunlop benachrichtigt?»

«Er hat mich mit der Meldung zu Ihnen geschickt, Sir.»

«Der Teufel und seine Winkelzüge», sagte McLean. «Sollen wir dazu gebracht werden, unsere Aufmerksamkeit nach Norden zu richten, während sie in Wirklichkeit hier angreifen wollen? Oder ist es die Vorhut eines größeren Angriffs?» Er lächelte den atemlosen Caffrae an, den er für einen seiner fähigsten jungen Offiziere hielt. «Wir müssen es abwarten, aber die Offensive kommt sicher bald. Nun, ich kehre jetzt ins Fort zurück, und Sie, Caffrae, werden Major Dunlop melden, dass ich seinen Posten an der Landenge verstärke.»

An Bord der Schaluppen warfen die Matrosen Anker, als die Schiffe die neue Position erreicht hatten. Die Kanonen auf Cross Island schossen weiter auf die *Nautilus*, auf der Männer bluteten und starben. Nördlich der Landenge begannen die Aufständischen einen Erdwall anzulegen, von dem aus mit Kanonen der Fluchtweg der Rotröcke aus Majabigwaduce kontrolliert werden sollte. Es war Dienstag, der 27. Juli, und der Ring um Fort George schloss sich immer enger.

«Ich glaube sagen zu dürfen», wandte sich Lovell an den Kriegsrat, der sich in der Kajüte des Commodore an Bord der *Warren* versammelt hatte, «dass wir treffliche Dinge erreicht haben! Große Dinge!» Der General wirkte mehr denn je wie ein freundlicher Onkel, wie er die Männer anlächelte, die um den Tisch saßen und an den Seiten der Kajüte standen. «Und nun müssen wir auch unsere anderen Ziele erreichen. Wir müssen den Tyrannen gefangen nehmen, töten und vernichten!»

Eine Weile sonnte sich der Rat in erfreulichen Betrachtungen zur Einnahme Cross Islands, ein Sieg, der ganz gewiss der Auftakt zu einem größeren Triumph auf der Nordseite des Hafens war. Die Marineinfanterie in Gestalt Captain Welchs wurde mit Artigkeiten und Lob überhäuft. Welch sagte dazu kein Wort, sondern stand einfach nur mit grimmiger Miene hinter Saltonstalls Stuhl. Der Commodore schwieg ebenfalls und wirkte leicht gelangweilt. Ein- oder zweimal geruhte er den Kopf zu neigen, als Lovell eine Frage an ihn richtete, doch die meiste Zeit schien er sich nicht für die Besprechung zu interessieren. Auch wirkte er keineswegs durch die Petition in Verlegenheit gebracht, die ihm zweiunddreißig Offiziere von den Kriegsschiffen der Aufständischen geschickt hatten, um respektvoll darum zu bitten, dass der Commodore die drei britischen Schaluppen ohne weitere Verzögerung besetzen oder zerstören solle. Der Brief war aufs höflichste formuliert, doch keine Verbindlichkeit konnte darüber hinwegtäuschen, dass die Petition eine harsche Kritik an Saltonstalls Führerschaft darstellte. Nahezu alle Männer, die den Brief unterschrieben hatten, waren in der Kajüte, doch Saltonstall übersah sie geflissentlich.

«Ich nehme an, Gentlemen, wir stimmen darin überein, dass wir bald angreifen müssen, nicht wahr?», fragte Lovell.

Zustimmendes Gemurmel erklang. «Heute Nacht, am besten gleich heute Nacht», sagte George Little, First Lieutenant auf der *Hazard*, nachdrücklich.

«Wenn wir zu lange warten», bemerkte Colonel Jonathan Mitchell, Befehlshaber der Miliz von Cumberland County, «haben sie ihr verdammtes Fort fertig gebaut. Je früher wir angreifen, desto schneller fahren wir wieder nach Hause.»

«Wenn wir zu lange warten», warnte George Little, «sehen wir noch britische Verstärkung den Fluss heraufkommen.» Er deutete aus dem breiten Heckfenster der Kajüte. Die Ebbe hatte die *Warren* an ihrem Ankertau herumschwingen lassen, sodass die Fenster jetzt nach Südwesten gerichtet waren. Gerade ging die Sonne unter und malte auf die Gewässer der Bucht von Penobscot schwankende Muster aus schimmerndem Rot und Gold.

«So etwas sollten wir nicht im Voraus in Erwägung ziehen», sagte Lovell.

Wadsworth dagegen dachte, man sollte so etwas ganz gewiss im Voraus in Erwägung ziehen, vor allem, wenn es zu noch mehr Eile bei der Erfüllung ihrer Aufgabe führte. «Ich würde vorschlagen, Sir», sagte er herzlich, «dass wir heute Nacht angreifen.»

«Heute Nacht!», Lovell starrte seinen Stellvertreter an.

«Wir haben Vollmond», sagte Wadsworth. «Und mit etwas Glück ist der Gegner unaufmerksam. Ja, Sir, heute Nacht.»

Erneut erklang beifälliges Gemurmel in der Kabine.

«Und wie viele Männer könnten Sie bei einem solchen Angriff einsetzen?», wurde mit durchdringender Stimme gefragt, und Wadsworth sah, dass es Lieutenant Colonel Paul Revere gewesen war, der die Frage gestellt hatte.

Wadsworth fand diese Einlassung impertinent. Es war nicht Reveres Angelegenheit, mit wie vielen Infanteristen gelandet werden konnte. Solomon Lovell jedoch schien die barsche Nachfrage nicht zu stören. «Wir können mit achthundert Mann landen», sagte der General, und Revere nickte, als sei er damit zufrieden.

«Und wie viele Männer kann der Artilleriezug zur Verfügung stellen?», erkundigte sich Wadsworth.

Revere runzelte die Stirn, als fühlte er sich von dieser Frage beleidigt. «Achtzig Mann, exklusive der Offiziere», sagte er gereizt.

«Und kann ich davon ausgehen», Wadsworth war selbst von der Herausforderung überrascht, die in seiner Stimme lag, «dass die Munition dieses Mal zu den Kanonen passen wird?»

250

Revere sah aus, als sei er geohrfeigt worden. Er starrte Wadsworth an, sein Mund öffnete und schloss sich, dann straffte er sich, um eine bissige Antwort zu geben, doch Colonel Mitchell kam ihm zuvor. «Wichtiger ist doch die Frage», sagte er, «wie viel Mann kann der Gegner aufstellen?»

William Todd, der sich bei Reveres Frage ebenfalls hatte beherrschen müssen, wollte seine übliche hohe Schätzung abgeben, doch Peleg Wadsworth nahm ihm mit einer Geste das Wort. «Ich habe lange und ausführlich mit dem jungen Fletcher gesprochen», sagte Wadsworth, «und seine Informationen beruhen nicht auf Schätzungen, sondern stammen direkt vom gegnerischen Zahlmeister.» Er hielt inne und ließ seinen Blick über die versammelte Runde schweifen. «Ich bin überzeugt davon, dass die gegnerischen Regimenter nicht mehr als siebenhundert Infanteristen aufstellen können.»

Irgendwer pfiff überrascht. Andere zogen zweifelnde Gesichter. «Und auf diese Zahl vertrauen Sie?», fragte Major Todd skeptisch.

«Vollkommen», sagte Wadsworth entschlossen.

«Sie haben aber auch noch Artillerie», gab Lovell zu bedenken.

«Und sie haben die Soldaten von der königlichen Marine», sagte ein Captain, der in einer Ecke der Kajüte stand.

«Unsere Marinesoldaten sind besser», warf Captain Welch ein.

Commodore Saltonstall erwachte aus seiner Teilnahmslosigkeit und ließ seinen Blick desinteressiert über den Tisch schweifen, als überrasche es ihn, sich in solcher Gesellschaft wiederzufinden. «Wir werden der Miliz zweihundertsiebenundzwanzig Mann zur Verfügung stellen», sagte er.

«Das ist vortrefflich!», sagte Lovell, der sich bemühte, etwas mehr Begeisterung in den Kriegsrat zu bringen. «Wirklich vortrefflich!» Er lehnte sich auf seinem Stuhl zurück, pflanzte mit ausgebreiteten Armen seine Fäuste auf den Tisch und strahlte die Versammlung an. «Also, Gentlemen, wir haben einen Antrag. Es wird beantragt, dass wir heute Nacht mit sämtlichen Landstreitkräften angreifen. Erlauben Sie mir, dem Rat diesen Antrag zur Abstimmung vorzulegen, und darf ich ebenfalls vorschlagen, dass wir durch Zuruf zum Beschluss kommen? Also, Gentlemen, die Abstimmungsfrage lautet: Glauben Sie, dass wir genügend Kräfte besitzen, um den Gegner anzugreifen?»

Niemand reagierte. Dazu waren alle viel zu erstaunt. Sogar Saltonstall, der sich kein bisschen für die Diskussion in seiner Kajüte interessiert zu haben schien, sah Lovell mit großen Augen an. Einen Augenblick war Wadsworth versucht zu denken, der General erlaube sich einen plumpen Scherz, doch aus Lovells Miene sprach vollkommener Ernst. Er erwartete tatsächlich, dass jeder anwesende Offizier über den Antrag abstimmte, als sei dies eine Abgeordnetenversammlung. Die Stille dehnte sich aus, nur unterbrochen von den Schritten der Wache an Deck.

«Dafür, ja», brachte Wadsworth heraus, und seine Worte beendeten das überraschte Schweigen. Ein Chor von Stimmen bejahte den Antrag.

«Und ist jemand dagegen?», fragte Lovell. «Niemand? Gut! Dann sind alle dafür.» Er sah seinen Sekretär John Marston an. «Nehmen Sie zu Protokoll, dass die Abstimmungsfrage, ob wir genügend Kräfte für einen Angriff haben, einstimmig bejaht wurde.» Er lächelte die versammelten Offiziere an und sah dann Saltonstall fragend an. «Commodore? Werden Sie unseren Angriff mit einem Flotteneinsatz unterstützen?»

Saltonstall blickte Lovell mit ausdrucksloser Miene an, die dennoch zugleich nahezulegen schien, dass der Commodore den General für einen einfältigen Narren hielt. «Einerseits», brach Saltonstall endlich sein peinliches Schweigen, «wollen Sie, dass meine Marineinfanterie an Ihrem Angriff teilnimmt, und andererseits wollen Sie, dass ich den feindlichen Schiffsverband ohne meine Marineinfanterie angreifen soll?»

«Nun, ich …», begann Lovell betreten.

«Nun?», unterbrach ihn Saltonstall schroff. «Wollen Sie die Marineeinheiten oder nicht?»

«Ich würde ihre Unterstützung sehr begrüßen», sagte Lovell schwach.

«Dann werden wir den Gegner mit Kanonen angreifen», verkündete Saltonstall herablassend. Aus den Reihen der Offiziere, die den Brief an den Commodore unterschrieben hatten, kam Protestgemurmel, das unter Saltonstalls verächtlichem Blick jedoch schnell wieder erstarb.

Nun blieb nur noch zu entscheiden, wo und wann der Angriff geführt werden sollte, und niemand wandte etwas gegen Wadsworths Vorschlag ein, nochmals einen Vorstoß auf das Steilufer zu unternehmen. «Wir werden um Mitternacht angreifen», sagte Wadsworth, «und direkt auf das Steilufer zuhalten.» Zu Wadsworths Erbitterung beharrte Lovell darauf, dem Kriegsrat sowohl den Zeitpunkt als auch den Ort des Angriffs zur Abstimmung vorzulegen. Es stimmte jedoch niemand dagegen, auch wenn Colonel Mitchell zurückhaltend anmerkte, dass bis Mitternacht nicht mehr viel Zeit für die notwendigen Vorbereitungen blieb.

«Was du heute kannst besorgen, das verschiebe nicht auf morgen», sagte Wadsworth.

«Erwarten Sie von mir, dass ich ihr Geschwader bei Nacht angreife?», eröffnete Saltonstall erneut die Debatte. «Wollen Sie, dass meine Schiffe im Dunkeln auf Grund laufen?»

«Können Sie vielleicht in der Morgendämmerung angreifen?», schlug Lovell vor und erntete ein knappes Nicken.

Dann löste sich der Rat auf, und die Männer kehrten auf ihre Schiffe zurück, während der helle Mond immer höher stieg. Die Aufständischen hatten einstimmig beschlossen, anzugreifen, den Gegner in den Kampf zu verwickeln und, mit Gottes Hilfe, einen großen Sieg zu erringen.

Der Morgennebel breitete sich sehr langsam aus an diesem Mittwoch, dem 28. Juli 1779. Zuerst war er nur ein Hauch, der sich unmerklich verdichtete und den Mond am bewölkten Himmel hinter einem schimmernden Ring verschwinden ließ. Der Gezeitenwechsel kräuselte das Wasser um die Schiffe herum. Mitternacht war gekommen und gegangen, und immer noch hatte es keinen Angriff gegeben. Die *Hunter* und die *Sky Rocket*, die beiden Freibeuter, die Befehl erhalten hatten, während der Landung der Aufständischen am Strand die obere Kante des Steilufers zu beschießen, mussten flussauf gerudert werden, bevor sie nahe am Strand festmachen konnten, und beide Schiffe waren spät eingetroffen. Einige Transporter hatten zu viele Barkassen und Beiboote, andere zu wenige, und ein besserer Verteilungsplan musste gemacht werden. Die Zeit verging, und Peleg Wadsworth ärgerte sich. Dies war der Angriff, der zum Sieg führen musste, der Angriff, mit dem sie das Steilufer besetzen und das Fort stürmen würden. Dafür war die Flotte zur Bucht von Penobscot gesegelt, doch ein Uhr kam und ging, dann zwei Uhr, dann drei Uhr, und immer noch waren die Truppen nicht bereit. Ein Captain der Miliz schlug vor, den Angriff aufzugeben, weil der aufsteigende Nebel das Schießpulver auf den Zündpfannen der Musketen unbrauchbar machen würde. Diesen Gedanken wies Wadsworth mit einer Wut zurück, die ihn selbst erstaunte. «Wenn Sie die Bastarde nicht erschießen können, Captain, dann schlagen Sie ihnen mit den Musketenkolben den Schädel ein.» Der Captain sah ihn gekränkt an. «Dafür sind wir doch herge-

kommen, oder?», fragte Wadsworth. «Um den Feind zu töten.»

James Fletcher, der neben Wadsworth stand, musste grinsen. Sein einziges Uniformstück war das weiße Kreuzban-
delier, an dem eine Patronentasche hing, doch die meisten
Angehörigen der Miliz waren nicht besser uniformiert. Nur
die Marinesoldaten und einige Offiziere der Miliz trugen er-
kennbare Uniformen. James schlug das Herz bis zum Hals.
Er war unruhig. Seine Aufgabe war es, den Angreifern die
Pfade zu zeigen, die das Steilufer hinaufführten, doch im
Moment war dieses Steilufer nichts weiter als eine nebelver-
hangene Klippe. Oben war kein einziges Licht zu sehen. Ver-
täute Beiboote schlugen dumpf an die Transportschiffe. Sie
sollten die Soldaten ans Ufer bringen. Auf dem Deck wetz-
ten die Männer ihre Messer und Bajonette und überprüften
wieder und wieder, ob die Flintsteine in ihren Musketenver-
schlüssen fest im Hahn saßen. Wadsworth und Fletcher waren an Bord der Schaluppe *Centurion*, von der sie zusammen
mit Welchs Marinesoldaten aufbrechen würden. Diese Marinesoldaten in ihren dunkelgrünen Uniformjacken warteten geduldig mittschiffs. Unter ihnen war ein Junge, an den
sich Wadsworth von Townsend erinnerte. Der Junge grinste
den General an, der sich verzweifelt an dessen Namen zu erinnern versuchte. «Israel, nicht wahr?», sagte Wadsworth,
als ihm der Name mit einem Mal wieder einfiel.

«Jetzt Pfeifer der Marine. Trask, Sir», sagte der Junge mit
seiner hellen Kinderstimme.

«Du bist in die Marine eingetreten!», sagte Wadsworth
und lächelte. Der Bursche war mit einer Uniform ausgestattet worden. Den dunkelgrünen Uniformrock hatten sie abgeschnitten, damit er dem kleinen Israel passte, und an seiner
Hüfte hing ein Schwertbajonett. Ihm fehlte der unverwech-
selbare Lederkragen der Marine, stattdessen hatte er sich ein
schwarzes Tuch eng um seinen mageren Hals gewickelt.

«Wir haben den kleinen Bastard entführt, General», kam die Stimme eines Marinesoldaten aus der Dunkelheit.

«Dann passt auch auf ihn auf», sagte Wadsworth. «Und spiele gut, Israel Trask.»

Mit einem dumpfen Laut schlug ein Ruderboot an der Seite der *Centurion* an, und ein gehetzt aussehender Lieutenant der Miliz kletterte mit einer Nachricht von Colonel McCobb an Bord. «Es tut mir leid, Sir, aber es wird noch eine Weile dauern, der Colonel lässt ausrichten, dass es ihm sehr leidtut, Sir.»

«Gottverflucht!», rief Wadsworth unwillkürlich aus.

«Es sind immer noch nicht genügend Boote da, Sir», erklärte der Lieutenant.

«Dann soll er benutzen, was er an Booten hat», sagte Wadsworth, «und sie zurückschicken, um die übrigen Männer zu holen. Und ich möchte eine Meldung haben, wenn die Einheit bereit ist!»

«Ja, Sir», sagte der Lieutenant kleinlaut und stieg wieder in sein Boot.

«Das sind also die sogenannten Freiwilligen?», fragte Captain Welch, der die Szene mitverfolgt hatte, leicht belustigt.

Wadsworth war überrascht, dass der mürrische Captain überhaupt den Mund aufgemacht hatte. Welch war ein so verdrießlicher Patron, so grimmig, dass seine gewohnte Schweigsamkeit geradezu angenehm war, doch nun hatte er recht freundlich geklungen. «Haben Ihre Männer zu essen?», fragte Wadsworth. Es war eine überflüssige Frage, aber der hochgewachsene Marinesoldat machte ihn fahrig.

«Sie habe ihren Happen», sagte Welch und klang weiterhin belustigt. General Lovell hatte Order gegeben, dass jeder Mann «einen Happen mit an Land nehmen sollte, um seinen Hunger stillen zu können», und Wadsworth hatte die Order pflichtgemäß weitergegeben, auch wenn er vermutete, dass Hunger das geringste Problem war, das die Männer beim Angriff haben würden. «Waren Sie je in England, General?», fragte Welch unvermittelt.

«Nein, noch nie.»

«Zum Teil ist es ganz schön dort.»

«Haben Sie England besucht?»

Welch nickte. «Aber geplant hatte ich diesen Besuch nicht. Unser Schiff wurde gekapert, und ich wurde als Gefangener dorthin gebracht.»

«Sind Sie ausgetauscht worden?»

Welch grinste. Seine Zähne wirkten sehr weiß in der Dunkelheit. «Zum Teufel, nein. Ich bin aus dem Gefängnis spaziert und den ganzen verdammten Weg nach Bristol zu Fuß gegangen. Dort habe ich als Matrose auf einem Handelsfahrer mit Ziel New York angeheuert. Bin wieder nach Hause gekommen.»

«Und in England hat Sie niemand als entlaufenen Sträfling erkannt?»

«Keine Menschenseele. Ich habe gebettelt und Lebensmittel gestohlen. Einmal habe ich eine Witwe getroffen, die mich versorgt hat.» Er lächelte bei der Erinnerung. «Bin froh, dass ich das Land gesehen habe, aber ich will nicht nochmal hin.»

«Ich würde sehr gern eines Tages Oxford kennenlernen», sagte Wadsworth sehnsüchtig, «und vielleicht London.»

«Wir bauen uns hier unser eigenes Oxford und London», sagte Welch.

Wadsworth fragte sich, ob der normalerweise so kurz angebundene Welch aus Nervosität so gesprächig war, und dann, mit einem Zusammenzucken, wurde ihm klar, dass Welch gesprächig war, weil er Wadsworths eigene Unruhe erkannt hatte. Der General starrte auf das dunkle Steilufer, über dem im dichter werdenden Nebel ein trüber Lichtschimmer am östlichen Himmel stand, der kaum mehr war als ein Hauch Grau in der Schwärze. «Es wird Tag», sagte Wadsworth.

Und dann gab es mit einem Mal keine weiteren Verzögerungen mehr. Colonel McCobb und die Miliz des Countys Lincoln waren bereit, und so kletterten die Männer in die Boote hinunter, und Wadsworth nahm seinen Platz im Heck eines Beibootes ein. Die Gesichter der Marinesoldaten sahen in dem fahlen Licht bleich aus, doch auf Wadsworth wirkten sie beruhigend entschlossen, beherzt und furchteinflößend. Ihre Bajonette waren aufgesteckt. Die Seeleute auf der *Centurion* verabschiedeten die Beiboote mit leisen Hochrufen, als sie von dem Transportschiff ablegten.

Etwas lauterer Jubel war von der *Sky Rocket* zu hören, und dann hörte Wadsworth deutlich, wie Kapitän William Burke seinen Männern zurief: «Für Gott und für Amerika! Feuer!»

Licht blitzte in der Dämmerung auf, als auf der *Sky Rocket* die acht Kanonen der Breitseite abgefeuert wurden. Flammen schlugen aus den Rohren, Rauch zog übers Wasser, und die ersten Geschosse schlugen an Land ein.

Die Aufständischen kamen.

Auszug eines Briefes der Ratsregierung von Massachusetts an Brigadegeneral Solomon Lovell, 23. Juli 1779:

Hiermit Bekundet der Rat ... dass Sie Ihre Operationen mit dem größtmöglichen Nachdruck vorantreiben und das Ziel der Expedition anstreben und erreichen bevor irgendeine verstärkung zum Gegner in Penobscot stoßen kann. Es wird hier im übrigen berichtet und von vielen geglaubt, dass ein Vierzig-Kanonen-Schiff und die Delaware Fregatte von Sandy Hook am sechzehnten d. l. M. Richtung Osten ausgelaufen sind; ihr bestimmungsort ist unbekannt.

Auszug eines Befehls, ausgegeben von der Ratsregierung des Staates Massachusetts Bay, 27. Juli 1779:

Befohlen dass der Kriegsausschuss hiermit angewiesen sei die zwei Indianer des Penobscott Stamms, derzeit in der Stadt Boston mit Zwei Hüten einer davon mit einem Band zwei Decken und zwei Hemden auszustatten.

Auszug aus den Tagesbefehlen des Brigadegenerals Solomon Lovell, Majabigwaduce, 27. Juli 1779:

Alle Offiziere und Soldaten der Armee werden unter Androhung höchst unangenehmer Folgen strikt ermahnt keinen Rum an die Indianer auszugeben oder zu verkaufen, es sei denn es wird ihnen unmittelbar befohlen ... Die Offiziere werden ausdrücklich angewiesen besondere Aufmerksamkeit darauf zu verwenden dass die männer ihre Munition nicht vergeuden und dass sie ihre Waffen ordentlich pflegen.

SIEBEN

Die ersten Geschosse gingen im Wald des Steilufers nieder. Äste zersplitterten, es regnete Kiefernnadeln und Blätter. Vögel kreischten und flatterten ziellos durch die Morgendämmerung. Die Aufständischen setzten Kettenkugeln und Barrengeschosse ein, die durch das Laubwerk wirbelten und Erdbrocken und Steine emporschleuderten, wenn sie auf den Boden trafen. «Lieber Herrgott im Himmel», sagte Captain Archibald Campbell. Er war der Highlander, der die Postenreihe oben auf dem Steilufer befehligte, und er starrte entsetzt auf die Beiboote, die dutzendweise aus dem Nebel auftauchten und auf seine Stellung zuruderten. Inmitten der Boote schob sich ein Schoner auf den Strand zu, an dessen Deck sich die Männer nur so drängten. Zwei gegnerische Kriegsschiffe ankerten nahe am Ufer, und diese Schiffe, die in all dem Rauch und Nebel nur zwei dunkle Umrisse waren, beschossen nun das Steilufer. Die *Hunter* hatte neun Vierpfünder auf die Rotröcke gerichtet, während die *Sky Rocket* über acht kleinere Kanonen in der Breitseite verfügte, aber auch wenn diese Kanonen klein waren, so konnten ihre scharfkantigen Geschosse doch mit grauenvoller Brutalität treffen. Campbell war wie erstarrt. Er hatte achtzig Männer unter Befehl, die meisten davon auf dem oberen Hang des Steilufers verteilt, wo die steile Schräge in die sanftere Steigung überging. «Befehl zum Hinlegen geben, Sir?», schlug ein Sergeant vor.

«Ja», sagte Campbell, beinahe ohne wahrzunehmen, dass

er überhaupt gesprochen hatte. Die Schiffe feuerten nun unregelmäßiger, weil die schnelleren Geschützmannschaften auf der Breitseite die langsameren übertrumpften. Jeder Kanonenschuss dröhnte in den Ohren nach, und jeder beleuchtete das Steilufer mit einem kurzen Lichtblitz, der beinahe augenblicklich im Pulverrauch unterging. Campbell erschauerte. Ihm war schlecht, sein Mund war trocken, und sein rechtes Bein zitterte unbeherrschbar. Dort kamen Hunderte von Aufständischen! Das rauchüberzogene Wasser lag im dunklen Schatten der Steilklippe, aber er konnte in all dem Rauch den Schimmer tropfender Ruderblätter sehen und die Spiegelung des grauen Lichts in Bajonetten. Schauer aus Zweigen, Rindenstückchen, Blättern, Kiefernzapfen und Kiefernnadeln gingen über den Posten nieder, als die Geschosse zwischen den Bäumen des Steilufers hindurchrasten. Eine Kettenkugel zerschmetterte einen umgefallenen, verrotteten Stamm. Die Highlander in Campbells unmittelbarer Nähe bedachten ihren Offizier mit beunruhigten Blicken.

«Meldung an General McLean erstatten?», schlug der Sergeant ungerührt vor.

«Los», brach der Befehl aus Campbell heraus. «Ja, gehen Sie, los, los!»

Der Sergeant drehte sich um, und ein Barrengeschoss traf seinen Nacken. Es durchschlug seinen gepuderten Pferdeschwanz, trennte seinen Kopf vom Körper, und im fahlen Licht der Morgendämmerung wirkte das spritzende Blut unglaublich strahlend, wie Rubinperlen, denen das nebelgefilterte Sonnenlicht, das von Osten zwischen die Bäume schien, besonderen Glanz verlieh. Eine Blutfontäne schoss aufwärts, schien den Kopf emporsteigen zu lassen, der sich drehte, sodass der Sergeant einen vorwurfsvollen Blick auf Campbell zu werfen schien. Der schrie vor Entsetzen auf und konnte dann nicht anders, als sich vorzubeugen und sich zu übergeben. Der bluttriefende Kopf fiel auf die Erde und rollte ein kleines Stück den Hang hinunter. Dann jagte erneut eine Kettenkugel durch die Baumkronen und brach rauschend durchs Geäst. Vögel schrien. Ein Rotrock feuerte mit seiner Muskete in den Nebel und den Kanonenrauch hinunter. «Feuer einstellen!», rief Campbell mit viel zu schriller Stimme. «Feuer einstellen! Warten, bis sie am Strand sind!» Er spuckte aus. Er hatte Blut auf der Uniformjacke und Erbrochenes auf den Stiefeln. Der kopflose Körper des Sergeants zuckte noch einmal, dann lag er endlich still.

«Warum in Gottes Namen sollen wir das Feuer einstellen?», fragte sich Lieutenant John Moore, der auf dem linken Flügel der Schotten stand. Er führte zweiundzwanzig Hamiltons, die auf Dyce's Head stationiert waren, wo der Hang am steilsten war. Sein Posten lag direkt zwischen den ankommenden Booten und der kleinen britischen Batterie an der höchsten Stelle des Steilufers, und Moore war entschlossen, diese Batterie zu sichern. Er beobachtete, wie der Gegner immer näher kam, und er beobachtete auch sich selbst mit einem kritischen inneren Auge. Eine gegnerische Kettenkugel schlug keine fünf Schritt von ihm in einen Baum ein, und Rindensplitter prasselten auf Moore herunter, als schleudere der Teufel Hagelkörner. Moore wusste, dass er sich fürchten sollte, doch in Wahrheit hatte er keine Angst. Ihm war etwas bang, das schon, denn kein Mann wollte sterben oder verwundet werden, doch statt lähmender Angst spürte Moore ein Hochgefühl in sich aufsteigen. Sollen die Bastarde doch kommen, dachte er. Aber all diese Selbstbetrachtungen, so registrierte er mit einem Mal, hatten ihn derart in Anspruch genommen, dass ihn schweigende Versunkenheit ergriffen hatte, während seine Männer ihn ansahen, weil sie Zuspruch nötig hatten. Moore zwang sich, langsam an der Kante des Steilufers entlangzugehen, zog sein Schwert und richtete die schmale Klinge auf das dichte Unterholz. «Sehr zuvorkommend vom Gegner, für uns die Bäume zu stutzen», sagte er. «Verbessert die Sicht, nicht wahr?»

«Die Kerle wollen mehr stutzen als nur Bäume», murmelte Soldat Neill.

«Ich weiß nicht, ob Ihnen diese Sache da aufgefallen ist, Sir», sagte Sergeant McClure ruhig.

«Klären Sie mich auf, Sergeant.»

McClure zeigte auf die Boote, die nun deutlicher zu sehen waren, nachdem sie den dichtesten Rauch und Nebel hinter sich gelassen hatten. «Die Bastarde da drüben tragen Uniform, Sir. Ich schätze, sie lassen ihre besten Männer gegen uns anrücken. Aber die Hundsfotte dahinten», er deutete zu den Beibooten auf der nördlichen Seite des Verbands, «haben irgendwelche alten Lumpen an. Die reinsten Landstreicher, so wie die aussehen.»

Moore ließ seinen Blick von West nach Ost über den Bootsverband wandern. «Sie haben recht, Sergeant», sagte er. In den vorderen Booten erkannte er die weißen Kreuzbandeliers, die sich von den dunkelgrünen Uniformröcken der Marineinfanteristen abhoben, und er vermutete, dass diese Uniformen zu einem Regiment von General Washingtons Kontinentalarmee gehörten. «Sie schicken ihre besten Einheiten hierher», sagte er laut, «und daraus kann man ihnen auch keinen Vorwurf machen.»

«Kann man nicht?»

«Schließlich bekommen sie es mit dem formidabelsten Regiment der britischen Armee zu tun», sagte Moore fröhlich.

«O ja, und zwar mit allen zweiundzwanzig von uns auf einmal», sagte McClure.

«Wenn sie wüssten, was ihnen bevorsteht», sagte Moore, «würden sie auf der Stelle kehrtmachen und zurückrudern.»

«Ach. Und ist es gestattet, sie das wissen zu lassen, Sir?», sagte McClure, den die Prahlerei seines jungen Offiziers aufbrachte.

«Bringen wir sie stattdessen um, Sergeant», sagte Moore. Seine Worte aber gingen unter, weil die nächste Kettenkugel lautstark durch die Zweige fegte und Kiefernzapfen und Kiefernnadeln auf den Posten hinabregnen ließ.

«Noch nicht feuern!», rief Captain Archibald Campbell von der Mitte der Steilklippe aus. «Wir warten, bis sie am Strand sind!»

«Verdammter Narr», sagte Moore. Und so, mit gezogenem Schwert und unter dem Feuer der gegnerischen Breitseiten, ging er an der Kante des Steilufers auf und ab und beobachtete, wie der Gegner näher rückte. Endlich, dachte er, würde er in der Schlacht stehen, und in all seinen achtzehn Jahren hatte sich John Moore noch niemals so lebendig gefühlt.

Wadsworth zuckte zusammen, als von den Rudern Wassertropfen in sein Gesicht spritzten. Es mochte zwar Juli sein, aber es war dennoch kalt, und das Wasser war noch kälter. Er zitterte in seiner Uniformjacke von der Kontinentalarmee, und er betete, dass keiner der Marinesoldaten glaubte, er würde vor Angst zittern. Captain Welch, der neben ihm saß, wirkte vollkommen unbesorgt, so als würden sie nur eine ganz alltägliche Bootsfahrt machen. Israel Trask, der junge Pfeifer, saß grinsend im Bug und verdrehte ständig den Hals nach dem Steilufer, auf dem sich kein einziger Gegner zeigte. Das Steilufer stieg vom Strand aus wohl zweihundert Fuß und zum großen Teil beinahe senkrecht an, doch in diesem Nebel wirkte es wesentlich höher. Die Bäume rauschten unter dem Beschuss mit Barrengeschossen und Kettenkugeln, und Vögel kreisten hoch über dem Klippenrand, doch Wadsworth sah keinen einzigen Rotrock und keine Rauchwolken von Musketenfeuer. Nebelschwaden zogen durch das hohe Geäst. Die ersten Boote befanden sich nun mit Sicherheit in der Reichweite eines Musketenschusses, doch kein Gegner schoss.

«Du bleibst am Strand, Junge», sagte Welch zu Israel Trask.

«Kann ich nicht ...», begann Israel.

«Du bleibst am Strand», wiederholte Welch. Dann warf er Wadsworth einen durchtriebenen Blick zu. «Mit dem General.»

«Ist das ein Befehl?», fragte Wadsworth belustigt.

«Ihre Aufgabe ist es, die Boote zurückzuschicken, damit die anderen Männer geholt werden können, und diese Männer dann dorthin zu schicken, wo sie gebraucht werden», sagte Welch, kein bisschen verlegen, dass er Wadsworth mitteilte, was er zu tun hatte. «Und unsere Aufgabe ist es, jeden dieser Bastarde umzubringen, den wir da oben auf dem Hang erwischen.»

«Wenn überhaupt welche dort sind», sagte Wadsworth. Das Boot hatte den Strand inzwischen beinahe erreicht, auf dem sich die niedrigen Wellen nur schwach plätschernd brachen, und noch immer leistete der Feind keine Gegenwehr.

«Vielleicht schlafen sie ja», sagte Welch. «Aber nur vielleicht.»

Dann, als der Bootsbug auf den Kies auffuhr, schien der Abhang des Steilufers mit Rauch und Getöse zu explodieren. Wadsworth sah hoch über sich eine Stichflamme, hörte Musketenkugeln vorbeipfeifen, sah Wasser aufspritzen, wo sie ins Meer schlugen, und dann sprangen die Marinesoldaten mit Gebrüll an Land. Weitere Boote fuhren knirschend auf den schmalen Strand. Er füllte sich schnell mit Männern in grünen Uniformjacken, die nach einem Weg das Steilufer hinauf suchten. Ein Marinesoldat taumelte rückwärts, sein weißes, gekreuztes Bandelier auf einmal rot. In der niedrigen Brandung brach er in die Knie und wurde von wildem Husten geschüttelt, und bei jedem Husten troff mehr dunkles Blut aus seinem Mund.

James Fletcher, die Muskete über die Schulter gehängt, war zu einem enormen Granitbrocken gerannt, der den Strand halb versperrte. «Dort ist ein Weg!», rief er.

«Ihr habt ihn gehört!», brüllte Welch. «Also mir nach! Kommt, ihr Halunken!»

«Fang an zu spielen, Junge», sagte Wadsworth zu Israel Trask. «Spiel uns ein schönes Lied!»

Marinesoldaten kletterten den Hang hinauf, der so abschüssig war, dass sie ihre Musketen über die Schulter hängen und sich mit beiden Händen festhalten mussten, um sich an Schösslingen und Steinen emporzuziehen. Eine Musketenkugel streifte einen Stein, und der Querschläger raste hoch über Wadsworth davon. Ein Marinesoldat wankte ein paar Schritte rückwärts, das Gesicht eine blutrote Maske. Eine Musketenkugel hatte seinen Wangenknochen durchschlagen, und das Fleisch seiner Wange baumelte auf seinen Lederkragen hinab. Wadsworth sah durch die gezackte Wunde die Zähne des Mannes, doch der Marinesoldat rappelte sich auf und kletterte mit abgerissenem Keuchen weiter, während über ihm eine Kettenkugel dahinpfiff und beim Aufprall Holzsplitter aus einem Baum riss. Wadsworth hörte eine klare, helle Stimme rufen, dass niedrig gezielt werden sollte, und mit einem Ruck wurde ihm bewusst, dass er die Stimme eines gegnerischen Offiziers hörte. Er zog seine Pistole und richtete sie auf den steilen Abhang, doch er konnte kein Ziel ausmachen, nur grauweiße Rauchschwaden, die verrieten, dass der Feind auf halber Höhe des Steilufers Stellung bezogen hatte. Er rief den Rudermannschaften der Beiboote zu, sie sollten zu den Transportschiffen zurückkehren, wo weitere Soldaten auf sie warteten. Dann ging er nordwärts den Strand entlang und zertrat dabei mit seinen Stiefeln den niedrigen Grat aus getrocknetem Seegras und Treibgutstückchen, den die Flutlinie hinterlassen hatte. Er entdeckte ein Dutzend Milizionäre, die sich unter einem Felsvorsprung zusammendrängten, und schickte sie das Steilufer hinauf. Zuerst starrten sie ihn nur wie betäubt an, dann nickte einer von ihnen unvermittelt, rannte aus der Deckung, und die Übrigen folgten ihm.

Weitere Boote liefen mit dem Bug aufs Ufer, und weitere Männer kletterten über die Relings. Die gesamte Länge des schmalen Strandes unter dem Steilufer war nun voller Männer, die auf die Bäume zuliefen und zu klettern begannen. Die Musketenkugeln pfiffen, schlugen ins Wasser oder auf Stein, und immer noch donnerten die Kanonen der *Hunter* und der *Sky Rocket* und jagten ihre grauenvollen Geschosse durch die Luft. Die Kanonen und Musketen erfüllten den nebligen Strand mit ohrenbetäubendem Lärm, und Israel Trasks Spiel klang wie eine Sopranmelodie zu dem tief grollenden Takt des Kanonendonners. Er trillerte den schwungvollen «Rogue's March», stand dabei ohne Deckung mitten auf dem Strand und schaute mit aufgerissenen Augen das Steilufer hinauf. Wadsworth packte den Jungen am Kragen, verursachte dadurch einen schrillen Schluckauf in der Musik, und zog Israel zu der seewärts gelegenen Seite des enormen Felsens. «Du bleibst hier, Israel», befahl Wadsworth, der den Jungen in der Deckung des Granitblocks für sicher hielt.

Eine Leiche trieb vor dem Felsen bäuchlings im Wasser. Der Mann trug eine Jacke aus Rehleder, und das Loch im Rücken der Jacke zeigte, wo die tödliche Kugel ausgetreten war. Der Körper wurde mit den niedrigen Wellen zur Brandungslinie getrieben und mit dem ablaufenden Wasser wieder zurückgezogen. Hin und her bewegte er sich, unaufhörlich. Der tote Mann war Benjamin Goldthwait, der seine Wahl gegen die Treueverpflichtungen seines Vaters und für den Kampf mit den Aufständischen getroffen hatte.

Ein Captain der Miliz war auf den Felsen gestiegen und rief seinen Männern zu, sie sollten auf das Steilufer vorrücken. Der Gegner musste ihn gesehen haben, denn es hagelte Musketenkugeln auf den Felsen. «Rücken Sie selbst auch vor!», rief Wadsworth dem Captain zu, und in demselben Moment traf eine Kugel den Milizionär in den Bauch, und sein Ruf verwandelte sich in ein Stöhnen, während er sich zusammenkrümmte und Blut über seine Hose hinablief. Dann kippte er langsam rücklings um, und mit einem Mal spritzte das Blut wie eine Fontäne aus ihm heraus. Schließlich rollte er über den Rand des Felsbrockens und fiel neben Ben Goldthwaits Leichnam in die Brandung. Israel Trask riss die Augen auf. «Kümmere dich nicht um die Leichen», sagte Wadsworth. «Spiel einfach weiter.»

James Fletcher, der Befehl hatte, sich dicht bei Wadsworth zu halten, watete in die niedrigen Wellen, um den verwundeten Milizionär aus dem Wasser zu ziehen, doch als er den Mann an der Schulter packte, kam ein Schwall Blut aus seinem Mund, der James ins Gesicht traf, und der verletzte Captain wand sich in Qualen.

«Ihr!» Wadsworth deutete auf ein paar Matrosen, die gerade ihr Boot zu den Transportern zurückrudern wollten. «Nehmt den Verwundeten mit zurück! Auf der *Hunter* ist ein Arzt! Bringt ihn dorthin.»

«Ich glaube, er ist tot», sagte James und erschauerte bei dem Gedanken an das Blut, das ihm ins Gesicht gespritzt war.

«Mit mir, Fletcher», sagte Wadsworth, «kommen Sie!» Er folgte dem Weg hinter dem Felsbrocken. Auf seiner linken Seite kämpften sich die Milizionäre durch das dichte Unterholz des Steilufers, doch die Marinesoldaten auf seiner rechten Seite waren schon wesentlich höher den Abhang hinaufgekommen. Der Weg führte an der Südseite der Schräge entlang. Es war eigentlich kaum ein Weg, mehr ein kaum erkennbarer Pfad, durchsetzt mit Wurzelwerk und Gebüsch, und an manchen Stellen von einem umgestürzten Baum blockiert. Wadsworth musste sich mit den Händen über die schwierigsten Stellen ziehen. Der Pfad verlief im Zickzack wieder nordwärts zurück, und an der Kehre verband sich ein Marinesoldat den blutigen Oberschenkel mit einem Stück Stoff, während kurz hinter ihm ein weiterer Marinesoldat auf dem Rücken lag, als schliefe er. Sein Mund stand leicht offen, doch von einer Verwundung war nichts zu sehen. Wadsworth schluckte, als er dem jungen Mann ins Gesicht sah. Solche Schönheit, solche Verschwendung. «Er ist tot, Sir», sagte der verletzte Marinesoldat.

Eine Musketenkugel schlug in einen Baum neben Wadsworth ein und riss eine Narbe ins Holz. Er zog sich weiter den Hügel hinauf. Er hörte die Musketen nahe vor sich, und er hörte Welch über das laute Krachen und Splittern hinweg Befehle brüllen. Die Marineinfanteristen rückten immer noch vor, aber die Schräge des Hangs war nun etwas sanfter geworden, sodass sie die Hände frei hatten und ihre Musketen benutzen konnten. Ein Schrei drang aus dem Wald und erstarb urplötzlich wieder. «Lasst den Bastarden keine Zeit zum Stehenbleiben und Nachladen!», schrie Welch. «Sie sollen rennen! Sorgt dafür, dass die Bastarde rennen!»

«Kommen Sie, Fletcher!», rief Wadsworth. Ein Hochgefühl brandete in ihm auf. Der Vorgeschmack des Sieges schien in dem Geruch nach faulen Eiern zu liegen, der mit dem Pulverrauch durch den Wald getrieben wurde. Er sah einen Rotrock links zwischen den Bäumen, richtete seine Pistole auf ihn und zog den Abzug durch, und auch wenn er bezweifelte, dass er auf diese Entfernung korrekt zielen konnte, erfüllte ihn eine wütende Befriedigung darüber, dass er auf einen Feind seines Landes schoss. James Fletcher feuerte seine Muskete hügelaufwärts ab und wurde vom Rückstoß der Waffe beinahe auf den Pfad geworfen. «Weiter!», rief Wadsworth. Inzwischen landeten noch mehr Milizionäre, und auch sie spürten, dass sie diesen Kampf gewinnen würden, und kletterten mit neuer Begeisterung aufwärts. Nun feuerten überall auf dem Steilufer die Musketen, amerikanische ebenso wie britische, und die Schüsse erfüllten den Wald mit zischenden Kugeln und beißendem Rauch, doch Wadsworth ahnte, dass das heftigere Feuer von den Amerikanern kam. Die Männer ermutigten sich mit Zurufen und Jubelschreien, als sie sahen, dass die Rotröcke weiter nach oben zurückwichen. «Sorgt dafür, dass sie weiterrennen!», bellte Wadsworth. Bei Gott, dachte er, wir gewinnen!

Ein Milizionär brachte die amerikanische Flagge ans Ufer, und dieser Anblick beflügelte Wadsworth noch mehr. «Mir nach!», rief er einer Gruppe Milizionäre aus Lincoln County zu und drängte weiter aufwärts. Eine Musketenkugel schoss nahe genug an seiner Wange vorbei, dass er den Luftzug spürte und unwillkürlich den Kopf zur Seite riss, aber im Grunde fühlte sich Wadsworth unverwundbar. Zu seiner Rechten sah er eine auseinandergezogene Reihe Marinesoldaten, deren Bajonette blitzten, als sie den weniger abschüssigen oberen Teil des Steilufers erklommen, während der Wald zu seiner Linken voller Milizionäre in ihren Rehlederjacken war. In der Entfernung hörte er die Kriegsrufe der Indianer, dann nahmen die Milizionäre die Rufe auf und erfüllten den Wald mit gespenstischen hohen Schreien. Das Musketenfeuer der Aufständischen war wesentlich dichter als der feindliche Beschuss. Die beiden Kriegsschiffe hatten ihr Feuer eingestellt, denn inzwischen hätten ihre Breitseiten die eigene Seite in größere Gefahr gebracht als den Gegner, aber die amerikanischen Musketen knallten unaufhörlich weiter. Der obere Teil des Steilufers war gespickt mit Musketieren, und ständig rückten die Angreifer weiter nach oben vor.

Die *Rachel*, einer der kleinsten Transportschoner, war ans Ufer gerudert worden. Ihr Bug fuhr auf den Strand, und noch mehr Angreifer sprangen an Land. Sie brachten die Flagge der Miliz von Massachusetts mit. «Geht dort rauf!» Israel Trask unterbrach sein Spiel, um es ihnen zuzurufen. «Ihr verpasst noch den Kampf! Dort rauf!» Die Männer gehorchten ihm und strömten auf den Pfad zu, um den Angriff zu verstärken. Wadsworth stellte fest, dass er inzwischen beinahe ganz oben war, und er glaubte, den Angriff dort neu formieren und die Briten über den Hügelkamm von Majabigwaduce bis zum Fort vor sich hertreiben zu können. Er wusste, dass das Fort nicht fertiggestellt war, er wusste, dass sich dort kaum Kanonen befanden, und warum sollte er mit solch tapferen Männern und solchem Schwung die ganze Aufgabe nicht einfach schon bis zur Mittagszeit erledigen? «Vorwärts!», rief er. «Weiter! Weiter! Weiter!» Er hörte Kanonendonner, der viel tiefer und hallender war als jeder Musketenschuss, und einen Augenblick lang befürchtete er, die Briten hätten oben auf dem Steilufer Artillerie in Stellung gebracht. Doch dann sah er den Rauch südwärts ziehen, und es wurde ihm klar, dass die kleine Batterie auf Dyce's Head noch immer Richtung Cross Island feuerte. Von diesen Kanonen drohte keine Gefahr, und er rief den Marinesoldaten zu, dass die Kanonen nicht auf sie zielten. «Weiter vorrücken!», brüllte er und schob sich in der Menge aus Marinesoldaten und Milizionären vorwärts. Ein Mann in einem Hemd aus selbstgewebtem Leinen lehnte keuchend an einem umgestürzten Baum. «Sind Sie verwundet?», fragte Wadsworth, und der Mann schüttelte nur den Kopf. «Dann rücken Sie weiter vor!», sagte Wadsworth. «Ist nicht mehr weit!» Ein Körper lag mitten auf Wadsworths Weg, und er stellte beinahe erstaunt fest, dass es die Leiche eines Rotrocks war. Der tote Soldat trug einen dunklen Kilt, hatte die Hände zu Fäusten geballt, und Fliegen krochen in der zermetzelten Sudelei herum, die einmal seine Brust gewesen war. Dann erreichte Wadsworth die Kuppe des Steilufers. Männer jubelten, Briten rannten davon, amerikanische Flaggen waren auf dem Weg hügelaufwärts, und Wadsworth triumphierte.

Denn das Steilufer war genommen, die Rotröcke geschlagen, und der Weg zum Fort lag offen vor ihnen.

Mit einem Mal dämmerte es Lieutenant John Moore, dass das Undenkbare geschah, dass die Aufständischen diesen Kampf gewannen. Diese Erkenntnis war schrecklich, vernichtend, überwältigend, und er reagierte darauf, indem er seine Anstrengungen verdoppelte, um den Gegner zurückzuwerfen. Seine Männer hatten den abschüssigen Teil des Steilufers unter Beschuss genommen, und zuerst – als sich seine Feinde in den grünen Uniformjacken an den Bäumen festhalten mussten, um sich emporzukämpfen – hatte Moore geglaubt, den Vorstoß mit seinem Feuer zurückschlagen zu können. Die Angreifer waren einem holprigen Pfad gefolgt, der sich im Zickzack das Steilufer hinaufwand, und Moores Männer konnten auf sie hinabschießen, auch wenn es im Dämmerlicht des Waldes schwer war, die Angreifer zu sehen. «Feuer!», rief Moore, um dann festzustellen, dass dieser Ruf überflüssig war. Seine Männer schossen so schnell sie nur nachladen konnten, und auch auf dem gesamten Steilufer nahmen Rotröcke den dichten Wald unter heftiges Musketenfeuer. Ein paar Momente lang hatte Moore an den Sieg geglaubt, doch die Angreifer kamen zu Dutzenden, und als sie das weniger abschüssige Stück erreicht hatten, begannen sie zurückzuschießen. Nicht mehr enden wollendes Musketenfeuer prasselte überall auf das Steilufer, Rauch zog durchs Geäst, Kugeln bohrten sich in Bäume und Fleisch.

Captain Archibald Campbell, den die schiere Anzahl der

Angreifer entsetzte, rief seine Männer zum Rückzug. Sergeant McClure fragte Moore: «Haben Sie das gehört, Sir?»

«Bleibt, wo ihr seid!», schnauzte Moore seinen Männern zu.

Er versuchte sich ein Bild von den Vorgängen zu machen, doch in all dem Lärm und dem Rauch war das unmöglich. Er war nur sicher, dass unter ihm auf dem Steilhang Soldaten waren und dass es seine Pflicht war, sie ins Meer zurückzutreiben, und so blieb er auf dem oberen Teil des Steilhangs, während sich die übrigen Posten Campbells auf die Kuppe zurückzogen. «Weiterfeuern!», befahl er McClure.

«Jesus, Maria und Joseph», sagte McClure und feuerte seine Muskete auf eine Gruppe Angreifer ab. Die Reaktion bestand aus einer in Rauch und Zündflammen gehüllten Musketensalve von unten, und Soldat McPhail, erst siebzehn Jahre alt, ließ mit einem klagenden Laut seine Muskete fallen. Eine gesplitterte Rippe, die in der trüben Dämmerung erstaunlich weiß aussah, ragte durch seine rote Uniformjacke heraus, und seine Rehlederhosen färbten sich rot, während er in die Knie brach und erneut einen hohen, pfeifenden Klagelaut ausstieß. «Wir können hier nicht bleiben, Sir», rief McClure über den Musketenlärm hinweg in Moores Richtung.

«Zurück!», gab Moore nach. «Langsam! Weiterfeuern!» Er bückte sich zu McPhail hinab, dessen Zähne klapperten, dann zuckte der Junge erschauernd zusammen und rührte sich nicht mehr, und Moore begriff, dass McPhail gestorben war.

«Achtung, rechts, Sir», warnte ihn McClure, und Moore bekam den nächsten Schrecken, als er Aufständische an sich vorbei durch das dichte Unterholz aufwärtsklettern sah. Über ihnen sprangen zwei Eichhörnchen durchs Geäst. «Verdammt höchste Zeit, wieder rauf aufs Steilufer zu kommen, Sir», sagte McClure.

«Zurück!», rief Moore seinen Männern zu. «Aber langsam! Nehmt sie unter Feuer!» Er schob sein Schwert in die Scheide, schnallte McPhails Gurtzeug mit der Patronentasche auf und nahm das Gurtzeug, die Patronentasche und die Muskete mit. Die Marinesoldaten nördlich von ihm hatten ihn entdeckt, und ihre Musketenkugeln pfiffen um ihn herum, aber dann schwenkten sie ab, um Captain Campbells Nachhut anzugreifen. Das gab Moore die Gelegenheit, den letzten Abschnitt zur Kuppe des Steilufers hinter sich zu bringen, wo er seinen Männern befahl, eine Linie zu bilden und auszuharren. Ein paar Kiefernnadeln waren ihm in den Kragen gefallen. Sie kratzten und störten ihn. Er konnte Captain Campbells Männer nicht sehen, und es schien so, als sei sein eigener kleiner Posten alles, was von der britischen Besatzung auf dem Steilufer noch vorhanden war. Doch dann rannte aus östlicher Richtung ein Artillerie-Lieutenant in blauer Uniformjacke auf Moore zu.

Der Lieutenant, einer von Captain Fieldings Männern, befehligte die drei kleinen Kanonen direkt hinter Dyce's Head. Die Kanoniere hatten die Einsatzkräfte der Flotte ersetzt, sodass die Seeleute wieder auf ihre Schiffe zurückkehren konnten, die einen Angriff des gegnerischen Verbandes erwarteten. Der Lieutenant, der kaum älter war als Moore, blieb bei ihm stehen. «Was geht da vor?»

«Ein Angriff», gab Moore mit brutaler Einfachheit zurück. Er hatte die Bandeliers des Toten durch seinen Schwertgürtel gezogen und tastete nun in der Patronentasche nach einer Ladung, doch da lenkte ihn McClure ab.

«Wir sollten uns weiter zurückziehen, Sir», erklärte der Sergeant.

«Wir bleiben hier und feuern!», beharrte Moore. Seine Hamiltons bildeten nun eine einfache Abwehrlinie an der Kante des Steilufers. Hinter ihnen befand sich eine kleine Lichtung, danach kam ein Kiefernwäldchen, hinter dem die drei Kanonen immer noch über den Hafen hinweg auf die Stellung der Aufständischen auf Cross Island feuerten.

«Soll ich die Kanonen wegbringen?», fragte der Artillerie-Lieutenant.

«Können Sie damit das Steilufer hinunter schießen?», fragte Moore.

«Das Steilufer hinunter?»

«Auf sie!», sagte Moore ungeduldig und deutete auf die Angreifer, die man gerade für einen Moment zwischen den Bäumen ausmachen konnte.

«Nein.»

Eine Musketensalve dröhnte auf Moores rechter Seite. Zwei seiner Männer brachen zusammen, und ein anderer ließ seine Muskete fallen, um sich an die Schulter zu fassen. Einer der Männer am Boden wand sich in Qualen, während sein Blut in die Erde sickerte. Er begann hoch und durchdringend zu schreien, und die anderen Männer wichen, von Grauen gepackt, vor ihm zurück. Weitere Schüsse kamen aus dem Wald, und ein dritter Mann wurde getroffen und fiel mit zerschmettertem Oberschenkel auf die Knie. Moores kleine Linie war auseinandergerissen, und, schlimmer noch, die Männer begannen, sich langsam zurückzuziehen. Ihre Gesichter waren bleich, aus ihren Blicken sprach die Angst. «Wollt ihr mich hier alleinlassen?», rief Moore ihnen zu. «Wollen die Hamiltons mich alleinlassen? Kommt zurück! Benehmt euch wie Soldaten!» Moore war selbst von seinem zuversichtlichen Ton überrascht, und noch mehr überraschte es ihn, als die Männer ihm gehorchten. Die Angst hatte sie gepackt, und diese Angst war nur einen Herzschlag von der Panik entfernt gewesen, doch Moores Stimme hatte sie eingedämmt. «Feuer!», rief er und deutete auf die Wolke aus Pulverrauch, die zeigte, wo die zerstörerische Salve des Gegners abgefeuert worden war. Er versuchte die Feinde zu sehen, doch die grünen Uniformröcke der Marineinfanterie verschwammen mit dem Grün des Waldes. Moores Männer feuerten, und die schweren Musketenkolben wurden vom Rückstoß gegen ohnehin schon schmerzende Schultern gerammt.

«Wir müssen die Kanonen wegbringen!», sagte der Artillerie-Lieutenant.

«Dann tun Sie es!», knurrte Moore und wandte sich ab. Seine Männer stießen die Ladestöcke beim Nachladen in pulververschmutzte Läufe.

Eine Musketenkugel traf den Artillerie-Lieutenant in den Rücken, und er sackte zusammen. «Nein», sagte er und klang eher erstaunt als ablehnend. «Nein!» Seine Beine ruderten im feuchten Laub. «Nein», sagte er erneut, und dann kam die nächste Salve, dieses Mal jedoch aus nördlicher Richtung, und Moore wusste, dass er riskierte, vom Fort abgeschnitten zu werden.

«Helfen Sie mir», sagte der Artillerie-Lieutenant.

«Sergeant!», rief Moore.

«Wir müssen weg, Sir», sagte Sergeant McClure. «Wir sind die Einzigen, die noch hier sind.»

Plötzlich bäumte sich der Artillerie-Lieutenant auf und schrie. Dann stürzte der nächste von Moores Männern. Blut strömte über seine weißgebleichten Rehlederhosen.

«Wir müssen uns zurückziehen, Sir!», rief McClure wütend.

«Zurück zu den Bäumen», befahl Moore seinen Männern. «Und die Ruhe behalten!» Er zog sich mit ihnen zurück und ließ sie erneut haltmachen, als sie die Bäume erreicht hatten. Die Kanonen befanden sich jetzt ein kleines Stück hinter ihnen, während sie die Lichtung mit den Toten und Sterbenden vor sich hatten. Und jenseits der Lichtung sammelte sich der Gegner. «Feuer!», rief Moore mit heiserer Stimme. Der Nebel war mittlerweile wesentlich dünner und wurde von der aufgehenden Sonne angeleuchtet, sodass der Musketenrauch aussah, als würde er in glühenden Dampf aufsteigen.

«Wir müssen weg, Sir», drängte McClure. «Wir müssen uns ins Fort zurückziehen, Sir.»

«Die Verstärkung wird schon kommen», sagte Moore, und in demselben Moment traf eine Musketenkugel Sergeant McClures Mund, ließ seine Zähne zersplittern, bohrte sich durch seine Kehle und durchschlug seine Halswirbel. Der Sergeant brach lautlos zusammen. Sein Blut spritzte auf Moores makellose Kniehosen. «Feuer!», rief Moore, doch er hätte weinen können vor Enttäuschung. Er stand in seiner ersten Schlacht, und er verlor sie, aber er würde dennoch nicht aufgeben. Bestimmt würde der Brigadier mehr Männer schicken. Und so behauptete John Moore, die Muskete des Toten immer noch in der Hand, seine schwache Stellung.

Und immer noch erklommen weitere Aufständische das Steilufer.

Captain Welch war unzufrieden. Er wollte sich dem Gegner an die Fersen heften. Er wollte Schrecken verbreiten, töten und erobern. Er wusste, dass er die besten Soldaten befehligte, und wenn er sie in die Nähe des Gegners führen könnte, würde seine Marineinfanterie die Reihen der Roten mit gnadenloser Wildheit lichten. Er musste einfach nur nahe genug an den Gegner herankommen, ihn in einen panischen Rückzug treiben und ihn dann bis zum Fort verfolgen, und dann würde jeder verdammte Rotrock in diesem Fort der Marine gehören.

Das Steilufer erbitterte ihn. Es war abschüssig, und der Feind, der sich langsam nach oben zurückzog, hielt einen höchst unerquicklichen Beschuss auf seine Männer aufrecht, einen Beschuss, den die Marinesoldaten zumeist nicht erwidern konnten. Sie schossen hügelaufwärts, wenn sie konnten, doch der Gegner war halb hinter den Bäumen und dem rauchdurchsetzten Nebel verborgen, und zu viele Musketenkugeln wurden von Zweigen abgelenkt oder einfach mit sinnlosen Schüssen in die Luft vergeudet. «Weiter vorrücken!», rief Welch. Je höher sie kamen, desto sanfter wurde die Steigung, doch bis sie diese günstigere Zone erreicht hatten, wurden in dem unablässigen Kugelhagel von oben gute Männer getötet oder verwundet. Und jeder dieser Schüsse ließ Welch noch wütender und noch entschlossener werden.

Dann ahnte er, mehr als es zu sehen war, dass er eine kleine Gruppe der Gegner vor sich hatte. Sie feuerten unausgesetzt, doch weil es nicht viele waren, konnten sie nur eine begrenzte Schussfrequenz durchhalten. «Lieutenant Dennis! Sergeant Sykes!», rief Welch. «Führen Sie Ihre Leute linksherum!» Er würde die Bastarde an der Flanke umgehen.

«Aye, aye, Sir!», brüllte Sykes zurück. Welch hörte die Kanonen über sich feuern, doch keine Kanonenkugel und kein Traubengeschoss schlug in seiner Nähe ein, nur diese verdammten Musketenkugeln. Er packte einen Fichtenzweig und zog sich weiter das Steilufer hinauf, und eine Musketenkugel traf den Stamm der Fichte und schleuderte ihm Rindenstückchen ins Gesicht, doch er war nun auf einfacherem Gelände angekommen und rief seinen Männern zu, dass sie ihm folgen sollten. Er konnte den Gegner jetzt sehen. Eine kleine Gruppe Männer in roten Uniformröcken mit schwarzen Aufschlägen zog sich über eine Lichtung zurück. «Tötet sie!», rief er seinen Männern zu, und die Musketen der Marinesoldaten wurden mit Rauch und Lärm abgefeuert, und als sich der Rauch verzog, sah Welch, dass er den Feind getroffen hatte. Einige Männer lagen auf dem Boden, doch die übrigen feuerten immer noch zurück, und Welch hörte ihren Offizier Befehle rufen. Dieser Offizier stachelte ihn noch mehr auf. Es war eine schlanke und elegante Gestalt in einem Uniformrock, dem man sogar in der grauen Dämmerung seine kostspielige Machart ansah. Die Knöpfe glänzten wie echtes Gold, am Hals des Offiziers war ein Spitzenkragen zu erkennen, seine Kniehosen waren schneeweiß, und seine Stulpenstiefel glänzten. Ein verwöhnter Geck, dachte Welch missmutig, ein Spross aus privilegiertem Hause, ein ideales Zielobjekt. Welch war in seiner Gefangenschaft mehreren überaus hochmütigen Briten begegnet, und sie hatten ihm den Hass auf ihresgleichen in die Seele gebrannt. Es waren solche Männer, die Amerikaner für minderwertig und dumm gehalten hatten, die geglaubt hatten, sie könnten sie verachten und herumkommandieren, und nun mussten sie ihre Lektion lernen. «Tötet den Offizier!», sagte er zu seinen Männern, und die Marinesoldaten feuerten eine weitere Musketensalve ab. Männer rissen mit den Zähnen Patronenkartuschen auf und ritzten sich die Haut über den Fingerknöcheln an den aufgesteckten Bajonetten, als sie erneut ihre Ladestöcke in die Läufe rammten, die Musketen scharfmachten und wieder schossen, doch der verdammte Geck lebte immer noch. Er hielt eine Muskete in den Händen, während sein Schwert, das in einem silbernen Kettengehänge an seiner Seite hing, in der Scheide steckte. Er trug einen Dreispitz, dessen Rand mit Silber eingefasst war und der ein Gesicht beschattete, das äußerst jung wirkte, und hochmütig dazu, fand Welch. Gottverdammter Stutzer, dachte Welch, und der gottverdammte Stutzer rief seinen Männern den Befehl zum Feuern zu, und die kleine Salve war genau auf die Marinesoldaten gerichtet. Dann schossen Lieutenant Dennis' Männer von Norden aus, und weil sie nun an der Flanke umgangen worden waren, mussten sich der Stutzer und seine Rotröcke weiter über die Lichtung zurückziehen. Einige Leichen blieben auf der Erde liegen, doch der hochmütige junge Offizier lebte immer noch.

Er ließ seine Rotröcke am Waldrand auf der anderen Seite der Lichtung erneut Stellung nehmen und schrie ihnen zu, sie sollten Amerikaner töten. Und in diesem Moment wurde es Welch zu viel. Er zog sein schweres Entermesser aus der schlichten Lederscheide. Die Waffe fühlte sich gut an in seiner Hand. Er sah, dass die Rotröcke mit Nachladen beschäftigt waren, Patronenkartuschen aufrissen, während ihre Musketen mit den Kolben nach unten auf dem Boden standen. Ein weiterer Rotrock wurde niedergestreckt. Sein Blut spritzte auf die sauberen weißen Kniehosen des jungen Offiziers, dessen Männer sich nicht verteidigen konnten, während sie nachluden. «Benutzt eure Bajonette!», rief Welch. «Angriff!»

Welch führte den Vorstoß über die Lichtung. Er würde diesen Stutzer abstechen. Er würde diese verdammten Narren abschlachten, er würde die Geschützstellung mit den Kanonen einnehmen, und dann würde er seine tödlichen Soldaten über den Hügelkamm von Majabigwaduce führen, um das Fort zu besetzen. Die Marinesoldaten hatten die Kuppe des Steilufers erreicht, und das bedeutete in Captain John Welchs Augen, dass die Schlacht gewonnen war.

General McLean war so von einem Angriff über die Landenge überzeugt gewesen, dass ihn der Vorstoß auf das Steilufer sehr überraschte. Zunächst war er höchst zufrieden mit der gegnerischen Entscheidung, denn er hielt Archibald Campbells Postenkette für stark genug, um den Angreifern erhebliche Verluste zuzufügen. Dann aber wurde ihm durch die Kürze des Kampfes klar, dass Campbell wenig erreicht hatte. McLean konnte den Kampf von Fort George aus nicht sehen, weil der Nebel den Hügelkamm einhüllte, doch er hörte alles, was er hören musste, und ihm wurde etwas unbehaglich, weil er das Fort auf einen Angriff von Norden vorbereitet hatte. Stattdessen würden sie nun von

Westen kommen, und die Dichte der Musketenschüsse sagte McLean, dass dieser Angriff in überwältigender Stärke erfolgen würde. Der Nebel verzog sich nun rasch, zerschmolz zu schwankenden Dampfsäulen, die wie Kanonenrauch über die Baumstümpfe auf dem Hügelkamm zogen. Wenn die Aufständischen erst einmal die Kuppe des Steilufers erobert hätten – und der Kampflärm sagte McLean, dass dies schon geschah – und wenn sie erst einmal den höher als das Fort gelegenen Waldrand im Westen erreicht hätten, dann würden sie sehen, dass Fort George kaum mehr war als ein Name und noch keineswegs eine starke Festung. Es besaß nur zwei Kanonen, die auf das Steilufer ausgerichtet waren, seine Umwallung war kaum ein Hindernis und der Verhau eine schwache Barriere, um die unfertigen Arbeiten zu schützen. Ganz gewiss würden die Aufständischen das Fort einnehmen, und das bedauerte McLean. «Das wechselhafte Kriegsglück», sagte er.

«McLean?», fragte Lieutenant Colonel Campbell, der Kommandooffizier der Highlander. Die meisten Männer aus Campbells Regiment, die nicht bei den Posten eingesetzt waren, standen nun hinter dem Wall. Ihre zwei Banner wehten über der Mitte ihrer Linie, und McLean schmerzte es, dass diese stolzen Flaggen zu Trophäen der Aufständischen werden würden. «Haben Sie etwas gesagt, McLean?», fragte Campbell.

«Nichts, Colonel, es war nichts», sagte McLean und starrte westwärts in die dünnen Nebelschlieren. Dann stieg er über den Wall und ging zu dem Verhau hinüber, weil er dichter am Kampfgeschehen sein wollte. Immer noch schwoll das knisternde Geräusch von Musketenschüssen ab und wieder an. Es erinnerte McLean an das Knacken, mit dem trockene Dornzweige im Feuer zerbarsten. Er schickte einen seiner Adjutanten zu Major Dunlops Posten, der die Landenge bewachte, um ihn zurückzubeordern.

«Und sagen Sie Major Dunlop, dass ich Caffraes Kompanie brauche! Schnell jetzt!» Er lehnte sich auf seinen Schwarzdornstock, und als er sich umdrehte, sah er, dass Captain Fieldings Männer schon eine der Zwölfpfünder-Kanonen von der nordöstlichen Ecke des Forts in die nordwestliche Bastion gebracht hatten. Gut, dachte er, obwohl er bezweifelte, dass irgendeine ihrer Anstrengungen das Blatt wenden könnte. Er blickte noch einmal zurück zu dem höhergelegenen Areal, wo Rauch und Nebel durch den Wald zogen und von wo der Musketenlärm gerade wieder lauter herüberdrang und wo nun die Rotröcke am Waldrand auftauchten. Also hatten seine Posten den Feind nicht lange aufgehalten, dachte er bedauernd. Er sah Männer schießen, er sah einen Mann fallen, und dann strömten die Rotröcke zurück über die freigelegte Fläche, rannten zwischen den nackten Baumstümpfen hindurch, als sie vor einem Feind flohen, der in seinen grünen Uniformjacken im Wald beinahe unsichtbar war. Der einzige Beweis für die Anwesenheit der Aufständischen schien im Moment der Musketenrauch zu sein, der im leichten Morgenwind aufblühte und verwehte.

In dem Verhau war ein schmaler Durchlass, der den Verteidigern die Möglichkeit gab, das Dickicht aus Ästen und Zweigen zu passieren, und nun schlüpften die fliehenden Rotröcke durch diese Lücke, hinter der sie McLean erwartete. «Reihen bilden!», lautete sein Gruß. Die Männer sahen ihn verständnislos an. «Die Kompanien sollen sich sammeln», sagte er. «Sergeant? In Reihen antreten lassen!»

Die Flüchtlinge bildeten drei Reihen, und hinter ihnen kamen die Kompanien Major Dunlops und Lieutenant Caffraes an. «Einen Moment, Major», sagte McLean zu Dunlop. «Captain Campbell!», rief er und deutete mit seinem Stock auf Archibald Campbell, um Verwechslungen auszuschließen.

Der schlaksige, aufgeregte Campbell nahm vor McLean Aufstellung. «Sir?»

«Sie wurden zurückgedrängt?», fragte McLean.

«Es waren Hunderte, Sir», sagte Campbell und wich McLeans Blick aus. «Hunderte!»

«Und wo ist Lieutenant Moore?»

«Gefangen, Sir», sagte Campbell nach kurzem Zögern. Er sah McLean einen Moment an und wandte dann erneut den Blick ab. «Oder schlimmer, Sir.»

«Und was sind das dann für Musketenschüsse?», fragte McLean.

Campbell drehte sich zum Wald um, aus dem immer noch Schüsse zu hören waren. «Ich weiß es nicht, Sir», sagte er kläglich.

McLean wandte sich an Major Dunlop. «So schnell wie möglich», sagte er. «Nehmen Sie Caffraes Kompanie und rücken Sie im Laufschritt vor. Stellen Sie fest, ob Sie den jungen Moore irgendwo entdecken können. Lassen Sie sich nicht auf Gefechte ein, suchen Sie einfach nach Moore.» Major Dunlop, der zwischenzeitliche Befehlsführer des 82sten, war ein Offizier von seltenem Eifer und Können, und er verlor keine Zeit. Er rief ein paar Befehle, und seine Kompanie setzte sich westwärts in Bewegung. Es wäre Selbstmord gewesen, über den abgeholzten Hügelkamm und damit geradewegs auf Gegner vorzurücken, also nahm die Kompanie stattdessen den Weg über die Niederung beim Hafen, wo sie sich in der Deckung der Häuser und kleinen Felder bewegen konnte, auf denen der Mais schon übermannshoch gewachsen war. McLean sah ihnen nach und betete, dass Moore noch am Leben war. Der General hielt den jungen John Moore für sehr vielversprechend, aber das war kein ausreichender Grund, eine ganze Kompanie zu seiner Rettung loszuschicken, und der Grund lag auch nicht darin, dass Moore ein Freund des Herzogs von Hamilton war, der das Regiment gestiftet hatte. McLean wollte Moore retten, weil er seiner Obhut anvertraut war. Er würde ihn nicht verloren geben, ebenso wie keinen anderen Mann unter seiner Führung, und deshalb hatte er Dunlop und die Kompanie einem Risiko ausgesetzt. Weil es seine Pflicht war.

Solomon Lovell landete auf dem schmalen Strand, eine Stunde nachdem Captain Welchs Marinesoldaten die Speerspitze des amerikanischen Angriffs gebildet hatten. Der General kam gemeinsam mit Lieutenant Colonel Paul Revere und seinen achtzig Artilleristen, die nun allerdings mit Musketen bewaffnet waren und als Reserveverband für die neunhundertfünfzig Mann dienen würden, die schon gelandet und von denen die meisten inzwischen oben auf dem Steilufer waren. Einige hatten es nicht geschafft, und ihre Leichen lagen auf dem abschüssigen Hang, während die Verwundeten zurück zum Strand getragen worden waren, wo Eliphalet Downer, der oberste Militärarzt der Miliz von Massachusetts, ihre Behandlung und ihren Transport organisierte. Lovell ging neben einem Mann mit verbundenen Augen in die Hocke. «Soldat?», sagte Lovell. «Ich bin General Lovell.»

«Wir schlagen sie, Sir.»

«Natürlich schlagen wir sie! Haben Sie Schmerzen, Soldat?»

«Ich bin blind, Sir», sagte der Mann. Eine Musketenkugel hatte ihm rasiermesserscharfe Treibholzsplitter in beide Augen spritzen lassen.

«Aber Sie werden Ihr Land in Freiheit sehen», sagte Lovell. «Das verspreche ich.»

«Und wie soll ich meine Familie ernähren?», fragte der Mann. «Ich habe einen Bauernhof!»

«Alles wird gut», sagte Lovell und klopfte dem Mann auf die Schulter. «Ihr Land wird sich um Sie kümmern.» Dann lauschte er auf das stakkatohafte Knallen der Musketen auf der Kuppe des Steilufers, das ihm verriet, dass ein paar Rotröcke dort oben weiterhin kämpften. «Wir müssen die Artilleriegeschütze an Land bringen, Colonel», sagte er zu Revere.

«Sobald Sie uns freistellen, General», sagte Revere. Er klang etwas verstimmt, woraus man wohl schließen konnte, dass er es für seine Männer erniedrigend fand, mit Musketen herumzulaufen, statt Kanonen zu bedienen. «Sobald Sie uns von diesem Einsatz freistellen», wiederholte er, wenn auch ein bisschen freundlicher als zuvor.

«Sehen wir zuerst, was wir erreicht haben», sagte Lovell. Er klopfte dem blinden Mann noch einmal auf die Schulter und machte sich dann auf zum Steilufer, wo er sich mühselig emporarbeiten musste. «Es wird ein hartes Stück Arbeit, die Kanonen hier raufzubringen, Colonel.»

«Das schaffen wir schon», sagte Revere selbstbewusst. Schwere Geschütze einen Steilhang hinaufzubringen war ein praktisches Problem, und Lieutenant Colonel Revere mochte es, wenn er solcherlei Herausforderungen zu meistern hatte.

«Ich habe Ihnen noch gar nicht zum Erfolg Ihrer Kanoniere auf Cross Island gratuliert», sagte Lovell. «Sie haben die gegnerischen Schiffe schwer getroffen! Eine großartige Leistung, Colonel.»

«Wir tun nur unsere Pflicht, General», sagte Revere, aber das Lob genoss er dennoch. «Ein paar von den verdammten Briten haben wir dabei auch erledigt!», fuhr er gut gelaunt fort. «Wie lange träume ich schon davon, diese verdammten Kerle umzubringen!»

«Und Sie haben die gegnerischen Schiffe zurückgedrängt! Jetzt gibt es nichts mehr, was unsere Flotte daran hindert, in den Hafen einzulaufen.»

«Nicht das Geringste, General», sagte Revere.

Von rechts waren immer noch Musketenschüsse zu hören. Also hielten sich noch ein paar Rotröcke auf der hochgelegenen Kuppe über der Bucht, doch es war klar, dass sich der größte Teil der Gegner zurückgezogen hatte, denn als Lovell den weniger abschüssigen Teil des Steilufers erreichte, traf er grinsende Milizionäre an, die ihn mit Jubelrufen begrüßten. «Wir haben sie geschlagen, Sir!»

«Natürlich haben wir sie geschlagen», sagte Lovell strahlend, «und euch allen», er hob die Stimme und breitete die Hände in einer segnenden Geste aus, «euch allen gelten mein Dank und meine Glückwünsche zu dieser glorreichen Heldentat!»

Der Wald auf der Kuppe des Steilufers war nun in der Hand der Aufständischen. Eine Ausnahme bildete lediglich eine Kieferngruppe oberhalb von Dyce's Head, von wo immer noch Musketenschüsse herüberhallten. Lovells Milizionäre waren überall im Wald. Sie hatten den Steilhang erklettert, sie hatten Tote zu beklagen, doch sie hatten auch die Briten von der Kuppe und bis zurück ins Fort getrieben. Die Männer waren zufrieden. Sie unterhielten sich aufgeregt, wiederholten einzelne Episoden des Kampfes auf dem Steilhang, und Lovell genoss die gute Stimmung. «Gut gemacht!», sagte er immer wieder.

Er ging bis zum Waldrand, und dort, vor ihm, saß der Gegner. Der Nebel hatte sich mittlerweile ganz verzogen, und er sah jede Einzelheit des Forts, das lediglich eine halbe Meile ostwärts lag. Die Rotröcke hatten zwischen dem Wald und dem Fort eine Sperre aus Geäst angelegt, aber von seinem höheren Standpunkt aus konnte Lovell leicht über diese wacklige Barrikade hinwegsehen, und er erkannte, dass Fort George keinerlei Ähnlichkeit mit einer Festung hatte. Stattdessen wirkte es nur wie eine Narbe in der Erde des Hügelrückens. Den nächstgelegenen Wall bemannten dicht an dicht die Rotröcke, aber Lovells Erleichterung hielt dennoch an. Das Fort, das er sich als abschreckendes Bollwerk mit Steinmauern und senkrechten Umwallungen vorgestellt hatte, erwies sich nun als nichts weiter als ein Kratzer im Dreck.

Colonel McCobb von der Lincoln-County-Miliz grüßte den General begeistert. «Eine schöne Leistung, die wir heute Vormittag erbracht haben, Sir!»

«Eine für die Geschichtsbücher, McCobb! Zweifellos, eine für die Geschichtsbücher», sagte Lovell. «Aber wir sind noch nicht ganz am Ziel. Ich denke, wir sollten weiter vorrücken, Sie nicht auch?»

«Warum nicht, Sir?», gab McCobb zurück.

Solomon Lovells Herz schien einen Schlag auszusetzen. Er wagte kaum, an die Schnelligkeit und das Ausmaß dieses Sieges zu glauben, doch der Anblick der Rotröcke hinter dem niedrigen Wall zeigte ihm auch, dass der Sieg noch nicht vollständig war. Vor seinen Augen tauchte ein Bild der Rotröcke auf, die seine Männer mit Musketensalven beschossen. «Ist General Wadsworth hier?»

«Er war hier, Sir.» McCobb erzählte, dass Wadsworth am Waldrand gewesen und Colonel McCobb und Colonel Mitchel ermuntert hatte, ihre Milizionäre weiter auf das abgeholzte Feld vorrücken zu lassen, doch beide Colonels hatten geltend gemacht, dass sie zunächst ihre Truppen neu aufstellen mussten. Die Einheiten waren beim Aufstieg zerrissen worden, und die Notwendigkeit, Verwundete zurück zum Strand zu tragen, hatte zur Folge, dass die meisten Kompanien lückenhaft besetzt waren. Darüber hinaus hatte die Einnahme der bewaldeten Kuppe an sich schon wie ein Sieg gewirkt, und die Männer wollten diesen Triumph genießen, bevor sie auf Fort George vorrückten. Peleg Wadsworth hatte Eile angemahnt, doch dann hatte ihn das Musketengefecht abgelenkt, das die Bäume bei Dyce's Head immer noch in Rauchwolken hüllte. «Ich glaube, er ist rechts weitergegangen», fuhr McCobb fort, «zu den Marineeinheiten.»

«Kämpfen die Marinesoldaten denn noch?», fragte Lovell.

«Ein paar dickköpfige Narren versuchen dort noch die Stellung zu halten», sagte McCobb.

Lovell zögerte, doch dann verwandelte der Anblick der gegnerischen Flaggen seine Unentschiedenheit in Zuversicht. «Wir werden uns den Sieg holen!», verkündete er munter. Er wollte diese stolzen gegnerischen Flaggen seiner Trophäensammlung einverleiben. «Lassen Sie Ihre wackeren Männer in Reihen antreten», sagte er zu McCobb. Dann zupfte er am Ärmel des Colonels, weil ihm ein neuer Gedanke gekommen war. «Hat der Gegner auf Sie geschossen? Mit Kanonen, meine ich.»

«Keine einzige Kugel, General.»

«Nun, dann scheuchen Sie Ihre Männer aus dem Wald! Sagen Sie ihnen, dass sie zum Abendessen britisches Rindfleisch bekommen!» In diesem Moment schwoll der Musketenlärm von Dyce's Head zu einem wilden und massierten Geknatter an, und dann, ebenso plötzlich, war es still. Lovell starrte zu den Rauchschwaden hinüber, dem einzig sichtbaren Zeugnis dessen, was dort geschah. «Wir sollten die Marineeinheiten davon benachrichtigen, dass wir weiter vorrücken», sagte er. «Major Brown? Würden Sie Captain Welch die Nachricht überbringen? Er soll mit uns vorrücken, sobald er so weit ist.»

«Selbstverständlich, Sir.» Major Gawen Brown, Lovells zweiter Brigademajor, machte sich südwärts auf den Weg.

Lovell konnte nicht aufhören zu lächeln. Die Miliz von Massachusetts hatte die Anhöhe eingenommen! Sie hatten den Steilhang erklettert, sie hatten gegen Berufssoldaten der britischen Armee gekämpft, und sie hatten gesiegt. «Ich glaube», sagte er zu Lieutenant Colonel Revere, «wir brauchen Ihre Kanonen womöglich doch nicht! Nicht, wenn es uns gelingt, den Gegner mit der Infanterie aus seiner Befestigungsanlage zu jagen.»

«Ich hätte trotzdem gern eine Gelegenheit, den Feind zu vernichten», sagte Revere. Er starrte zu dem Fort hinüber, und der Anblick beeindruckte ihn keineswegs. Die Umfassungswälle waren niedrig und die Eckbastionen nicht fertig, und er schätzte, dass seine Artillerie diesen Witz von einem Fort innerhalb kürzester Zeit in einen Flecken blutgetränkter Erde verwandeln könnte.

«Ihr Pflichteifer ehrt Sie», sagte Lovell, «wirklich, das tut er, Colonel.» Hinter ihm riefen Miliz-Sergeants und Offiziere die Männer aus dem Wald und befahlen ihnen, auf dem offenen Gelände in Reihen anzutreten. Die Flaggen von Massachusetts und den Vereinigten Staaten von Amerika flatterten über ihnen, und es war an der Zeit für den entscheidenden Vorstoß.

Lieutenant Moore hörte, wie der Befehl zum Angriff gebellt wurde, und sah die Männer in den grünen Uniformröcken zwischen den Bäumen hervorstürmen, und er registrierte überraschenden Musketenbeschuss von links, und all das Durcheinander überwältigte ihn. In seinem Kopf war nur noch Entsetzen. Er öffnete den Mund, um einen Befehl zu rufen, doch er brachte kein Wort heraus, und da rannte ein hünenhafter Aufständischer geradewegs auf ihn zu. Er trug einen grünen Uniformrock, über dem sich zwei weiße Bandeliers kreuzten, ein langer schwarzer Pferdeschwanz tanzte in seinem Nacken, und in der Rechten hatte er ein Entermesser, in dem sich die Morgensonne fing. Und John Moore hob, beinahe ohne zu denken, die Muskete, die er von Soldat McPhail mitgenommen hatte, und suchte mit dem Finger nach dem Abzug, und da wurde ihm klar, dass er die Muskete weder geladen noch gespannt hatte, aber es war zu spät, weil der große Aufständische ihn schon beinahe erreicht hatte, und das Gesicht des Mannes war eine wilde, angsterregende Maske aus purem Hass, und Moores Finger krampfte sich um den Abzug, und die Muskete feuerte.

Sie war geladen und gespannt gewesen, ohne dass Moore es bemerkt hatte.

Die Kugel traf den Aufständischen unters Kinn, schoss aufwärts durch seinen Mund und trat über den Schädel aus, wodurch sein Hut in die Luft geschleudert wurde. Die Druckwelle der Kugel, die im Schädel komprimiert wurde, trieb ein Auge aus seiner Höhle. Blut sprühte als roter Schleier, während der Aufständische, der augenblicklich tot gewesen war, auf die Knie stürzte. Das Entermesser fiel zu Boden, und die Arme des Toten schlangen sich einen Moment lang um Moores Hüfte, bevor er langsam vor seinen Füßen auf den Boden rutschte. Entgeistert starrte Moore vor sich hinunter und nahm wahr, dass von dem Pferdeschwanz des Toten Blut tropfte.

«Verflucht, Moore, wollen Sie diesen verdammten Krieg im Alleingang gewinnen?», lautete Major Dunlops Gruß an den jungen Lieutenant. Dunlops Kompanie hatte eine Salve aus dem Wald zu Moores Rechter gefeuert, und diese überraschende Salve hatte die Marinesoldaten zurückgetrieben.

Moore konnte nicht sprechen. Eine Musketenkugel zerrte an den Schößen seines Uniformrocks. Sein Blick hing immer noch an dem toten Aufständischen, dessen Kopf nur noch aus einem Gemisch von Blut, rötlich nassem Haar und Knochenfragmenten bestand.

«Los, mein Freund.» Dunlop nahm Moore am Ellbogen. «Nichts wie weg hier, zum Teufel.»

Die Kompanie zog sich zurück und nahm Moores überlebende Männer mit. Während sie über das tiefer gelegene Gelände beim Hafen abrückten, nahmen die amerikanischen Marineinfanteristen die drei Schiffskanonen in

Besitz, die auf dem Dyce's Head zurückgelassen worden waren. Die Batterie der Aufständischen auf Cross Island feuerte unablässig weiter Kanonenkugeln auf Captain Mowats Schiffe. Auf dem Kamm des Steilufers drängten sich die Aufständischen, und die Rotröcke hatten keinen anderen Rückzugsort als das unfertige Fort George.

Und Captain John Welch war tot.

Es dauerte seine Zeit, bis alle Milizionäre aus dem Wald waren, doch nach und nach bildeten sie eine Angriffslinie. Es war eine recht unregelmäßige Linie, die sich über die Anhöhe hinzog. Die Marineeinheiten standen auf der rechten, die Indianer auf der linken Seite, und die Flaggen wehten in der Mitte. Paul Reveres Männer, Lovells Reserve, hatten in drei Reihen hinter den beiden Flaggen Aufstellung genommen, die eine das stolze Sternenbanner der Vereinigten Staaten und die andere die Kiefernflagge der Miliz von Massachusetts.

«Was für eine großartige Leistung heute Morgen», lautete Lovells Gruß an Peleg Wadsworth.

«Meinen Glückwunsch, Sir.»

«Ich danke Ihnen, Wadsworth! Ich danke Ihnen! Aber nun auf zum Sieg!»

«Auf zum Sieg, Sir», sagte Wadsworth. Er beschloss, Lovell nichts von Captain Welchs Tod zu sagen, bevor die Schlacht geschlagen und der Sieg errungen war.

«Gott gewährt uns den Sieg!», verkündete Hochwürden Jonathan Murray. Er war auf der Kuppe zu Lovell gestoßen und hatte außer seinen Pistolen die Bibel mitgebracht. Er hob das Buch in die Höhe. «Denn ich will sie zerstreuen wie durch einen Ostwind!»

«Amen», sagte Lovell. Israel Trask spielte seine Pfeife hinter den Marineeinheiten, während drei Trommler und zwei weitere Pfeifer bei den Flaggen den «Rogue's March» anstimmten. Lovell ging das Herz auf vor Stolz. Er zog sein Schwert, richtete seine Augen auf die gegnerische Stellung und hob die Klinge. «Auf zum Sieg!»

Eine halbe Meile entfernt, im Fort, beobachtete General McLean, wie die Aufständischen am Waldrand eine Kampflinie bildeten. Er hatte Major Dunlops Männer zu der Batterie auf Dyce's Head hinaufsteigen sehen und mit Hilfe eines Fernrohrs entdeckt, dass der junge Moore und seine Männer gerettet waren. Sie kehrten über die Senke beim Hafen zum Fort zurück, während die Angehörigen der Posten, die bei der Landenge aufgestellt gewesen waren, schon alle innerhalb des Forts waren, wo McLeans Truppen in drei Reihen hinter dem westlichen Wall Aufstellung genommen hatten. Ihre Aufgabe war es nun, den niedrigen Wall mit Musketensalven zu verteidigen. McLean, der mit ansah, wie die gegnerische Angriffslinie immer stärker wurde, glaubte immer noch, dass er es mit Tausenden, nicht mit Hunderten gegnerischer Infanteristen zu tun hatte, und nun tauchten im Norden weitere Aufständische aus dem Wald oberhalb der Landenge auf. Also würden sie ihn von zwei Seiten angreifen. Er schaute zum Hafen hinunter und sah zu seiner Überraschung, dass die feindlichen Schiffe keinen Vorstoß unternommen hatten. Aber weshalb hätten sie das auch tun sollen? Das Fort würde auch ohne ihre Unterstützung fallen. McLean hinkte auf den unfertigen westlichen Wall hinauf. «Captain Fielding!»

«Sir?» Der englische Artilleriekommandant beeilte sich, zu McLean zu kommen.

«Wir schicken ihnen ein paar Kugeln rüber, denke ich.»

«Sollen wir warten, bis sie vorrücken?», schlug Fielding vor.

«Ich denke, wir machen Ihnen gleich die Freude, Captain», sagte McLean.

«Sie sind zu weit entfernt für Traubengeschosse oder Kartätschen, Sir.»

«Dann nehmen Sie die üblichen Kanonenkugeln», sagte McLean. Er klang müde. Er wusste, was jetzt geschehen würde. Die Aufständischen würden vorrücken, und ihre Linie war lang genug, dass sie das schwache Fort von drei Seiten umschließen konnten. Sie würden ein paar Verluste bei dem Verhau machen, der zwar innerhalb der Reichweite von Traubengeschossen lag, doch Fieldings wenige Kanonen konnten nur begrenzten Schaden anrichten. Also würden die Aufständischen sicherlich einen Vorstoß auf die niedrigen Wallanlagen unternehmen. Dort würden Verwirrung, Angst und Bajonette den Kampf beherrschen. Seine Männer würden die Stellung halten, da war McLean sicher, aber sie würden die Stellung halten und dabei sterben.

Die Schlacht war verloren. Aber die Ehre verlangte, dass er Widerstand zeigte, bevor er das Fort preisgab. Niemand würde ihm für dessen Verlust die Schuld geben, nicht bei einem so übermächtigen Gegner, aber er würde von jedermann verachtet werden, wenn er sich widerstandslos ergab, und das hatte McLeans Entschluss bestimmt. Er würde mit Kanonenkugeln schießen lassen und das Feuer aufrechterhalten, wenn der Gegner seinen Vorstoß begann, und dann, bevor sie in die Reichweite von Captain Fieldings gefährlicheren Traubengeschossen und Kartätschen kamen, würde er die Flagge einholen. Es war traurig, dachte er, aber die Kapitulation würde seine Männer vor einem Massaker bewahren.

McLean ging zum Flaggenmast in der südwestlichen Bastion. Er hatte seine Adjutanten angewiesen, einen Tisch neben der hohen Stange aufzustellen, doch seine alte Beinverletzung und sein verkrüppelter rechter Arm machten es ihm schwer, auf den Tisch zu steigen. «Brauchen Sie Hilfe, Sir?», fragte Sergeant Lawrence.

«Danke, Sergeant.»

«Wollen Sie sich ansehen, wie gut unsere Kanonen Aufständische niedermähen können, Sir?», fragte der Sergeant munter, nachdem er McLean auf den Tisch geholfen hatte.

«Oh, ich weiß, dass ihr Burschen uns verteidigen könnt», log McLean. Er stand auf dem Tisch und fragte sich, warum keine Dudelsackspieler mit den zwei Regimentern gekommen waren. Er lächelte darüber, dass ihm in solch einem Augenblick ein so seltsamer Gedanke durch den Kopf ging. «Ich vermisse die Musik», sagte er.

«Die Dudelsäcke, Sir?», fragte Lawrence.

«Ganz recht! Die Musik des Krieges.»

«Ich weiß eine gute englische Kapelle an jedem beliebigen Tag zu schätzen, Sir.»

McLean lächelte. Sein würdeloser Ausguck auf dem Tisch verschaffte ihm einen vorzüglichen Blick auf das Gelände, über das die Aufständischen anrücken würden. Er zog ein Klappmesser aus einer Tasche seines roten Uniformrocks. «Sergeant, wären Sie so freundlich, mir das aufzuklappen?»

«Möchten Sie einen Aufständischen piksen, General?», fragte Lawrence, während er die Klinge ausklappte. «Ich schätze, mit Ihrem Schwert können Sie da mehr ausrichten.»

McLean nahm das Messer zurück. Die Hand seines verletzten rechten Arms war zu schwach, um die Flaggenleine zu lösen, also hielt er das Messer mit der kurzen Klinge in der Linken bereit, um die Leine zu durchschneiden, wenn der rechte Moment gekommen war.

Captain Fielding kam in die Bastion und bestand darauf, die Zwölfpfünder-Kanone selbst auszurichten. «Welche Ladung?», fragte er Lawrence.

«Viertelladung, Sir», sagte Lawrence. «Drei Pfund.»

Fielding nickte und stellte im Kopf ein paar Berechnungen an. Die Kanone war kalt, was bedeutete, dass der Schuss weniger Kraft haben würde, also erhöhte er die Neigung des Rohrs um eine Kleinigkeit, dann setzte er einen Richtnagel ein, um auf eine dichtgedrängte Gruppe unter den bunten Flaggen der Aufständischen zu zielen. Zufrieden mit der Ausrichtung und dem Neigungswinkel, trat er einen Schritt zurück und nickte Sergeant Lawrence zu. «Machen Sie weiter, Sergeant», sagte er.

Lawrence machte die Kanone scharf, befahl der Geschützmannschaft zurückzutreten und hielt Feuer an das Zündloch. Die Kanone brüllte, Rauch hüllte die Bastion ein, und die Kugel flog.

Sie flog über den Verhau und über die Baumstümpfe und begann über dem ansteigenden Gelände an Höhe zu verlieren. Für Peleg Wadsworth, der neben Lovell stand, sah die Kugel aus wie ein graues Flackern, wie ein Pinselstrich vor dem weißgrauen Pulverrauch, der durch das Fort zog, und dann verschwand der Strich, und die Kugel schlug ein. Sie traf einen Milizionär in die Brust, löste eine Explosion aus Knochen, Blut und Fleisch aus und flog weiter, Blut hinter sich verspritzend, traf einen Mann in die Leiste, sodass noch mehr Blut und Fleisch in die Höhe geschleudert wurden, und dann stürzte die Kugel auf den Boden, sprang wieder hoch und enthauptete einen von Reveres Kanonieren, bevor sie geräuschvoll im Wald verschwand.

Solomon Lovell stand gerade zwei Schritte von dem Mann entfernt, der als Erster von der Kugel getroffen wurde. Der Splitter einer Rippe bohrte sich dem General in die Schulter, und ein sehniges Stück Fleisch glitschte feucht über sein Gesicht, und genau in diesem Moment feuerte die HMS *North*, die am dichtesten zum Fort hin lag, eine Breitseite auf die Marineeinheiten, die rechts von Lovells Linie standen, und der Donner der Schiffsgeschütze erfüllte noch den Himmel über Majabigwaduce, als Captain Fieldings zweite Kanone abgefeuert wurde. Diese zweite Kugel traf einen

Baumstumpf unmittelbar vor Colonel McCobbs Männern und schlug mit solcher Gewalt ein, dass der Stumpf halb aus der Erde gerissen wurde und sich in ein Splittergeschoss verwandelte, das in McCobbs erste Reihe jagte. Ein Mann schrie vor Schmerz.

Sergeant Lawrence' Einheit, gedrillt und erfahren, hatte die erste Kanone ausgewischt und neu beladen, und nun senkten sie das Rohr wieder etwas ab, sodass Lawrence ein zweites Mal feuern konnte. Die Kugel schlug nur wenige Schritte von Lovell entfernt in den Boden ein und richtete auch beim Abprallen keinen größeren Schaden an, als den Beraterstab des Generals mit einem Schauer aus Erdklumpen zu überziehen.

Der Mann, dessen Leiste beim ersten Schuss aufgerissen worden war, lebte noch, aber sein Magen war wie ausgeweidet. Seine Därme lagen in Schlingen auf dem Boden, und er rang japsend, in kurzen, verzweifelten Zuckungen nach Luft. Lovell starrte den Mann an, gelähmt vor Entsetzen, und sah, wie ein ekelerregend dicker Blutstrahl aus dem aufgerissenen Körper des Mannes pulste. Der Verwundete gab klägliche Laute von sich, und Lieutenant Colonel Revere, dessen Uniform mit Blut bespritzt worden war, stand mit aufgerissenen Augen und bleichem Gesicht vor dem schrecklichen Anblick. Wadsworth nahm am Rande seines Bewusstseins wahr, wie sich die Kiefernnadeln an die Eingeweideschlingen auf dem Boden klebten. Irgendwie gelang es dem Mann, den Kopf zu heben und Wadsworth flehend anzusehen, und Wadsworth ging unwillkürlich näher zu ihm hin und überlegte dabei, was in Gottes Namen er sagen oder tun sollte, doch in diesem Moment schoss ein weiterer Blutstoß aus dem zerstörten Körper des Mannes, und sein Kopf fiel zurück.

«O gütiger Gott», sagte Lovell zu niemand Besonderem.

«Gott schenke seiner Seele Frieden», sagte Hochwürden Jonathan Murray mit ungewöhnlich angespannter Stimme.

Wadsworth sah dem Toten ins Gesicht. Keine Bewegung mehr, außer einer Fliege, die gerade über die unrasierte Wange krabbelte. Hinter Wadsworth übergab sich ein Soldat. Er wandte sich um und heftete seinen Blick auf das Fort, über dem noch der Kanonenrauch hing. «Wir sollten vorrücken, Sir», sagte er zu Lovell, überrascht, dass er überhaupt etwas gesagt hatte, ganz zu schweigen von dem unbeteiligten Klang seiner Stimme. Lovell schien ihn nicht gehört zu haben. «Wir sollten vorrücken, Sir!», sagte Wadsworth etwas lauter.

Solomon Lovell schaute zum Fort hinüber, wo sich über einer Bastion eine weitere Rauchwolke bauschte. Die Kugel flog links am General vorbei und krachte hinter den Miliztruppen in einen Baum. «Colonel Revere?», fragte Lovell, ohne seinen Blick von dem Fort abzuwenden.

«General?», gab Revere zurück.

«Kann Ihre Artillerie das Fort zerstören?»

«Das kann sie», sagte Revere, wenn auch ohne sein übliches Selbstbewusstsein. «Das kann sie», wiederholte er, unfähig, die Augen von der blutigen Sudelei auf dem Boden zu lösen.

«Dann werden wir Ihren Kanonen dazu Gelegenheit geben», sagte Lovell. «Die Männer sollen sich in den Wald zurückziehen.»

«Aber jetzt ist der richtige Augenblick für den Vorstoß, und …», begann Wadsworth zu widersprechen.

«Ich kann keinen Angriff in diesen Kanonenbeschuss führen!», unterbrach ihn Lovell mit schriller Stimme. Er blinzelte, überrascht von seinem eigenen Ton. «Ich kann nicht», begann er erneut und schien dann vergessen zu haben, was er sagen wollte. «Wir werden ihre Befestigungswälle mit Geschützen zerstören», verkündete er dann entschlossen.

Darauf runzelte er die Stirn, weil die nächste britische Kanone eine Kugel auf den Hügelkamm feuerte. «Der Feind könnte einen Gegenangriff im Sinn haben», fuhr er mit einem Hauch Panik in der Stimme fort, «also müssen wir darauf vorbereitet sein, ihn zurückzuschlagen. In den Wald zurückziehen!» Er drehte sich um und schwenkte sein Schwert in Richtung der dichtstehenden Bäume. «Führen Sie die Männer in den Wald zurück!», rief er den Milizoffizieren zu. «Verteidigungsgräben ausheben! Hier an der Waldgrenze. Ich will Schutzwälle haben.» Er hielt inne, sah dem Rückzug seiner Einheiten zu und führte dann seinen Beraterstab in die Deckung des Waldes.

Höchst erstaunt beobachtete Brigadegeneral McLean, dass der Gegner wieder im Wald verschwand. War das eine Finte? In einem Moment hatten noch Hunderte von Männern eine Angriffslinie gebildet, und im nächsten hatten sie sich zurückgezogen. Er ließ den Waldrand nicht aus den Augen und wartete ab, doch schließlich war klar, dass die Aufständischen tatsächlich in den Wald zurückgegangen waren und mit keinem weiteren Zeichen zu erkennen gaben, dass sie angreifen wollten. Er atmete tief aus, ließ die Flaggenleine los und schob das offene Messer zurück in die Tasche seines Uniformrocks. «Colonel Campbell!», rief er. «Nehmen Sie drei Kompanien! Teilen Sie die Männer in Arbeitsgruppen ein. Sie sollen die Wälle erhöhen!»

«Jawohl, Sir!», rief Campbell zurück.

Fort George würde noch ein paar Stunden länger bestehen.

Aus Brigadegeneral Lovells Kriegsbericht an Jeremiah Powell, Vorsitzender des Regierungsrates im Staat Massachusetts Bay, datiert vom 28. Juli 1779:

*Heute morgen ist mir die Landung auf der s.w.-Spitze der
Halbinsel gelungen die einhundert Fuß hoch ist und beinahe
lotrecht aufsteigt dazu dicht mit Büschen und bäumen bewachsen ist, die Männer haben den Steilhang schnell erklommen und nach unbedeutenden gefechten haben wir sie in die
Flucht geschlagen, sie haben im Wald einige Tote und Verwundete zurückgelassen und wir haben ein paar Gefangene
gemacht unsere Verluste belaufen sich auf etwa dreißig Tote
und Verwundete, wir stehen etwa 100 Ruten vom Hauptfort
des Gegners entfernt auf einem dominierenden Areal, und
hoffen bald die Befriedigung zu haben, Ihnen von der Gefangennahme der gesamten Armee berichten zu können, bitte
haben Sie in Anbetracht meiner Situation die Freundlichkeit
zu entschuldigen, dass ich nicht ausführlicher werde.
Ich verbleibe, Sir, als Ihr Ergebenster Gehorsamer Diener*

Aus Brigadegeneral Solomon Lovells Kriegstagebuch. Mittwoch, 28. Juli 1779:

*Als ich zum Ufer zurückkehrte erfüllte es mich mit Bewun-
derung, welchen Steilhang wir emporgestiegen waren, nachdem ich im Kampfgeschehen keine Gelegenheit hatte, es ge-*

nauer in augenschein zu nehmen, wo wir gelandet sind ist es zumindest dreihundert Fuß hoch, und beinahe senkrecht und die Männer mussten sich an Zweigen und Bäumen hinaufziehen. Ich glaube nicht, dass seit Wolfe solch eine Landung durchgeführt worden ist.

Aus einem Brief Colonel John Brewers an David Perham, geschrieben 1779 und veröffentlicht im *Bangor Whig and Courier*, am 13. August 1846:

Der General (McLean) hat mich sehr höflich empfangen und sagte … «Ich war nicht in der Lage, mich zu verteidigen, ich wollte nur ein oder zwei Kanonen auf sie abfeuern, um nicht als Feigling dazustehen, dann hätte ich meine Fahne eingeholt, und ich habe eine ganze Zeitlang auf den rechten Moment dazu gewartet, weil ich das Leben meiner Männer nicht umsonst wegwerfen wollte.»

ACHT

Captain Thomas Carnes von der Marine hatte mit dreißig Männern auf der rechen Flanke der Marineeinheiten gestanden, die sich das Steilufer hinaufgekämpft hatten. Carnes' Route führte über den steilsten Teil des Abhangs, und seine Männer erreichten den Gipfel erst, nachdem Welch erschossen und ein überraschender Gegenangriff einer Kompanie Rotröcke erfolgt war, die sich nach ihrer Musketensalve so schnell zurückzog, wie sie aufgetaucht war. Captain Davis hatte das Kommando auf Dyce's Head übernommen, und sein unmittelbarstes Problem waren die verwundeten Marinesoldaten. «Sie brauchen einen Arzt», sagte er zu Carnes.

«Der nächste ist vermutlich unten am Strand», erklärte Carnes.

«Verdammt.» Davis wirkte mitgenommen. «Können Ihre Leute sie runtertragen? Und wir brauchen Patronenkartuschen.»

Also stiegen Carnes und seine dreißig Männer wieder zum Strand hinunter. Sie eskortierten zwei Gefangene, und weil sie acht Verwundete trugen und ihnen nicht noch zusätzliche Schmerzen bereiten wollten, verlief der Abstieg sehr langsam und vorsichtig. Die verletzten Männer wurden auf den Kiesstrand zu den anderen gelegt, die auf einen Arzt warteten. Dann führte Carnes seine beiden Gefangenen zu einem Trupp Milizionäre bei dem großen Granitblock, die schon sechs weitere Gefangene bewachten. «Was geschieht mit uns, Sir?», fragte einer der Gefangenen, doch der schottische Akzent des Mannes war so stark, dass Carnes ihn zweimal um die Wiederholung der Frage bitten musste, bevor er sie verstand.

«Sie werden versorgt», sagte er, «und vermutlich sehr viel besser, als ich versorgt wurde», fügte er mit Bitterkeit hinzu. Carnes zwar zwei Jahre zuvor gefangen genommen worden und hatte sechs Hungermonate in New York verbracht, bis er ausgetauscht wurde.

Auf dem schmalen Strand herrschte viel Betrieb. Doktor Downer, der leicht an seiner blutgetränkten Schürze und einem altmodischen Strohhut zu erkennen war, tastete mit einer Sonde in der Hinterbacke eines Milizionärs nach einer Musketenkugel. Der Verletzte wurde von den beiden Gehilfen des Arztes auf den Boden gedrückt. Nicht weit davon entfernt kniete Hochwürden Murray neben einem Sterbenden, hielt seine Hand und rezitierte den Psalm dreiundzwanzig. Seeleute brachten Kisten mit Musketenmunition an Land. Einige Milizionäre, zu viele nach Carnes' Geschmack, schienen keine Aufgaben zu haben und saßen untätig herum. Einige hatten sogar Lagerfeuer aus Treibholz gemacht, von denen sich manche viel zu nahe an den eben eingetroffenen Munitionskisten befanden, die kurz über der Flutlinie aufgestapelt wurden. Die Munition gehörte der Miliz, und Carnes vermutete, dass die Freiwilligen nicht gerade großzügig sein würden, wenn er um Ersatzkartuschen bat. «Sergeant Sykes?»

«Sir?»

«Was meinen Sie, wie viele Männer in unserer Einheit könnte man als Diebe bezeichnen?»

«Jeden einzelnen, Sir. Es sind schließlich Marinesoldaten.»

«Zwei oder drei von diesen Kisten da drüben wären uns äußerst nützlich.»

«Das wären sie, Sir.»

«Ich sehe, wir verstehen uns, Sergeant.»

«Was geht dort oben vor, Captain?», rief Doktor Eliphalet Downer aus ein paar Schritten Entfernung. «Ich habe die Kugel gefunden», sagte er zu seinen Gehilfen, während er sich eine blutverkrustete Zange aussuchte, «also haltet ihn fest. Ruhig liegen bleiben, Mann, Sie sterben nicht. Sie haben nur eine britische Kugel in Ihrem amerikanischen Hintern. Haben die Rotröcke einen Gegenangriff geführt?»

«Noch nicht, Doktor», sagte Carnes.

«Aber sie könnten es noch tun?»

«Davon geht der General jedenfalls aus.»

Ihr Gespräch wurde vom Aufkeuchen des Verwundeten unterbrochen, und dann war der dumpfe Knall einer Kanone aus dem britischen Fort zu hören. Als Carnes die Anhöhe verlassen hatte, um die Verwundeten an den Strand zu bringen, waren alle amerikanischen Kräfte zurück im Wald gewesen, und dennoch hielten die britischen Kanoniere einen sporadischen Beschuss aufrecht, vermutlich, um die Amerikaner in Schach zu halten. «Und was geschieht jetzt?», fragte Eliphalet Downer und knurrte, während er die Zange in die schmale Wunde zwängte. «Blut wegwischen.»

«General Lovell hat die Artillerie angefordert», sagte Carnes, «also schätze ich, wir werden die Bastarde unter Beschuss nehmen, bevor wir das Fort stürmen.»

«Ich habe die Kugel», sagte Downer, der gespürt hatte, wie die Enden seiner Zange an der Musketenkugel entlangschabten, sodass er sie dazwischen einklemmen konnte.

«Er ist ohnmächtig geworden, Sir», sagte einer der Gehilfen.

«Sehr vernünftig von ihm. Hier kommt sie.» Das Herausziehen der Kugel bewirkte einen Blutstrom aus der Wunde, den der Gehilfe mit einem Leinenballen stillte, während Downer schon auf dem Weg zum nächsten Patienten war. «Knochensäge und Messer», sagte er nach einem Blick auf das zerschmetterte Bein des Verletzten. «Guten Morgen, Colonel!» Der letzte Satz galt Lieutenant Colonel Revere, der gerade mit drei Männern aus seiner Artillerieeinheit auf dem überfüllten Strand erschienen war. «Ich höre, Sie bringen Kanonen dort rauf?», fragte Downer heiter, als er sich neben den Verwundeten kniete.

Revere schien diese Frage zu überraschen, vielleicht glaubte er, das ginge Downer nichts an, dann aber nickte er. «Der General will, dass Geschützbatterien eingerichtet werden, Doktor, ja.»

«Ich hoffe, das bedeutet, dass wir heute keine weitere Arbeit mehr bekommen werden», sagte Downer, «jedenfalls nicht, wenn Ihre Kanonen die Kerle auf Distanz halten können.»

«Das werden sie, Doktor, keine Sorge», sagte Revere und ging weiter zu seiner weißen Barkasse, die etwas weiter unten am Strand lag. «Wartet hier», rief er seinen Männern über die Schulter zu, «ich bin nach dem Frühstück wieder da.»

Carnes war nicht sicher, ob er den letzten Satz richtig mitbekommen hatte. «Sir?» Er musste sich wiederholen, um Revere auf sich aufmerksam zu machen. «Sir? Wenn Sie Hilfe brauchen, um die Kanonen das Steilufer hinaufzuschaffen, stehen meine Marinesoldaten sofort zur Verfügung.»

Revere blieb an der Barkasse stehen und sah Carnes misstrauisch an. «Wir brauchen keine Hilfe», sagte er schroff, «wir haben genügend Männer.» Er hatte Carnes noch nicht kennengelernt und ahnte nicht, dass dieser Mann der Marineoffizier war, der als Artillerist in General Washingtons Armee gedient hatte. Er stieg über die Reling der Barkasse. «Zurück zur *Samuel*», befahl er der Mannschaft.

Der General wollte Artillerie auf der Kuppe des Steilufers, aber Colonel Revere wollte ein warmes Frühstück. Also musste der General warten.

Lieutenant John Moore begleitete seine beiden verwundeten Männer zu Doktor Calefs Scheune, die als Garnisonslazarett diente. Er versuchte die beiden Männer zu trösten, doch er spürte, dass seine Worte unzulänglich waren, und später ging er in den kleinen Gemüsegarten, wo er sich, überwältigt von Gewissensbissen, auf einen Holzstapel setzte. Er zitterte. Er hielt seine linke Hand vor sich und sah sie beben und biss sich auf die Unterlippe, weil er kurz davorstand, in Tränen auszubrechen, und das wollte er nicht, nicht, wo ihn jedermann sehen konnte. Um sich abzulenken, starrte er über den Hafen zu Mowats Schiffen, die die Batterie der Aufständischen auf Cross Island unter Beschuss nahmen.

Jemand kam aus dem Haus und bot ihm schweigend einen Becher Tee an. Als er aufsah, hatte er Bethany Fletcher vor sich, und ihr Anblick brachte die Tränen zum Fließen, die er so unbedingt hatte unterdrücken wollen. Sie rannen über seine Wangen. Er wollte sich erheben, um sie zu begrüßen, doch es gelang ihm nicht. Schniefend nahm er den Teebecher entgegen. «Danke», sagte er.

«Was ist passiert?», fragte sie.

«Die Aufständischen haben uns geschlagen», sagte Moore ohne Umschweife.

«Das Fort haben sie aber nicht eingenommen.»

«Nein. Noch nicht.» Moore umklammerte den Becher mit beiden Händen. Der Kanonenrauch lag wie Nebel über dem Hafen, und noch mehr Rauch zog über das Fort, wo Captain Fieldings Geschütze in den Wald feuerten. Die Aufständischen schienen, obwohl sie die Anhöhe über dem Fort eingenommen hatten, keinen Angriff auf das Fort zu planen, aber Moore nahm an, dass sie ihren Vorstoß in der Deckung des Waldes vorbereiteten. «Ich habe versagt», erklärte er unglücklich.

«Versagt?»

«Ich hätte mich zurückziehen sollen, aber das habe ich

nicht getan. Damit habe ich sechs von meinen Männern umgebracht.» Moore trank etwas Tee, der sehr stark gesüßt war. «Ich wollte gewinnen», sagte er, «also bin ich in Stellung geblieben.» Beth sagte nichts. Sie trug eine blutbeschmierte Leinenschürze, und Moore zuckte bei der Erinnerung an Sergeant McClures Sterben zusammen. Dann dachte er an den hochgewachsenen Amerikaner in seinem grünen Uniformrock, der ihn über die Lichtung hinweg angegriffen hatte. Er sah immer noch das erhobene Entermesser des Mannes vor sich, in dem sich die Morgensonne fing, die gebleckten Zähne, diesen rasenden Hass in der Miene des Aufständischen, die Entschlossenheit zu töten, und Moore erinnerte sich an seine eigene Panik und das schiere Glück, das ihm das Leben gerettet hatte. Er zwang sich, noch einen Schluck Tee zu trinken. «Warum tragen sie nur diese weißen Kreuzbandeliers?», fragte er.

«Weiße Kreuzbandeliers?» Beth verstand nicht, was er sagen wollte.

«Man konnte sie zwischen den Bäumen kaum sehen, nur ihre gekreuzten weißen Patronengurte machten sie erkennbar», sagte Moore. «Schwarze Bandeliers», sagte er, «sie sollten schwarz sein.» Dann sprang ihn ein Bild des Blutstrahls an, der aus Sergeant McClures Mund gespritzt war. «Ich habe sie umgebracht», sagte er, «mit meiner Selbstsucht.»

«Es war Ihr erster Kampf», sagte Beth mitfühlend.

Und er war anders als alles gewesen, was Moore erwartet hatte. Jahrelang hatte er sich vorgestellt, dass die Rotröcke drei Reihen tief und mit wehenden Fahnen auf einem freien Feld gegen ebenso aufgestellte Gegner antraten und dass die Militärmusik spielte, während die Musketensalven abgefeuert wurden. Auch die Kavallerie in vollem Putz hatte diese erträumten Schlachtfelder immer prächtig geschmückt, doch stattdessen war Moores erste Schlacht eine ungeordnete Niederlage im dunklen Wald gewesen. Der Gegner hatte sich zwischen den Bäumen versteckt, und seine Männer, die in ihrer roten Linie angetreten waren, hatten leichte Ziele für die Männer in den grünen Uniformjacken abgegeben. «Aber warum tragen sie weiße Kreuzbandeliers?», fragte er wieder.

«Gab es viele Tote?», fragte Beth.

«Sechs von meinen Männern», murmelte Moore düster. Er dachte an den Geruch nach Exkrementen, der von McPhails Leiche aufgestiegen war, und schloss die Augen, als ob er so die Erinnerung loswerden könnte.

«Und bei den Aufständischen?», fragte Beth angespannt.

«Ein paar schon, ich weiß nicht.» Moore war zu sehr von seinen Schuldgefühlen in Anspruch genommen, um die Angst in Beths Stimme zu hören. «Die Männer von den anderen Feldposten sind geflohen, aber ein paar müssen sie schon getötet haben.»

«Und jetzt?»

Moore trank den Tee aus. Er sah Beth nicht an, sondern blickte zu den Schiffen im Hafen hinüber. Die HMS *Albany* schien jedes Mal zu erbeben, wenn ihre Kanonen abgefeuert wurden. «Wir haben alles falsch gemacht», sagte er stirnrunzelnd. «Wir hätten die meisten Feldposteneinheiten am Strand einsetzen und sie angreifen sollen, als sie aufs Ufer zugerudert sind, und die nächste Verteidigungslinie hätten wir auf halber Höhe des Steilufers bilden müssen. Wir hätten sie schlagen können!» Er stellte den Becher neben sich auf den Holzstapel und sah, dass seine Hand nicht mehr zitterte. Er stand auf. «Es tut mir leid, Miss Fletcher, ich habe mich nicht einmal für den Tee bedankt.»

«Doch, das haben Sie, Lieutenant», sagte Beth. «Doktor Calef hat mich gebeten, Ihnen den Tee zu bringen», fügte sie hinzu.

«Das war sehr freundlich von ihm. Helfen Sie ihm?»

308

«Wir alle tun das», sagte Beth und meinte die Frauen von Majabigwaduce. Sie ließ ihren Blick auf Moore ruhen, bemerkte das Blut auf seiner so fein geschneiderten Uniform. Er sieht so jung aus, dachte sie, ein kleiner Junge mit einem langen Schwert.

«Ich muss ins Fort zurück», sagte Moore. «Danke nochmals für den Tee.» Sein Befehl lautete, so erinnerte er sich jetzt, die beurkundeten Treueide zu verbrennen, bevor sie den Aufständischen in die Hände fielen. Die Aufständischen würden kommen, da war er sicher, und er war zu nichts weiter nütze, als Urkunden zu verbrennen, denn er hatte versagt. Er hatte sechs seiner Männer getötet, weil er die falsche Entscheidung getroffen hatte, und John Moore war davon überzeugt, dass ihn General McLean nicht noch mehr Männer in den Tod führen lassen würde.

Er ging zurück zum Fort, über dem immer noch die Flagge wehte. Der Hafen verwandelte sich mit einem Mal in einen reinen Lärmkessel, weil noch mehr Kanonen das flache Becken mit Rauch füllten, und als Moore den Eingang des Forts erreicht hatte, sah er auch, weshalb. Drei gegnerische Schiffe hatten Focksegel und Toppsegel gesetzt und fuhren geradewegs auf den Hafen zu.

Sie kamen, um ihr Vorhaben zu Ende zu bringen.

Commodore Saltonstall hatte versprochen, die gegnerischen Schiffe mit Kanonen anzugreifen, und die *Warren* klar zum Gefecht gemacht. Nebel hatte einen Vorstoß im ersten Tageslicht unmöglich werden lassen, und als sich der Nebel gehoben hatte, gab es eine weitere Verzögerung, weil bei der *Charming Sally*, einem der Kaperfahrer, die den Angriff der *Warren* unterstützen sollten, der Anker unklar war. Am Ende löste Captain Holmes das Problem, indem er am schiffsseitigen Ende des Ankertaus Bojen befestigte und es über Bord warf. Danach fuhren die drei Schiffe bei schwachem Wind langsam ostwärts. Der Commodore plante, in die Hafeneinfahrt zu segeln und von dort aus die drei gegnerischen Schaluppen mit den starken Breitseitengeschützen der Fregatte unter Feuer zu nehmen. Die schwersten britischen Kanonen auf den Schaluppen waren Neunpfünder, während die *Warren* Zwölf- und Achtzehnpfünder führte. Kanonen, die britische Balken und britisches Fleisch zermalmen würden. Der Commodore hätte nichts lieber getan, als diese schweren Geschütze gegen die zweiunddreißig impertinenten Männer einzusetzen, die es gewagt hatten, ihm einen Brief zu schicken, der ihn – wenn auch mit ausgesuchter Höflichkeit – zwischen den Zeilen der Feigheit bezichtigte. Wie konnten sie es wagen! Saltonstall schauderte vor unterdrückter Wut, als er an den Brief dachte. Es gab Zeiten, dachte der Commodore, in denen die Ansicht, alle Menschen seien gleich geschaffen, zu nichts anderem als Anmaßung und Selbstüberschätzung führte.

Er wandte sich nach der *Charming Sally* und der *Black Prince* um, die seiner Fregatte folgten. Die Batterie auf Cross Island feuerte schon auf die drei britischen Schaluppen, die nun als Sperre in der Mitte des Hafens lagen. An jedem Ende ihrer Linie war zwischen Land und Schiff noch freies Wasser, doch die größeren Transportschiffe waren so vertäut worden, dass sie diese flachen Durchfahrten deckten. Nicht, dass Saltonstall die Absicht gehabt hätte, Mowats Sperre zu durchbrechen. Er wollte einfach nur die königlichen Marinesoldaten an Bord ihrer Schiffe beschäftigt halten, während Lovell das Fort angriff.

Der Wind war recht schwach. Saltonstall hatte Schlachtbeseglung angeordnet. Somit waren seine beiden großen Untersegel, das Großsegel und das Focksegel, an die Rahen gerefft, sodass sie den Blick nach vorn nicht behindern konnten. Aus demselben Grund hatte er das Stagsegel reffen lassen, sodass die *Warren* mit Marssegeln, Bramsegeln und

Topsegeln fuhr. Sie bewegte sich nur langsam voran, schob sich immer näher an die enge Hafeneinfahrt zwischen Cross Island und Dyce's Head, die nun in amerikanischer Hand waren. Saltonstall sah die grünen Uniformröcke seiner Marinesoldaten oben auf der Klippe. Sie beobachteten die *Warren* bei ihrem Manöver, und offensichtlich jubelten sie ihm zu, denn sie schwenkten ihre Hüte über den Köpfen.

Die drei britischen Schaluppen hatten die Batterie der Aufständischen auf Cross Island beschossen, bis sie sahen, dass die Marssegel auf den gegnerischen Schiffen losgemacht wurden. Darauf hatten sie unverzüglich das Feuer eingestellt, um ihre Kanonen auf die Hafenzufahrt auszurichten. Jede Kanone war doppelt bestückt, sodass bei der ersten Breitseite jede zwei Kugeln abschießen würde. Die *Warren*, bei weitem das mächtigste Kriegsschiff auf dem Penobscot, wirkte riesenhaft, als sie in der engen Zufahrt emporragte. Captain Mowat, der auf dem Achterdeck der *Albany* stand, war überrascht davon, dass nur drei Schiffe kamen, auch wenn ihm durchaus klar war, dass diese drei Schiffe genügten. Trotzdem, wenn er die Flotte der Aufständischen kommandiert hätte, dann hätte er jeden verfügbaren Segler in einen unaufhaltsamen und übermächtigen Angriff geschickt. Mowat richtete sein Fernrohr auf die *Warren* und stellte fest, dass keine Marinesoldaten auf dem Vorschiff waren. Daraus konnte man wohl schließen, dass man auf der Fregatte nicht vorhatte, seine Schaluppen zu entern. Oder versteckten sich die Marinesoldaten nur? Da erschien in seinem Fernrohr der Steven der Fregatte in monströser Vergrößerung. Er schob das Fernrohr zusammen und nickte seinem First Lieutenant zu. «Sie können das Feuer eröffnen», sagte Mowat.

Mowats drei Schaluppen hatten zusammengenommen achtundzwanzig Kanonen auf den Breitseiten. Es war eine Mischung aus Neunpfündern und Sechspfündern, und alle schossen zwei Kanonenkugeln auf die *Warren*. Der Geschützdonner rollte durch das weite Becken der Bucht von Penobscot, und die Half-Moon-Batterie, die am hafenseitigen Ufer der Halbinsel unterhalb des Forts angelegt worden war, beteiligte sich mit ihren vier Zwölfpfündern an dem Beschuss. Sämtliche Kanonen zielten auf den Bug der *Warren*, und die Fregatte erzitterte unter dem massiven Angriff. «Feuer erwidern, Mister Fenwick!», rief Saltonstall seinem Ersten Lieutenant zu, und Fenwick erteilte den Befehl. Doch die einzigen Kanonen, die er nutzen konnte, waren die Neunpfünder-Buggeschütze. Nachdem sie abgefeuert waren, hüllte Pulverrauch den Bugspriet ein. Der Bug der *Warren* splitterte an manchen Stellen unter dem Aufprall der Kanonenkugeln, die den gesamten Schiffskörper vibrieren ließen. Auf dem Vordeck schrie ein Mann. Der Laut irritierte Saltonstall.

Sein Schiff verlangsamte sich erheblich unter dem nicht enden wollenden Beschuss. Dudley Saltonstall, der neben dem unerschütterlichen Steuermann stand, hörte Balken brechen. Er war kein phantasiebegabter Mann, doch mit einem Mal wurde ihm klar, dass dieses heftige, starke Geschützfeuer ein Ausdruck der Wut war, die bei den Briten darüber herrschte, dass die Aufständischen die Kuppe ihrer Halbinsel eingenommen hatten. An Land geschlagen, rächten sie sich mit diesem Kanonenbeschuss, gut gezielten, schnellen und wirkungsvollen Breitseiten, und Saltonstall kochte vor Ärger, dass sein schönes Schiff zum Opfer werden sollte. Eine Zwölfpfünder-Kugel, die vom Ufer aus abgeschossen worden war, traf eine der Neunpfünder im Bug, zerfetzte das Brooktau, schlug einen Lagerzapfen des Rohres in Stücke und zerschmetterte zwei Männer von der Geschützmannschaft, deren Blut zwanzig Fuß weit übers Deck spritzte. Ein Knäuel Därme lag wie ein schmutziges Tau in der grässlichen Blutschmiere. Die Neunpfünder sackte schräg in ihrer Lafette herunter. Einem Mann war die Hälfte seines Kopfes weggeschossen worden und die andere

Hälfte nur noch eine leere Schale. Nachdem die Kugel ihren Schwung verloren hatte, rollte sie auf der Steuerbord-Gangway aus und blieb liegen.

«Das Deck aufwischen!», rief Saltonstall. «Bewegung!» Ein Lieutenant befahl einigen Matrosen, Kübel mit Wasser herbeizuschaffen, doch noch bevor sie das Blut von den Planken spülen konnten, kam eine neue Anordnung des Commodore: «Befehl aufgehoben!»

Mister Fenwick, der First Lieutenant, starrte Saltonstall an. Der Commodore war dafür berühmt, seine Schiffe blitzsauber zu halten, und nun hatte er den Befehl aufgehoben, das Deck aufzuwischen? «Sir?», rief Fenwick unsicher.

«Lassen Sie es», bekräftigte Saltonstall. Verhalten lächelte er in sich hinein. Er hatte eine Idee, die ihm außerordentlich gut gefiel. «Werfen Sie diesen Abfall über Bord», sagte er und deutete auf die verstreuten Innereien, «aber kümmern Sie sich nicht um das Blut.»

Eine Zwölfpfünder-Kugel traf den Hauptmast, sodass die gesamte Fläche des großen Marssegels bebte. Saltonstall heftete seinen Blick auf den Mast und fürchtete, er würde brechen, doch der große Baum hielt. «Rufen Sie den Schiffszimmermann, Mister Coningsby», befahl er.

«Aye, aye, Sir», antwortete Seekadett Fanning, der sich mittlerweile damit abgefunden hatte, Coningsby genannt zu werden.

«Ich will einen Zustandsbericht vom Hauptmast. Stehen Sie nicht herum! Los, Bewegung!»

Fanning rannte zu einem Niedergang, um nach dem Schiffszimmermann zu suchen, der wohl irgendwo im Vorschiff war und sich um die Bugschäden durch den Kanonenbeschuss kümmerte. Eine Neunpfünder-Kugel kappte die Wanten der Sprietsegelspiere, sodass die Spiere ins Wasser hing, wenn das Sprietsegel selbst auch glücklicherweise nicht am Mast befestigt war und somit nicht im Wasser schleppte, was die *Warren* noch stärker verlangsamt hätte. Der Klüverbaum wurde durchschlagen und der restliche Bugspriet nur noch von einem Want gehalten, und immer weitere Kanonenkugeln schlugen ein. Lieutenant Fenwick hieß sechs Männer, die Sprietsegelspiere aus dem Wasser zu ziehen, und einer von ihnen drehte sich plötzlich mit erstauntem Gesichtsausdruck um, weil er anstelle des linken Armes nur noch einen zerfetzten blutigen Stumpf hatte, aus dem das Blut schoss. Der Luftzug der Kugel brachte Fenwick aus dem Gleichgewicht und bespritzte ihn mit Blut. «Aderpresse anlegen», befahl er und staunte über seine ruhige Stimme. Doch noch bevor irgendjemand dem Verwundeten beispringen konnte, stürzte er seitwärts ins Wasser, während zugleich eine weitere Sechspfünder-Kugel an der Reling entlangschrammte und lange, scharfe Holzsplitter über das Deck spritzen ließ. Erneut bebte das Schiff, und Blut sickerte in die Spalten zwischen den Decksplanken. Eine Kugel zischte über die Wasseroberfläche und besprühte das Vordeck mit kaltem Wasser, und dann wurde Fenwick bewusst, dass die *Warren* herumschwenkte, ganz langsam über Steuerbord, um ihre Backbord-Breitseite auf den Gegner zu richten. Marinesoldaten jubelten der Fregatte von Dyce's Head aus zu, doch das war ein magerer Trost, denn erneut schlugen zwei Kugeln in den Rumpf ein. Eine der großen Pumpen aus Ulmenholz war eingesetzt worden, eine Gruppe Matrosen bediente die langen Hebel, sodass in rhythmischen Abständen ein Wasserstrahl über die Bordwand der *Warren* hinausschoss. Irgendwo wimmerte ein Mann, aber Fenwick konnte ihn nicht sehen. «Werft das über Bord», knurrte er und deutete auf den abgetrennten Arm.

Das Wendemanöver der Fregatte verlief mit unerträglicher Langsamkeit, doch schließlich zeigte ihr Bug auf die Südseite des Hafens, und sie konnte mit einer mächtigen Breitseite den britischen Angriff erwidern. Der Commodore befahl das Feuer zu eröffnen, sobald die langsame Wende die Half-Moon-Batterie vor die Breitseite der *Warren* gebracht hatte. Der Donner der Kanonen, die auf die britische Stellung schossen, hallte bis zum Firmament. Rauchwolken stiegen hoch an den Mastbäumen hinauf. Die Kanonen schnellten im Rückstoß auf ihren Lafetten zurück, bis die Rückhaltetaue den Zug auffingen. Wasser verdampfte zischend, als die Kanoniere die Rohre auswischten. Eine Zwölfpfünder-Kugel raste über das Achterdeck und richtete wie durch ein Wunder keinen anderen Schaden an, als einen Holzkübel in tausend Teile zersplittern zu lassen. «Feuern, sobald es geht!», rief Saltonstall und meinte damit, dass seine Kanoniere wieder feuern sollten, sobald das Schiff so weit herumgeschwenkt war, dass die Kanonen auf die gegnerischen Schaluppen ausgerichtet werden konnten. Doch die Kanoniere waren so vom Rauch ihrer eigenen Kanonen behindert, dass sie den Feind kaum erkennen konnten, der seinerseits in den Pulverrauch seiner Kanonen gehüllt war, der ständig erneuert wurde, weil der Beschuss der Fregatte unaufhörlich weiterging.

«Der Zimmermann sagt, er sieht nach dem Hauptmast, sobald er kann, Sir!» Schiffskadett Fanning musste schreien, um über den Geschützlärm hinweg gehört zu werden.

«Sobald er kann?», wiederholte Saltonstall ärgerlich.

«Der Bug hat Einschusslöcher, Sir, er sagt, er dichtet sie ab.»

Saltonstall knurrte, und eine Sechspfünder-Kugel, die auf der HMS *Albany* abgefeuert worden war, traf Fanning in der Mitte. Mit einem Aufschrei stürzte er aufs Deck. Knochen ragten elfenbeinweiß aus der zerschmetterten Hüftregion. Er starrte zu Saltonstall empor, mit gebleckten Zähnen, und sein Blut hing klebrig auf dem Steuerrad. «Mutter», wimmerte Fanning, «Mutter!»

«Oh, Herrgott noch mal», murmelte Saltonstall.

315

«Ihr zwei!», rief der Steuermann zwei Matrosen zu, die an der Backbordreling kauerten. «Bringt den Jungen unter Deck!»

«Mutter.» Fanning weinte. «Mutter.» Er streckte eine Hand aus und klammerte sich an die Unterkante des Steuerrades. «Oh, Mutter!»

«Feuer!», rief Saltonstall seinen Geschützmannschaften zu – nicht, weil sie diesen Befehl nötig gehabt hätten, sondern weil er das jämmerliche Geheule des Jungen nicht mehr hören wollte, das dankenswerterweise ganz unvermittelt abbrach.

«Er ist tot», sagte einer der beiden Matrosen. «Armes Schwein.»

«Hüten Sie Ihre Zunge!», schnarrte Saltonstall. «Und bringen Sie Mister Coningsby weg.»

«Bringt ihn weg.» Der Steuermann deutete auf Fanning, nachdem er mitbekommen hatte, dass die Matrosen Saltonstalls Befehl nicht verstanden hatten. Er bückte sich und löste die Hand des toten Jungen vom Steuerrad.

Die Kanonen der *Warren* feuerten nun Breitseiten auf die gegnerischen Schaluppen, doch die Besatzung der Fregatte war ungeschickt. Nur wenige der Männer waren echte Seeleute, die meisten waren auf den Werften von Boston zwangsverpflichtet worden, und sie bedienten die Kanonen wesentlich langsamer als die Briten. Die Geschütze der Fregatte richteten größeren Schaden an, weil sie schwerere Kaliber führte, doch auf jeden Schuss, den die *Warren* abfeuerte, kamen sechs gegnerische. Eine weitere Kugel traf den Bugspriet, spaltete ihn beinahe in zwei lange Keile, dann traf erneut eine Zwölfpfünder-Kugel den Hauptmast, und der hohe Mastbaum schwankte bedenklich, bevor er doch noch von den Wanten gehalten wurde. «Marsgroßsegel reffen!», rief Saltonstall dem Zweiten Lieutenant zu. Er musste den Druck von dem beschädigten Mast nehmen, sonst würde er über Bord gehen, und Saltonstall säße auf einem manövrier-unfähigen Schiff mitten im britischen Geschützfeuer. Oben auf der Anhöhe sah er Rauch vom Fort aufsteigen, und er sah einen Riss in seinem Vorroyalsegel. «Vorsegel einholen! Mister Fenwick!» Saltonstall rief durch ein Sprechrohr. Die Focks und Stagsegel würden den beschädigten Bugspriet völlig auseinanderreißen, wenn sie nicht gerefft wurden. Eine Kanonenkugel von der Half-Moon-Batterie traf schwer auf den Schiffskörper und ließ die Wanten zittern.

Die beiden Freibeuter waren der *Warren* nicht in die Hafeneinfahrt gefolgt, sondern lagen unmittelbar davor und feuerten an der Fregatte vorbei auf die britischen Schaluppen. Daher bekam die *Warren* nahezu den gesamten britischen Beschuss ab, und Saltonstall wusste, dass er nicht einfach abwarten konnte, bis aus seinem Schiff Kleinholz geworden war. «Mister Fenwick! Zwei Beiboote zu Wasser lassen! Ziehen Sie den Bug herum!»

«Aye, aye, Sir!»

«Wir haben ihre Marineeinheiten beschäftigt gehalten», murmelte Saltonstall. Das war die Abmachung gewesen, dass seine Schiffe die britische Sperrlinie bedrohten und so die königlichen Marineeinheiten vom Fort fernhielten, das, so vermutete er, in ebendiesem Moment von General Lovell angegriffen wurde. Bis zum Mittag müsste alles vorbei sein, dachte er, und es hatte keinen Sinn, noch mehr Verluste zu riskieren, also würde er sich zurückziehen. Er musste die Fregatte in dem engen Hafen umdrehen, und weil der Wind unbeständig war, musste er den Bug der *Warren* im Schlepptau herumziehen lassen. Die britischen Kanonenkugeln ließen riesige Wasserfontänen um die Ruderer aufspritzen, doch kein Schuss traf die Beiboote, denen es schließlich gelang, die *Warren* nach Westen umzudrehen. Saltonstall wagte nicht, das Focksegel oder die Stagsegel zu setzen, weil sogar dieser schwache Wind genug Spannung auf diese Segel bringen würde, um den beschädigten Bugspriet ganz zu zerstören. Also verließ er sich darauf, dass es den Beibooten gelingen würde, die *Warren* in Sicherheit zu bringen. Die Männer legten sich in die Ruder, und langsam, immer noch unter dem ständigen Feuer der Briten, schob sich die Fregatte hinaus in die weite Bucht.

Saltonstall hörte Jubel von den britischen Schaluppen. Er schnaubte verächtlich. Diese Narren glaubten, sie hätten seine mächtige Fregatte geschlagen, aber er hatte nie vorgehabt, sie aus der Nähe anzugreifen, er hatte nur ihre Marinesoldaten an Bord festhalten wollen, während Lovell das Fort angriff. Eine letzte Kugel klatschte ins Wasser und überzog das Achterdeck mit einem Tropfenschauer, dann wurde die *Warren* nordwärts in den Windschatten von Dyce's Head geschleppt und verschwand damit aus der Sicht des Gegners. Die beiden vorderen Anker wurden ausgeworfen, die Ruderer in den Beibooten erholten sich, die Kanonen wurden festgemacht, und es war Zeit, Reparaturen durchzuführen.

Peleg Wadsworth hatte sich neben den gefangenen Highlander gehockt, der mit dem Rücken an eine Buche gelehnt saß, deren Rinde von Schüssen genarbt war. Der Gefangene war in einem dichten Gebüsch entdeckt worden, von wo aus er sich wohl ins Fort hatte zurückschleichen wollen. Allerdings wäre ihm das mit der Musketenkugel, die in seiner Wade steckte, vermutlich recht schwergefallen. Die Kugel hatte ihm eine große Fleischwunde zugefügt, den Knochen jedoch verfehlt, und der Arzt von der Lincoln-County-Miliz nahm an, dass der Mann überleben würde, falls er keinen Wundbrand bekam. «Sie müssen die Wunde bandagiert halten», sagte Wadsworth, «und die Binde muss immer feucht sein. Verstehen Sie das?»

Der Mann nickte. Es war ein hochaufgeschossener Jüngling von etwa achtzehn oder neunzehn Jahren, mit rabenschwarzem Haar, blassem Teint, braunen Augen und einem verwirrten Ausdruck, als verstünde er nicht, was das Schicksal ihm angetan hatte. Er ließ seinen Blick von Wadsworth zu James Fletcher und wieder zurück zu Wadsworth wandern. Man hatte ihm seine rote Uniformjacke abgenommen, und er saß in Kilt und Hemd vor ihnen. «Von wo kommen Sie, Soldat?», fragte Wadsworth.

Der Mann antwortete, doch sein Akzent war so stark, dass Wadsworth ihn auch nach mehrmaliger Wiederholung des Wortes nicht verstand. «Man wird Sie anständig behandeln», sagte Wadsworth. «Sie werden nach Boston gebracht werden.» Der Mann sagte wieder etwas, doch es war unmöglich zu verstehen. «Wenn der Krieg vorbei ist», sagte Wadsworth langsam, als hätte er es mit jemandem zu tun, der kein Englisch sprach. Er vermutete, dass der Schotte es konnte, aber er war nicht ganz sicher. «Wenn der Krieg vorbei ist, werden Sie nach Hause gehen. Es sei denn, natürlich, Sie entscheiden sich dafür hierzubleiben. Amerika heißt gute Männer gern willkommen.»

James Fletcher bot dem Gefangenen eine Feldflasche mit Wasser an. Der Mann nahm sie und trank gierig. Seine Lippen waren von dem Schwarzpulver der Kartuschen verfleckt, die er während des Kampfes mit den Zähnen aufgerissen hatte, und das führte unweigerlich zu einem staubtrockenen Mund. Er reichte die Feldflasche zurück und stellte eine Frage, die weder Fletcher noch Wadsworth verstanden. «Können Sie stehen?», fragte Wadsworth.

Zur Antwort stand der Mann auf, doch er zuckte zusammen, als er sein Gewicht auf das verletzte linke Bein verlagerte. «Helfen Sie ihm hinunter an den Strand», sagte Wadsworth zu Fletcher, «und anschließend kommen Sie zu mir zurück.»

Es war Mittag geworden. Rauch stieg überall auf dem Steilufer auf, wo die Männer an Lagerfeuern Tee kochten.

Die britischen Kanonen aus dem Fort feuerten weiter, doch in wesentlich größeren Abständen. Wadsworth schätzte, dass zwischen den Schüssen wenigstens zehn Minuten lagen, und keiner richtete Schaden an, weil die Aufständischen außer Sicht im Wald blieben, was bedeutete, dass der Gegner nichts hatte, worauf er zielen konnte. Mit dem Beschuss wollte er lediglich seine Verteidigungsbereitschaft unter Beweis stellen, vermutete Wadsworth.

Er ging ein Stück Richtung Süden, wo die Marineeinheiten auf Dyce's Head die Stellung hielten. Das Kanonenfeuer im Hafen war eingestellt worden, nur lange Rauchschlieren zogen noch über das sonnenüberglänzte Wasser. Die *Warren*, den Bug zerschrammt von Kanonenkugeln, suchte westlich von Dyce's Head Deckung, dessen drei erbeutete britische Kanonen nun unter dem Kommando Lieutenant William Dennis' auf das Fort zielten.

Dennis empfing seinen alten Schulmeister mit einem Lächeln. «Ich bin sehr glücklich, Sie unverletzt zu sehen, Sir», sagte er.

«Ebenso geht es mir mit Ihnen, Lieutenant», sagte Wadsworth. «Denken Sie daran, diese Kanonen zu benutzen?»

«Ich wünschte, wir könnten es», sagte Dennis und deutete auf ein versengte Erdgrube. «Sie haben das Munitionslager hochgejagt, Sir. Sie hätten die Kanonen vernageln sollen, aber das haben sie nicht getan. Also haben wir nach Pulverkartuschen geschickt.»

«Das mit Captain Welch tut mir leid», sagte Wadsworth.

«Es ist kaum zu fassen», sagte Dennis betroffen.

«Ich habe ihn nicht gut gekannt. Eigentlich überhaupt nicht! Aber er hat Zuversicht erweckt.»

«Wir haben ihn für unverwundbar gehalten», sagte Dennis, dann machte er eine vage Geste Richtung Westen. «Die Männer wollen ihn hier oben begraben, Sir, wo er den Kampf angeführt hat.»

Wadsworth blickte in die Richtung, in die Dennis gedeutet hatte, und sah einen in Decken gehüllten Körper. Das musste Welchs Leiche sein. «Das scheint mir sehr passend», sagte er.

«Wenn wir das Fort einnehmen, Sir», sagte Dennis, «sollte es Fort Welch genannt werden.»

«Ich habe so einen Verdacht», gab Wadsworth zurück, «als müssten wir es stattdessen Fort Lovell nennen.»

Dennis lächelte, dann griff er in die Schoßtasche seines Uniformrocks. «Das Buch, das ich Ihnen geben wollte, Sir», sagte er und zog den Band Cesare Beccarias heraus.

Wadsworth wollte sich schon bedanken, als er bemerkte, dass der Deckel des Buches zerrissen und die Seiten ein zerfetztes Durcheinander waren. «Gütiger Gott!», sagte er. «Eine Kugel?» Das Buch war nicht mehr zu lesen, nur noch zerfetztes Papier.

«Ich war noch nicht fertig damit», sagte Dennis betrübt und versuchte die Seiten voneinander zu trennen.

«Eine Kugel?»

«Ja, Sir. Aber sie hat mich nicht getroffen. Ich denke, das kann ich als gutes Omen werten.»

«Darum bete ich.»

«Ich werde ein anderes Exemplar für Sie auftreiben», sagte Dennis. Dann rief er einen schlanken Marinesoldaten mit eckigem Kinn heran. «Sergeant Sykes! Sagten Sie nicht, dass meine Bücher nur dazu gut wären, um damit das Feuer anzuzünden?»

«Das ist wahr, Sir», sagte Sykes. «Das habe ich gesagt.»

«Hier!» Dennis warf ihm das zerfetzte Buch zu. «Anmachpapier!»

Sykes grinste. «Das Beste, was man mit einem Buch anfangen kann, Lieutenant», sagte er. Dann sah er Wadsworth an. «Werden wir das Fort angreifen, General?»

«Da bin ich sicher», sagte Wadsworth. Er hatte Lovell

geraten, einen Angriff am Nachmittag zu befehlen, wenn die sinkende Sonne die Verteidiger des Forts blenden würde, doch bisher hatte sich Lovell nicht festgelegt. Lovell wollte sicher sein, dass die amerikanische Linie vor einem britischen Gegenangriff Deckung hatte, bevor er seine Truppen gegen das Fort schickte. Deshalb hatte er den Einheiten der Aufständischen Befehl gegeben, am Waldrand Gräben auszuheben und Erdwälle aufzuschütten. Die Marinesoldaten hatten den Befehl ignoriert. «Sollten Sie nicht einen Graben ausheben?», fragte Wadsworth.

«Lieber Gott im Himmel», sagte Dennis, «wir brauchen keinen Graben. Wir sind gekommen, um sie anzugreifen.»

Wadsworth hätte Dennis am liebsten aus vollem Herzen zugestimmt, aber so etwas konnte er nicht tun, ohne Lovell gegenüber illoyal zu erscheinen. Stattdessen lieh er sich das Fernrohr von Dennis und richtete es auf die kleine britische Geschützstellung, die nun die nächstgelegene gegnerische Stellung bildete. Er konnte die Batterie nicht genau sehen, weil sie halb von einem Maisfeld verdeckt wurde, doch was er sah, genügte ihm. Der Erdwall bildete einen Halbkreis knapp oberhalb des Hafens und auf halber Strecke zwischen den Marineeinheiten und dem Fort. Die Kanonen der Batterie waren nach Südwesten zur Hafeneinfahrt ausgerichtet, doch Wadsworth vermutete, dass sie leicht westwärts herumgeschwenkt werden konnten, um einen möglichen Infanterieangriff von Dyce's Head aus abzuwehren. «Glauben Sie, diese Kanonen können uns gefährlich werden, Sir?», fragte Dennis, der Wadsworths Blick gefolgt war.

«Das könnten sie schon», sagte Wadsworth.

«Wir kommen nahe an sie heran», sagte Dennis. «In dem Maisfeld würden sie uns nicht entdecken. Fünfzig Männer könnten diese Batterie mit Leichtigkeit erobern.»

«Möglicherweise ist das gar nicht notwendig», sagte Wadsworth. Er hatte das Fernrohr inzwischen auf das Fort gerichtet. Die Wälle waren so niedrig, dass die Rotröcke dahinter von der Hüfte aufwärts deckungslos waren, doch noch während er das Fernrohr auf das Fort gerichtet hielt, sah er Männer, die schwere Holzblöcke herumhievten, um den Wall zu erhöhen. Dann wurde ihm der Blick von etwas Weißem genommen, und als er das Fernrohr senkte, sah er, dass eine der Kanonen abgefeuert worden war. Allerdings quoll dieser Kanonenrauch im Zentrum des westlichen Walls empor, während zuvor sämtlicher Rauch aus den beiden Bastionen an den Enden dieses Walls aufgestiegen war. «Ist das eine neue Kanone?»

«So muss es wohl sein», sagte Dennis.

Wadsworth war kein Mann der groben Worte, aber nun war er versucht, einen Fluch auszustoßen. Lovell ließ auf der Anhöhe Deckungsgräben anlegen, und die Briten nutzten die wertvolle Zeit, die er ihnen damit schenkte, um weitere Kanonen zu den Wällen ihres Forts zu schaffen. Jede Stunde, die verging, würde den Angriff schwieriger machen. «Ich verlasse mich darauf, dass Sie und Ihre Marinesoldaten hierbleiben», sagte er zu Dennis, «und sich am Angriff beteiligen.»

«Das hoffe ich, Sir, aber die Entscheidung hat der Commodore.»

«Das nehme ich auch an.»

«Er ist halb in den Hafen gesegelt», sagte Dennis, «hat den Gegner eine halbe Stunde lang beschossen und ist dann wieder ausgelaufen.» Er klang enttäuscht, so als hätte er mehr vom Flaggschiff der Aufständischen erwartet. Er schaute zu den britischen Schiffen hinunter, die gerade wieder begonnen hatten, die Batterie der Aufständischen auf Cross Island zu beschießen. «Wir brauchen hier oben schwerere Geschütze», sagte er.

«Wenn wir das Fort einnehmen», sagte Wadsworth und wünschte, er hätte «sobald» und nicht «wenn» gesagt, «brauchen wir keine weiteren Batterien mehr.»

Denn sobald die Amerikaner das Fort eingenommen hätten, wären die drei britischen Schaluppen verloren. Und das Fort war jämmerlich, ein Kratzer in der Erde, nicht einmal halb fertig, doch Solomon Lovell hatte nach seiner triumphalen Eroberung der Kuppe beschlossen, Verteidigungsgräben ausheben statt einen Angriff führen zu lassen. Wadsworth gab Dennis das Fernrohr zurück und machte sich auf den Weg zu Lovell. Wir müssen angreifen, dachte er, wir müssen angreifen.

Doch es gab keinen Angriff. Der lange Sommertag verging, die Aufständischen hoben Gräben aus, die britischen Kanonen zerfledderten die Bäume, und General Lovell befahl, eine Lichtung auf der Spitze der Hügelkuppe anzulegen, wo er sein Hauptquartier aufschlagen wollte. Lieutenant Colonel Revere im frischen weißen Hemd entdeckte eine einfachere Strecke vom Strand auf das Steilufer. Die Route führte um das nördliche Ende des Steilufers, und seine Kanoniere fällten Bäume, um den Weg zu bahnen. Bis zur Dämmerung hatten sie vier Kanonen auf den Gipfel geschleppt, doch es war zu spät, um die Geschütze in Stellung zu bringen, sodass sie zunächst einmal unter ein paar Bäumen abgestellt wurden. Stechmücken plagten die Männer, die im Freien schliefen, weil keine Zelte vorhanden waren. Nur einzelne legten sich aus Zweigen einen behelfsmäßigen Unterschlupf an.

Dann wurde es dunkel. Der letzte britische Kanonenschuss dieses Tages jagte einen roten Blitz über den abgeholzten Hügelkamm, der schwarze Schatten hinter die gezackten Baumstümpfe warf. Der Kanonenrauch zog nach Nordosten ab, und dann breitete sich eine unbehagliche Stille über Majabigwaduce aus.

«Morgen», sagte General Lovell an einem Lagerfeuer in seinem neu angelegten Hauptquartier, «werden wir einen Großangriff führen.»

«Gut», sagte Wadsworth mit Nachdruck.

«Ist das Rindfleisch?», fragte Lovell, der einen Zinnteller auslöffelte.

«Gepökeltes Schweinefleisch, Sir», sagte Filmer, der Bedienstete des Generals.

«Es ist sehr gut», sagte Lovell in leicht zweifelndem Ton. «Möchten Sie auch etwas, Wadsworth?»

«Die Marine war so freundlich, mir einen Teller britisches Rindfleisch zu geben, Sir.»

«Wie fürsorglich von unseren Gegnern, uns mit Lebensmitteln zu versorgen», sagte Lovell erheitert. Er sah Wadsworth zu, der sich die Uniformjacke der Kontinentalarmee von den Schultern gleiten ließ, sich ans Feuer setzte und Nadel, Faden und einen Knopf hervorholte, der offensichtlich von seiner Jacke abgerissen war. «Haben Sie denn niemanden in Ihrer Einheit, der das für Sie erledigen kann?»

«Es gefällt mir, meine Sachen selbst in Ordnung zu halten, Sir», sagte Wadsworth. Er leckte den Faden an, und nach einigen Versuchen gelang es ihm, ihn durch das Nadelöhr zu schieben. «Ich denke, es war ein guter Einfall von Colonel Revere, einen neuen Zugang zum Steilufer anzulegen.»

«Ja, in der Tat!», gab Lovell begeistert zurück. «Ich wollte es ihm auch schon sagen, aber anscheinend ist er zur *Samuel* zurück, als es anfing, dunkel zu werden.»

Wadsworth begann den Knopf anzunähen, und diese alltägliche Verrichtung ließ ein Bild seiner Frau Elizabeth vor ihm auftauchen. Sie saß am abendlichen Feuer und stopfte Socken. Ihren Handarbeitskorb hatte sie auf dem breiten Herdstein abgestellt, und sie fehlte Wadsworth mit einem Mal so schmerzlich, dass seine Augen feucht wurden. «Es wäre gut, wenn Colonel Revere Haubitzen brächte», sagte er und hoffte, dass keiner der Männer am Feuer seine Augen verdächtig hatte glänzen sehen. Anders als Kanonen feuerten Haubitzen ihre Geschosse in einem hohen Bogen ab, sodass die Geschützführer über die Köpfe einer angreifenden Truppe hinwegschießen konnten.

«Wir haben nur eine Haubitze», sagte Major Todd.

«Wir brauchen sie für den morgigen Angriff», sagte Wadsworth.

«Ich bin sicher, dass der Colonel sein Geschäft versteht», sagte Lovell hastig, «aber es wird keinen Angriff geben, bevor ich nicht die Bestätigung Commodore Saltonstalls dafür habe, dass unsere stattlichen Schiffe wieder durch die Hafeneinfahrt vorrücken.»

Ein kleiner Windstoß fuhr in das Lagerfeuer und trieb Wadsworth den Holzrauch ins Gesicht. Er blinzelte und sah den General dann stirnrunzelnd über die tanzenden Flammen hinweg an. «Kein Angriff, Sir?», fragte er.

«Nicht, solange die Flotte nicht zur gleichen Zeit angreift», gab Lovell zurück.

«Ist es denn notwendig, dass sie das tut, Sir?», fragte Wadsworth. «Ich sehe nicht, was uns die gegnerischen Schiffe anhaben könnten, wenn wir an Land angreifen. Jedenfalls nicht, wenn wir mit unseren Truppen außer Reichweite der Schiffskanonen bleiben.»

«Ich will, dass die britischen Marineeinheiten auf ihren Schiffen festgehalten werden», sagte Lovell fest.

«Wie ich höre, ist die *Warren* beschädigt», sagte Wadsworth. Es entsetzte ihn, dass Lovell einen zeitgleichen Angriff forderte. Dafür gab es keinerlei Notwendigkeit! Alles, was die Aufständischen tun mussten, war, an Land anzugreifen, und das Fort würde mit Sicherheit erobert, britische Marinesoldaten hin oder her.

«Wir haben eine Menge Schiffe», sagte Lovell wegwerfend, «und ich will unsere Schiffe und Männer, unsere Soldaten und unsere Seeleute, Arm in Arm auf dem Weg zum

326

Siegeslorbeer vorrücken sehen.» Er lächelte. «Ich bin sicher, dass der Commodore unserem Wunsch entsprechen wird.»

Morgen.

Der Donnerstag brachte einen klaren Himmel und einen leichten Südwind, der das Wasser in der Bucht kräuselte. Auf Beibooten fuhren die Schiffsführer und Kommandoofiziere sämtlicher Kriegsschiffe zur *Warren*, auf der sie von Commodore Saltonstall mit übertriebener und untypischer Höflichkeit willkommen geheißen wurden. Er hatte dafür gesorgt, dass alle über die vordere Steuerbord-Gangway an Bord gehen mussten, denn so hatten sie einen guten Blick auf das blutverschmierte Deck und die vom Kanonenbeschuss beschädigte Verankerung des Hauptmastes. Er wollte, dass sich die Captains vorstellten, welche Zerstörung der Gegner auf ihren eigenen Schiffen anrichten konnte, von denen keines so groß oder so gut bewaffnet war wie die *Warren*.

Nachdem sie den Schaden gesehen hatten, wurden sie in Saltonstalls Kajüte geführt, wo auf dem langen Tisch Gläser und Rumflaschen bereitstanden. Der Commodore bat die Männer Platz zu nehmen und amüsierte sich über das sichtliche Unbehagen, das viele von ihnen angesichts der ungewohnten Eleganz der Einrichtung empfanden. Der Tisch aus Ahornholz war glänzend poliert und konnte abends mit Kerzen aus Walrat erhellt werden, die nun unangezündet in aufwendigen Silberhaltern steckten. Zwei der Sprossenfenster waren von einer britischen Kanonenkugel zerschossen worden, und Saltonstall hatte die zerbrochenen Scheiben und gesplitterten Rahmen absichtlich unberührt gelassen, um den Männern zu zeigen, was sie für ihre eigenen Schiffe riskierten, wenn sie auf einem Angriff beharrten. «Wir müssen der Armee dazu gratulieren», begann Saltonstall die Beratung, «dass sie den Gegner gestern von der Anhöhe verdrängt hat, auch wenn ich es zutiefst bedaure, dass Captain Welch zu den Opfern dieses Erfolgs gehörte.»

Einige Männer murmelten zustimmend, die meisten jedoch beobachteten Saltonstall argwöhnisch. Er war als herablassender, kühler Mann bekannt, und er war der Mann, dem sie in ihrem gemeinsamen Brief vorgeworfen hatten, Mowats Schiffe nicht angegriffen zu haben. Doch nun gab er sich mit einem Mal überaus leutselig. «Bedienen Sie sich an dem Rum», sagte er mit einer achtlosen Geste in Richtung der dunklen Flaschen. «Vom Feind zur Verfügung gestellt. Er stammt von einem Handelsschiff vor Nantucket.»

«Es ist nie zu früh für ein Gläschen», sagte Nathaniel West von der *Black Prince* und schenkte sich großzügig ein. «Ihre Gesundheit, Commodore.»

«Ich lege Wert auf Ihre Ansicht», sagte Saltonstall aalglatt, «ebenso wie auf Ihren Rat.» Er beschrieb eine weit ausholende Geste, die jeden Mann am Tisch einschloss. «Unsere Armee», sagte er, «hat ihre Stellung nun auf der Anhöhe oberhalb des Forts und kann jederzeit angreifen. Wenn das Fort erobert ist – und dass es so kommt, ist vollkommen sicher –, ist die Stellung unseres Gegners im Hafen unhaltbar. Ihre Schiffe müssen entweder geradewegs auf unsere Kanonen zu auslaufen, oder sie müssen sich ergeben.»

«Oder sich selbst versenken», sagte James Johnston von der *Pallas*.

«Oder sich selbst versenken», stimmte Saltonstall zu. «Nun, ich weiß, dass es die Meinung gibt, wir sollten ihnen diese Wahl abnehmen, indem wir in den Hafen segeln und den Gegner direkt angreifen. Es ist die Angemessenheit dieser Kampfhandlung, über die ich mit Ihnen beraten möchte.» Er hielt inne. Verlegenes Schweigen breitete sich aus. Jeder Mann dachte an den Brief, den sie gemeinsam unterschrieben hatten. Der Brief, der Saltonstall dafür gerügt hatte, nicht in den Hafen eingelaufen und einen Generalangriff auf die drei Schaluppen gefahren zu haben, der unzweifelhaft in einem amerikanischen Sieg geendet hätte. Saltonstall ließ das peinliche Schweigen unangenehm lange dauern, bevor er lächelnd fortfuhr. «Erlauben Sie mir, noch einmal auf die genauen Umstände einzugehen, Gentlemen. Der Gegner hat drei bewaffnete Schaluppen in einer Sperrlinie im Hafen liegen. Daher wird jedes Schiff, das in den Hafen einläuft, die Breitseiten des Gegners abbekommen. Zusätzlich verfügt der Gegner über eine große Batterie im Fort und über eine zweite Batterie auf dem Hang zwischen dem Hafen und dem Fort. All diese Geschütze können angreifende Schiffe mit ihren Geschossen erreichen. Ich muss Ihnen wohl kaum auseinandersetzen, dass die ersten Segler unter dem Beschuss des Gegners erhebliche Schäden und schmerzliche Mannschaftsverluste davontragen werden.»

«Ebenso wie Sie gestern, Sir», sagte Captain Philip Brown von der Brigg *Diligent*, die zur Kontinentalflotte gehörte.

«Wie wir gestern», pflichtete ihm Saltonstall bei.

«Aber der Gegner wird ebenfalls Verluste haben», sagte John Cathcart von der *Tyrannicide*.

«In der Tat, der Gegner wird Verluste haben», sagte Saltonstall. «Aber glauben wir denn nicht, dass die Niederlage des Gegners ohnehin eine besiegelte Sache ist? Unsere Infanterie ist bereit, das Fort zu stürmen, und wenn das Fort kapituliert, muss das auch der Schiffsverband tun. Auf der anderen Seite», er legte eine Pause ein, damit seinen nächsten Worten noch aufmerksamer zugehört würde, «zwingt der Sieg über die Schiffe keineswegs das Fort dazu, ebenfalls zu kapitulieren. Habe ich mich klar ausgedrückt? Wenn wir das Fort erobern, sind die Schiffe ebenfalls besiegt. Wenn wir aber die Schiffe erobern, ist das Fort deshalb noch lange nicht in unserer Hand. Unsere Aufgabe hier besteht darin, die britischen Truppen zu vertreiben, und dazu muss das Fort erobert werden. Die gegnerischen Schiffe, Gentlemen, sind von dem Fort genauso abhängig wie die britischen Landtruppen.»

Keiner der Männer, die um den Tisch saßen, war ein Feigling, doch die Hälfte von ihnen waren Geschäftsleute, und ihr Geschäft war die Freibeuterei. Neun Kapitäne am Tisch waren keine Militärs und besaßen entweder das gesamte Schiff, das sie kommandierten, oder einen hohen Eigneranteil, und ein Freibeuter verdiente kein Geld mit dem Kampf gegen feindliche Kriegsschiffe. Freibeuter hefteten sich leichtbewaffneten Handelsfahrern an die Fersen. Wenn ein Freibeuterschiff verloren ging, dann ging die Investition des Eigners mit ihm verloren. Die Kapitäne überdachten die Wahrscheinlichkeit hoher Verluste in den Reihen ihrer Mannschaften und kostspieliger Beschädigungen ihrer Schiffe, und langsam erkannten sie die Klugheit von Saltonstalls Vorschlag. Sie alle hatten das blutverschmierte Deck und den gesplitterten Mast der *Warren* gesehen, und sie fürchteten noch Schlimmeres für ihre eigenen wertvollen Schiffe. Warum also nicht der Armee gestatten, das Fort allein einzunehmen? Es war ohnehin schon so gut wie gefallen, und der Commodore hatte vollkommen recht damit, dass die britischen Schiffe keine andere Wahl hatten, als zu kapitulieren, wenn das Fort erst einmal erobert war.

Lieutenant George Little von der Flotte aus Massachusetts war kämpferischer. «Um das Fort geht es doch gar nicht», sagte er, «es geht darum, die Bastarde umzubringen und ihre Schiffe zu übernehmen.»

«Diese Schiffe werden uns gehören», sagte Saltonstall, dem es wundersamerweise gelang, sich zu beherrschen, «wenn das Fort erobert ist.»

«Und das wird es auf jeden Fall», sagte Philip Brown.

«Und das wird es auf jeden Fall», stimmte ihm Saltonstall zu. Er zwang sich, Littles wütenden Blick zu erwidern. «Stellen Sie sich einmal vor, zwanzig Ihrer Männer würden in einem Angriff auf die Schiffe getötet, und nach dieser Schlacht würde das Fort weiterhin Widerstand leisten. Für was wären Ihre Männer dann gestorben?»

«Wir sind hierhergekommen, um den Gegner zu töten», sagte Little.

«Wir sind hierhergekommen, um den Gegner zu besiegen», korrigierte ihn Saltonstall, und zustimmendes Gemurmel erfüllte die Kajüte. Der Commodore spürte, welche Stimmung herrschte, und nahm sich ein Beispiel an General Lovell, indem er eine Abstimmung vorschlug. «Sie alle haben Ihre Ansichten in einem Brief an mich zum Ausdruck gebracht», sagte er, «und ich schätze den Pflichteifer, den dieser Brief zeigt, sehr hoch ein. Aber ich gehe in aller Bescheidenheit davon aus», er hielt inne, hatte er sich doch selbst damit überrascht, dass er das Wort «Bescheidenheit» in Bezug auf sich selbst benutzt hatte, «dass dieser Brief nicht in Kenntnis sämtlicher taktischer Umstände geschrieben wurde, mit denen wir es zu tun haben. Also erlauben Sie mir einen Vorschlag zur Abstimmung vorzubringen. Wäre es in Anbetracht der gegnerischen Stellungen nicht klüger, der Armee zu gestatten, ihren Triumph vollkommen zu machen, ohne dabei unsere Schiffe bei einem Angriff zu riskieren, der für das erklärte Ziel dieses Kriegszuges keinerlei Bedeutung hat?»

Die Kapitäne zögerten, doch dann stimmten die Eigentümer der Freibeuter einer nach dem anderen gegen einen Vorstoß durch die Hafenzufahrt, und nachdem diese Männer den Anfang gemacht hatten, schlossen sich ihnen die übrigen ebenfalls an. Die einzige Ausnahme bildete George Little, der weder dafür noch dagegen stimmte, sondern nur finster auf den Tisch starrte.

«Ich danke Ihnen, Gentlemen», sagte Saltonstall und verbarg seine Befriedigung meisterlich. Diese Männer hatten die Frechheit besessen, ihm einen Brief zu schreiben, der ihn indirekt der Feigheit bezichtigte, und doch hatten sie nun angesichts der konkreten Tatsachen mit überwältigender Mehrheit gegen genau die Ansicht gestimmt, die sie in ihrem Brief vertreten hatten. Der Commodore verachtete diese Männer. «Ich werde», sagte er, «General Lovell von der Entscheidung unseres Rates benachrichtigen.»

Also würden die Kriegsschiffe nicht angreifen.

Und General Lovell ließ im Wald Erdwälle anlegen, um einen britischen Vorstoß zurückschlagen zu können.

Und General McLean baute die Befestigung des Forts aus.

Captain Welch wurde auf Dyce's Head in der Nähe der Stelle begraben, an der er gestorben war. Marinesoldaten hoben die Grube aus. Sie hatten schon sechs ihrer Kameraden weiter unten am Hang beerdigt, wo der Boden leichter aufzugraben war, und auch Captain Welchs Leiche in dieses Gemeinschaftsgrab gelegt. Dann aber hatte ihnen ein Sergeant befohlen, den Leichnam des Captains wieder herauszuholen, bevor sie das Grab zuschaufelten. «Er hat die Anhöhe erobert», sagte der Sergeant, «nun soll er die Stellung für immer halten.»

Also war auf der Steilklippe ein neues Grab in den steinigen Boden gehackt worden. Peleg Wadsworth kam, um dabei zu sein, als der Leichnam in die Grube gelegt wurde, und mit ihm kam Hochwürden Murray, der in der grauen Dämmerung einige Worte der Trauer sprach. Ein Entermesser und eine Pistole wurden auf den in Decken gehüllten Körper gelegt. «Damit kann er diese Bastarde von Rotröcken auch noch in der Hölle umbringen», erklärte Sergeant Sykes. Hochwürden Murray lächelte tapfer zu diesen Worten, und Wadsworth nickte zustimmend. Dann wurden große Steine auf das Grab geschichtet, damit keine Tiere auf Beutesuche Welch aus der Erde herausscharren konnten, die er erobert hatte.

Nach der kurzen Zeremonie ging Wadsworth zum Waldrand und sah zum Fort hinüber. Lieutenant Dennis trat zu ihm. «Der Wall ist heute höher», sagte Dennis.

«So ist es.»

«Aber wir kommen noch drüber», sagte Dennis markig.

Wadsworth nahm die britischen Arbeiten mit einem kleinen Fernrohr in Augenschein. Rotröcke vertieften den westlichen Graben gegenüber der amerikanischen Linie und benutzten die ausgehobene Erde, um den Wall zu erhöhen. Doch der entferntere östliche Wall war immer noch kaum mehr als ein Kratzer im Dreck. «Wenn wir sie umgehen könnten …», überlegte Wadsworth laut.

«Oh, das können wir!», sagte Dennis.

«Denken Sie?»

Kanonendonner verschluckte die Antwort des Marine-Lieutenants. Die halbkreisförmige Batterie kurz oberhalb des Hafens hatte einen Kanonenschuss quer über den Hafen auf Cross Island abgefeuert. Kaum war der Hall verklungen, als die drei gegnerischen Schaluppen das Feuer eröffneten. «Greift der Commodore an?», fragte Wadsworth.

Die beiden Männer gingen zur südwestlichen Seite der Hügelkuppe und sahen, dass zwei Freibeuter durch die Hafeneinfahrt schossen, doch keines der Schiffe machte den Versuch, durch die enge Zufahrt zu segeln. Sie feuerten aus großer Distanz, und die drei Schaluppen erwiderten das Feuer. «Geschützübung», sagte Dennis wegwerfend.

«Sie glauben also, dass wir das Fort umgehen können?», fragte Wadsworth.

«Nehmen Sie diese Batterie ein, Sir», sagte Dennis und deutete hinunter zu dem halbmondförmigen Erdwall, der die britische Geschützstellung abschirmte. «Wenn wir die erst einmal haben, können wir über das Ufer des Hafens weiter vorstoßen. Dort haben wir mehr als genug Deckung!» Die Strecke am Ufer des Hafens führte an Maisfeldern, Holzstapeln, Häusern und Scheunen vorbei, die den Männern vor den Kanonen des Forts und den Breitseiten der Schaluppen Deckung bieten würden.

«Der junge Fletcher könnte uns führen», sagte Wadsworth. James Fletcher hatte sein Fischerboot, die *Felicity*, abgeholt und benutzte es, um Verletzte zum Lazarett der Aufständischen zu bringen, das auf dem anderen Ufer der Bucht, am Wasaumkeag Point, eingerichtet worden war. «Aber ich denke immer noch, dass ein direkter Angriff das Beste wäre», fügte Wadsworth hinzu.

«Das Fort stürmen, Sir?»

«Warum nicht? Wir sollten angreifen, bevor sie den westlichen Wall noch weiter erhöhen können.» Im Norden wurde ein Kanone abgefeuert, das Geräusch kam völlig unvermittelt, war sehr nahe und sehr laut. Es stammte von einer Achtzehnpfünder-Kanone des Artillerieregiments von Massachusetts, die vom Waldrand der Anhöhe aus auf die Rotröcke geschossen hatte, die an der Erhöhung des Walls arbeiteten. Der Kanonenlärm heiterte Wadsworth auf. «Jetzt müssen wir sie nicht mehr umgehen», sagte er zu Dennis. «Colonel Reveres Kanonen werden diesen Wall in einer Staubwolke aufgehen lassen!»

«Also greifen wir über den Hügelkamm an?», fragte Dennis.

«Das wäre das einfachste Vorgehen», sagte Wadsworth, «und nach meiner Meinung ist das Einfachste oft das Beste.»

«Das hätte Captain Welch sicher ebenso gesehen, Sir.»

«Und ich werde es mit Nachdruck empfehlen», sagte Wadsworth.

Sie waren so nahe an den Gegner herangekommen, das Fort war nicht fertig, und alles, was sie tun mussten, war anzugreifen.

«Ich hasse New York», sagte Sir George Collier. Er hielt New York für eine Elendssiedlung; eine übelriechende, überbevölkerte, pestilenzische, feuchte Hölle auf Erden, in der noch dazu äußerst ungehobelte Sitten herrschten. «Wir sollten es einfach den verfluchten Aufständischen überlassen», knurrte er, «sollen doch diese Bastarde hier hausen.»

«Bitte nicht bewegen, Sir George», sagte der Arzt.

«O Herrgott im Himmel, Mann, nun machen Sie schon! Ich habe Lissabon für die Hölle auf Erden gehalten, aber im Vergleich mit diesem elenden Drecksnest ist es ein gottverdammtes Paradies.»

«Gestatten Sie mir, das Blut an Ihrem Oberschenkel zu ziehen?», fragte der Arzt.

«Es ist sogar noch schlimmer als Bristol», grummelte Sir George.

Admiral Sir George Collier war ein kleiner, aufbrausender und unwirscher Mann, der die britische Flotte an der amerikanischen Westküste befehligte. Er war krank, weshalb er sich in New York an Land aufhielt, und der Arzt versuchte sein Fieber mit einem Aderlass zu senken. Er setzte dazu eines der neuesten und besten medizinischen Geräte aus London ein, einen Schröpfschnepper, den er nun spannte, sodass die vierundzwanzig geschliffenen Stahlklingen in ihr schimmerndes Gehäuse zurückglitten. «Sind Sie so weit, Sir George?»

«Schwafeln Sie nicht, Mann. Tun Sie es einfach.»

«Sie werden ein leichtes Unwohlsein verspüren, Sir George», sagte der Arzt und verbarg das Behagen, das ihm diese Vorstellung verschaffte. Dann drückte er das kleine Metallgehäuse auf den mageren Schenkel und löste den Spanner. Die unter Federspannung stehenden Klingen fuhren aus ihren Schlitzen und schnitten sich in Sir Georges Haut, sodass ein Blutfluss ausgelöst wurde, den der Arzt mit einem Tuch auffing. «Ich sähe gern mehr Blut, Sir George», sagte der Arzt.

«Seien Sie doch kein Narr, Mann. Sie haben meine Adern schon vollkommen trockengelegt.»

«Sie sollten sich in ein Flanelltuch wickeln, Sir George.»

«Bei dieser verdammten Hitze?» Sir Georges fuchsartiges Gesicht schimmerte vor Schweiß. Der New Yorker Winter war brutal kalt, der Sommer eine dampfend heiße Hölle, und dazwischen war es einfach bloß unerträglich. An der Zimmerwand seines Quartiers, neben einer Radierung von seinem Haus in England, hing ein gerahmtes Werbeplakat, auf dem angekündigt wurde, dass das Londoner Drury Lane Theatre *Selima und Azor* spielte, ein musikalischer Hochgenuss in fünf Akten, geschrieben von Sir George Collier. London, dachte er, bei Gott, das war eine Stadt! Anständiges Theater, elegante Huren, noble Clubs und keine verdammte Feuchtigkeit. Ein New Yorker Theaterbesitzer hatte geglaubt, Sir George einen Gefallen zu tun, indem er ihm angeboten hatte, *Selima und Azor* auf seiner Bühne aufzuführen, doch Sir George hatte es untersagt. Sollte er sich anhören, wie seine Lieder von der amerikanischen Aussprache zerstört wurden, die ihn immer an läufige Katzen erinnerte? Schon der bloße Gedanke war widerwärtig.

«Ja!», schrie er, als es an der Tür klopfte. Ein Flottenlieutenant kam herein. Er schauderte bei dem Anblick des Blutes, das über Sir Georges nacktem Oberschenkel verschmiert war, dann wandte er den Blick ab und blieb respektvoll an der Tür stehen. «Was ist, Forester?», schnarrte Sir George.

«Ich bedaure, Sie darüber in Kenntnis setzen zu müssen, Sir, dass die *Iris* nicht zum Auslaufen bereit ist», sagte Lieutenant Forester.

«Die Kupferverkleidung?»

«Ganz recht, Sir», sagte Forester, erleichtert darüber, dass seine schlechten Neuigkeiten keinen Wutanfall ausgelöst hatten.

«Pech», knurrte Sir George. Die HMS *Iris* war eine prächtige 32-Kanonen-Fregatte, die Sir George zwei Jahre zuvor von den Amerikanern erbeutet hatte. Damals hatte ihr Name *Hancock* gelautet. Die königliche Marine behielt üblicherweise die Namen gekaperter Kriegsschiffe bei, aber Sir George wollte lieber verdammt sein und für alle Ewigkeit in der Hölle von New York braten, bevor er es zuließ, dass ein Schiff der britischen Flotte den Namen irgendeines dreckigen aufständischen Verräters trug, und deshalb war die *Hancock* auf den Namen einer vortrefflichen Londoner Schauspielerin umgetauft worden. «Beine so lang wie eine Sprietsegelspiere», sagte Sir George sehnsüchtig.

«Sir?», fragte Lieutenant Forester.

«Kümmern Sie sich um Ihre eigenen verdammten Angelegenheiten.»

«Aye, aye, Sir.»

«Die Kupferverkleidung, sagen Sie?»

«Mindestens zwei Wochen Arbeit, Sir.»

Sir George stieß ein Knurren aus. «*Blonde?*»

«Bereit, Sir.»

«*Virginia?*»

«Voll bemannt und seetüchtig, Sir.»

«Stellen Sie für die beiden Befehle aus», sagte Sir George. Die *Blonde* und die *Virginia* waren ebenfalls 32-Kanonen-Fregatten, und die *Blonde* war passenderweise gerade vom Penobscot zurückgekehrt, was bedeutete, dass Captain Barkley die Gewässer dort kannte. «*Greyhound? Camille? Galatea?*»

«Die *Greyhound* nimmt Verpflegung auf, Sir George. Die *Galatea* und die *Camille* brauchen beide neue Besatzungsmitglieder.»

«Ich will, dass alle drei in zwei Tagen zum Auslaufen bereit sind. Schicken Sie die Zwangsrekrutierer los.»

«Aye, aye, Sir.» Die *Greyhound* führte achtundzwanzig

Kanonen, während die *Camille* und die *Galatea* kleinere Fregatten mit je zwanzig Kanonen waren.

«Die *Otter*», sagte Sir George, «für den Truppentransport.» Die *Otter* war eine 14-Kanonen-Brigg.

«Aye, aye, Sir.»

Sir George sah dem Arzt beim Verbinden des Oberschenkels zu. «Und die *Raisonable*», sagte er mit einem wölfischen Grinsen.

«Die *Raisonable*, Sir George?», fragte Forester erstaunt.

«Sie haben mich genau verstanden! Teilen Sie Captain Evans mit, dass er in zwei Tagen seeklar zu sein hat. Und teilen Sie ihm außerdem mit, dass er meine Flagge führen wird.»

Die *Raisonable* war ein erbeutetes französisches Schiff, und auch sie war ein starkes Kriegsschiff. Sie führte vierundsechzig Kanonen, die schwersten davon Zweiunddreißigpfünder, und die Aufständischen hatten nichts auf dem Wasser, was sich mit der *Raisonable* messen konnte, obwohl sie eines der kleinsten Schiffe im Verband der königlichen Flotte war.

«Sie wollen aufs Meer, Sir George?», erkundigte sich der Arzt beunruhigt.

«Ja, ich will aufs Meer.»

«Aber Ihre Gesundheit!»

«Ach, unken Sie nicht herum, Sie Schwachkopf. Wie könnte mir das schaden? Sogar das Tote Meer ist noch gesünder als New York.»

Sir George würde in See stechen, und er nahm sieben Schiffe mit, die von einem gewaltigen, schlanken Schlachtschiff angeführt wurden, das mit einer einzigen Breitseite jedes Kriegsschiff der Aufständischen vom Meer fegen konnte.

Und die Flotte würde ostwärts segeln. Zum Fluss Penobscot und zur Bucht von Penobscot, nach Majabigwaduce.

Auszüge aus den Befehlen des Brigadegenerals Solomon Lovell an seine Truppen, Penobscot, 30. Juli 1779:

Der General ist über das sittenlose und undisziplinierte Verhalten im Lager höchst beunruhigt ... Nachdem der Erfolg einer gottesfürchtigen Armee hauptsächlich von fragloser Unterordnung abhängt, erwartet der General, dass sich jeder Offizier und Soldat, der noch einen Funken Ehre besitzt, nach Kräften bemüht, seine Befehle auszuführen und dass Colonel Revere und das Korps unter seinem Befehl zukünftig gemeinsam mit der Armee an Land kampiert, nicht nur um die Reihen zu stärken, sondern auch um die Kanonen zu bedienen.

Auszüge eines Briefes von General George Washington an die Ratsregierung von Massachusetts, 3. August 1779:

Hauptquartier, West Point.
Soeben habe ich einen von gestern datierten Brief von Lord Stirling erhalten, der in Jersey stationiert ist ... nach diesem Schreiben sieht es so aus, als wären sämtliche New Yorker Kriegsschiffe mittlerweile auf See gegangen. Ich habe es für meine Pflicht gehalten, diese Nachricht weiterzugeben, damit der Verband, der auf dem Kriegszug in Penobscot ist, gewarnt wird, nachdem es äußerst wahrscheinlich ist, dass diese Schiffe zum Kampf gegen sie entsandt sind und wenn sie überrascht werden sollten wären die Folgen höchst unerquicklich. Ich habe

die Ehre mit großem Respekt und höchster Wertschätzung,
Gentlemen, Ihr Ergebenster Diener
George Washington

Aus der eidesstattlichen Aussage John Lymburners vor dem
Friedensrichter Joseph Hibbert, 12. Mai 1788:

> (Ich wurde) *von den Amerikanern bei der Belagerung von*
> *Penobscot gefangen genommen, und war in strenger Haft …*
> *wir wurden sehr schlecht behandelt weil wir weiterhin zu den*
> *britischen Truppen standen, wurden Tories und Flüchtlinge*
> *genannt, und ich wurde damit bedroht gehängt zu werden,*
> *sobald sie Fort George eingenommen hätten.*

NEUN

«Wo zum Teufel ist Revere?», fragte Lovell. Er hatte diese Frage in den zwei Tagen seit der Einnahme der Kuppe von Majabigwaduce schon ein Dutzend Mal gestellt, und jedes Mal war sein üblicherweise gelassener Tonfall ein bisschen gereizter geworden. «Hat er an einem einzigen Kriegsrat teilgenommen?»

«Er schläft gern an Bord der *Samuel*», sagte William Todd.

«Schlafen? Es ist helllichter Tag!» Das war eine Übertreibung, denn es waren erst wenige Minuten vergangen, seit die Sonne den Nebel im Osten hatte aufstrahlen lassen.

«Ich glaube», sagte Todd verhalten, «nach seiner Meinung ist das Quartier an Bord der *Samuel* seiner Bequemlichkeit zuträglicher.» Er putzte seine Brille mit einem Zipfel seines Uniformhemdes, und sein Gesicht wirkte ohne die Brille seltsam verletzlich.

«Wir sind nicht hier, um es bequem zu haben», sagte Lovell.

«Das sind wir in der Tat nicht, Sir», sagte Todd.

«Und seine Männer?»

«Die schlafen auch auf der *Samuel*, Sir», sagte Todd und klemmte die Bügel seiner Brille hinter die Ohren.

«Das geht nicht!», rief Lovell wütend. «Das geht überhaupt nicht!»

«Das geht wirklich nicht, General», stimmte ihm Todd

zu und zögerte einen Moment. Der Nebel ließ die Baumwipfel verschwimmen und behinderte die Sicht der Kanoniere sowohl auf Cross Island als auch an Bord der britischen Schiffe, sodass es recht still in Majabigwaduce war. Der Rauch von Lagerfeuern, über denen Tee gekocht wurde, zog zwischen den Bäumen hindurch. «Wenn Sie es für richtig halten, Sir», sagte Todd langsam und beobachtete Lovell, der vor dem groben Verschlag aus Zweigen und Erde auf und ab ging, der sein Schlafquartier darstellte, «könnte ich einen Hinweis auf Colonel Reveres Abwesenheit in die Tagesbefehle aufnehmen.»

«Einen Hinweis?», fragte Lovell knapp und blieb stehen, um den Major wütend anzustarren. «Sie könnten einen Hinweis aufnehmen?»

«Ich könnte in die Tagesbefehle eine Bestimmung dahingehend aufnehmen, dass der Colonel und seine Männer an Land zu übernachten haben», schlug Todd vor. Er bezweifelte, dass Lovell darauf eingehen würde, denn ein solcher Befehl würde in der gesamten Armee als höchst öffentliche Maßregelung angesehen werden.

«Eine sehr gute Idee», sagte Lovell, «ein exzellenter Vorschlag. Tun Sie das. Und setzen Sie mir auch einen Brief an den Colonel auf!»

Bevor Lovell seine Meinung noch einmal ändern konnte, kam Peleg Wadsworth auf die Lichtung. Der jüngere General trug in der kühlen Morgendämmerung einen langen, zugeknöpften Uniformmantel. «Guten Morgen!», begrüßte er Lovell und Todd gut gelaunt.

«Dieser Mantel passt Ihnen nicht besonders gut, General», stellte Major Todd mit schwerfälligem Humor fest.

«Er gehörte meinem Vater, Major. Er war recht beleibt.»

«Wussten Sie, dass Revere an Bord seines Schiffes übernachtet?», erkundigte sich Lovell ungehalten.

«Ich wusste es, Sir», sagte Wadsworth, «aber ich dachte, er hätte Ihre Genehmigung.»

«Keineswegs hat er die. Wir sind hier nicht auf einer Vergnügungsfahrt! Möchten Sie Tee?» Lovell machte eine Handbewegung in Richtung des Lagerfeuers, an dem sein Bediensteter neben einem Topf kauerte. «Das Wasser muss schon gekocht haben.»

«Ich würde davor gern ein Wort mit Ihnen wechseln, Sir.»

«Gewiss, gewiss. Unter vier Augen?»

«Wenn es Ihnen recht ist, Sir», sagte Wadsworth, und die beiden Generäle gingen ein paar Schritte nach Westen, wo die Bäume weniger dicht standen und sie über die neblige Bucht von Penobscot schauen konnten. Die Marsstengen der Transportsegler ragten über die niedrigen und dichten Nebelbänke hinaus wie Splitter aus einer Schneewehe. «Was würde passieren, wenn wir alle an Bord unserer Schiffe übernachteten, ha?», fragte Lovell, immer noch verärgert.

«Ich habe diese Sache Colonel Revere gegenüber angesprochen», sagte Wadsworth.

«Das haben Sie?»

«Gestern, Sir. Ich sagte, er solle sein Quartier aufs Land verlegen.»

«Und wie hat er reagiert?»

Wütend, dachte Wadsworth. Revere hatte reagiert, als habe er ihn beleidigt. «Wir können nachts nicht mit den Kanonen schießen», hatte er Wadsworth angezischt, «warum also soll ich sie nachts bemannen? Ich weiß selbst, wie ich mein Regiment zu führen habe!» Wadsworth machte sich Vorwürfe, dass er es dabei belassen hatte, doch in diesem Moment hatte er größere Sorgen. «Der Colonel hat meine Ansicht nicht geteilt, Sir», sagte er ausdruckslos, «aber ich würde gern über etwas anderes sprechen.»

«Ja, gewiss, was immer Ihnen durch den Kopf geht.»

343

Lovell sah stirnrunzelnd zu den Marsstengen hinüber. «Schläft an Bord seines Schiffes!»

Wadsworth blickte nach Süden, wo der Nebel wie ein großer weißer Fluss zwischen den Hügeln lag, die den Penobscot begrenzten. «Sollte der Gegner Verstärkung schicken, Sir ...», begann er.

«Dann kommt sie bestimmt flussaufwärts», unterbrach ihn Lovell, der Wadsworths Blick gefolgt war.

«Und entdeckt unsere Flotte, Sir», fuhr Wadsworth fort.

«Natürlich würde sie das, ja», sagte Lovell, als sei dieser Umstand bedeutungslos.

«Sir», sagte Wadsworth drängend, «wenn der Gegner mit einer starken Flotte kommt, werden sie unter unseren Schiffen wüten wie die Wölfe in einer Schafsherde. Dürfte ich auf eine Vorsichtsmaßnahme dringen?»

«Eine Vorsichtsmaßnahme», wiederholte Lovell, als sei ihm dieses Wort nicht recht vertraut.

«Gestatten Sie mir, den oberen Flusslauf zu erkunden, Sir», sagte Wadsworth und deutete nach Norden, wo die Ufer des Penobscot auseinandertraten und die weite Bucht bildeten. «Lassen Sie mich eine Stelle suchen und sie befestigen, zu der wir uns zurückziehen können, wenn der Gegner kommt. Der junge Fletcher kennt den Oberlauf. Er hat mir erzählt, dass sich der Fluss verengt, Sir, und sich zwischen hohen Ufern dahinwindet. Wenn es notwendig werden sollte, Sir, könnten wir die Flotte flussauf verlegen und hinter einem Steilufer in Sicherheit bringen. Eine Geschützstellung an der Flussschleife würde jede gegnerische Verfolgung aufhalten können.»

«Suchen und befestigen, was?», sagte Lovell. Er wandte sich um und starrte in den Nebel, der im Norden lag. «Sie wollen ein Fort anlegen?»

«Ich würde jedenfalls einige Kanonen in Stellung bringen, Sir.»

«Und Erdwälle?»

«Die Batterie muss verteidigt werden können. Der Gegner wird sicher mit Truppen kommen.»

«Wenn er kommt», sagte Lovell zweifelnd.

«Es ist vernünftig, Sir, sich auch auf die ungünstigste Eventualität vorzubereiten.»

Lovell verzog das Gesicht, dann legte er Wadsworth väterlich eine Hand auf die Schulter. «Sie machen sich zu viele Sorgen, Wadsworth. Das ist auch gut. Wir sollten uns über alle Eventualitäten Gedanken machen.» Er nickte weise. «Aber ich versichere Ihnen, dass wir das Fort lange vor der Ankunft irgendwelcher Rotröcke erobert haben werden.» Er sah Wadsworth an, dass er etwas entgegnen wollte, also sprach er eilig weiter. «Sie verlangen Männer, um eine Geschützstellung anzulegen, aber wir können es uns nicht leisten, Männer zur Errichtung einer Anlage abzustellen, die wir möglicherweise niemals brauchen werden! Wir werden jeden verfügbaren Mann bei dem Angriff benötigen, sobald der Commodore sich mit dem Vorstoß in den Hafen einverstanden erklärt hat.»

«Wenn er sich einverstanden erklärt», sagte Wadsworth trocken.

«Oh, das wird er, da bin ich sicher. Haben Sie es nicht gesehen? Der Gegner ist schon wieder zurückgedrängt worden! Jetzt ist es nur noch eine Frage der Zeit!»

«Zurückgedrängt?», fragte Wadsworth.

«Das haben die Kundschafter berichtet», frohlockte Lovell. Mowats drei Schiffe, die unter dem ständigen Beschuss aus Colonel Reveres Kanonen auf Cross Island lagen, hatten sich über Nacht noch weiter ostwärts zurückgezogen. Ihre Marsstengen mit den britischen Flaggen waren alles, was man in diesem Moment von ihnen sehen konnte, und die Kundschafter auf Dyce's Head schätzten, dass diese Marsstengen nun beinahe eine Meile von der Hafeneinfahrt entfernt waren. «Der Commodore kann jetzt kampflos in den Hafen einfahren», sagte Lovell aufgeräumt, «weil wir sie noch weiter zurückgedrängt haben. Bei Gott, das haben wir! Jetzt ist beinahe der gesamte Hafen unser!»

«Aber selbst wenn der Commodore nicht in den Hafen segelt, Sir …», begann Wadsworth.

«Oh, ich weiß!», unterbrach ihn der Ältere. «Sie glauben, wir können das Fort auch ohne die Unterstützung der Flotte einnehmen, aber das können wir nicht, Wadsworth, das können wir nicht.» Lovell wiederholte seine alten Argumente, wie die britischen Schiffe die angreifenden Truppen mit ihren Kanonen beschießen würden und wie die britischen Marineeinheiten die Garnison verstärken würden, und Wadsworth nickte höflich, auch wenn er nichts von alledem glaubte. Er betrachtete Lovells ernste Miene. Der Mann war sehr angesehen, hatte umfangreichen Landbesitz, war Stadtrat, Gemeinderatsvorstand und Abgeordneter, doch der Schulmeister in Wadsworth versuchte sich Solomon Lovell als kleinen Jungen vorzustellen, und das Bild, das vor ihm auftauchte, zeigte einen dicklichen, unbeholfenen Kerl, der sich ernsthaft um Mithilfe bemühte, aber niemals eine Regel brechen würde. Lovell führte inzwischen seine Überzeugung aus, dass Brigadegeneral McLean wesentlich mehr Männer zur Verfügung hatte als er. «Oh, ich weiß, dass Sie meine Meinung nicht teilen, Wadsworth», sagte Lovell, «aber Ihr jungen Männer könnt sehr eigensinnig sein. In Wahrheit haben wir es mit einem heimtückischen und übermächtigen Gegner zu tun, und um ihn zu überwinden, müssen wir alle unsere Ochsen vor ein und denselben Karren spannen!»

«Wir müssen angreifen, Sir», sagte Wadsworth nachdrücklich.

Lovell lachte, allerdings ohne belustigt zu sein. «In der einen Minute erklären Sie mir, ich soll uns auf die Verteidigungssituation vorbereiten, und in der nächsten wollen Sie angreifen!»

«Ohne das eine wird das andere geschehen, Sir.»

Lovell runzelte die Stirn, während er darüber nachdachte, was Wadsworth meinte, dann aber schüttelte er abschätzig den Kopf. «Wir werden siegen!», sagte er und erläuterte noch einmal seine großartige Idee, dass die Schiffe des Commodore majestätisch in den Hafen segeln sollten, aus allen Rohren feuernd, und zugleich die Armee über den Hügelkamm gegen ein Fort anrückte, das von Schiffskanonen dem Erdboden gleichgemacht wurde. «Stellen Sie sich das nur einmal vor», sagte er begeistert, «all unsere Kriegsschiffe feuern auf das Fort! Sapperlot, wir werden nur noch über den Wall zu spazieren brauchen!»

«Mir wäre ein Angriff morgen früh beim Hellwerden lieber», sagte Wadsworth. «Wenn es noch neblig ist. Wir können uns im Nebel an den Gegner heranarbeiten, Sir, und das Fort in einem Überraschungsangriff nehmen.»

«Der Commodore kann bei Nebel nicht manövrieren», sagte Lovell. «Das ist ganz unmöglich.»

Wadsworth sah nach Osten. Der Nebel schien sich ausgebreitet zu haben, sodass nur noch die Marsstengen eines einzigen Schiffs zu sehen waren, und es musste ein Schiff sein, weil es drei Marsstengen waren, die von der Rahe des Bramsegels gequert wurden. Drei Kreuze. Wadsworth glaubte nicht, dass es eine Rolle spielte, ob der Commodore angriff oder nicht, besser gesagt, er dachte, dass es keine Rolle spielen sollte, weil Lovell genügend Männer hatte, um das Fort zu stürmen, ob der Commodore nun angriff oder nicht. Es war wie bei einem Schachspiel, dachte Wadsworth, und auf einmal dachte er an das Lächeln seiner Frau, mit dem sie ihm einmal mit ihrem Läufer den Turm genommen hatte. Das Fort war der König, und alles, was Lovell tun musste, war, einen einzigen Zug zu machen, um es schachmatt zu setzen, doch der General und Saltonstall beharrten auf einem komplexeren Vorgehen. Sie wollten Läufer und Springer über das gesamte Brett schieben, und Wadsworth wusste, dass er keinen der beiden von einer einfacheren Vorgehensweise würde überzeugen können. Also, dachte er, muss ich ihre komplizierten Züge zum Gelingen bringen, und zwar, bevor die Briten weitere Figuren auf das Schachbrett setzen konnten. «Hat der Commodore sich damit einverstanden erklärt, in den Hafen einzulaufen?», fragte er Lovell.

«Das kann man nicht sagen», gab Lovell etwas verlegen zurück, «jedenfalls noch nicht.»

«Aber Sie denken, er wird es noch tun, Sir?»

«Ganz gewiss wird er das», sagte Lovell, «und sicher zur rechten Zeit.»

Zeit war genau das, was den Aufständischen fehlte, das glaubte wenigstens Wadsworth. «Wenn wir die Hafeneinfahrt kontrollieren ...», begann er erneut, und erneut wurde er von Lovell unterbrochen.

«Es liegt an dieser elenden Batterie auf der Uferseite des Hafens», sagte der General, und Wadsworth wusste, dass er die halbkreisförmige Geschützanlage meinte, die von den Briten zur Deckung des Hafenzugangs angelegt worden war. Diese Batterie war jetzt die am dichtesten vor ihnen liegende gegnerische Stellung.

«Und wenn wir diese Batterie erobern würden, Sir», schlug Wadsworth vor, «würde der Commodore dann seinen Vorteil nutzen?»

«Ich hoffe es», sagte Lovell.

«Wie wäre es, wenn ich einen Plan zur Eroberung der Batterie vorbereitete?», fragte Wadsworth.

Lovell starrte Wadsworth an, als hätte der Jüngere gerade ein Wunder vollbracht. «Würden Sie das tun?», fragte der General höchst erfreut. «Ja, tun Sie das! Dann können wir gemeinsam vorrücken. Soldat und Seemann, Marine und Miliz, gemeinsam! Wie bald können Sie solch einen Plan ausgearbeitet haben? Bis zum Mittag vielleicht?»

«Ganz sicher, Sir.»

«Dann werde ich Ihren Plan noch heute Nachmittag dem Kriegsrat vorlegen», sagte Lovell, «und jeden Anwesenden dazu drängen, ihn zu befürworten. Meiner Treu, wenn wir die Batterie erobern, wird der Commodore ...» Lovell unterbrach sich, denn mit einem Mal war knatterndes Musketenfeuer zu hören. Es schwoll an und wurde von einem Kanonenschuss beantwortet. «Was zum Teufel tun diese Bastarde jetzt schon wieder?», fragte Lovell mit klagender Stimme und rannte ostwärts los, um es herauszufinden. Wadsworth folgte ihm.

Als Kanonenfeuer den Morgen zerriss.

«Man darf dem Gegner keine Ruhe gönnen», hatte Brigadegeneral McLean gesagt. Der Schotte war sehr erstaunt darüber gewesen, dass die Aufständischen das Fort noch nicht angegriffen hatten, und noch mehr darüber, dass General Lovell auf der Anhöhe Verteidigungsgräben ausheben ließ. McLean hatte den Namen seines Kontrahenten von einem amerikanischen Überläufer erfahren, der sich in der Nacht über den Hügelkamm geschlichen und die Wache an dem Verhau angerufen hatte. McLean hatte den Mann befragt, der, weil er hilfsbereit sein wollte, seiner Überzeugung Ausdruck gab, Lovell sei mit zweitausend Infanteristen auf der Halbinsel gelandet. «Vielleicht sind es sogar noch mehr, Sir», sagte der Mann.

«Oder weniger», gab McLean zurück.

«Ja, Sir», hatte der jämmerliche Tropf gesagt, «aber in Townsend hat es nach sehr vielen Männern ausgesehen, Sir.» Auch das half kein bisschen weiter. Der Überläufer war etwa Mitte vierzig und behauptete, er sei zur Miliz zwangsrekrutiert worden und wolle nicht kämpfen. «Ich will einfach nur nach Hause, Sir», jammerte er.

«Das wollen wir alle», sagte McLean und schickte den Mann zum Arbeiten in die Lazarettküche.

Die Aufständischen hatten das Feuer am Tag nach ihrer Eroberung der Anhöhe eröffnet. Sie schossen nicht sehr häufig, und viele der Kanonenkugeln wurden vergeudet, aber das Fort war ein riesiges Ziel und lag noch dazu sehr nahe, und deshalb krachten einige der großen Achtzehnpfünder-Kugeln in den neuen Wall und ließen Erdbrocken und Holzsplitter in die Höhe spritzen. Das neue Lagerhaus wurde mehrfach getroffen und sein Giebeldach beinahe vollkommen zerstört, doch bisher hatte kein Schuss eine von McLeans eigenen Kanonen getroffen. Inzwischen waren sechs Kanonen auf dem westlichen Wall in Stellung gebracht worden, und Captain Fielding schoss ununterbrochen auf den Waldrand. Die Aufständischen hatten ihre Kanonen nicht dort, sondern ein gutes Stück dahinter im Wald aufgestellt und Korridore angelegt, um die notwendige freie Schussbahn zu haben. «Vielleicht treffen Sie nicht viel», hatte McLean zu Fielding gesagt, «aber Sie bereiten dem Gegner Sorgen, und außerdem verbergen Sie uns mit den Rauchwolken.»

Es genügte jedoch nicht, dem Gegner Sorgen zu machen. McLean wusste, er durfte ihn nicht mehr zur Ruhe kommen lassen, und deshalb hatte er Lieutenant Caffrae befohlen, vierzig der geschicktesten Männer zu einer Kompanie zusammenzustellen, die für ein bisschen Geplänkel zwischen den Linien sorgen sollte. Caffrae war ein vernünftiger und intelligenter junger Mann, dem sein neuer Befehl sehr gefiel. Er nahm zwei Trommler und vier Pfeifer in seine Einheit auf, und die Kompanie schlich sich im Schutz des Nebels und der Bäume im Norden der Halbinsel bis dicht vor die gegnerische Linie. Dort angekommen, spielte ihre kleine

Kapelle den «Yankee Doodle», eine Melodie, die den Aufständischen aus irgendeinem Grund überhaupt nicht zu gefallen schien. Dann riefen sie nicht vorhandenen Männern
Befehle zu und schossen auf die Verteidigungsgräben der
Aufständischen, und jedes Mal, wenn eine größere Einheit
des Gegners Caffraes Kompanie herausfordern wollte, gingen sie in Deckung, nur um gleich darauf woanders erneut
aufzutauchen und wieder mit Verspottungen und einzelnen
Schüssen anzufangen. Caffrae, zum Captain auf Zeit befördert, tanzte Lovells Männern auf der Nase herum. Er pro-
vozierte sie, er forderte sie heraus. Er würde sie auch noch
nachts im Schlaf stören. Lovells Männer sollten keine Ruhe
und keine Erholung mehr haben, sondern zermürbt und in
andauerndem Alarmzustand gehalten werden.

«Lassen Sie mich zu ihm gehen», bettelte Lieutenant
Moore.

«Das werden Sie schon noch, John», versprach McLean.
Caffrae war auf dem Feld zwischen den Stellungen, und
seine Männer hatten gerade mit einer Salve die Morgen-
ruhe beendet. Die Pfeifer der Scharmützelgruppe stimmten
ihr Spottlied an, was sofort zu wilden und schlecht gezielten
Musketenschüssen aus dem Wald führte, in den sich die Aufständischen zurückgezogen hatten. McLean sah angestrengt
nach Westen, um Caffraes Position zwischen den Nebelschwaden zu entdecken, die sich langsam vom Hügelrücken
verzogen, stattdessen jedoch sah er, dass aus den Schusskor-
ridoren der Aufständischen mit einem Mal Rauch quoll, als
die Gegner wieder mit ihrem Kanonenbeschuss anfingen.
Die ersten Schüsse waren zu kurz, die Kugeln schleuderten
nur Erde und Holzsplitter empor und schlugen ohne Schaden anzurichten in den Hügelkamm ein.

Der gegnerische Kanonenbeschuss war lästig, doch Mc-
Lean war dankbar, dass es nicht mehr war als das. Wenn er
selbst die Belagerer kommandiert hätte, dann hätte er seinen

Geschützführern befohlen, ihre Schüsse auf einen einzigen Punkt der Verteidigungsanlage zu richten, und dann, wenn diese Stelle komplett zerstört war, die Kanonen ganz leicht rechts oder links davon auszurichten, um auf diese Weise das Fort systematisch zu vernichten. Stattdessen aber feuerten die gegnerischen Kanoniere ganz beliebig oder zielten nur in die grobe Richtung des Forts, sodass es für McLean ein Leichtes war, die einzelnen Schäden zu beheben, die von den Kanonenkugeln im westlichen Wall oder an den Eckbastionen angerichtet wurden. Dennoch, auch wenn die Kanonen nicht so zerstörerisch waren, wie er befürchtet hatte, so untergruben sie doch das Selbstvertrauen seiner Männer. Die Wachposten, die zur Beobachtung des Gegners eingesetzt waren, mussten natürlich so stehen, dass sie über den Wall hinwegsehen konnten, und gleich am ersten Tag des gegnerischen Kanonenbeschusses war eine dieser Wachen von einer Kugel getroffen worden, die seinen Kopf in einen Brei aus Blut, Knochen und Gehirnmasse verwandelte. Anschließend hatte die Kugel am Lagerhaus die letzten Reste des Giebeldachs zerschmettert und war, noch klebrig von blutigem Haar, neben einem Wasserkübel liegen geblieben. Andere Männer waren von Steinen und Splittern verletzt worden, die von Kanonenkugeln aus dem Wall gerissen wurden. Die Aufständischen setzten auch eine Haubitze ein, eine Waffe, die McLean mehr fürchtete als die größte Kanone, doch die Geschützführer hatten keine Erfahrung, und die Explosionsgeschosse der Haubitze kamen irgendwo auf dem Hügelrücken herunter.

«Ich habe eine Aufgabe für Sie, Lieutenant», sagte McLean zu Moore.

«Sehr wohl, Sir.»

«Kommen Sie mit.» McLean ging auf das Tor des Forts zu und stützte sich bei jedem Schritt auf seinen Schwarzdornstock. Er wusste, dass das Einsetzen des gegnerischen

Kanonenbeschusses seine Männer unruhig machen würde, und er wollte ihre Ängste zerstreuen. «Captain Fielding!»

«Sir?», rief der englische Artillerist zurück.

«Stellen Sie eine Weile das Feuer ein!»

«Verstanden, Sir.»

McLean verließ das Fort und führte Moore etwas nach Nordwesten, bis sie etwa zwanzig Schritte vor dem Graben des Forts und in voller Sicht des Gegners standen. «Unsere Aufgabe besteht einfach darin, hier zu stehen, Lieutenant», erklärte McLean.

Moore war belustigt. «Wirklich, Sir?»

«Um unseren Männern zu zeigen, dass sie nichts zu fürchten haben.»

«Aha. Und was ist, wenn wir getötet werden, Sir?»

«Dann haben sie etwas zu fürchten», sagte McLean. Er lächelte. «Aber darin besteht ein großer Teil der Offizierspflichten, Lieutenant.»

«Vor den Augen aller zu sterben, Sir?»

«Ein Beispiel zu geben», sagte McLean. «Ich will unsere Männer sehen lassen, dass Sie und ich uns nicht vor der Kanonade fürchten.» Er wandte sich um und sah zu dem Wald hinüber. «Warum in Gottes Namen greifen sie uns nicht an?»

«Sollten wir sie vielleicht selbst angreifen, Sir?», schlug Moore vor.

McLean sah ihn freundlich an. «Ich denke schon, dass wir das tun könnten», sagte er langsam, «aber mit welchem Ziel?»

«Um sie zu besiegen, Sir?»

«Das besorgen sie selbst gerade schon, Lieutenant.»

«Aber irgendwann wird ihnen das klarwerden, Sir, nicht wahr?»

«Ja, allerdings. Und wenn sie feststellen, wie sehr sie uns zahlenmäßig überlegen sind, werden sie einfach hier herüberschwärmen», er schwenkte den Stock über den Hügelrücken, «aber wir haben jetzt schon recht ansehnliche Geschützstellungen aufgebaut, und der Wall ist höher, und sie werden feststellen, dass sie mit uns jetzt eine härtere Nuss zu knacken haben.» Der Brigadier war immer noch davon überzeugt, dass die Aufständischen zumindest dreitausend Männer hatten. Warum sonst hätten sie mit so vielen Transportschiffen kommen müssen? «Aber sie sollten sich beeilen, Lieutenant, denn ich wage zu hoffen, dass Verstärkung für uns auf dem Weg ist.» Er reichte Moore seinen Schwarzdornstock. «Würden Sie das kurz für mich halten?», fragte er und zog eine Zunderbüchse und eine gestopfte Tonpfeife aus der Tasche. Moore, der wusste, dass der verwundete rechte Arm McLean unbeholfen machte, nahm die Zunderbüchse und schlug eine Flamme aus dem verkohlten Leinenzunder. McLean beugte sich vor, um seine Pfeife anzuzünden. «Danke, John», sagte er und paffte zufrieden, während eine Kanonenkugel fünfzehn Schritte entfernt den Schlamm spritzen ließ, wieder hochprallte und über das Fort flog. «Und ich denke, wir könnten sie tatsächlich angreifen», setzte McLean seine vorherigen Überlegungen fort, «aber das habe ich nicht vor. Der Kampf verläuft im Wald sehr ungeordnet, und wenn sie erst einmal feststellen würden, wie wenige wir sind, würden sie sich höchstwahrscheinlich sammeln und einen Gegenangriff führen. So ein Vorhaben könnte schwer nach hinten losgehen. Nein, im Augenblick ist es besser, wenn sie in Captain Fieldings Geschützfeuer sterben, nicht wahr? Und jeder Tag, der vorbeigeht, ist für uns tausend Mann wert. Der Graben wird tiefer, und der Wall wird höher. Sehen Sie?» Er hatte sich nach einem Ochsen umgedreht, der einen weiteren Eichenstamm vom Dorf heraufzog. Der mächtige Stamm würde eingesetzt werden, um den westlichen Wall des Forts zu erhöhen.

354

McLean sah wieder nach vorn, als erneutes Musketenfeuer dort erklang, wo Captain Caffrae offenkundig gerade ins Wespennest gestochen hatte. «Bitte lassen Sie mich mit Caffrae kämpfen, Sir», bat Moore erneut.

«Er weiß, wann es Zeit für den Rückzug ist, Lieutenant», sagte McLean ernst.

Moore schmerzte dieser sanfte Tadel sehr. «Es tut mir leid, Sir.»

«Nein, nein, Sie haben Ihre Lektion gelernt. Und Sie haben den rechten Willen gehabt, das gestehe ich Ihnen zu. Ein Soldat soll kämpfen, Gott steh ihm bei, und Sie haben gut gekämpft. Und deshalb lasse ich Sie gehen, aber Sie stehen unter Caffraes Befehl!»

«Selbstverständlich, Sir. Und, Sir …» Was immer Moore hatte sagen wollen, blieb unausgesprochen, denn ein unvermittelter Schlag ließ ihn rückwärtsschwanken. Es fühlte sich an, als hätte ihm jemand die Faust in den Magen gerammt. Er taumelte ein paar Schritte zurück und griff unwillkürlich dahin, wo der Schlag gelandet war, um festzustellen, dass er weder verwundet noch seine Uniform beschädigt war. Auch McLean war zurückgeschwankt und hatte sich nur mit Hilfe seines Schwarzdornstocks auf den Beinen halten können, und auch der Brigadier war unverletzt. «Was …», begann Moore. In seinen Ohren dröhnte ein gewaltiger Lärm nach, doch was ihn verursacht hatte, wusste er nicht.

«Nicht bewegen», sagte McLean, «und bitte ein bisschen fröhlicher.»

Moore rang sich ein Lächeln ab. «War das eine Kanonenkugel?»

«In der Tat», sagte McLean, «und sie ist zwischen uns hindurchgerast.» Er schaute in Richtung des Forts, wo der Ochse brüllte. Die Kugel, die glatt zwischen den beiden Rotröcken hindurchgeflogen war, hatte den Ochsen in die Flanke getroffen. Das Tier war gestürzt und lag blutend und brüllend ein paar Schritte vor dem Eingang des Forts auf dem Weg. Ein Wachposten rannte vom Tor zu dem Ochsen, spannte seine Muskete und schoss ihm zwischen die Augen. Noch einmal zuckte das Tier, dann war es still. «Frisches Rindfleisch!», sagte McLean.

«Guter Gott», sagte Moore.

«Sie sind dem Tod von der Schippe gesprungen, Mister Moore», sagte McLean, «anscheinend sind Sie unter einem Glücksstern geboren.»

«Sie auch, Sir.»

«Und jetzt warten wir noch vier Schüsse ab», sagte McLean.

«Vier, Sir?»

«Sie beschießen uns mit vier Geschützen», sagte McLean. «Zwei Achtzehnpfünder, eine Zwölfpfünder», er hielt inne, als eine Kanone der Aufständischen abgefeuert wurde, «und eine Haubitze.» Die Kugel raste hoch über ihre Köpfe hinweg und ging irgendwo weit ostwärts nieder. «Also wird der vierte Schuss, John, beinahe mit Sicherheit von denselben Gentlemen abgefeuert werden, denen es gerade so knapp misslungen ist, uns zu töten, und ich möchte sehen, ob sie erneut auf uns schießen werden.»

«Eine überaus verständliche Neugierde, Sir», sagte Moore und brachte den Brigadier damit zum Lachen.

Die Haubitze wurde als Nächste abgefeuert, und ihr Geschoss landete kurz vor dem Fort. Ein Rauchfaden stieg von seiner Zündschnur auf, bis es explodierte, ohne Schaden anzurichten. Die Zwölfpfünder-Kugel raste in die südwestliche Eckbastion, und dann wurde die Achtzehnpfünder-Kanone, deren letzter Schuss McLean und Moore beinahe getroffen hätte, erneut abgefeuert. Die Kugel rauschte ein gutes Stück nördlich von ihnen durch den Verhau, sprang kurz vor dem Graben auf, flog über die Wälle und krachte in eine Fichte auf Doktor Calefs Grundstück. «Sehen Sie», sagte McLean, «sie zielen nicht richtig. Sie haben keinen Plan hinter ihrem Beschuss. Captain Fielding!»

«Sir?»

«Sie können den Gegner wieder angreifen!», rief McLean ihm zu, als er mit Moore zurück zum Fort ging.

Die Briten eröffneten die Kanonade. Den gesamten Tag gab es Artillerieduelle, Captain Caffrae verspottete den Gegner, die Wälle des Forts wurden höher, und General Lovell wartete auf Commodore Saltonstall.

Peleg Wadsworth wollte für den Angriff auf die Half-Moon-Batterie eine Einheit aus Marinesoldaten, Matrosen und Milizionären. Er hatte entschieden, im Schutz der Dunkelheit anzugreifen und den Vorstoß noch in dieser Nacht durchzuführen. Die Aufständischen hatten schon die britischen Batterien auf Cross Island und auf Dyce's Head eingenommen, und nun würden sie das letzte der britischen Vorwerke erobern, und wenn das einmal getan war, würden sie nur noch das Fort stürmen müssen.

«Was Sie nicht verstehen», hatte Commodore Saltonstall Wadsworth erklärt, «ist, dass dieses Fort eine schwierige Herausforderung darstellt.»

Wadsworth, der um die Unterstützung der Marineeinheiten bitten musste, war nachmittags zur *Warren* gefahren, wo er Saltonstall dabei antraf, wie er vier Eisenreifen begutachtete, die um den beschädigten Hauptmast der Fregatte festgenagelt worden waren. Der Commodore hatte Wadsworth mit einem Grunzen begrüßt und ihn dann aufs Achterdeck gebeten. «Ich vermute, Sie wollen wieder meine Marineinfanterie», sagte der Commodore.

«So ist es, Sir. Der Armeerat hat für einen Angriff heute Nacht gestimmt, Sir, und dafür, um die Unterstützung Ihrer Marinesoldaten zu ersuchen.»

«Sie können Carnes, Dennis und fünfzig Männer haben»,

sagte Saltonstall so schnell, als wolle er sich mit dieser Zustimmung von Wadsworths Gesellschaft befreien.

«Und zudem wäre ich für Ihren Rat dankbar, Commodore», sagte Wadsworth.

«Meinen Rat? Soso.» Saltonstall klang misstrauisch, aber nicht mehr ganz so abweisend. Er sah Wadsworth argwöhnisch an, doch die Miene des jungen Mannes war so offen und ehrlich, dass der Commodore entschied, hinter der Anfrage könnten keine heimlichen Absichten liegen. «Tja, Fragen kostet nichts», sagte er mit plumpem Humor.

«General Lovell ist davon überzeugt, dass das Fort nicht einzunehmen ist, solange die gegnerischen Schiffe unbesiegt sind», sagte Wadsworth.

«Und Sie sind anderer Meinung?», riet Saltonstall schlau.

«Ich bin General Lovells Vertreter, Sir», sagte Wadsworth taktvoll.

«Ha.»

«Können die gegnerischen Schiffe erobert werden, Sir?», fragte Wadsworth und kam damit gleich zur Sache.

«Oh, sie können erobert werden!», sagte Saltonstall wegwerfend. Er irritierte Wadsworth damit, dass er am linken Ohr des Generals vorbei statt in sein Gesicht sah. «Gewiss können sie erobert werden.»

«Dann …»

«Aber um welchen Preis, Wadsworth? Sagen Sie mir das! Um welchen Preis?»

«Das müssen Sie mir sagen, Sir.»

Saltonstall gewährte Wadsworth einen kurzen, direkten Blick, als müsse er feststellen, ob seine Antwort an solch einen Mann vergeudet wäre. Anscheinend fand er, das sei nicht der Fall, denn er seufzte schwer, als sei er es müde, immer wieder das Offensichtliche zu erklären. «Der Wind kommt hier hauptsächlich aus Südwesten», sagte er und sah wieder an Wadsworth vorbei, «was bedeutet, dass wir in den Hafen hineinsegeln können, aber nicht wieder heraus. Und sind wir einmal im Hafen, liegen wir mitten im Beschuss des Gegners. Und dessen Schiffskanonen, Wadsworth, sind, wie Sie vielleicht bemerkt haben werden, mit äußerst fähigen Geschützmannschaften besetzt.» Er hielt inne, offensichtlich versucht, einen Vergleich mit der Artillerie der Miliz anzustellen, doch dann gelang es ihm, sich die Bemerkung zu verkneifen. «Der Hafen ist eng», fuhr er fort, «und deshalb könnten wir nur hintereinander einlaufen, und das wiederum bedeutet, dass das erste Schiff durch den gegnerischen Beschuss schwer beschädigt werden wird.» Er beschrieb eine kleine Geste in Richtung des Bugs der *Warren*, an dem die Spuren hastiger Instandsetzungen zu sehen waren. «Einmal im Hafen, haben wir keinen Manövrierraum mehr, also müssen wir, um Stellung zu beziehen, gegenüber den gegnerischen Schiffen ankern. Entweder das, oder wir segeln direkt auf sie zu und machen einen Enterversuch. Und die gesamte Zeit über, Wadsworth, liegen wir unter dem Kanonenbeschuss aus dem Fort, und was Sie nicht verstehen, ist, dass dieses Fort eine sehr starke Stellung hat.»

Wadsworth überlegte, ob er sich auf eine Auseinandersetzung einlassen sollte, dachte dann jedoch, dass Widerspruch Saltonstall nur störrisch werden ließe. «Es scheint mir, Sie wollen damit sagen, Sir», gab Wadsworth zurück, «dass die Schiffe nicht aufgeben werden, solange das Fort nicht erobert ist?»

«Ganz genau!» Saltonstall klang erleichtert, als wäre Wadsworth ein einfältiger Schüler, der nun endlich den allereinfachsten Lehrsatz begriffen hatte.

«Wogegen General Lovell davon überzeugt ist, das Fort könne nicht erobert werden, solange die Schiffe nicht zerstört sind.»

«Es steht General Lovell zu, seine eigene Meinung zu haben», sagte Saltonstall hochtrabend.

«Wenn es uns gelingt, die letzte gegnerische Batterie am Ufer einzunehmen», sagte Wadsworth, «wird Ihnen das Ihre Aufgabe erleichtern?»

«Meine Aufgabe?»

«Die gegnerischen Schiffe zu erobern, Sir.»

«Meine Aufgabe, Wadsworth, ist es, Ihre Kräfte bei der Eroberung des Forts zu unterstützen.»

«Danke, Sir», sagte Wadsworth, der wachsende Erbitterung unterdrückte, «aber könnte ich General Lovell zusichern, dass Sie den Schiffsverband angreifen, wenn wir uns zum Sturm auf das Fort in Stellung bringen?»

«Hätte das zur Voraussetzung, dass Sie die gegnerische Batterie am Ufer ausgeschaltet haben?»

«So ist es, Sir.»

«Ein gemeinsamer Angriff, ja?» Saltonstall klang immer noch misstrauisch, doch nach kurzer Überlegung nickte er knapp. «Ich würde einen gemeinsamen Angriff in Betracht ziehen», sagte er widerwillig. «Aber Ihnen ist doch klar, dass die Stellung von Mowats Schiffen unhaltbar wird, wenn das Fort eingenommen ist, oder?»

«Das ist mir klar, Sir.»

«Und dass andererseits McLeans Stellung stark bleibt, ob die Schiffe nun erobert sind oder nicht?»

«Auch das verstehe ich, Sir.»

Saltonstall wandte sich um und starrte finster über die *Warren*. «Der Kongress, Wadsworth, hat wertvolle öffentliche Mittel eingesetzt, um ein Dutzend Fregatten bauen zu lassen.»

«Das ist richtig, Sir», sagte Wadsworth und fragte sich, was das mit dem Fort auf der Halbinsel Majabigwaduce zu tun hatte.

«Die *Washington*, die *Effingham*, die *Congress* und die *Mont-*

gomery sind allesamt versenkt worden, Wadsworth. Totalverlust.»

«Bedauerlicherweise ja, Sir», sagte Wadsworth. Die vier Fregatten waren zerstört worden, um ihrer Enterung zuvorzukommen.

«Die *Virginia* erobert», fuhr Saltonstall unerbittlich fort, «die *Hancock* erobert. Die *Raleigh* erobert. Die *Randolph* versenkt. Wollen Sie etwa, dass ich diese traurige Liste mit der *Warren* verlängern muss?»

«Selbstverständlich nicht, Sir», sagte Wadsworth. Er sah zu der Flagge mit der Schlange am Heck der *Warren* hinüber. Sie trug zwar die stolze Inschrift «Don't Tread on Me» – Tritt nicht auf mich –, aber wie hätten die Briten das auch nur versuchen können, wenn es das einzige Ziel der Schlange war, die Schlacht zu vermeiden?

«Nehmen Sie die Uferbatterie ein», sagte Saltonstall noch herablassender als gewöhnlich, «dann wird die Flotte ihre Möglichkeiten neu überdenken.»

«Danke, Sir», sagte Wadsworth.

Schweigend hatte er sich von der Fregatte wieder ans Ufer rudern lassen. Saltonstall hatte recht gehabt, Wadsworth teilte Lovells Standpunkt nicht. Wadsworth wusste, dass das Fort den König auf dem Schachbrett von Majabigwaduce darstellte, und die drei britischen Schaluppen waren Bauern. Wenn das Fort eingenommen war, würden die Bauern aufgeben, wenn aber die Bauern besiegt waren, würde der König keineswegs aufgeben. Trotzdem würde sich Lovell von einem Angriff auf das Fort ebenso wenig überzeugen lassen wie Saltonstall davon, seine Bedenken in den Südwestwind zu schlagen und Mowats drei Schaluppen zu zerstören. Also musste die Batterie in der Hoffnung angegriffen werden, dass ein Erfolg die beiden Befehlshaber zu größerer Kühnheit ermutigen würde.

Und die Zeit war knapp und wurde immer knapper, und

deshalb musste Peleg Wadsworth noch in dieser Nacht angreifen. Im Schutz der Dunkelheit.

James Fletcher kreuzte mit der *Felicity* südlich von Wasaumkeag Point, wo die Aufständischen die übrigen Gebäude des Forts Pownall übernommen hatten, einer verfallenen Befestigungsanlage aus Holz und Erdwällen, die etwa dreißig Jahre zuvor errichtet worden war, um französische Plünderer von ihren Angriffen flussauf abzuschrecken. Auf Majabigwaduce 'gab es keine passende Unterbringungsmöglichkeit für Verwundete, deshalb wurde aus dem Kasernengebäude und den Lagerräumen des alten Forts das Lazarett der Aufständischen. Wasaumkeag Point lag auf der anderen Seite der Bucht von Penobscot, etwas südlich der Stelle, an der sich der Fluss in die Weite öffnete, nachdem er sich zuvor als schnellfließendes Gewässer in einem engen Bett zwischen steilen, bewaldeten Ufern entlanggewunden hatte. Wenn James nicht von Wadsworth benötigt wurde, fuhr er mit der *Felicity* Verwundete zum Lazarett, und nun tat er sein Bestes, um so schnell wie möglich zurückzukommen, weil er noch vor dem Dunkelwerden bei Wadsworth sein und an dem Angriff auf die britische Batterie teilnehmen wollte.

Der Kurs der *Felicity* war entnervend. Sie kam zwar bei jeder Wende über Steuerbord gut voran, doch unausweichlich trieb der Wind das kleine Boot näher und näher an das östliche Ufer, und dann musste James mit der hereinkommenden Flut eine lange Wende über Backbord fahren, die ihn weiter und weiter vom Steilufer von Majabigwaduce wegzubringen schien, an dem er mit der *Felicity* vor Anker gehen wollte. Allerdings war James an diesen südwestlichen Wind gewöhnt. «Du kannst den Wind nicht beschleunigen», hatte sein Vater früher gesagt, «und du kannst seine Richtung nicht ändern, also hat es keinen Sinn, sich darüber zu ärgern.» James fragte sich, was sein Vater wohl von der Unabhängigkeitsbewegung gehalten hätte. Nichts, vermutete er. Sein Vater war, wie so viele, die in dieser Flussregion lebten, stolz darauf gewesen, Engländer zu sein. Es spielte keine Rolle für ihn, dass die Fletchers schon seit über hundert Jahren in Massachusetts lebten, sie blieben trotzdem weiter Engländer. Ein alter vergilbter Druck von König Charles I. hatte während James' gesamter Kindheit in ihrem Blockhaus gehangen, und nun hing es über dem Krankenbett seiner Mutter. Der König wirkte hochmütig, aber auch merkwürdig traurig, als hätte er gewusst, dass er eines Tages gestürzt, zum Richtblock geführt und enthauptet würde. James hatte gehört, dass es in Boston ein Wirtshaus namens Cromwell's Head gab, dessen Wirtshausschild so niedrig über der Tür hing, dass jeder Eintretende gezwungen war, sich vor dem Königsmörder zu verbeugen. Diese Geschichte hatte seinen Vater sehr geärgert.

James wendete die *Felicity* erneut vor der kleinen Bucht nördlich des Steilufers. Der Lärm des Kanonengefechts zwischen dem Fort und der Stellung der Aufständischen war sehr laut, der Kanonenrauch trieb wie eine Wolke über die Halbinsel. Er hatte erneut über Backbord gewendet, doch dieses Mal konnte er schnell wieder auf Steuerbord wechseln, und er wusste, dass er lange vor dem Dunkelwerden am Ufer sein würde. Gerade segelte er unter dem Heck der *Industry* hindurch, einer Transportschaluppe, und winkte dem Kapitän Will Young zu, der ihm eine gutgelaunte Bemerkung zurief, die jedoch im Kanonendonner unterging.

James kreuzte an die Seite der *Industry* hinüber, an der ein Beiboot festgemacht war. In dem Beiboot waren drei Männer, während über ihnen, von der Reling der Schaluppe aus, zwei Männer das Trio mit Musketen bedrohten. Ein Schreck durchfuhr James, als er die drei Gefangenen erkannte. Es waren Archibald Haney, John Lymburner und Wiliam Greenlaw, alle aus Majabigwaduce. Haney und

Lymburner waren Freunde seines Vaters gewesen, und Will Greenlaw hatte James oft zum Fischen flussabwärts begleitet und Beth eine Zeitlang erfolglos den Hof gemacht. Alle drei waren Torys, Loyalisten, und jetzt waren sie offensichtlich Gefangene. James ließ das Segel locker, sodass die *Felicity* langsamer wurde. «Was zum Teufel hast du mit diesen Schweinehunden zu tun?», rief Archibald Haney ihm zu. Haney war wie ein Onkel für James.

Bevor James etwas antworten konnte, erschien ein Matrose über dem Beiboot an der Reling der *Industry*. Er trug einen Holzkübel. «He, Torys!», rief der Matrose, dann hob er den Deckel des Kübels und schüttete den Gefangenen Urin und Kot auf den Kopf. Die beiden Wachen lachten.

«Was soll das, verdammt?», rief James.

Der Matrose sagte etwas Unverständliches und wandte sich ab. «Sie setzen uns jeden Tag eine Stunde hier raus», sagte Will Greenlaw kläglich, «und schütten ihre Fäkalien auf uns.»

Die Flut drückte die *Felicity* nordwärts, und James straffte die Fockschot, um etwas dagegenzuhalten. «Es tut mir leid», rief er.

«Aber richtig leid wird es dir erst tun, wenn der König fragt, wer ihm treu geblieben ist!», schrie Archibald Haney wütend.

«Die Engländer behandeln unsere Leute noch viel schlimmer!», brüllte Will Young vom Achterdeck der *Industry* herunter.

James hatte wieder über Backbord wenden müssen, und der Wind trug ihn von der Schaluppe weg. Archibald Haney rief noch etwas, aber die Worte verwehten im Wind. Bis auf eines: Verräter.

James kreuzte mit der *Felicity* erneut und ruderte dann das letzte Stück Richtung Ufer. Er warf den Anker aus, rollte das Hauptsegel auf, staute das Vorsegel und rief dann einen vorbeifahrenden Leichter an, der ihn trockenen Fußes zum Ufer brachte. Verräter, Aufständischer, Tory, Loyalist? Wenn sein Vater noch lebte, fragte sich James, hätte er es dann gewagt, sich den Aufständischen anzuschließen?

Er kletterte das Steilufer hinauf, holte unterwegs seine Muskete aus seinem Unterstand und ging Richtung Süden zum Dyce's Head, um Peleg Wadsworth zu suchen. Die Sonne stand inzwischen sehr niedrig und warf lange Schatten über den Hügelkamm und das Hafenvorland. Wadsworths Männer sammelten sich im Wald, wo sie vom Fort aus nicht gesehen werden konnten. «Sie wirken nachdenklich, James», lautete Wadsworths Begrüßung.

«Es geht schon, Sir», sagte James.

Wadsworth betrachtete ihn genauer. «Was ist?»

«Wissen Sie, was sie mit den Gefangenen machen?», fragte James, und dann erzählte er, was er erlebt hatte. «Das sind meine Nachbarn, Sir», sagte er, «und sie haben mich einen Verräter genannt.»

Wadsworth hatte ruhig zugehört. «Wir haben Krieg, James», sagte er dann sanft, «und der Krieg erzeugt Leidenschaften, von denen wir nicht einmal ahnen, dass sie in uns stecken.»

«Das sind gute Männer, Sir!»

«Und wenn wir sie freiließen», sagte Wadsworth, «dann würden sie für unsere Gegner kämpfen.»

«Ja, das würden sie», räumte James ein.

«Aber das ist kein Grund, sie zu misshandeln», sagte Wadsworth fest. «Ich werde mit dem General darüber reden, Ehrenwort.» Allerdings wusste Wadsworth genau, dass auch der heftigste Protest nichts ausrichten würde. Die Männer waren unzufrieden. Sie wollten, dass diese Expedition ein Ende hatte. Sie wollten nach Hause. «Und Sie sind kein Verräter, James», sagte er.

«Nein? Mein Vater würde sagen, dass ich einer bin.»

«Ihr Vater war Brite», sagte Wadsworth. «Und Sie und ich sind als Briten geboren, doch all das hat sich geändert. Wir sind Amerikaner.» Er sprach das Wort so aus, als benutze er es nicht oft, und doch erfüllte es ihn mit Stolz. Und heute Nacht, dachte er, werden die Amerikaner wieder einen kleinen Schritt auf dem Weg zu ihrer Freiheit weiterkommen. Sie würden die Batterie angreifen.

Im Schutz der Dunkelheit.

Nach Sonnenuntergang schlossen sich die Indianer Wadsworths Miliz an. Sie verhielten sich schweigsam, und wie immer fühlte sich Wadsworth in ihrer Gegenwart unbehaglich. Er wurde den Eindruck nicht los, dass ihn die dunkelhäutigen Krieger für unzulänglich hielten, dennoch bemühte er sich um einen herzlichen Empfang. «Ich freue mich, dass ihr hier seid», sagte er zu Johnny Feathers, der anscheinend der Anführer der Indianer war. Feathers, der seinen Namen von John Preble bekommen hatte, der für den Staat mit dem Stamm von Penobscot verhandelte, gab weder eine Antwort, noch erwiderte er die Begrüßung. Feathers und seine Männer, er hatte sechzehn mitgebracht, ließen sich am Waldrand nieder und schärften mit Wetzsteinen die Klingen ihrer Kurzäxte. Tomahawks, vermutete Wadsworth. Er fragte sich, ob sie betrunken waren. Dem Befehl des Generals, den Indianern keinen Alkohol zu geben, wurde kaum Folge geleistet, doch bisher erschienen die Indianer Wadsworth so nüchtern wie die strengsten Kirchenvorsteher. Nicht, dass es ihn gestört hätte. Betrunken oder nüchtern, die Indianer gehörten zu seinen besten Kämpfern, auch wenn Solomon Lovell ihre Loyalität bezweifelte. «Sie werden etwas dafür haben wollen, dass sie uns unterstützen», hatte er Wadsworth erklärt. «Und zwar nicht bloß Muschelperlen. Waffen, vermutlich, und Gott weiß, was sie damit anfangen.»

«Jagen?»

«Und was jagen sie damit?»

Doch die Indianer waren gekommen. Die siebzehn Krieger hatten Musketen, doch alle hatten sich dafür entschieden, ihre Tomahawks als Hauptwaffe zu benutzen. Die Milizionäre und Marinesoldaten waren mit Musketen ausgerüstet, auf die sie Bajonette aufgesteckt hatten. «Ich will nicht, dass auch nur ein vorzeitiger Schuss fällt», erklärte Wadsworth seinen Milizionären und sah im schwachen Licht des abnehmenden Mondes das Unverständnis auf vielen Gesichtern. «Die Musketen sollen erst unmittelbar vor dem Schuss gespannt werden», sagte er. «Wenn einer stolpert, will ich nicht, dass ein versehentlich ausgelöster Schuss den Gegner vorwarnt. Und du», er deutete auf einen kleinen Jungen, der mit einem Bajonett in einer Messerscheide und einer enormen Trommel bewaffnet war, «du schlägst kein einziges Mal auf die Trommel, bevor wir gewonnen haben!»

«Ja, Sir.»

Wadsworth ging zu dem Jungen hinüber, der keinen Tag älter als elf oder zwölf Jahre aussah. «Wie heißt du, Junge?»

«John, Sir.»

«John wie?»

«John Freer, Sir.» Natürlich war John noch nicht im Stimmbruch gewesen. Er war dünn wie ein Stock, nichts als Haut, Knochen und riesige Augen, doch diese Augen sahen mit wachem Blick in die Welt, und seinen Rücken hielt John kerzengerade durchgedrückt.

«Ein guter Name», sagte Wadsworth, «klingt nach Freiheit und Befreier. Sag, John Freer, kannst du schon dein Alphabet?»

«Mein Alphabet, Sir?»

«Kannst du lesen oder schreiben?»

Der Junge warf ihm einen gewitzten Blick zu. «Ich kann ein paar Buchstaben lesen, Sir.»

«Also werden wir dir, wenn das alles vorbei ist, auch noch die übrigen beibringen, was?», sagte Wadsworth.

«Ja, Sir», sagte Freer ohne große Begeisterung.

«Er bringt uns Glück, General», warf ein älterer Mann ein. Er legte dem Jungen beschützend die Hand auf die Schulter. «Wir können nicht verlieren, wenn Johnny Freer bei uns ist, Sir.»

«Wo sind deine Eltern, John?», fragte Wadsworth.

«Beide tot», antwortete der ältere Mann. «Und ich bin sein Großvater.»

«Ich will bei der Kompanie bleiben, Sir!», sagte John Freer eifrig. Er hatte erraten, dass Wadsworth darüber nachdachte, ob er ihm befehlen sollte zurückzubleiben.

«Wir passen auf ihn auf, Sir», sagte der Großvater. «Das tun wir immer.»

«Aber dann kommt kein Laut von deiner Trommel, bis wir sie besiegt haben, John Freer.» Wadsworth strich dem Jungen über den Kopf. «Anschließend kannst du von mir aus sämtliche Toten wiedererwecken.»

Wadsworth hatte dreihundert Milizionäre, genauer gesagt, zweihundertneunundneunzig Milizionäre und einen kleinen Trommler. Saltonstall hatte Wort gehalten und fünfzig Marinesoldaten geschickt, mit denen noch zwanzig mit Entermessern, Piken und Musketen bewaffnete Seeleute von der *Warren* gekommen waren. «Die Mannschaft will mitkämpfen», erklärte Carnes die Anwesenheit der Seeleute.

«Sie sind sehr willkommen», hatte Wadsworth gesagt.

«Und wie sie kämpfen werden!», sagte Carnes begeistert. «Das sind die reinen Teufel.»

Die Seeleute standen auf der rechten Seite, die Milizionäre und Indianer in der Mitte, und Captain Carnes mit seinen Marinesoldaten auf der linken Seite. Lieutenant Dennis war der Zweite Befehlshaber der Marineeinheit. Sie hatten bei Dyce's Head am Waldrand Aufstellung genommen, ganz in der Nähe von Captain Welchs Grab, und nach Osten zu fiel das Gelände sanft in Richtung der Half-Moon-Batterie ab. Wadsworth sah den gegnerischen Erdwall im schwachen Mondlicht, und auch wenn es vollständig dunkel gewesen wäre, hätten zwei kleine Lagerfeuer in der Batterie ihre Position verraten. Das Fort hob sich als schwarzer Schattenriss gegen den Himmel ab.

Direkt hinter der Batterie lagen die westlichsten Häuser des Dorfes. Eines stand nur wenige Schritte hinter den britischen Kanonen und wurde von einer großen Scheune überragt. «Das ist das Haus von Jacob Dyce», sagte James Fletcher zu Wadsworth. «Er ist Holländer.»

«Also hat er wohl nicht viel für die Briten übrig.»

«O doch, Jacob liebt die Briten. Der alte Jacob würde sofort auf uns schießen.»

«Hoffen wir, dass er schläft», sagte Wadsworth, der im Grunde hoffte, dass sämtliche Feinde schliefen. Es war nach Mitternacht und damit Sonntag geworden, und die Halbinsel lag schwarz und silbern im Mondlicht. Kleine Rauchfetzen wurden von Schornsteinen und Lagerfeuern weggetrieben.

Die britischen Schaluppen lagen schwarz auf dem Wasser, und nirgendwo an Bord brannte Licht.

Zwei der Transportschiffe waren an der Ostspitze von Majabigwaduce auf Grund gesetzt worden, während das dritte die Linie der Schaluppen verlängerte, da die Briten in ihrer neuen Stellung einen wesentlich breiteren Wasserstreifen zu sperren versuchten. Das Transportschiff war am südlichen Ende der Sperrlinie verankert worden, und es sah wesentlich größer aus als die Schaluppen, doch Carnes, der die Schiffe tagsüber mit dem Fernrohr in Augenschein genommen hatte, schätzte, dass es allenfalls sechs kleinere Kanonen führte. «Es sieht groß und gefährlich aus», sagte er mit einem Blick auf die dunkle Masse der Schiffe, «aber in Wahrheit ist es schwach.»

«Wie das Fort», warf Lieutenant Dennis ein.

«Das Fort wird jeden Tag stärker», sagte Wadsworth, «und das bedeutet, dass wir uns beeilen müssen.» Er war entsetzt gewesen, als General Lovell beim Kriegsrat am Nachmittag mit der Idee gespielt hatte, die Briten in Fort George auszuhungern. Der Rat hatte sich, beeinflusst von Wadsworths Beharren darauf, dass die Briten sicher eine Entsatzungstruppe schicken würden, gegen den Plan ausgesprochen, aber Lovell, das wusste Wadsworth, würde die Idee trotzdem nicht so leicht aufgeben. Und das machte den nächtlichen Vorstoß auf die Batterie zum ausschlaggebenden Faktor. Ein klarer Sieg würde dabei helfen, Lovell davon zu überzeugen, dass seine Truppen die Rotröcke besiegen konnten, und als Wadsworth die Marinesoldaten betrachtete, hatte er keinerlei Zweifel daran. Die Männer mit den grünen Uniformjacken wirkten grimmig, stark und angsterregend. Mit solchen Truppen, dachte Wadsworth, könnte ein Mann die ganze Welt erobern.

Die Milizionäre dagegen waren weniger bedrohlich. Manche wirkten kampfeslustig, aber die meisten schienen sich zu fürchten, und ein paar hatten sich zum Beten hingekniet, auch wenn Colonel McCobb, dessen Schnurrbart sich sehr weiß von seinem gebräunten Gesicht abhob, volles Vertrauen in seine Männer setzte. «Sie werden es gut machen», sage er zu Wadsworth. «Mit wie vielen Gegnern rechnen Sie?»

«Nicht mehr als sechzig. Jedenfalls haben wir nicht mehr als sechzig gesehen.»

«Wir werden ihnen ihre hübschen Pferdeschwänze abschneiden», sagte McCobb gut gelaunt.

Wadsworth klatschte in die Hände, um die Aufmerksamkeit der Milizionäre auf sich zu lenken. «Wenn ich den Befehl gebe», sagte er zu den Männern, «rücken wir in einer Linie vor. Wir stürmen nicht los, wir gehen in normaler Geschwindigkeit. Wenn wir dicht genug am Feind sind, gebe ich den Befehl zum Angriff, und dann stürmen wir ihre Batterie.» Wadsworth glaubte, dass er sich recht zuversichtlich anhörte, doch er fühlte sich nicht recht wohl, und einen Moment lang kam ihm der Gedanke, dass er eigentlich nur wie ein Schauspieler in die Rolle des Soldaten geschlüpft war. Elizabeth und seine Kinder schliefen jetzt. Er zog sein Schwert. «Auf die Füße!» Lass auch die Gegner schlafen, dachte er, während er wartete, bis sich die Männer in einer Reihe aufgestellt hatten. «Für Amerika!», rief er. «Und für die Freiheit! Vorwärts!»

Und vom Waldrand aus bewegte sich eine lange Reihe Männer ins Mondlicht. Wadsworth warf einen Blick nach rechts und links und war erstaunt, wie gut man sie sehen konnte. Das silbrige Licht glitzerte auf den Bajonettspitzen und ließ die weißen Kreuzbandeliers der Marinesoldaten aufschimmern. Die lange Linie bewegte sich etwas auseinandergezogen über Weiden und an einzelnen Bäumen vorbei den Hügel hinunter. Vom Gegner war kein Laut zu hören. Das Flackern der Lagerfeuer zeigte ihnen, wo die Batterie lag. Die Kanonen dort waren auf die Hafenzufahrt gerichtet, aber wie lange würde es dauern, bis die Briten sie herumgedreht hatten, um auf die anrückenden Patrioten zu schießen? Oder schliefen die Kanoniere tief und fest? Wadsworths Gedanken jagten durcheinander, und er wusste, dass dies von seiner Nervosität verursacht wurde. Sein Magen fühlte sich leer und übersäuert an. Er packte sein Schwert fester, als er zu dem Fort hinaufsah, das von unten tatsächlich sehr wehrhaft wirkte. Dort sollten wir angreifen, dachte Wadsworth. Lovell hätte mit jedem einzelnen Mann unter seinem Kommando das Fort stürmen sollen, ein einziger wilder, nächtlicher Angriff, und die Sache wäre erledigt.

Doch stattdessen griffen sie die Batterie an, und möglicherweise würde auch das zu einem schnelleren Ende des Feldzuges beitragen. Wenn die Batterie erst einmal erobert war, konnten die Amerikaner ihre eigenen Kanonen auf der nördlichen Hafenseite in Stellung bringen und die Schiffe zerstören, und wenn dann die Schiffe auch noch verschwunden waren, hätte Lovell keine Ausrede mehr, das Fort nicht anzugreifen.

Wadsworth sprang über einen kleinen Graben. Auf seiner rechten Seite hörte er die Wellen auf den Kiesstrand laufen. Die lange Angriffslinie war mittlerweile sehr in Unordnung, und er dachte an die Kinder auf der Gemeindewiese zu Hause und wie er bei der Exerzierübung versucht hatte, sie von einer Kolonne in eine Linie umschwenken zu lassen. Wäre er vielleicht besser in einer Kolonne vorgerückt? Aber die Geschützstellung war inzwischen nur noch zweihundert Schritt entfernt, also war es ohnehin zu spät, um an der Aufstellung noch etwas zu ändern. James Fletcher ging an Wadsworths Seite, die Muskete fest in den Händen. «Sie schlafen, Sir», sagte Fletcher angespannt.

«Das hoffe ich», sagte Wadsworth.

Und dann explodierte die Nacht.

Die erste Kanone wurde im Fort abgefeuert. Die Zündflamme schoss in die nächtliche Dunkelheit, der grelle Blitz erhellte das Gelände bis zum südlichen Ufer des Hafens, bevor Pulverrauch das Fort unsichtbar machte. Die Kanonenkugel schlug irgendwo rechts von Wadsworth ein, prallte wieder empor und stürzte dann auf die Wiese hinter ihm, und dann folgten die Lichtblitze von zwei weiteren Kanonenschüssen, und Wadsworth hörte sich rufen: «Angriff! Angriff!»

Vor ihm züngelte eine Flamme, dann hörte er den ohrenbetäubenden Knall der Kanone und das Zischen von Traubengeschossen. Ein Mann schrie auf. Andere stürmten brüllend zum Angriff. Wadsworth lief stolpernd über den unebenen Grund. Zu seiner Linken waren die dunklen Umrisse von Marinesoldaten. Eine weitere Kanonenkugel schlug in den Boden ein, prallte ab und flog weiter. Ein Lichtpfeil schoss aus einer gegnerischen Muskete der Geschützstellung, dann dröhnte die nächste Kanone, und Traubengeschosse zischten um Wadsworths Kopf. James Fletcher war bei ihm, doch als Wadsworth nach rechts und nach links sah, waren dort nur sehr wenige Milizionäre. Wo waren sie? Noch mehr Musketen schickten Flammen, Rauch und Metall aus der gegnerischen Stellung. Männer standen auf dem Wall, Männer, die hinter einem Rauchvorhang verschwanden, als weitere Musketenschüsse durch die Nacht knallten. Die Marinesoldaten waren vor Wadsworth, stürmten brüllend auf die Batterie zu, und die Seeleute kamen von der Strandseite, und die Batterie lag nun nahe vor ihnen, ganz nahe. Wadsworth hatte nicht genügend Atem, um Befehle zu rufen, doch seine Angriffstruppe brauchte keine weiteren Befehle. Die Indianer überholten ihn, und eine Kanone feuerte aus der Batterie, und Wadsworth glaubte, taub geworden zu sein, so gewaltig dröhnte das Geräusch durch die Luft. Es ließ ihn schwindlig werden, es brachte den Pulvergeruch nach faulen Eiern mit, Rauchwolken hüllten ihn ein wie der dickste Nebel, und er hörte dicht vor sich Schreien, das metallische Klirren von Schwertklingen und einen Befehlsruf, der plötzlich abbrach, und dann war er an dem Wall, und er sah rechts neben sich ein rauchendes Kanonenrohr, als ihn Fletcher weiter auf den Wall hinaufschob.

Das Teufelswerk wurde innerhalb der Stellung getan, wo Marinesoldaten, Indianer und Seeleute die Rotröcke abschlachteten. Eine Kanone feuerte aus dem Fort, doch die Kugel flog zu hoch und klatschte harmlos in den Hafen. Lieutenant Dennis hatte sein Schwert einem britischen Sergeant in den Körper gerammt, der nach vorne gekippt war, sodass das Schwert in seinem Fleisch festklemmte. Ein Marinesoldat zog dem Mann den Kolben seiner Muskete über den Kopf. Die Indianer kreischten schrill, während sie töteten. Wadsworth sah helles Blut, als die Zündflamme einer Kanone einen Schädel erhellte, den ein Tomahawk gespalten hatte. Er drehte sich zu einem britischen Offizier in einem roten Uniformrock um, dessen Gesicht eine Maske reinen Entsetzens war, und Wadsworth holte mit dem Schwert nach dem Rotrock aus, doch die Klinge zischte durch leere Luft. Ein Marinesoldat hatte dem Mann ein Bajonett in den Magen gerammt, dann riss er die Klinge aufwärts und hob den Mann damit von den Füßen, während ein Indianer ihm ein Kriegsbeil ins Rückgrat hackte. Ein anderer Rotrock ging mit erhobenen Händen rückwärts in Richtung der Lagerfeuer, trotzdem schoss ein Marinesoldat auf ihn und schlug ihm den Lauf seiner Muskete ins Gesicht. Die übrigen Briten flüchteten. Sie flüchteten! Sie verschwanden in Jacob Dyce' Maisfeld und rannten hügelaufwärts auf das Fort zu.

«Nehmt Gefangene!», rief Wadsworth. Es gab keinen Grund, weiter zu töten. Die Geschützstellung war erobert, und mit freudiger Genugtuung stellte Wadsworth fest, dass die Batterie zu weit unten am Strand lag, um von den Kanonen aus dem Fort getroffen zu werden. Diese Kanonen wurden zwar abgefeuert, doch die Kugeln flogen nur über die Batterie hinweg und gingen im Hafen unter, ohne Schaden anzurichten. «Jetzt lass uns deine Trommel hören, John Freer!», rief Wadsworth. «Jetzt kannst du so laut trommeln, wie du willst!»

Doch der zwölfjährige John Freer war mit einem messingbesetzten Musketenkolben totgeschlagen worden. «O mein Gott», sagte Wadsworth, als er auf den kleinen Leichnam hinabschaute. Der blutüberströmte Schädel wirkte im Mondlicht beinahe schwarz. «Ich hätte ihn niemals mitkommen lassen dürfen», sagte er und spürte eine Träne im Auge.

«Dieser Bastard dort war's», sagte ein Marinesoldat und zeigte auf den zuckenden Körper des Rotrocks, der sich hatte ergeben wollen und auf den geschossen worden war, bevor ihm der Marinesoldat die Muskete ins Gesicht schlug. «Ich habe gesehen, wie das Schwein den Kleinen erschlagen hat.» Der Marinesoldat lief zu dem am Boden liegenden Rotrock hinüber und trat ihm in den Bauch. «Du feiges Schwein!»

Wadsworth ging neben Freer in die Hocke und legte ihm die Hand auf den Hals, doch es war kein Puls mehr zu spüren. Er sah zu James Fletcher auf. «Laufen Sie so schnell wie möglich ins Hügellager zu General Lovell», sagte er, «und berichten Sie ihm, dass wir die Batterie erobert haben.» Dann hob er die Hand, um Fletcher noch einmal aufzuhalten, und ließ seinen Blick in Richtung der britischen Schiffe wandern. Die dunklen Umrisse schienen nun unglaublich nahe. «Sagen Sie dem General, dass wir unsere Kanonen hier in Stellung bringen müssen», fuhr er dann fort. Wadsworth hatte zwar die britischen Kanonen erbeutet, aber sie waren kleiner, als er erwartet hatte. Die Zwölfpfünder-Kanonen mussten ins Fort gebracht und durch Sechspfünder ersetzt worden sein. «Sagen Sie dem General, dass wir zwei Achtzehnpfünder brauchen», erklärte er, «und sagen Sie ihm, dass wir sie hierhaben müssen, wenn es hell wird.»

«Ja, Sir», sagte Fletcher und rannte zurück zur Anhöhe, und Wadsworth, der ihm nachschaute, sah Milizionäre auf dem langen Abhang, der zu Dyce's Head führte. Zu viele Milizionäre. Wenigstens die Hälfte hatte den Angriff verweigert, offensichtlich hatte sie die britische Kanonade zu sehr geängstigt. Einige waren mit vorgerückt und standen nun in der Batterie, um dabei zuzuschauen, wie die fünfzehn Gefangenen durchsucht wurden. Doch die meisten waren einfach davongelaufen, und Wadsworth zitterte vor Wut.

Die Marineinfanterie, die Indianer und die Seeleute hatten das Ziel dieser Nacht erreicht, während sich die meisten Freiwilligen ängstlich im Hintergrund gehalten hatten. John Freer war tapferer gewesen als alle seine Kameraden, wie sein eingeschlagener Schädel bewies.

«Meinen Glückwunsch, Sir.» Lieutenant Dennis lächelte Wadsworth an.

«Sie und Ihre Marinesoldaten haben dieses Gefecht gewonnen», sagte Wadsworth, der immer noch zu den Milizionären hinübersah.

«Wir haben die britische Marinetruppe besiegt», sagte Dennis munter. Die Batterie war von königlichen Marinesoldaten geschützt worden. Dennis spürte Wadsworths Unzufriedenheit und folgte seinem Blick. «Das sind keine Soldaten, Sir», sagte er und nickte zu den Milizionären hinüber, die den Angriff nicht mitgemacht hatten. Die meisten dieser Zauderer kamen nun, angetrieben von ihren Offizieren, zu der Geschützstellung.

«Doch, es sind Soldaten!», sagte Wadsworth verbittert. «Wir alle sind Soldaten!»

«Sie wollen zurück zu ihren Bauernhöfen und ihren Familien», sagte Dennis.

«Und wie sollen wir dann das Fort erobern?», fragte Wadsworth.

«Sie müssen angefeuert werden, Sir», sagte Dennis.

«Angefeuert!» Wadsworth lachte spöttisch auf.

«Dann werden sie Ihnen folgen, Sir.»

«Wie heute Nacht?»

«Nächstes Mal halten Sie ihnen eine Rede, Sir», sagte Dennis, und Wadsworth registrierte den leisen Tadel seines ehemaligen Schülers. Dennis hat recht, dachte er. Er hätte sie mit einer zündenden Rede ermutigen müssen, hätte den Milizionären ins Gedächtnis rufen müssen, wofür sie hier kämpften. Da unterbrach ein seltsam reißendes Geräusch seine Gedanken, und als er sich umwandte, sah er einen Indianer neben einem Leichnam kauern. Man hatte dem toten Marinesoldaten seinen roten Uniformrock ausgezogen, und nun wurde er skalpiert. Der Indianer hatte die obere Kopfhaut kreisförmig eingeschnitten und riss den Ausschnitt nun heraus, indem er an den Haaren zerrte. Der Mann spürte Wadsworths Blick und sah ihn an, seine Augen und Zähne blitzten hell im Mondlicht. Vier andere Leichen waren zuvor schon skalpiert worden. Marinesoldaten durchsuchten die Unterstände, fanden Tabak und Lebensmittel. Die Milizionäre sahen einfach nur zu. Colonel McCobb hielt ihnen eine Strafpredigt, dass sie sich besser hätten verhalten sollen. Ein Marinesoldat schob den Deckel von einem der zwei Fässer herunter, die am hinteren Ende der Batterie standen, und Wadsworth fragte sich, was sie wohl enthielten, doch dann wurde er von wildem Hundegebell abgelenkt, das vom anderen Ende der Batterie herüberschallte. Ein Seemann versuchte den Hund zu beruhigen, doch das Tier schnappte nach ihm, und dafür wurde es von einem Marinesoldat erschossen. Ein anderer Marinesoldat stand lachend daneben.

Das war der letzte Schuss in dieser Nacht. Über dem Hafen verdichtete sich der Nebel. Kurz bevor es hell wurde, kehrte James Fletcher in die eroberte Batterie zurück, um auszurichten, dass General Lovell Wadsworth oben auf der Anhöhe erwarte. «Wird er die Kanonen herunterschicken?», fragte Wadsworth.

«Ich glaube, er möchte, dass Sie das organisieren, Sir.»

Was bedeutete, dass Wadsworth diese Frage mit Lieutenant Colonel Revere regeln sollte. Die Seeleute waren schon auf ihre Schiffe zurückgekehrt, und Captain Carnes hatte ebenfalls Befehl, seine Marinesoldaten so bald wie möglich zurückzubringen. Wadsworth allerdings war nicht sehr glücklich bei dem Gedanken, dass die Milizionäre die Batterie allein bewachen sollten, und so erklärte sich Carnes bereit, ein Dutzend Marinesoldaten unter Lieutenant Dennis' Befehl in der Batterie zu lassen. «Ich stelle dem jungen Dennis einen guten Sergeant zur Seite», sagte Carnes.

«Hat er das nötig?»

«Wir alle haben gute Sergeants nötig, Sir», sagte Carnes und rief Sergeant Sykes zu, er solle ein Dutzend gute Männer zusammenstellen.

Offiziell trug Colonel McCobb die Verantwortung für die Batterie. «Sie könnten damit anfangen, einen Wall anzulegen», schlug ihm Wadsworth vor. Der schon vorhandene, halbrunde Wall war auf die Hafenzufahrt ausgerichtet, und Wadsworth wollte einen weiteren auf der dem Fort zugewandten Seite. «Ich bringe die Kanonen so schnell es geht», sagte er.

«Ich warte, Sir», versprach McCobb.

Dreihundert Mann bewachten nun die eroberte Batterie, von der aus die Schiffe zerstört werden konnten. Dann würde Lovell wohl das Fort angreifen. Und dann wären die Briten verschwunden.

Brigadier McLean erschien mit einer Nachtmütze. Er trug seine Uniform und darüber einen grauen Armeemantel, doch er hatte nicht genügend Zeit gehabt, sein Haar zu frisieren, also trug er die rote Mütze mit der langen blauen Troddel. Er stand in der südwestlichen Bastion von Fort George und schaute den Hügel Richtung Half-Moon-Batterie hinunter, die zum größten Teil von dem Maisfeld verdeckt wurde. «Ich glaube, wir verschwenden Munition», sagte er zu Fielding, der selbst erst von dem plötzlichen Einsetzen des Kanonendonners aufgeweckt worden war.

«Feuer einstellen!», rief Fielding.

Ein aufmerksamer Sergeant aus der Geschützmannschaft hatte gesehen, dass die Aufständischen über den unbewaldeten Hang bei Dyce's Head herunterkamen, um die Batterie anzugreifen, und er hatte das Feuer eröffnet. «Geben Sie dem Mann eine Extraration Rum», sagte McLean, «und richten Sie ihm meinen Dank aus.»

Die Kanoniere hatten ihre Sache gut gemacht, dachte McLean, doch ihre Anstrengungen hatten die Half-Moon-Batterie nicht retten können. Die aus der Stellung vertriebenen königlichen Marinesoldaten und Geschützmannschaften brachten sich im Fort in Sicherheit, wo sie erzählten, wie die Aufständischen über die Wälle geschwärmt waren. Sie behaupteten, es seien Hunderte von Angreifern gewesen, und Verteidiger waren es nur fünfzig. «Tee», sagte McLean.

«Tee?», fragte Fielding.

«Sie sollen sich Tee kochen.» McLean machte eine Geste in Richtung der Männer aus der Batterie.

Konnten es wirklich Hunderte gewesen sein?, fragte sich McLean. Allenfalls zweihundert. Die Wachposten auf den Wällen des Forts hatten die Angreifer deutlich sehen können, und die verlässlichsten von ihnen schätzten, dass es zweihundert oder dreihundert Aufständische gewesen waren, von denen sich jedoch viele nicht an dem Angriff beteiligt hatten. Inzwischen machte Bodennebel die Niederung um die Batterie unsichtbar.

«Sie haben nach mir geschickt?» Captain Iain Campbell, einer der besten Offiziere des 74sten Regiments, stieg neben den Brigadier auf den Wall.

«Guten Morgen, Campbell.»

«Guten Morgen, Sir.»

«Nur ist es kein guter Morgen», sagte McLean. «Unser Gegner hat Initiative gezeigt.»

«Ich habe es gehört, Sir.» Iain Campbell hatte sich eilig angezogen, und einer seiner Uniformknöpfe war nicht zugeknöpft.

«Haben Sie schon einmal eine gegnerische Erdschanze erobert, Campbell?»

«Nein, Sir.»

«Wenn die Männer nicht außerordentlich diszipliniert sind, kommt es danach zu sehr schlecht organisierten Verhältnissen», sagte McLean, «und das wiederum bringt mich zu der Annahme, dass unser Gegner in der Batterie momentan sehr schlecht organisiert ist.»

«Ja, Sir», sagte der Highlander und lächelte, als er begriff, was ihm der Brigadier zu verstehen geben wollte.

«Und Captain Mowat würde es nicht gefallen, wenn der Gegner die Half-Moon-Batterie hält, nein, das würde ihm ganz und gar nicht gefallen.»

«Und wir müssen die königliche Flotte unterstützen», sagte Campbell.

«Allerdings, das müssen wir, das ist unsere gottgegebene Pflicht. Also gehen Sie mit Ihren Leuten dort runter, Captain», sagte McLean, «und verscheuchen diese Kerle, würden Sie das tun?»

Fünfzig Marinesoldaten waren in einem Überraschungsangriff aus der Half-Moon-Batterie vertrieben worden, also würde McLean fünfzig Schotten losschicken, um sich die Batterie zurückzuholen.

Dann ging er los, um sich frisieren zu lassen.

Auszug eines Briefes von Brigadegeneral Solomon Lovell an Jeremiah Powell, Vorsitzender des Regierungsrats im Staat Massachusetts Bay, 1. August 1779:

... dass mit den Truppen, die derzeit meine Streitkräfte ausmachen, keine Eroberung durch einen Sturmangriff zu gewinnen ist. Es ist auch nicht zu erwarten, dass eine Belagerung in absehbarer Zeit zum Erfolg führt. Um das Erstere Ausführen zu können muss ich einige ausgebildete und disziplinierte Truppen und Fünf Hundert hand Granaten anfordern ... zumindest vier Mörser mit Neun Zoll oder was uns Ihr Artilleriedepot vergleichbares zugesteht zusammen mit einem reichlichen Vorrat an Granaten.

Auszug eines Briefes vom Kriegsausschuss an den Regierungsrat von Massachusetts, 3. August 1779:

Der Kriegsausschuss erlaubt sich Euer Ehren davon zu unterrichten, dass er durch die erheblichen Ausgaben, die durch die Penobscot-Expedition angefallen sind, so knapp an Geld ist dass er nur unter größten Schwierigkeiten die Tagesgeschäfte des Büros erledigen kann und nun zur Zahlung von £ 100,000 aufgefordert wird, die an Personen zahlbar sind, die Verpflegungsmittel für diese Kampagne geliefert haben. Die derzeitige Brotknappheit in den Lagern sowohl des Staates als auch des gesamten Landes ist alarmierend und kann verheerende Folgen nach sich ziehen ...

Auszug eines Briefes von Samuel Savage, Vorsitzender des Kriegsausschusses, Boston, an Generalmajor Nathaniel Gates, 3. August 1779:

Uns vorliegende Berichte sagen aus, dass unsere Einheiten in Penobscot nach der Überwindung heftigen Widerstandes den Gegner gezwungen haben, sich sowohl mit den See- als auch den Landstreitkräften in Kriegsgefangenschaft zu begeben, und dass dieses glorreiche Ereignis am vergangenen Samstag stattgefunden hat.

ZEHN

Die Sonne war noch nicht aufgegangen, als Peleg Wadsworth Lieutenant Colonel Revere weckte. Revere hatte, nachdem er öffentlich dazu aufgefordert worden war, an Land zu schlafen, die auf Cross Island erbeuteten Zelte aufstellen lassen und sein Quartier darin eingerichtet. Es waren die einzigen Zelte in Lovells Armee, und manch einer wunderte sich darüber, warum sie nicht dem General angeboten worden waren.

«Ich habe mich eben erst hingelegt», murrte Revere, als er die Zeltklappe beiseiteschob. Wie die meisten anderen hatte er die nächtliche Kanonade beobachtet.

«Die gegnerische Batterie ist erobert, Colonel», sagte Wadsworth.

«Das habe ich gesehen. Sehr zufriedenstellend.» Revere zog eine Wolldecke fester um seine Schultern. «Friar!»

Ein Mann kroch aus einem Unterstand. «Sir?»

«Machen Sie Feuer, Mann, es ist eiskalt.»

«Ja, Sir.»

«Sehr zufriedenstellend», wiederholte Revere und sah Wadsworth an.

«Die eroberte Batterie wird verschanzt», sagte Wadsworth, «und wir müssen unsere schwersten Geschütze dorthin bringen.»

«Die schwersten Geschütze», echote Revere. «Und kochen Sie Tee, Friar.»

«Tee, Sir, ja, Sir.»

«Die schwersten Geschütze», sagte Revere noch einmal. «Ich vermute, Sie meinen damit die Achtzehner.»

«Wir haben sechs davon, nicht wahr?»

«Ja, die haben wir.»

«Die neue Batterie liegt dicht bei den gegnerischen Schiffen. Ich will, dass sie schwer getroffen werden, Colonel.»

«Das wollen wir alle», sagte Revere. Er stellte sich ans Lagerfeuer, das, neu entfacht, hell aufloderte. Er zitterte. Es mochte Hochsommer sein, doch die Nächte im östlichen Massachusetts konnten überraschend kalt werden. Die Flammen erhellten Reveres flächiges Gesicht. «Wir sind mit Achtzehnpfünder-Kanonenkugeln ziemlich knapp dran», sagte er. «Oder kann der Commodore uns damit versorgen?»

«Ich bin sicher, das wird er tun», sagte Wadsworth. «Mit dieser Munition soll schließlich der gegnerische Schiffsverband zerstört werden, da kann er unmöglich ablehnen.»

«Unmöglich», sagte Revere mit offensichtlichem Vergnügen. Dann aber schüttelte er den Kopf, als wolle er sich von einem unwillkommenen Gedanken befreien. «Sie haben doch auch Kinder, wenn ich mich richtig erinnere, General, oder?»

Wadsworth war völlig überrascht von dieser Wendung des Gesprächs. «Ja», sagte er nach einem Moment, «ich habe drei. Und das nächste erwarten wir bald.»

«Ich vermisse meine Kinder», sagte Revere leise, «ich vermisse sie so sehr.» Er schaute ins Feuer. «Teekannen und Schnallen», sagte er kläglich.

«Teekannen und Schnallen?», fragte Wadsworth und fragte sich, ob das Spitznamen für Reveres Kinder waren.

«So verdiene ich meinen Lebensunterhalt, General. Mit Teekannen und Schnallen, Sahnekrügen und Besteck.» Revere lächelte, dann zuckte er mit den Schultern, um den Gedanken abzuschütteln. «Also», seufzte er, «Sie wollen zwei der Achtzehnpfünder von unserer Stellung hier abziehen, richtig?»

«Wenn es die nächstverfügbaren sind, ja. Wenn die Schiffe versenkt sind, können wir sie zurückbringen.»

Revere verzog das Gesicht. «Wenn ich zwei Achtzehner dort runterbringe», sagte er, «wird das den Briten überhaupt nicht gefallen. Wie verteidigen wir die Kanonen?»

Das war eine gute Frage. Brigadier McLean würde kaum untätig zusehen, wie zwei Achtzehnpfünder die drei Schaluppen in Stücke schossen. «Colonel McCobb hat dreihundert Mann in der Batterie», erklärte Wadsworth, «und sie bleiben dort, bis die Schiffe zerstört sind.»

«Dreihundert Mann», sagte Revere zweifelnd.

«Und Sie könnten zusätzlich kleinere Kanonen zur Verteidigung aufstellen», schlug Wadsworth vor. «Inzwischen sind die neuen Erdwälle sicher schon angefangen. Ich glaube, dass die Batterie sicher ist.»

«Ich könnte die Kanonen im Nebel hinunterbringen», sagte Revere. Die Luft war feucht, und schon jetzt bildeten sich Nebelschwaden zwischen den Bäumen.

«Gut, dann tun wir das», sagte Wadsworth lebhaft. Wenn die Kanonen bis zur Mittagszeit in Stellung gebracht wären, könnten die gegnerischen Schiffe bis zum Abend schwer beschädigt werden. Der Abstand war kurz, und die Achtzehnpfünder-Kugeln würden mit aller Gewalt einschlagen. Wenn sie die Schiffe versenkten, würde der Hafen den Patrioten gehören, und danach hätte Lovell keinen Grund mehr, das Fort nicht zu stürmen. Wadsworth fühlte zum ersten Mal, seit die Aufständischen die Anhöhe von Majabigwaduce erobert hatten, wieder Optimismus in sich aufsteigen.

Bringen wir es hinter uns, dachte er. Wir holen die gegnerische Flagge herunter. Wir gewinnen.

Und dann knallten Musketenschüsse.

Captain Iain Campbell führte seine fünfzig Highlander zum Dorf hinunter und folgte dann einem Karrenweg bis zu Jacob Dyce' Grundstück. Schwaches Licht schimmerte hinter einem der Fensterläden. Offenbar war der Holländer wach.

Die Highlander kauerten sich neben das Maisfeld, während Campbell vor ihnen stehen blieb. «Hört ihr alle gut zu?», fragte er. «Ich habe euch nämlich etwas zu sagen.»

Sie hörten ihm zu. Sie waren jung, die meisten noch keine zwanzig Jahre alt, und sie vertrauten Iain Campbell, weil er sowohl ein Gentleman als auch ein guter Offizier war. Viele von ihnen waren auf den Ländereien von Captain Campbells Vater aufgewachsen, der dort Gutsherr war, und die meisten von ihnen trugen den gleichen Familiennamen. Einige waren in der Tat Halbbrüder des Captains, doch das war eine Wahrheit, zu der sich keine Seite jemals bekannt hätte. Ihre Eltern hatten ihnen erklärt, dass die Campbells von Ballaculish gute Leute waren und dass der Gutsherr ein strenger, aber gerechter Mann war. Die meisten von ihnen hatten Iain Campbell schon als Jugendlichen gekannt, und die meisten gingen davon aus, dass sie ihn kennen würden, bis sie seinem Sarg auf dem Weg zur Kirk folgen würden. Und eines Tages würde Iain Campbell in dem großen Haus als Gutsherr leben, und diese Männer und ihre Kinder würden die Mützen abnehmen und ihn um Hilfe bitten, wenn sie in Schwierigkeiten waren. Sie würden ihren Kindern sagen, dass Iain Campbell ein strenger, aber gerechter Mann war, und sie würden das nicht sagen, weil er ihr Gutsherr war, sondern weil sie sich an einen Morgen erinnerten, an dem Captain Campbell jedes Wagnis, das er ihnen abverlangte, auch selbst eingegangen war. Er war ein privilegierter Mann und ein tapferer Mann und ein sehr guter Offizier.

«Die Aufständischen», Campbell sprach leise und drängend, «haben gestern Nacht die Half-Moon-Batterie eingenommen. Und jetzt halten sie dort die Stellung, aber wir werden sie uns zurückholen. Ich habe mit ein paar von den Männern gesprochen, die vor ihnen geflohen sind, und sie haben gehört, was sich die Aufständischen untereinander zugerufen haben. Dabei haben sie den Namen des Anführers mitbekommen, den Namen ihres Offiziers. Er ist ein MacDonald.»

Die Männer der Kompanie knurrten leise. Iain Campbell hätte ihnen eine anfeuernde Rede halten können, eine Blut-und-Kanonen-und-kämpft-für-euren-König-Rede, und auch wenn er mit Engelszungen und der Überzeugungskraft des Teufels hätte reden können, hätte diese Rede doch nicht dieselbe Wirkung gezeigt wie der Name MacDonald.

Dieser MacDonald war natürlich eine Erfindung Campbells. Er hatte nicht die geringste Ahnung, wer die Aufständischen befehligte, aber was er wusste, war, dass die Campbells die MacDonalds hassten und dass die MacDonalds die Campbells fürchteten, und indem er seinen Männern sagte, der Gegner sei ein MacDonald, hatte er einen alten Hass in ihnen geweckt. Dies war nun kein Krieg mehr, um einen Aufstand niederzuwerfen, es war eine von den Ahnen ererbte Blutfehde.

«Wir gehen durch das Maisfeld», sagte Captain Campbell, «und auf der anderen Seite bilden wir eine Linie, und ihr greift mit euren Bajonetten an. Wir stürmen. Und wir gewinnen.»

Mehr sagte er nicht, mit Ausnahme der notwendigen Befehle. Dann führte er seine fünfzig Männer durch das Maisfeld, das höher stand, als ein Highlander mitsamt seinem Barett groß war. Nebel breitete sich vom Wasser her aus, verdichtete sich über der Batterie und verbarg die dunklen Gestalten der Highlander.

Der Himmel hinter Campbell erhellte sich zu einem Wolfsgrau, doch der hohe Mais gab seinen Männern mit seinem Schatten Deckung, als sie sich zur Sturmlinie formierten. Ihre Musketen waren geladen, aber nicht gespannt. Metall schabte über Metall, als die Männer ihre Bajonette in die Halterungen schoben und den Verschluss einrasten ließen. Die Bajonette waren Siebzehn-Zoll-Spitzen, und jedes war teuflisch scharf geschliffen. Die Batterie war nur hundert Schritt entfernt, aber die Aufständischen hatten die kilttragenden Highlander immer noch nicht entdeckt. Iain Campbell zog sein Breitschwert und grinste ins Halbdunkel der Morgendämmerung. «Und jetzt bringen wir dem Clan Donald bei, wer hier der Herr ist», sagte er zu seinen Männern. «Los, töten wir die Bastarde!»

Sie griffen an.

Die Campbells waren Highlander von der rauen Südwestküste Schottlands. Der Krieg lag ihnen im Blut, schon mit der Muttermilch hatten sie Erzählungen von den Schlachtfeldern aufgesogen, und jetzt, so glaubten sie, wartete ein MacDonald auf sie, und sie griffen mit der ganzen Wildheit ihres Clans an. Sie brüllten beim Sturm, sie rannten, um als Erster beim Gegner zu sein, und sie hatten das Überraschungsmoment auf ihrer Seite.

Doch auch so konnte Iain Campbell kaum glauben, wie schnell der Gegner überwältigt war. Als sie ganz bis zu der Batterie gekommen waren, war Campbell zunächst erschrocken, denn er schien Hunderte von Aufständischen vor sich zu haben. Es waren sehr viel mehr Männer, als er in seiner Kompanie hatte, und er dachte, an was für einem lächerlichen Ort er nun wohl gleich seinem Tod begegnen würde. Die meisten der Aufständischen befanden sich innerhalb der Geschützanlage, in der so dichtes Gedränge herrschte wie bei einem Methodistentreffen. Nur etwa zwanzig Mann arbeiteten an den Wällen, und es war offenkundig, dass sie keine Wachen aufgestellt hatten, oder wenn, dann waren diese Wachen wohl eingeschlafen. Überraschte Gesichter drehten sich um und starrten den brüllenden Highlandern entgegen. Zu viele Gesichter, fand Campbell. In der Kirk würde eine Marmortafel mit seinem Namen, seinem Sterbedatum an diesem Tage und einem würdevollen Grabgedicht aufgehängt werden, doch dann verschwand diese Vision, weil der Gegner schon zu flüchten begann. «Tötet sie!», hörte sich Campbell schreien. «Tötet sie!» Und der Ruf schlug noch mehr seiner Gegner in eine schnelle Flucht Richtung Westen. Sie ließen ihre Hacken und Schaufeln fallen, sie kletterten über den westlichen Erdwall, und dann nahmen sie die Beine in die Hand. Ein paar, nur sehr wenige, feuerten auf die angreifenden Highlander, doch die meisten vergaßen, dass sie Musketen hatten, gaben die Batterie einfach auf und flüchteten in Richtung der Anhöhe.

Eine Gruppe Männer trug dunkle Uniformen mit weißen Kreuzbandeliers, und diese Männer flohen nicht. Sie versuchten eine Linie zu bilden, und sie legten an und feuerten eine unregelmäßige Salve auf Campbells Männer, die gerade über die neuangelegte Erdfurche stiegen, die einmal ein Graben hatte werden sollen. Iain Campbell spürte den Luftzug einer Musketenkugel an seiner Wange, dann schwang er seine schwere Klinge in Richtung einer rauchenden Muskete, schob sie zur Seite, senkte das Schwert und stach zu. Der Stahl durchbohrte Stoff, Haut, Fleisch und Muskeln, und dann waren seine Campbells überall um ihn herum, schrien hasserfüllt, stachen mit ihren Bajonetten zu, und der Gegner, dem sie nun zahlenmäßig überlegen waren, schwankte. «Verpasst ihnen eine Salve!», rief Campbell. Er drehte die Klinge im Magen seines Gegners und rammte ihm die linke Faust ins Gesicht. Corporal Campbell half mit seinem Bajonett nach, und der Aufständische ging zu Boden. Captain Campbell trat dem Gegner die Muskete aus der Hand und zerrte seine Klinge aus seinem Körper. Die Zündflammen von Musketen warfen grelle Lichtblitze auf Blut, Chaos und die rasenden Campbells.

Ein einzelner amerikanischer Offizier versuchte seine Männer neu zu sammeln. Er holte mit dem Schwert nach Campbell aus, doch der Sohn des Gutsherrn hatte seine Fechtlektionen in Major Teagues Akademie am Grassmarket von Edinburgh gut gelernt, und er parierte den Hieb ohne jede Anstrengung, zog sich einen Schritt zurück, drehte das Handgelenk und stieß dem amerikanischen Offizier seine Klinge in die Brust. Er spürte, wie das Schwert an einer Rippe entlangschabte, verzog das Gesicht und rammte die Waffe noch tiefer in den Körper seines Gegners. Der Mann würgte, rang nach Luft, spuckte Blut und brach zusammen. «Verpasst ihnen noch eine Salve!», rief Campbell. Er hatte kaum mitdenken müssen, als er den gegnerischen Offizier bekämpfte, seine Bewegungen waren ganz unwillkürlich abgelaufen. Er hob sein Schwert und sah einen amerikanischen Sergeant in grüner Uniformjacke taumeln und zu Boden fallen. Der Sergeant war nicht verwundet, aber halb betäubt, weil ihm ein Highlander den Kolben seiner Muskete an die Schläfe geschlagen hatte. «Nehmt seine Muskete!», rief Campbell scharf. «Tötet ihn nicht! Nehmt ihn nur gefangen!»

«Er könnte ein MacDonald sein», sagte ein Soldat Campbell, nur allzu bereit, dem Sergeant sein Bajonett in den Bauch zu rammen.

«Nehmt ihn nur gefangen!», zischte Campbell. Er drehte sich nach der Anhöhe um. Der Hang wurde langsam vom Licht der Morgendämmerung erhellt, doch der Nebel verbarg die flüchtenden Aufständischen. Schottische Musketen husteten Rauch und schickten Flammenblitze und Kugeln in den Nebel, als sich die Amerikaner zurückzogen. «Sergeant MacKellan!», rief Campbell. «Sie stellen hier einen Feldposten zusammen. Rasch, wenn ich bitten darf!»

«Sind Sie sicher, dass dieser Bastard kein MacDonald ist?» Der Soldat stand mit gespreizten Beinen über dem halbbetäubten Sergeant.

«Er heißt Sykes», sagte eine Stimme, und als sich Campbell umdrehte, sah er, dass sie dem verwundeten Offizier gehörte. Der Mann hatte sich halb auf einen Ellbogen aufgerichtet. Sein Gesicht war sehr bleich im fahlen Licht der Dämmerung und mit Blut beschmiert, das aus seinem Mund gelaufen war. Er sah zu dem Sergeant mit dem grünen Uniformrock hinüber. «Er heißt nicht MacDonald», brachte er heraus, «er heißt Sykes.»

Campbell war beeindruckt. Der junge Offizier versuchte trotz seiner Verletzung, seinem Sergeant das Leben zu retten. Der Sergeant hatte sich mittlerweile zum Sitzen aufgerichtet. Er wurde von Jamie Campbell, dem jüngsten Sohn des Hufschmieds von Ballaculish, bewacht. Der verwundete Offizier spuckte noch mehr Blut. «Er heißt Sykes», wiederholte er trotzdem noch einmal, «und sie waren betrunken.»

Campbell ging neben dem verletzten Offizier in die Hocke. «Wer war betrunken?», fragte er.

«Sie haben Rumfässer gefunden», sagte der Mann, «und ich konnte sie nicht aufhalten. Die Milizionäre.» Die Highlander schossen immer noch in den Nebel und beschleunigten damit den Rückzug der Aufständischen, die mittlerweile alle in dem Nebel verschwunden waren, der sich unerbittlich den langen Hang hinaufschob. «Ich habe es McCobb gesagt», erklärte der verwundete Offizier weiter, «aber er fand, dass sie sich den Rum verdient hätten.»

«Ruhen Sie sich aus», sagte Campbell zu dem Mann. Am hinteren Rand der Batterie standen zwei große Fässer, und diese Fässer waren anscheinend voller Rum gewesen, und die Aufständischen hatten ihren Sieg gefeiert, doch sie hatten ihn zu sehr gefeiert. Campbell fand einen zurückgelassenen Tornister und schob ihn dem verwundeten Offizier unter den Kopf. «Ruhen Sie sich aus», wiederholte er. «Wie heißen Sie?»

«Lieutenant Dennis.»

Das Blut auf Dennis' Uniformjacke wirkte fast schwarz, und Campbell hätte nicht sagen können, dass es Blut war, wenn es nicht im schwachen Morgenlicht geschimmert hätte. «Sie sind von der Marine?»

«Ja.» Dennis hustete, und Blut quoll aus seinem Mund und rann über seine Wange. Sein Atem rasselte. «Wir haben die Wachen gewechselt», sagte er und wimmerte unter einem plötzlichen Schmerz. Er wollte erklären, dass die Niederlage nicht seine Schuld war, dass seine Marinesoldaten ihre Sache gut gemacht hatten, aber dass die Milizionäre versagt hatten, von denen seine Marinewachposten abgelöst worden waren.

«Nicht sprechen», sagte Campbell. Er sah Dennis' heruntergefallenes Schwert in der Nähe liegen und schob es in die Scheide zurück. Gefangengenommenen Offizieren war es gestattet, ihre Schwerter zu behalten, und Campbell fand, dass der tapfere Lieutenant Dennis diese Ehre verdiente. Er klopfte ihm auf die Schulter und stand auf. Robbie Campbell, ein Corporal und beinahe ein ebenso großer Narr wie sein Vater, ein ewig betrunkener Viehhändler, hatte eine Trommel gefunden, schlug sie mit den Fäusten und hüpfte dazu wie eine Ziege herum. «Hör mit dem Lärm auf, Robbie Campbell!», rief Campbell und wurde mit Ruhe belohnt. Der Leichnam des kleinen Trommlerjungen lag neben einem frisch ausgehobenen Grab. «Jamie Campbell! Du machst mit deinem Bruder eine Trage. Zwei Musketen, zwei Jacken!» Die schnellste Art, eine Trage anzufertigen, war, zwei Musketen in die Ärmel zweier Jacken zu schieben. «Tragt Lieutenant Dennis ins Lazarett.»

«Haben wir den MacDonald getötet, Sir?»

«Der MacDonald hat Fersengeld gegeben», sagte Campbell abschätzig. «Was soll man von einem MacDonald auch anderes erwarten?»

«Diese verdammten Scheusale!», sagte ein Soldat wütend,

und als sich Campbell umdrehte, sah er die blutigen Schädel der toten Soldaten von der königlichen Marine, die von den Indianern skalpiert worden waren. «Diese verdammten Wilden, diese blutrünstigen Heiden, verflucht noch mal», knurrte der Mann.

«Bringen Sie Lieutenant Dennis zum Arzt», befahl Campbell, «und die anderen Gefangenen ins Fort.» In einer Ecke fand er ein Tuch und wischte damit die lange Klinge seines Breitschwerts ab. Es war mittlerweile beinahe ganz hell geworden, und heftiger Regen setzte ein, der die Blutpfützen in der Batterie verdünnte.

Die Half-Moon-Batterie war zurück in britischer Hand, und auf der Anhöhe stand Peleg Wadsworth kurz vor der Verzweiflung.

«Das sind doch Patrioten!», beschwerte sich General Lovell. «Also müssen sie auch für ihre Freiheit kämpfen!»

«Das sind Bauern», sagte Wadsworth erschöpft, «und Tischler und Tagelöhner, und es sind Männer, die sich nicht freiwillig zur Kontinentalarmee gemeldet haben. Die Hälfte von ihnen wollte ohnehin noch nie kämpfen. Sie sind von Anwerbern zum Kriegsdienst gepresst worden.»

«Die Miliz von Massachusetts», sagte Lovell enttäuscht. Er stand unter einem Segel, das zeltartig zwischen ein paar Bäumen aufgehängt und festgemacht worden war und das Lovell als Hauptquartier benutzte. Der Regen trommelte auf das Segeltuch und verzischte in dem Lagerfeuer, das unmittelbar vor dem Zelt brannte.

«Es ist nicht dieselbe Miliz, die bei Lexington gekämpft hat», sagte Wadsworth, «oder die Breed's Hill gestürmt hat. Diese Männer sind alle in die Armee eingetreten», oder liegen in ihrem Grab, dachte er, «und wir haben, was übrig geblieben ist.»

«Gestern Nacht sind wieder achtzehn desertiert», sagte

Lovell bitter. Er hatte einen Feldposten auf der Landenge eingerichtet, doch die Besatzung des Postens tat wenig, wenn sich Männer im Schutz der Dunkelheit davonstahlen. Einige, so vermutete er, liefen wohl zu den Briten über, aber die meisten schlugen sich nordwärts durch die dichten, endlosen Wälder und hofften, nach Hause zu finden. Die Strafe für diejenigen, die geschnappt wurden, war das Hölzerne Pferd, eine brutale Disziplinierungsmaßnahme, bei der ein Verurteilter rittlings auf einem schmalen Holzbalken sitzen musste. An seine ausgestreckten Beine wurden Musketen gebunden, sodass seine Füße den Boden nicht berührten und das ganze Gewicht auf der Körpermitte lastete. Doch anscheinend war diese Strafe nicht abschreckend genug, denn immer noch desertierten Milizionäre. «Es ist eine Schande für uns alle», sagte Lovell.

«Wir haben noch genügend Männer, um das Fort anzugreifen», sagte Wadsworth, ohne zu wissen, ob er selbst wirklich daran glaubte.

Lovell beachtete seinen Kommentar ohnehin nicht. «Was können wir denn tun?», fragte er hilflos.

Wadsworth hätte ihm am liebsten einen Tritt versetzt. Du könntest anfangen, dein Führungsamt auszuüben, dachte er, du könntest das Kommando übernehmen. Allerdings war Wadsworth ein Mann mit der Fähigkeit zu kritischer Selbstbetrachtung, und er glaubte auch nicht, dass er selbst besondere Führungsqualitäten bewies. Er seufzte. Der Morgennebel hatte sich verzogen, und damit war sichtbar geworden, dass die Briten nicht mehr in der Half-Moon-Batterie waren. Sie hatten die Geschützanlage leer zurückgelassen, und dieses Verhalten war auf gewisse Art beleidigend, denn sie schienen damit zu sagen, dass sie sich die Batterie jederzeit wiederholen konnten, wenn sie es wollten. Doch Lovell nahm die Herausforderung nicht an. «Wir können die Batterie nicht halten», sagte er entmutigt.

«Gewiss können wir das, Sir», sagte Wadsworth nachdrücklich.

«Sie haben doch gesehen, was passiert ist! Sie sind weggelaufen! Diese Halunken sind weggelaufen! Und Sie wollen, dass ich mit solchen Männern das Fort angreife?»

«Ich glaube, uns bleibt keine andere Wahl, Sir», sagte Wadsworth, doch Lovell erwiderte nichts. Der Regen wurde heftiger, und Wadsworth musste die Stimme erheben. «Und, Sir», fuhr er fort, «wenigstens sitzt der Gegner nicht mehr in der Batterie. Jetzt könnte der Commodore doch in den Hafen segeln, oder?»

«Das könnte er», sagte Lovell in einem Ton, der zu sagen schien, dass ebenso gut Schweinen Flügel wachsen und sie mit Halleluja-Rufen über Majabigwaduce herumflattern könnten. «Aber ich fürchte ...», fuhr er fort und unterbrach sich dann.

«Sie fürchten, Sir?»

«Wir brauchen disziplinierte Truppen, Wadsworth. Wir brauchen die Männer von General Washington.»

Der Herr sei gepriesen, dachte Wadsworth, doch er ließ sich seine Reaktion nicht anmerken. Er wusste, wie schwer es Lovell fiel, das zuzugeben. Lovell wollte den Ruhm dieser Expedition für Massachusetts, doch wenn er Truppen der Kontinentalarmee zu Hilfe rief, würde der General die Anerkennung mit den anderen aufständischen Staaten teilen müssen. In der Kontinentalarmee dienten richtige Soldaten, disziplinierte und sorgfältig ausgebildete Männer.

«Ein einziges Regiment würde schon genügen», sagte Lovell.

«Lassen Sie mich die Anfrage nach Boston übermitteln», schlug Hochwürden Jonathan Murray vor.

«Würden Sie das tun?», fragte Lovell lebhaft. Er war der frömmlerischen Zuversicht Murrays mehr als überdrüssig. Vielleicht war es ja wirklich Gottes Wunsch, dass die Amerikaner in Majabigwaduce gewannen, aber sogar dem Allmächtigen war es bislang nicht gelungen, die Schiffe Commodore Saltonstalls am Dyce's Head vorbeifahren zu lassen. Der Geistliche war kein Militär, verfügte aber über viel Überzeugungskraft, und Boston würde seine Bitte sicher ernsthaft prüfen. «Was werden Sie vorbringen?»

«Dass der Gegner zu stark ist», sagte Murray, «und dass unsere Männer, obwohl sie voller Begeisterung und Freiheitsliebe sind, nicht genügend Disziplin haben, um die Mauern von Jericho zum Einsturz zu bringen.»

«Und bitten Sie auch um Mörser», sagte Wadsworth.

«Mörser?», fragte Lovell.

«Wir haben keine Trompeten», sagte Wadsworth, «aber wir können Feuer und Schwefel auf ihre Köpfe regnen lassen.»

«Ja, Mörser», sagte Lovell. Ein Mörser war bei einer Belagerung ein noch tödlicheres Geschütz als eine Haubitze, und Lovell hatte ohnehin nur eine einzige Haubitze. Die Mörser würden Granaten in steilem Winkel in den Himmel schießen, sodass sie senkrecht im Fort aufträfen, und nachdem die Wälle des Forts immer höher geworden waren, würden eben diese Wälle die Explosionskraft der Granaten auf das Innere des Forts begrenzen und es in einen Totenacker verwandeln. «Ich werde den Brief schreiben», sagte Lovell heftig.

Weil die Aufständischen Verstärkung brauchten.

Am Tag darauf knotete Peleg Wadsworth ein Stück weißes Tuch an einen langen Stock und ging auf das gegnerische Fort zu. Colonel Reveres Kanoniere hatten den Beschuss eingestellt, und bald darauf schwiegen auch die britischen Geschütze.

Wadsworth ging allein. Er hatte James Fletcher aufgefordert, ihn zu begleiten, doch Fletcher hatte darum gebeten, nicht mitkommen zu müssen. «Die kennen mich, Sir.»

«Und Sie mögen einige von ihnen?»

«Ja, Sir.»

«Dann bleiben Sie hier.» Und nun ging Wadsworth die sanfte Neigung der Anhöhe hinunter, überquerte das Feld mit den Stümpfen der abgeholzten Bäume und sah zwei Offiziere in roten Uniformjacken vom Fort aus auf sich zukommen. Er vermutete, dass sie ihn nicht zu nahe am Fort haben wollten, damit er den genauen Zustand ihrer Verteidigungsanlage nicht erkennen konnte, doch er hatte sich offensichtlich getäuscht, denn die beiden Männer gingen nur bis zu dem Verhau. Es schien sie nicht zu kümmern, ob Wadsworth den Wall genau sehen konnte oder nicht. Revere hatte die Wälle unausgesetzt beschossen, doch soweit Wadsworth erkennen konnte, waren keine nennenswerten Schäden entstanden. Möglicherweise war das der Grund, aus dem die britischen Offiziere ihn die Wälle sehen ließen. Sie machten sich über ihn lustig.

Am Morgen hatte es wieder geregnet. Zwar hatte der Regen mittlerweile aufgehört, doch ein feuchter Wind zog über den Hügel, und die Wolken hingen niedrig und merkwürdig bedrohlich am Himmel. Die feuchte Witterung hatte das Lager der Männer auf der Anhöhe durchnässt, das Lager mit den Munitionskartuschen eingeweicht und die elende Unterbringungslage der Milizionäre noch verschlimmert. Ein paar Männer hatten in Lovells Richtung gezischt, als der General Wadsworth bis zum Waldrand begleitet hatte, doch Lovell hatte so getan, als höre er nichts.

Der Verhau war von dem Kanonenbeschuss umgeworfen worden, und es fand sich problemlos ein Durchschlupf in dem Ästegewirr. Wadsworth fühlte sich närrisch, als er so mit hoch über dem Kopf erhobener Waffenstillstandsflagge auf das Fort zuging, also senkte er sie, als er sich den beiden gegnerischen Offizieren näherte. Bei einem der beiden, dem kleineren, zeigte sich graues Haar unter dem Dreispitz. Er stützte sich auf einen Stock und lächelte, als Wadsworth die beiden erreichte. «Guten Morgen», sagte er leutselig.

«Guten Morgen», gab Wadsworth zurück.

«In Wahrheit ist es gar kein guter Morgen, nicht wahr?», sagte der Mann. Er hielt seinen rechten Arm in einem unnatürlichen Winkel. «Es ist ein kühler und feuchter Morgen. Es ist scheußlich! Ich bin Brigadegeneral McLean, und Sie sind?»

«Brigadegeneral Wadsworth», sagte Wadsworth und fühlte sich wie ein Hochstapler mit dieser Rangbezeichnung.

«Gestatten Sie mir, Ihnen Lieutenant Moore vorzustellen, General», sagte McLean und deutete auf den gutaussehenden jungen Mann an seiner Seite.

«Sir.» Moore nahm bei dem Gruß einen Moment lang Habtachtstellung an und neigte knapp den Kopf.

«Lieutenant», quittierte Wadsworth die Höflichkeit.

«Lieutenant Moore hat darauf bestanden, mich zu begleiten, für den Fall, dass Sie vorhaben, mich zu töten», sagte McLean.

«Unter einer Waffenstillstandsflagge?», fragte Wadsworth kühl.

«Vergeben Sie mir, General», sagte McLean, «ich scherze. Ich würde Sie einer solchen Perfidie niemals für fähig halten. Darf ich fragen, was Sie zu uns führt?»

«Da war ein junger Mann», sagte Wadsworth, «ein Marineoffizier namens Dennis. Ich bin mit seiner Familie bekannt», er hielt inne, «und ich habe ihm lesen und schreiben beigebracht. Soweit ich weiß, ist er Ihr Gefangener.»

«Ja, das ist er wohl», sagte McLean freundlich.

«Und wie ich gehört habe, wurde er gestern verwundet. Ich habe gehofft …», Wadsworth hielt inne, weil er kurz davor gestanden hatte, McLean «Sir» zu nennen, doch es gelang ihm noch rechtzeitig, diesen törichten Impuls zu unterdrücken. «Ich habe gehofft, Sie könnten mir etwas zu seinem Gesundheitszustand sagen.»

«Selbstverständlich», sagte McLean und wandte sich an Moore. «Lieutenant, seien Sie so gut und erkundigen Sie sich schnell im Lazarett, ja?»

Moore ging, und McLean winkte Wadsworth zu zwei Baumstümpfen. «Wir können es uns ebenso gut bequem machen, während wir warten», sagte er. «Ich gehe davon aus, dass Sie es mir verzeihen, wenn ich Sie nicht ins Fort bitte.»

«Das habe ich auch nicht erwartet», sagte Wadsworth.

«Dann setzten Sie sich bitte», sagte McLean und ließ sich selbst auf einem der Baumstümpfe nieder. «Erzählen Sie mir von dem jungen Dennis.»

Wadsworth hockte sich halb auf den Baumstumpf neben McLean. Zunächst fühlte er sich beim Sprechen etwas unbehaglich und erzählte nur, wie er Dennis' Familie kennengelernt hatte, doch als er von William Dennis' fröhlichem und rechtschaffenem Wesen redete, erwärmte sich seine Stimme. «Er war schon als Kind ein guter Junge», sagte Wadsworth, «und er ist ein guter Mann geworden.» Er betonte das Wort «guter». «Und er hofft darauf, Advokat zu werden, wenn das alles vorbei ist.»

«Wie ich mir habe sagen lassen, gibt es auch redliche Advokaten», sagte McLean mit einem Lächeln.

«Er wird ein redlicher Advokat werden», sagte Wadsworth fest.

«Dann wird er viel Gutes in der Welt bewirken», sagte McLean. «Und Sie selbst, General? Ich vermute, Sie waren Schullehrer?»

«Ja.»

«Dann haben auch Sie schon viel Gutes in der Welt bewirkt», sagte McLean. «Und ich dagegen? Ich bin vor vierzig Jahren Soldat geworden, und zwanzig Schlachten später bin ich es immer noch.»

«Und bewirken nichts Gutes in der Welt?» Wadsworth hatte nicht widerstehen können, diese Frage zu stellen.

McLean nahm sie ihm nicht übel. «Ich hatte ein Truppenkommando beim portugiesischen König», sagte er lächelnd, «und jedes Jahr gab es an Allerheiligen eine riesige Prozession. Es war überwältigend! Kamele und Pferde! Nun ja, zwei Kamele, und das waren noch dazu ziemlich klapprige Exemplare.» Er hielt inne, um einen Moment seinen Erinnerungen nachzuhängen. «Und danach lag immer ihr Mist auf dem Platz, den der König überqueren musste, um in die Kathedrale zu kommen, also wurden an eine Gruppe Männer und Frauen Besen und Schaufeln ausgegeben. Sie haben den Mist weggeschafft. Das ist die Aufgabe eines Soldaten, General, den Mist wegzuschaffen, den die Politiker machen.»

«Und das tun Sie auch hier gerade?»

«Gewiss», sagte McLean. Er hatte eine Tonpfeife aus einer Jackentasche gezogen und sich zwischen die Zähne geklemmt. Nun hielt er eine Zunderbüchse ungeschickt in seiner verkrüppelten Hand und schlug den Stahl mit der Linken an. Das Leinen flammte auf, McLean entzündete die Pfeife und ließ dann die Büchse zuschnappen, um die Flamme zu ersticken. «Ihre Leute», sagte er, als die Pfeife richtig zog, «hatten eine Meinungsverschiedenheit mit meinen Leuten, und Sie oder ich, General, wären vermutlich sehr gut in der Lage gewesen, eine Einigung durch Gespräche herbeizuführen, doch unsere Herren und Meister sind daran gescheitert, und deshalb müssen Sie und ich ihren Streit jetzt auf andere Art entscheiden.»

«Nein», sagte Wadsworth. «Ich denke eher, General, dass Sie das Kamel sind und nicht derjenige, der den Mist aufkehrt.»

McLean lachte. «Klapprig genug wäre ich ja dafür, Gott ist mein Zeuge. Nein, General, ich habe diesen Mist nicht produziert, aber ich bin meinem König treu ergeben, und das hier ist sein Land, und er möchte, dass ich für seinen Besitz kämpfe.»

«Der König hätte es behalten können», sagte Wadsworth, «wenn er sich nicht gerade die Tyrannei als Herrschaftsform ausgesucht hätte.»

«Oh, er ist ja solch ein Tyrann!», sagte McLean mit freundlicher Belustigung. «Ihre Anführer sind sehr vermögende Männer, General, nicht wahr? Großgrundbesitzer. Händler. Advokaten. Dieser Aufstand wird von den Reichen angeführt. Seltsam, wie solche Männer unter der Knute einer Tyrannei so wohlhabend werden konnten.»

«Freiheit ist nicht die Freiheit zum Wohlstand», sagte Wadsworth. «Freiheit ist die Freiheit, selbst zu entscheiden.»

«Aber wäre es in einer Tyrannei möglich, dass Sie solchen Wohlstand entwickeln?»

«Sie haben unseren Handel eingeschränkt und ohne unsere Zustimmung Steuern erhoben», sagte Wadsworth und wünschte sich, weniger pädagogisch zu klingen.

«Ah! Also besteht unsere Tyrannei darin, Ihnen nicht zu gestatten, noch reicher zu werden?»

«Nicht alle von uns sind reich», sagte Wadsworth hitzig, «und wie Sie genau wissen, General, ist die Tyrannei die Verweigerung von Freiheit.»

«Und wie viele Sklaven halten Sie?», fragte McLean.

Wadsworth war versucht zurückzugeben, was für eine billige Sottise diese Frage war, aber McLean hatte ihn dennoch damit getroffen. «Keine», sagte er steif. «Neger zu halten ist in Massachusetts nicht sehr verbreitet.» Er fühlte sich äußerst unwohl. Er wusste, dass er nicht gut argumentiert hatte, doch sein Gegner hatte ihn auch sehr überrascht. Er hatte einen aufgeblasenen, hochmütigen britischen Offizier erwartet und stattdessen einen überaus höflichen Mann angetroffen, der alt genug war, um sein Vater zu sein, und der sich bei dieser ungewöhnlichen Begegnung anscheinend vollkommen entspannt fühlte.

«Nun, jetzt sitzen wir beide hier», sagte McLean heiter, «ein Tyrann und sein geknechtetes Opfer, und sprechen miteinander.» Er deutete mit seinem Pfeifenstiel in Richtung des Forts, in die John Moore auf dem Weg zum Lazarett verschwunden war. «Der junge Moore studiert Geschichte. Auch er ist ein ausgezeichneter junger Mann. Er liebt Geschichte, und nun ist er hier gelandet, ebenso wie wir beide, und schreibt an einem neuen Kapitel mit. Manchmal wünschte ich mir, in die Zukunft sehen und das Kapitel lesen zu können, das wir gerade schreiben.»

«Möglicherweise würde Ihnen nicht gefallen, was Sie zu lesen bekommen», sagte Wadsworth.

«Einem von uns würde es mit Sicherheit nicht gefallen.»

Die Unterhaltung stockte. McLean zog an seiner Pfeife, und Wadsworth sah zu den Wällen hinüber. Er sah die angespitzten Pflöcke und darüber den Wall aus Erde und Balken, der inzwischen übermannshoch war. Niemand konnte mehr einfach darüberspringen. Man musste hinaufklettern und ihn erobern, und das würde eine schwere und blutige Aufgabe werden, und er fragte sich, ob womöglich nicht einmal die Truppen der Kontinentalarmee dazu in der Lage wären. Wenn es Breschen in dem Wall gegeben hätte, wäre es machbar gewesen, und Wadsworth suchte nach Spuren von Colonel Reveres Kanonade, aber abgesehen von dem zerstörten Dach des Lagerhauses im Inneren des Forts war kaum etwas zu erkennen. An manchen Stellen war der Wall von einer Kanonenkugel getroffen worden, doch diese Schäden waren sämtlich repariert worden. Mörser, dachte er, Mörser. Wir müssen das Innere des Forts in einen Kessel aus Metallsplittern und Stichflammen verwandeln. Der Wall zwischen den etwas hervorspringenden Eckbastionen war mit Rotröcken besetzt, die neugierig zu Wadsworth hinüberschauten. Wadsworth versuchte die Männer zu zählen, aber es waren zu viele.

«Ich halte die meisten meiner Männer versteckt», sagte McLean.

Wadsworth überkamen Schuldgefühle, und das war lächerlich, denn es war seine Pflicht, den Gegner so genau wie möglich einzuschätzen. In der Tat hatte General Lovell dieser Erkundigung nach Lieutenant Dennis' Wohlergehen nur zugestimmt, weil sie Wadsworth Gelegenheit verschaffte, die Verteidigungsanlage des Gegners in näheren Augenschein zu nehmen. «Wir halten auch die meisten versteckt», sagte Wadsworth.

«Das ist überaus vernünftig von Ihnen», sagte McLean. «Wie ich an Ihrer Uniform sehe, haben Sie in Mister Washingtons Armee gedient?»

«Ich war einer seiner Adjutanten, ja», sagte Wadsworth, den die britische Angewohnheit kränkte, George Washington als «Mister» zu bezeichnen.

«Ein hervorragender Mann», sagte McLean. «Es tut mir leid, dass der junge Moore so lange braucht.» Wadsworth sagte nichts darauf, und der Schotte lächelte ihn schief an. «Um ein Haar hätten Sie ihn umgebracht.»

«Lieutenant Moore?»

«Er wollte den Krieg unbedingt im Alleingang gewinnen, was bei einem jungen Offizier vermutlich als verzeihliche Schwäche durchgehen kann, aber ich bin dennoch zutiefst dankbar, dass er überlebt hat. Er hat eine vielversprechende Zukunft vor sich.»

«Als Soldat?»

«Als Mann und als Soldat. Ebenso wie Ihr Lieutenant Dennis ist er ein guter junger Mann. Wenn ich einen Sohn hätte, General, würde ich mir wünschen, er wäre wie Moore. Haben Sie Kinder?»

«Zwei Söhne und eine Tochter, und das nächste Kind kommt bald auf die Welt.»

McLean hörte die Wärme in Wadsworths Stimme. «Sie können sich glücklich schätzen, General.»

«Das tue ich auch.»

McLean zog an seiner Pfeife und blies den Rauch in die feuchte Luft. «Falls Sie nichts gegen die Gebete eines Gegners einzuwenden haben, General, dann lassen Sie mich dafür beten, dass Sie Ihre Familie gesund wiedersehen werden.»

«Danke.»

«Natürlich», sagte McLean sanft, «könnten Sie diese Wiedervereinigung auch bewirken, indem Sie unverzüglich Ihren Rückzug einleiteten.»

«Nur wäre das kaum mit unserem Befehl zu vereinbaren, Sie zuvor gefangen zu nehmen», sagte Wadsworth leicht amüsiert.

«Nun, dafür werde ich nicht beten», sagte McLean.

«Ich glaube, wir hätten es schon letzte Woche versuchen sollen», sagte Wadsworth bedrückt und wünschte augenblicklich, er hätte diese Worte unausgesprochen gelassen. McLean sagte nichts dazu, neigte aber kaum sichtbar den Kopf, was man möglicherweise als Zustimmung auffassen konnte. «Aber wir werden es noch versuchen», sagte Wadsworth abschließend.

«Sie müssen Ihre Pflicht tun, General, zweifellos, das müssen Sie», sagte McLean. Dann wandte er sich um, weil Wadsworth zur südwestlichen Ecke des Forts hinüberschaute. Dort war John Moore aufgetaucht, und nun kam er auf sie zu. Er hielt ein in die Scheide gestecktes Schwert in der Hand. Der Lieutenant warf einen kurzen Blick auf Wadsworth, dann beugte er sich zu McLean hinunter und flüsterte ihm etwas ins Ohr. Der General schloss einen Moment lang die Augen. «Es tut mir sehr leid, General Wadsworth», sagte er dann. «Lieutenant Dennis ist heute früh verstorben. Seien Sie versichert, dass er die beste Behandlung erhalten hat, die wir ihm geben konnten, aber, leider, das war nicht genug.» McLean stand auf.

Auch Wadsworth erhob sich. Er sah in McLeans ernste Miene, und dann, zu seiner Schande, rollten Tränen über seine Wangen. Abrupt wandte er sich ab.

«Dafür müssen Sie sich nicht schämen», sagte McLean.

«Er war ein guter Mann», sagte Wadsworth, und er wusste, dass er nicht wegen Dennis' Tod weinte, sondern wegen der Vergeudung und Unentschlossenheit auf dieser Expedition. Er schniefte, nahm sich zusammen und drehte sich wieder zu McLean um. «Bitte danken Sie Ihrem Arzt für all seine Bemühungen.»

«Das werde ich tun», sagte McLean, «und Sie sollen wissen, dass wir Lieutenant Dennis christlich beerdigen werden.»

«Beerdigen Sie ihn bitte in seiner Uniform.»

«Gewiss, das tun wir», versprach McLean. Er nahm das Schwert von Moore. «Ich vermute, das gehörte dem Lieutenant?», fragte er Moore.

«Ja, Sir.»

McLean reichte Wadsworth das Schwert. «Das werden Sie vielleicht seiner Familie geben wollen, General, und Sie dürfen ihr von seinem Gegner ausrichten, dass ihr Sohn als heroischer Kämpfer gestorben ist. Sie können stolz auf ihn sein.»

«Das werde ich tun», sagte Wadsworth und nahm das Schwert. «Ich danke Ihnen, dass Sie so viel Verständnis für meine Nachfrage gezeigt haben.»

«Ich habe den größten Teil unseres Gesprächs genossen», sagte McLean und streckte die Hand in Richtung des Verhaus aus, als wäre er ein Hausherr, der einen Ehrengast zur Tür begleitet. «Ich bin ernsthaft betrübt über Lieutenant

Dennis' Tod», sagte er, während er noch ein paar Schritte neben dem wesentlich größeren Amerikaner herging. «Eines Tages, General, können Sie und ich vielleicht in Frieden zusammensitzen und über all diese Dinge sprechen.»

«Das würde mir gefallen.»

«Und mir ebenso», sagte McLean und blieb kurz vor dem Verhau stehen. Er lächelte schalkhaft. «Und richten Sie dem jungen Fletcher meine Empfehlungen aus.»

«Fletcher», sagte Wadsworth, als wäre ihm der Name neu.

«Wir haben Fernrohre, General», sagte McLean belustigt. «Ich bedaure die Wahl, die er getroffen hat. Sogar sehr. Aber richten Sie ihm aus, dass es seiner Schwester gutgeht und dass die Tyrannen sie und ihre Mutter mit Lebensmittelrationen versorgen.» Er streckte die Hand aus. «Wir werden die Kanonen erst wieder einsetzen, wenn Sie drüben im Wald sind.»

Wadsworth zögerte einen Moment, dann schüttelte er McLean die Hand. «Danke, General», sagte er, und dann begann er den langen, einsamen Gang zurück auf den Hügelkamm.

McLean blieb an dem Verhau stehen und sah Wadsworth nach. «Das ist ein sehr guter Mann», sagte er, als der Amerikaner außer Hörweite war.

«Er ist ein Aufständischer», sagte Moore missbilligend.

«Und wenn Sie oder ich hier geboren wären», sagte McLean, «dann wären wir höchstwahrscheinlich auch Aufständische.»

«Sir!», sagte John Moore schockiert.

McLean lachte. «Aber wir sind auf der anderen Seite des Meeres geboren, und es ist noch gar nicht so lange her, da hatten wir in Schottland unseren eigenen Aufstand. Mir hat er gefallen.» Immer noch sah er Wadsworth nach. «Er ist ein Mann, der seine Aufrichtigkeit wie ein Abzeichen trägt, aber zum Glück für Sie und mich ist er kein Soldat. Er ist ein Schullehrer, und das macht uns unseren Gegnern überlegen. Und nun lassen Sie uns zurückgehen, bevor sie wieder anfangen zu schießen.»

In der Abenddämmerung desselben Tages wurde Lieutenant Dennis in seiner grünen Uniform beerdigt. Vier Highlander schossen eine Salve in das schwindende Tageslicht, dann wurde ein hölzernes Kreuz in den Grabhügel gerammt. Der Name Dennis wurde mit Kohle auf das Kreuz geschrieben. Doch zwei Tage später zog ein Corporal das Kreuz aus der Erde und benutzte es als Feuerholz.

Und die Belagerung ging weiter.

Die drei Rotröcke stahlen sich am Nachmittag des Tages aus dem Lager, an dem der gegnerische Offizier mit der weißen Flagge zum Fort gekommen war. Sie hatten keine Ahnung, weshalb der Aufständische da gewesen war, und es interessierte sie auch nicht. Was sie interessierte, waren die Wachposten, die aufgestellt worden waren, um Männer aus dem Lager an der Flucht in die Wälder zu hindern, aber die Wachen waren leicht zu umgehen, und die drei Männer verschwanden zwischen den Bäumen und gingen westwärts auf die gegnerische Stellung zu.

Zwei von ihnen waren Brüder namens Campbell, der dritte war ein Mackenzie. Alle drei trugen den dunklen Kilt von Argyle, und sie hatten Musketen dabei. Zu ihrer Linken wurden Kanonen abgefeuert. Die unregelmäßigen, dröhnenden und unvermittelten Schüsse gehörten mittlerweile zu ihrem Alltag. «Da unten», sagte Jamie Campbell, und die drei folgten einem schmalen Pfad, der zwischen den Bäumen hügelabwärts führte. Alle drei grinsten vor Aufregung. Es war ein grauer Tag, und leichter Nieselregen wurde von Südwesten herangetragen.

Der Pfad führte zu der sumpfigen Landenge, die das Festland mit der Halbinsel Majabigwaduce verband. Jamie, der ältere der Brüder und der unbestrittene Anführer der Dreiergruppe, wollte nicht zu der Landenge hinunter, sondern suchte einen Weg auf dem bewaldeten Abhang knapp oberhalb des Sumpfgeländes. Die Aufständischen kontrollierten diesen Abschnitt. Er hatte sie dort gesehen. Manchmal kam Captain Caffraes Kompanie hierher und stellte einer Patrouille der Aufständischen eine Falle oder narrte sie mit Pfeifer-Musik und Geschrei. An diesem Nachmittag jedoch schien der Wald oberhalb des Sumpfgebietes verlassen. Die drei kauerten sich ins Gebüsch und spähten westwärts in Richtung der feindlichen Linien. Zu ihrer Rechten wurde der Baumbestand spärlicher, und vor ihnen auf einer kleinen Lichtung sprudelte eine Quelle. «Keine verdammte Menschenseele da», knurrte Mackenzie.

«Sie kommen immer hierher», sagte Jamie. Er war neunzehn Jahre alt, hatte dunkelbraune Augen, dunkelbraunes Haar und den wachsamen Gesichtsausdruck eines Jägers. «Du passt auf den Hang auf», sagte er zu seinem Bruder, «wir wollen uns schließlich nicht von Caffrae erwischen lassen.»

Sie warteten. Die Vögel hatten sich inzwischen sowohl an die Kanonen als auch an die Soldaten gewöhnt, und schrilles Gezwitscher tönte von den Bäumen herunter. Ein kleines Tier mit merkwürdigen Streifen auf dem Fell flitzte über die Lichtung. Jamie Campbell strich über den Schaft seiner Muskete. Er liebte seine Muskete. Er pflegte den Schaft mit Öl und Stiefelwichse, sodass das Holz glatt wie Seide war, und die dunklen Kurven der Waffe zu streicheln erinnerte ihn an die Witwe des Sergeants in Halifax. Er lächelte.

«Da!», zischte sein Bruder Robbie.

Vier Aufständische waren am anderen Ende der Lichtung aufgetaucht. Ihre Uniformjacken, die Hosen und Hüte waren braun, darüber trugen sie Gurtzeug mit Beuteln und Bajonettscheiden. Drei der Männer hatten je zwei Eimer dabei, der vierte hielt eine Muskete in der Hand. Sie stapften zu der Quelle und bückten sich, um die Eimer zu füllen.

«Jetzt!», sagte Jamie, und knallend zischten Kugeln und Zündflammen aus den drei Musketen. Einer der Männer an der Quelle wurde zur Seite geworfen, sein Blut ein rotes Flackern in dem grauen Regen. Der vierte Aufständische schoss auf die Rauchwolke zwischen den Bäumen, aber Mackenzie und die Campbell-Brüder waren schon juchzend und lachend weggerannt.

Es war ein Spiel. Der General hatte es verboten und jedem Mann, der die Stellung verließ, um ohne Genehmigung auf den Gegner zu schießen, schwere Strafen angedroht, doch die jungen Schotten liebten das Risiko. Wenn die Aufständischen nicht zu ihnen kamen, dann würden sie eben zu den Aufständischen gehen, ganz gleich, was der General wollte. Und jetzt mussten sie nur noch sicher ins Lager zurückkehren, ohne dabei gesehen zu werden.

Und morgen würden sie es wieder tun.

Samuel Adams kam am späten Nachmittag im Hauptquartier des Generalmajors Horatio Gates an, das sich in Providence, Rhode Island, befand. Schwere Wolken hingen am Himmel, und im Osten grollte schon der Donner. Es war heiß und die Luft feucht, und Adams wurde in ein kleines Empfangszimmer geführt, wo, trotz der geöffneten Fenster, nicht der leiseste Windhauch Kühlung brachte. Er wischte sich mit einem großen gepunkteten Taschentuch übers Gesicht. «Darf ich Ihnen Tee bringen, Sir?», fragte ein blasser Lieutenant in der Uniform der Kontinentalarmee.

«Bier», sagte Samuel Adams entschieden.

«Bier, Sir?»

«Bier», wiederholte Adams noch entschiedener.

«General Gates wird sofort bei Ihnen sein, Sir», sagte der Lieutenant kühl und, wie Adams argwöhnte, nicht ganz zutreffend und verschwand in den Tiefen des Hauses.

Das Bier wurde gebracht. Es war sauer, aber trinkbar. Der Donner wurde lauter, doch es regnete nicht, und immer noch strich kein Hauch durch die geöffneten Schiebefenster herein. Adams fragte sich, ob er vielleicht den Kanonendonner von der Belagerung der Briten in Newport hörte, doch alle Berichte sagten, die Versuche, die Garnison zu erobern, hätten sich als hoffnungslos erwiesen, und einen Moment später bestätigte ein ferner Blitz, dass es tatsächlich Gewitterdonner gewesen war. Ein Hund jaulte, und eine Frauenstimme erhob sich ärgerlich. Samuel Adams schloss die Augen und begann zu dösen.

Er wurde von dem Geräusch genagelter Stiefelsohlen auf dem Holzboden des Flurs geweckt. Als Generalmajor Horatio Gates das Empfangszimmer betrat, hatte er sich gerade wieder aufrecht hingesetzt. «Sie sind von Boston hierhergeritten, Mister Adams?», dröhnte der General zur Begrüßung.

«Das bin ich in der Tat.»

Trotz der Hitze hatte Gates einen Uniformmantel getragen, den er nun dem Lieutenant zuwarf. «Tee», sagte er, «Tee, Tee, Tee.»

«Sehr wohl, Euer Ehren», sagte der Lieutenant.

«Und Tee für Mister Adams!»

«Bier!», rief Adams berichtigend, aber da war der Lieutenant schon verschwunden.

Gates löste die Gurtschnalle seines Schwertes, das er über seiner Uniform der Kontinentalarmee trug, und warf es auf einen mit Papieren überhäuften Schreibtisch. «Wie stehen die Dinge in Boston, Adams?»

«Wir tun Gottes Werk», sagte Adams sanftmütig, doch Gates entging die Ironie vollkommen. Der General war sehr groß und einige Jahre jünger als Samuel Adams, der nach seinem langen Ritt über die Bostoner Poststraße jedes einzelne seiner siebenundfünfzig Jahre in den Knochen spürte. Gates starrte schlecht gelaunt zu den Papieren unter seinem Schwert hinüber. Er war ein Offizier, dachte Adams, zu dem es passte, schlecht gelaunt irgendwohin zu starren. Der General hatte ein kräftiges Kinn und eine gepuderte Perücke, die zu klein war, um all sein graues Haar zu verdecken. Schweiß lief unter der Perücke heraus. «Und wie ergeht es Ihnen auf dieser holden Insel?», fragte Adams.

«Insel?», fragte Gates zurück und warf einen argwöhnischen Blick auf seinen Besucher. «Ach so, Rhode Island. Idiotischer Name. Die Franzosen sind an allem schuld, Adams, die Franzosen. Wenn die verdammten Franzosen Wort gehalten hätten, dann wäre der Gegner längst aus Newport vertrieben. Aber die Franzosen, zur Hölle mit ihnen, wollen nicht mit ihren Schiffen herkommen. Verdammte Arschkriecher, jeder einzelne von ihnen.»

«Und doch sind sie unsere hochgeschätzten Verbündeten.»

«Genau wie die verdammten Spanier», sagte Gates abfällig.

«Genau wie die verdammten Spanier», stimmte Adams zu.

«Arschkriecher und Papisten», sagte Gates. «Was sollen das für Verbündete sein, ha?» Er setzte sich Adams gegenüber und streckte seine langen Beine aus. An seinen Stiefeln waren Schlamm und Pferdemist angetrocknet. Er legte die Fingerspitzen zusammen und starrte seinen Besucher an. «Was bringt Sie nach Providence?», fragte er. «Nein, warten Sie einen Moment. Auf den Tisch. Schenken Sie uns ein.» Die letzten beiden Sätze waren an den blassen Lieutenant gerichtet, der ein Tablett auf dem Tisch abstellte und dann, in unbehaglichem Schweigen, zwei Tassen Tee einschenkte. «Sie können jetzt gehen», sagte Gates dann zu dem unglückseligen Lieutenant. Darauf verkündete er Adams: «Ohne Tee kann kein Mensch leben.»

«Eine der Segnungen des britischen Empires?», sagte Adams schalkhaft.

«Donner», kommentierte Gates einen Schlag, der sehr laut und sehr nahe klang, «aber der Regen wird nicht hier herüberziehen.» Er schlürfte vernehmlich von seinem Tee. «Was hören Sie aus Philadelphia?»

«Kaum etwas, das nicht auch in der Zeitung steht.»

«Wir vertrödeln die Zeit», sagte Gates. «Wir zaudern, fackeln herum und verplempern Gelegenheiten. Wir müssen entschlossener handeln, Adams.»

«Da haben Euer Ehren gewiss recht», sagte Adams und nahm die Anrede auf, die er von dem Lieutenant gehört hatte. Gates' Spitzname lautete «Granny», auch wenn Adams das viel zu liebenswürdig für einen Mann fand, der so empfindlich auf seine Würde bedacht war. Granny war in England geboren und aufgewachsen und hatte lange Jahre in der britischen Armee gedient, bevor Geldmangel, schleppende Beförderungen und eine ehrgeizige Frau ihn dazu getrieben hatten, sich in Virginia niederzulassen. Seine unbestrittenen Fähigkeiten in der Verwaltung hatten ihm einen hohen Rang in der Kontinentalarmee eingebracht, doch war es kein Geheimnis, dass Horatio Gates der Auffassung war, er solle einen noch höheren Rang bekleiden. Er machte keinen Hehl aus seiner Geringschätzung für General Washington und war der festen Überzeugung, dass der Sieg erst errungen werden könne, wenn man Generalmajor Horatio Gates das Kommando über die Streitkräfte der Patrioten übertrug. «Und welches Vorgehen würden Euer Ehren bei diesem Kriegszug vorschlagen?», fragte Adams.

«Tja, es bringt jedenfalls verdammt noch mal nichts, auf seinem fetten Hintern zu sitzen und nach New York zu schielen», sagte Gates forsch, «das bringt verdammt noch mal nicht das Geringste!»

Adams machte eine wedelnde Handbewegung, die man als Zustimmung deuten konnte. Als er seine Hand wieder in den Schoß legte, sah er ein leichtes Zittern seiner Finger. Es würde nicht aufhören. Das Alter, dachte er und unterdrückte einen Seufzer.

«Der Kongress muss endlich zur Vernunft kommen», erklärte Gates.

«Der Kongress achtet natürlich sehr genau auf die Empfindlichkeiten von Massachusetts.» Mit diesen Worten ließ Adams eine dicke, saftige Karotte vor Gates' Nase baumeln. Der General wollte, dass Massachusetts die Entlassung George Washingtons und die Einsetzung Horatio Gates' als Befehlshaber der Kontinentalarmee forderte.

«Und Sie stimmen mit mir überein?», fragte Gates.

«Wer könnte nicht mit einem Mann von Ihrer militärischen Erfahrung übereinstimmen, General?»

Gates hörte in dieser Antwort, was er hören wollte. Er stand auf und schenkte sich noch eine Tasse Tee ein. «Also will der Staat Massachusetts meine Hilfe?», fragte er.

«Und ich hatte noch nicht einmal den Zweck meines Besuchs vorgebracht», sagte Adams mit geheuchelter Bewunderung.

«Der ist ja nicht sehr schwer zu erraten, oder? Sie haben ihre Kissenfurzer zur Bucht von Penobscot geschickt, und jetzt schaffen sie es nicht, den Auftrag zu erledigen.» Er sah Adams höhnisch an. «Sam Savage hat mir geschrieben, die Briten hätten kapituliert. Stimmt nicht, oder?»

«Leider, es stimmt nicht», sagte Adams mit einem Seufzer. «Die Garnison scheint eine härtere Nuss zu sein, als wir gedacht haben.»

«McLean, richtig? Ein fähiger Mann. Nicht brillant, aber fähig. Möchten Sie noch Tee?»

«Diese Tasse ist so ausreichend wie deliziös», sagte Adams und berührte mit dem Finger seine unangetastete Teetasse.

«Sie haben Ihre Miliz hingeschickt. Wie viel Mann?»

«General Lovell hat ungefähr tausend unter seinem Kommando.»

«Und was will er?»

«Armeetruppen.»

«Aha! Er will richtige Soldaten, was?» Gates trank seine zweite Tasse Tee, schenkte sich eine dritte ein und sagte: «Und wer bezahlt dafür?»

«Massachusetts», sagte Adams. Massachusetts hatte bei Gott schon ein Vermögen für diese Expedition ausgegeben, doch nun musste wohl ein weiteres Vermögen eingesetzt werden, und er betete, dass Brigadegeneral McLean eine riesenhafte Schatztruhe in seinem lächerlichen Fort versteckt hatte, sonst nämlich würde sie die Staatsverschuldung noch vollends lähmen.

«Verpflegung, Transport», betonte Gates, «das muss beides bezahlt werden!»

«Selbstverständlich.»

«Und wie bringen Sie meine Truppen zum Penobscot?»

«In Boston wartet ein Schiffsverband», sagte Adams.

«Sie hätten mich schon vor einem Monat fragen sollen», sagte Gates.

«Das hätten wir in der Tat tun sollen.»

«Aber vermutlich wollte Massachusetts die Ehre des Sieges für sich allein, was?»

Adams neigte leicht den Kopf, um Zustimmung anzudeuten, versuchte sich diesen aufbrausenden, überempfindlichen, missgünstigen Engländer an der Spitze der Kontinentalarmee vorzustellen, und war von Herzen dankbar für George Washington.

«Lieutenant!», bellte Gates.

Der blasse Lieutenant erschien an der Tür. «Euer Ehren?»

«Schicken Sie meine Empfehlungen an Colonel Jackson. Seine Männer rücken bei Tagesanbruch nach Boston ab. Sie sollen mit Waffen, Munition und einer Tagesration losmarschieren. Die vollständigen Befehle folgen heute Abend. Und sagen Sie dem Colonel, er soll eine detaillierte, merken Sie sich das, eine detaillierte Liste sämtlicher Ausgaben anfertigen. Und jetzt gehen Sie.»

Der Lieutenant ging.

«Langes Herumfackeln bringt überhaupt nichts», sagte Gates. «Henry Jackson ist ein guter Mann und sein Regiment so ausgezeichnet, wie man es sich nur wünschen kann. Sie werden mit McLean aufräumen.»

«Sie sind überaus entgegenkommend, General», sagte Adams.

«Ach was, entgegenkommend, ich bin effizient. Wir haben einen Krieg zu gewinnen! Es bringt nichts, Arschkriecher und Kissenfurzer Soldatenarbeit machen zu lassen. Erweisen Sie mir die Ehre, mit mir zu Abend zu essen?»

Samuel Adams hätte bei dieser Aussicht beinahe aufgestöhnt, aber die Freiheit hatte eben ihren Preis. «Das wäre mir eine ganz besondere Auszeichnung, Euer Ehren», sagte er.

Wenigstens würde nun ein Regiment erfahrener amerikanischer Soldaten zur Bucht von Penobscot geschickt werden.

Brief des Brigadegenerals Lovell an Commodore Saltonstall, 5. August 1779:

Ich habe den bisherigen Plan so weit vorangetrieben wie ich Kann und empfinde ihn zur vertreibung oder Zerstörung des Schiffsverbandes zwecklos daher muss ich eine antwort ihrerseits verlangen ob sie ihre Schiffe flussaufwärts bringen, um sie zu zerstören oder nicht damit ich dementsprechend Meine Entscheidungen treffen kann.

Aus den Protokollen des Kriegsrates von Brigadegeneral Lovell, Majabigwaduce, 11. August 1779:

Großer Mangel an Disziplin und Unterordnung da viele der Offiziere ihre Pflichten schleifenlassen, die Soldaten den Dienst so stark ablehnen und der Wald in dem wir das Lager haben so dicht ist dass sich bei Alarm oder einer anderen besonderheit fast ein viertel der Armee wegschleicht und versteckt.

Aus dem Kriegstagebuch des Sergeants Lawrence, königliche Artillerie, Fort George, Majabigwaduce, 5. und 12. August 1779:

Der General war sehr überrascht heute so viele Männer das Fort verlassen zu sehen um ohne Genehmigung auf den Geg-

416

ner zu schießen. Er hat ihnen versichert dass jeder der sich dessen erneut Schuldig macht mit schweren strafen wegen Gehorsamsverweigerung belegt wird.

Der elfte August, ein Mittwoch, begann mit dichtem Nebel und Windstille. Niedrige Wellen schwappten träge ans Hafenufer, über dem eine einsame Möwe schrie. Peleg Wadsworth stand oben auf Dyce's Head und konnte weder den Gegner noch seine Schiffe sehen. Der Nebel hatte die Welt zugedeckt. Es wurden keine Kanonen abgefeuert, weil die weißen Schwaden die Ziele vor den Aufständischen ebenso wie vor den Männern des Königs verbargen.

Colonel Samuel McCobb hatte zweihundert Mann von seiner Miliz aus Lincoln County auf die Wiese unterhalb von Dyce's Head gebracht. Es waren dieselben Männer, die aus der Half-Moon-Batterie geflüchtet waren, und nun warteten sie auf General Lovell, der beschlossen hatte, sie zu der Batterie zurückzuschicken. «Wenn man vom Pferd fällt», hatte Lovell am Vorabend zu Peleg Wadsworth gesagt, «was macht man dann?»

«Wieder in den Sattel steigen?»

«Meine Meinung, genau meine Meinung», hatte Lovell verkündet. Der General, der noch vor wenigen Tagen am Rande der Verzweiflung gewesen war, hatte offenkundig wieder den Sattel der Selbstsicherheit erstiegen. «Man klopft sich den Staub von der Kleidung», hatte Lovell gesagt, «und steigt wieder auf! Unsere Leute müssen lernen, dass sie den Gegner schlagen können.»

James Fletcher wartete zusammen mit Peleg Wadsworth. Fletcher sollte McCobbs Männer hinunter zu Jacob Dyce'

Maisfeld führen, das etwa hundert Schritt oberhalb der verlassenen Batterie lag. Dort sollten sich die Milizionäre verstecken. Das Ganze war eine Falle, die Lovell ersonnen hatte, und er war überzeugt, dass McLean den Köder schlucken würde. Wadsworth hatte darauf gedrängt, das Fort direkt anzugreifen, doch Lovell hatte darauf beharrt, dass McCobbs Männer eine Aufmunterung nötig hätten. «Sie brauchen einen Sieg, Wadsworth», hatte Lovell erklärt.

«In der Tat, den brauchen sie, Sir.»

«Wie die Dinge stehen», hatte Lovell mit düsterer Offenheit gesagt, «sind wir nicht in der Lage, das Fort anzugreifen, aber wenn das Selbstvertrauen der Miliz wiederhergestellt ist, wenn ihr patriotischer Eifer angestachelt ist, dann, glaube ich, kann sie jedes Ziel erreichen.»

Peleg Wadsworth hoffte, dass das stimmte. Ein Brief aus Boston hatte warnend darauf hingewiesen, dass eine britische Kriegsflotte aus dem New Yorker Hafen ausgelaufen war, und es wurde vermutet, wenn auch niemand sicher sein konnte, dass die Flotte die Bucht von Penobscot ansteuerte. Die Zeit wurde knapp. Vielleicht segelte die gegnerische Flotte auch anderswohin, nach Halifax oder die Küsten hinunter zu den beiden Carolinas, aber Wadsworth befürchtete jeden Tag, Toppsegel bei den vorgelagerten Inseln des Penobscot auftauchen zu sehen. Einige Männer drängten schon darauf, die Belagerung abzubrechen, aber Lovell wollte über einen Misserfolg gar nicht erst nachdenken, er wollte, dass seine Miliztruppen einen kleinen Sieg errangen, der sie zum großen Triumph führen würde.

Und deshalb hatte er sich diese Falle ausgedacht. McCobb sollte seine Männer hinunter in die Deckung des Maisfeldes bringen, von wo aus er einen kleinen Trupp zu der verlassenen Batterie weiterschicken würde. Diese Männer wären mit Hacken und Schaufeln ausgerüstet, damit es so aussah, als würden sie einen neuen Erdwall anlegen, um die Briten abzuwehren. Diese Herausforderung, so glaubte Lovell, würde mit Sicherheit eine Reaktion aus Fort George provozieren. McLean würde Männer schicken, um den kleinen Trupp zu verjagen, und dann würde die Falle zuschnappen. Während die Briten mit den Männern am Wall beschäftigt waren, würden McCobbs Männer aus dem Maisfeld stürmen und dem Gegner in die Flanke fallen. «Sie feuern eine Salve auf sie ab», hatte Lovell McCobb am Vorabend geraten, «und dann vertreiben Sie die Briten mit den Bajonetten. Kugeln und Bajonette! Damit schaffen wir es.»

Nun tauchte General Lovell aus dem Morgennebel auf. «Guten Morgen, Colonel!», rief der General leutselig.

«Guten Morgen, Sir», antwortete McCobb.

«Guten Morgen, guten Morgen, guten Morgen!», grüßte Lovell in die Runde der versammelten Milizionäre, von denen ihn der größte Teil nicht weiter beachtete. Ein oder zwei gaben den Gruß zurück, wenn auch ohne jegliche Begeisterung. «Sind Ihre Männer guten Mutes?», fragte er General McCobb.

«Sind bereit und können den Kampf kaum erwarten, Sir», sagte McCobb, obwohl seine Männer in Wahrheit abgerissen, verdrießlich und mutlos wirkten. Nachdem sie tagelang im Wald kampiert hatten, waren sie verdreckt, und das Leder ihrer Schuhe begann zu verrotten, doch ihre Waffen waren blank. McCobb hatte die Waffen inspiziert, an Feuersteinen gezogen, Bajonette aus den Scheiden gezogen oder einen Finger in einen Musketenlauf gesteckt, um zu überprüfen, ob auch keine Pulverrückstände am Metall klebten. «Sie werden uns Ehre machen, Sir», sagte McCobb.

«Dann hoffen wir, dass auch der Gegner seine Rolle spielt!», verkündete Lovell. Er sah zur Anhöhe hinauf. «Verzieht sich der Nebel?»

«Ein wenig», sagte Wadsworth.

«Dann sollten Sie gehen, General», sagte Lovell, «aber

lassen Sie mich zuvor ein oder zwei Worte zu Ihren Männern sagen.»

Lovell wollte sie anfeuern. Er wusste, dass die Stimmung gefährlich tief gesunken war, er bekam täglich Berichte über Männer, die aus der Stellung desertierten oder sich im Wald versteckten, wenn es eine Dienstpflicht zu erfüllen galt, und deshalb stellte er sich vor McCobbs Männer und erklärte ihnen, dass sie Amerikaner waren, dass ihre Kinder und Kindeskinder von ihrer Tapferkeit hören würden und sie als stolze Sieger nach Hause zurückkehren sollten. Einige Männer nickten zu seinen Worten, aber die meisten hörten mit ausdruckslosen Mienen zu, während sich Lovell an seinen sorgfältig vorbereiteten Höhepunkt heranarbeitete. «Noch nach Äonen soll erzählt werden», verkündete er mit dem Pathos eines Volksredners, «hier haben sie brennend vor Leidenschaft gestanden, hier haben sie gekämpft, hier sind einige wenige von ihnen gefallen, und die Übrigen waren siegreich, stark, unüberwindlich!»

Unvermittelt hörte er auf zu sprechen, als erwarte er Jubelrufe, doch die Männer sahen ihn nur ausdruckslos an, und Lovell bedeutete McCobb verunsichert, er solle sich mit seinen Leuten auf den Weg den Hang hinunter machen. Wadsworth betrachtete die Männer, als sie an ihm vorbeikamen. Ein Mann hatte Kordeln um seine Stiefel geknotet, damit die Sohlen am Schuh hielten. Ein anderer hinkte. Ein paar liefen barfuß, einige hatten graues Haar, und andere sahen schrecklich jung aus. Er wünschte, Lovell hätte Saltonstall um eine Kompanie Marinesoldaten gebeten, aber der General und der Commodore sprachen kaum noch miteinander. Sie verständigten sich mit steifen Sendschreiben, in denen der Commodore darauf beharrte, dass die Schiffe nicht angegriffen werden konnten, so lange das Fort bestand, und der General versicherte, dass das Fort so lange unangreifbar war, wie die britischen Schiffe im Hafen lagen.

«Ich denke, das ist sehr gut gegangen», sagte Lovell zu Wadsworth. «Finden Sie nicht auch?»

«Ihre Rede, Sir? Sie war mitreißend.»

«Ich habe sie nur an ihre Pflicht und unser Schicksal erinnert», sagte Lovell. Er sah den letzten Milizionären nach, die im Nebel verschwanden. «Wenn es aufklart», fuhr er fort, «könnten Sie sich dann um diese neuen Batterien kümmern?»

«Ja, Sir», sagte Wadsworth wenig begeistert. Lovell wollte, dass er neue Geschützstellungen anlegte, von denen aus die britischen Schiffe unter Feuer genommen werden konnten. Diese neuen Batterien, davon war Lovell nun nicht mehr abzubringen, waren der Schlüssel zum Erfolg. Wadsworth allerdings hielt den Vorschlag für nicht besonders sinnvoll. Noch mehr Geschützstellungen zu bauen würde bedeuten, Kanonen von der Hauptaufgabe, nämlich dem Beschuss des Forts, abzuziehen. Davon abgesehen hatten die Geschützmannschaften Lovell schon darauf hingewiesen, dass ihnen bald die Munition ausgehen würde. Die Zwölfpfünder-Kugeln waren schon beinahe verbraucht, und von den Achtzehnpfündern gab es nicht einmal mehr zweihundert. Für diese Munitionsknappheit wurde Colonel Revere verantwortlich gemacht, allerdings musste der Gerechtigkeit halber gesagt werden, dass jedermann mit einer britischen Niederlage innerhalb einer Woche gerechnet hatte, und nun lag die Armee schon beinahe drei Wochen vor Fort George. Es herrschte sogar Mangel an Musketenpatronen, weil die Munitionsreserve nicht ordentlich vor dem Regen geschützt worden war. General McLean, dachte Wadsworth verbittert, hätte niemals zugelassen, dass seine Patronen verdarben. Die Begegnung mit dem Schotten hatte Wadsworth verunsichert. Es war seltsam, solchen Gefallen an einem Gegner zu finden, und McLeans Ausstrahlung unbekümmerten Selbstvertrauens nagte an Wadsworths Zuversicht.

Lovell hatte den Mangel an Begeisterung in Wadsworths Stimme gehört. «Wir müssen diese Schiffe loswerden», sagte er energisch. Die Toppmasten der vier britischen Schiffe waren inzwischen oberhalb des Nebels sichtbar geworden, und Wadsworth sah unwillkürlich Richtung Süden, wo nach seinen Befürchtungen die britische Verstärkung auftauchen würde, doch die langgestreckte Tidenzone des Penobscot war vollständig unter dem Nebel verschwunden. «Wenn wir diese neuen Batterien anlegen können», fuhr Lovell fort und hörte sich immer noch so an, als befände er sich vor einer Wahlversammlung und nicht etwa im vertraulichen Gespräch mit seinem Stellvertreter, «dann können wir den Gegner so schwächen, dass der Commodore es für sicher halten wird, in den Hafen einzulaufen.»

Auf einmal wollte Wadsworth einen Mord begehen. Die Verantwortung für die Einnahme des Forts lag nicht bei Saltonstall, sondern bei Lovell, und Lovell tat alles andere, als seiner Pflicht nachzukommen.

Das wilde Hassgefühl war für Peleg Wadsworth so ungewohnt, dass es ihm einen Augenblick lang die Sprache verschlug. «Sir», brachte er schließlich heraus und unterdrückte seine Verbitterung, «die Schiffe sind nicht imstande …»

«Die Schiffe sind der Schlüssel zu allem!», widersprach ihm Lovell, noch bevor der Einwand überhaupt ganz ausgesprochen war. «Wie kann ich meine Männer nach vorn schicken, wenn sie in der Flanke von diesen Schiffen bedroht werden?» Mit Leichtigkeit, dachte Wadsworth, aber er sagte es nicht. «Und wenn mich der Commodore nicht von diesen Schiffen befreien will», fuhr Lovell fort, «dann müssen wir das eben selbst erledigen. Mehr Batterien, Wadsworth, mehr Batterien.» Er deutete mit dem Zeigefinger auf seinen Stellvertreter. «Das ist für heute Ihre Aufgabe, General. Legen Sie Geschützstellungen an.»

Wadsworth war klar, dass Lovell alles lieber tun würde,

als das Fort anzugreifen. Er würde am Rand herumnagen, aber nie in der Mitte zubeißen. Der ältere Mann fürchtete, an der größeren Aufgabe zu scheitern, und suchte deshalb nach kleineren Erfolgen, und indem er dies tat, riskierte er die endgültige Niederlage, falls die britische Verstärkung vor weiteren amerikanischen Truppen eintreffen würde. Trotz alledem würde sich Lovell nicht von einem entschlosseneren Vorgehen überzeugen lassen, also wartete Wadsworth, bis sich der Nebel aufgelöst hatte, und ging dann hinunter zum Strand, wo er Captain Carnes antraf, der neben zwei großen Kisten stand. Die Kanonen auf der Anhöhe hatten den Beschuss wiederaufgenommen, und Wadsworth hörte das entferntere Dröhnen der britischen Geschütze, die das Feuer erwiderten. «Munition für die Zwölfpfünder», begrüßte Carnes Wadsworth gut gelaunt und deutete auf die beiden Kisten. «Eine Spende von der *Warren*.»

«Die haben wir auch nötig», sagte Wadsworth, «danke.» Carnes nickte zu seinem auf den Strand gesetzten Beiboot hinüber. «Meine Leute tragen gerade schon die ersten Kisten zu den Batterien hinauf, und ich bewache die anderen, damit keiner von diesen Freibeuterschuften kommt und sie klaut.» Er schoss mit der Stiefelspitze ein paar Kieselsteine weg. «Wie ich höre, planen Ihre Milizionäre eine Überraschung für den Gegner?»

«Und ich hoffe, dass wenigstens der Gegner noch nichts davon gehört hat», sagte Wadsworth.

«Der Gegner ist vermutlich ganz zufrieden damit, gar nichts zu tun», sagte Carnes, «während wir hier Däumchen drehen.»

«Wir tun mehr als das», fuhr Wadsworth bei dieser versteckten Kritik auf, die er, wenn er ehrlich war, vollkommen teilte.

«Wir sollten das Fort angreifen», sagte Carnes.

«Das sollten wir in der Tat.»

Carnes warf dem größeren Mann einen gewitzten Blick zu. «Glauben Sie, die Miliz könnte es schaffen, Sir?»

«Wenn sie hört, dass der schnellste Weg nach Hause durch das Fort führt, dann ja. Aber es wäre mir lieb, wenn ihr ein paar Marinesoldaten zeigten, wo dieser Weg genau verläuft.»

Darüber lächelte Carnes. «Und mir wäre es lieb, wenn Ihre Artillerie den Beschuss stärker konzentrierte.»

Wadsworth dachte an den genauen Blick, den er auf den westlichen Wall des Forts hatte werfen können, und es war klar, dass der Marinesoldat recht hatte. Schlimmer noch, Carnes war Artillerieoffizier in der Kontinentalarmee gewesen und wusste genau, wovon er sprach. «Haben Sie mit Colonel Revere darüber geredet?», fragte er.

«Colonel Revere lässt nicht mit sich reden, Sir», sagte Carnes schlecht gelaunt.

«Vielleicht sollten wir einmal gemeinsam mit ihm sprechen», sagte Wadsworth, so sehr ihm auch vor einem solchen Gespräch graute. Lieutenant Colonel Revere reagierte höchst streitlustig auf Kritik, doch wenn die übrige Munition sinnvoll eingesetzt werden sollte, dann mussten die Geschützmannschaften geschickt arbeiten. In Wadsworth zuckten Schuldgefühle auf, weil er Reveres Einsatz bei dieser Expedition befürwortet hatte, doch dann verbannte er diesen Gedanken. Auf der Expedition gab es schon viel zu viele Schuldzuweisungen. Die Armee beschuldigte die Flotte, die Flotte blickte verächtlich auf die Armee hinunter, und praktisch jeder beschwerte sich über die Artillerie.

«Wir können mit ihm sprechen», sagte Carnes, «aber bei allem Respekt, Sir, es wäre besser, Sie würden ihn einfach austauschen.»

«Oh, das werde ich ganz bestimmt nicht tun», sagte Wadsworth in einem Versuch, die Verunglimpfung zu stoppen, von der er wusste, dass sie nun folgen würde.

«Er überwacht den Beschuss aus hundert Schritt Abstand von seinen Kanonen», sagte Carnes, «und er hält jeden Schuss für gelungen, wenn er nur das Fort trifft. Ich habe ihn nicht ein einziges Mal die Zielausrichtung korrigieren sehen! Ich habe ihm erklärt, dass er mit jeder verdammten Kanone, die er zur Verfügung hat, immer auf den gleichen Abschnitt des Walls schießen muss, aber er meinte nur, ich solle mir meine Impertinenz sparen.»

«Er kann recht kratzbürstig sein», sagte Wadsworth mitfühlend.

«Er hat die Hoffnung aufgegeben», sagte Carnes düster.

«Das bezweifle ich», sagte Wadsworth loyal. «Er hasst die Briten.»

«Dann soll er sie endlich fertigmachen, verdammt», sagte Carnes rachsüchtig. «Aber wie ich höre, stimmt er in Ihrem Kriegsrat dafür, die Belagerung abzubrechen.»

«Ebenso wie Ihr Bruder», sagte Wadsworth mit einem Lächeln.

Carnes grinste. «John kann sein Schiff verlieren, General! Er verdient kein Geld, wenn er hier vor Anker liegt. Er will mit der *Hector* wieder aufs Meer und sich ein paar britische Handelssegler schnappen. Aber was hat Colonel Revere zu verlieren, wenn er hierbleibt?» Er wartete keine Antwort ab, sondern nickte in Richtung des Ankerplatzes der Flotte, wo die weißgestrichene Barkasse von Castle Island gerade von der *Samuel* abgelegt hatte. «Wenn man vom Teufel spricht», sagte er grimmig. Lieutenant Colonel Revere mochte dem Befehl gehorchen, an Land zu übernachten, doch er besuchte die *Samuel* immer noch zwei- oder dreimal täglich, und nun wurde er offenkundig nach einem solchen Besuch wieder an Land gerudert. «Er fährt zum Frühstücken auf die *Samuel*», sagte Carnes.

Wadsworth schwieg.

«Und dann noch mal zum Mittagessen», fuhr Carnes unerbittlich fort.

Noch immer sagte Wadsworth nichts.

«Und zum Abendessen gewöhnlich auch», sagte Carnes.

«Ich brauche ein Boot», sagte Wadsworth unvermittelt, um weitere Mäkeleien abzuwenden, «und ich bin sicher, dass mir der Colonel aushilft.» Gewöhnlich lagen ein halbes Dutzend Beiboote auf dem Kiesstrand, und ihre Besatzungen warteten auf ihren nächsten Einsatz, doch nun war das Boot, das Captain Carnes und die Munition gebracht hatte, das einzige, und die Ruderer trugen die Kisten den Steilhang hinauf. Also ging Wadsworth zu der Stelle, an der Reveres Barkasse ankommen würde. «Guten Morgen, Colonel!», rief er, als Revere fast am Strand war. «Sie haben neue Zwölfpfünder-Munition!»

«Ist McCobb losgegangen?», lautete Reveres Reaktion.

«Das ist er, vor anderthalb Stunden.»

«Wir hätten ihm eine Vierpfünder mitgeben sollen», sagte Revere. Seine Barkasse fuhr knirschend auf den Kies, und er stieg über die Ruderbänke nach vorne.

«Ich fürchte, dafür ist es nun zu spät», sagte Wadsworth und streckte die Hand aus, um Revere beim Ausstieg über den Bug der Barkasse zu helfen. Revere reagierte nicht auf Wadsworths Geste. «Sind Sie jetzt eine Weile an Land?», fragte Wadsworth.

«Selbstverständlich», sagte Revere, «ich habe schließlich hier zu arbeiten.»

«Wären Sie dann so gut, mich Ihr Boot benutzen zu lassen? Ich müsste mich einmal auf Cross Island umsehen.»

Revere schien diese Bitte geradezu empörend zu finden. «Diese Barkasse gehört der Artillerie!», sagte er ungehalten. «Sie kann anderen nicht zur Verfügung gestellt werden.»

Wadsworth traute seinen Ohren nicht. «Sie möchten sie mir nicht für eine Stunde ausleihen?»

«Nicht einmal für eine Minute», sagte Revere knapp. «Und nun guten Tag.» Revere stapfte davon.

Wadsworth sah dem Colonel nach. «Und selbst wenn dieser Krieg noch zwanzig Jahre dauert», knurrte er vor sich hin, weil er seine Verbitterung nun nicht mehr zurückhalten konnte, «mit diesem Mann will ich keinen Tag länger gemeinsam kämpfen.»

«Meine Mannschaft ist bald zurück», sagte Captain Carnes. Er lächelte, weil er Wadsworths wütende Bemerkung gehört hatte. «Sie können mein Boot benutzen. Wohin fahren wir?»

«Zu der Fahrrinne südlich um Cross Island.»

Carnes' Leute ruderten Wadsworth und den Captain in den Wasserlauf, der Cross Island südlich umfloss. Die Insel gehörte zu einer Kette aus Felsen und Inselchen, von der die Hafenbucht von Majabigwaduce im Süden begrenzt wurde. Ein schmaler Landstreifen trennte die Bucht vom eigentlichen Hafen, und an diesem steinigen Stück stieg Wadsworth aus und entfaltete die grobgezeichnete Landkarte, die James Fletcher für ihn angefertigt hatte. Er deutete über das stille Wasser auf die östliche Seite der Hafenbucht, wo sich dichtbewaldete Hügel erhoben. «Dort drüben bewirtschaftet ein Mann namens Haney ein paar Morgen Land», erklärte er Carnes, «und General Lovell will dort eine Geschützstellung haben.»

Von einer Batterie auf Haneys Land konnten die britischen Schiffe aus östlicher Richtung unter Feuer genommen werden. Wadsworth erstieg eine der steilen, überwucherten Erhebungen, die überall auf dem Landstreifen aufragten, und als er oben war, benutzte er Captain Carnes' starkes Fernrohr, um zum Gegner hinüberzuschauen. Zuerst musterte er die vier britischen Schiffe. Am dichtesten bei Cross Island lag die *Saint Helena*, ein Transportsegler, der die kleineren Schaluppen weit überragte, doch diese drei kleineren Schiffe führten sehr viel schwerere Geschütze. Die nach Osten liegenden Geschützpforten waren geschlossen, und Wadsworth vermutete, dass hinter den hölzernen Lukenklappen keine Kanonen standen. Die Aufständischen hatten britische Seeleute beobachtet, die Kanonen an Land brachten, und den Schluss daraus gezogen, dass Captain Mowat die Backbordgeschütze seines Schiffes der Verteidigung des Forts zur Verfügung gestellt hatte. Falls Wadsworth eine Bestätigung dieser Vermutung gebraucht hätte, so fand er sie in der leichten Neigung der Schaluppen nach Steuerbord. Er gab Carnes das Fernrohr und bat ihn, sich die Schiffe anzusehen. «Sie haben recht, Sir», sagte der Marinesoldat, «sie haben Schlagseite.»

«Also nur auf einer Seite Kanonen?»

«Das würde jedenfalls die Schlagseite erklären.»

Damit hätten Geschütze auf Haneys Land keinen Widerpart auf der britischen Seite. Jedenfalls nicht, bis Mowat ein paar Kanonen von der nach Westen ausgerichteten Steuerbordseite herübergeschafft hatte. Wenn sie Kanonen auf Haneys Land in Stellung brachten, wären es nur tausend Schritt bis zu den Schaluppen, und auf diese Entfernung wären die Achtzehnpfünder tödlich. «Aber wie schaffen wir die Geschütze und die Kanoniere dorthin?», fragte sich Wadsworth laut.

«Auf dem gleichen Weg, auf dem wir gekommen sind, Sir», sagte Carnes. «Wir tragen die Boote über diesen Landstreifen und setzten sie auf der anderen Seite wieder ins Wasser.»

In Wadsworth stieg dumpfer Ärger über diese schiere Vergeudung von Einsatzkräften auf. Es würde hundert Mann zwei Tage kosten, auf Haneys Land eine Batterie anzulegen, und was dann? Selbst wenn die britischen Schiffe versenkt oder erobert wurden, würde es dadurch einfacher werden, das Fort zu stürmen? Es stimmte schon, die amerikanischen

Schiffe konnten dann sicher in den Hafen einlaufen und mit ihren Kanonen das Fort unter Feuer nehmen, aber welche Schäden konnten diese Breitseiten an einem Wall anrichten, der so hoch über den Schiffen lag?

Wadsworth richtete das Fernrohr auf Fort George. Zunächst glaubte er, die Schärfe nicht richtig eingestellt zu haben, denn das Fort wirkte sehr klein, dann setzte er das Fernrohr kurz ab und sah, dass ein neues Fort gebaut wurde und dass er diesen zweiten Bau gesehen hatte. Das zweite Fort, viel kleiner als Fort George, lag etwas weiter östlich auf dem Hügelkamm. Wadsworth setzte das Fernrohr wieder an und sah Flottenoffiziere in blauen Uniformröcken, während die Männer, die den Wall anlegten, nicht uniformiert waren. «Seeleute», sagte er laut.

«Seeleute?»

«Sie legen eine neue Redoute an. Warum?»

«Sie brauchen einen Zufluchtsort», sagte Carnes.

«Einen Zufluchtsort?»

«Wenn ihre Schiffe besiegt werden, gehen die Mannschaften an Land. Und in diesem Fall werden sie dorthin gehen.»

«Und warum nicht in das Hauptfort?»

«Weil McLean ein Vorwerk haben will», sagte Carnes. «Sehen Sie sich das Fort an, Sir.»

Wadsworth richtete das Fernglas etwas weiter nach Westen aus. Bäume und Häuser glitten an der Linse vorbei, dann hatte er Fort George vor sich. «Meine Güte», sagte er.

Er sah den östlichen Wall des Forts, der von der Anhöhe im Westen aus nicht sichtbar war. Und dieser östliche Wall war nicht fertiggestellt. Er war immer noch sehr niedrig. Wadsworth entdeckte dort keine Kanonen, er sah nur eine niedrige Erdaufschüttung, vor der sich vermutlich ein Graben befand, doch das Wichtigste, das, was seine Hoffnungen steigen ließ, war, dass man diesen niedrigen Wall ohne

Schwierigkeiten übersteigen konnte. Er senkte das Fernrohr etwas und musterte das Dorf mit seinen Maisfeldern, Hecken, Scheunen und Obstgärten. Wenn er diese Niederung erreichen konnte, dann wären seine Männer sowohl von den Schiffen als auch von dem Fort aus nicht zu sehen. Sie könnten sich außer Sicht des Gegners aufstellen und dann über den niedrigen Wall angreifen. Die Flagge, die so anmaßend über dem Fort aufgezogen worden war, konnte vielleicht doch noch heruntergeholt werden.

«McLean weiß, dass er von der Ostseite her angreifbar ist», sagte Carnes, «und diese neue Redoute schützt ihn. Er wird dort Geschütze aufstellen.»

«Jedenfalls, wenn sie fertig ist», sagte Wadsworth, und es war klar, dass die Redoute noch lange nicht fertig sein würde. Wir sollten von Osten her angreifen, dachte er, denn dort waren die Briten schwach.

Wadsworth richtete das Fernrohr in Richtung Dyce's Head, doch die britischen Schiffe nahmen ihm die Sicht, und er konnte keine Spur von der Falle sehen, falls sie überhaupt gestellt worden war. Kein Pulverrauch zeigte sich am Himmel über der verlassenen Batterie. Wadsworth bewegte das Fernrohr weiter zu dem niedrigen östlichen Ausläufer der Halbinsel von Majabigwaduce und spähte über ihn hinweg auf das Festland nördlich der Halbinsel. Nachdem er den Abschnitt ausführlich gemustert hatte, reichte er Carnes das Fernrohr. «Sehen Sie sich das da drüben einmal an», sagte er. «Dort ist eine Wiese ganz unten am Wasser, und direkt oberhalb davon steht ein einzelnes Haus.»

Carnes richtete das Fernrohr aus. «Ich sehe es.»

«Das Haus gehört einem Mann namens Westcot. General Lovell will auch dort eine Batterie haben, aber kann man von dort aus die britischen Schiffe beschießen?»

«Mit Achtzehnpfündern geht es», sagte Carnes, «aber für

alle kleineren Kaliber ist es zu weit. Das müssen anderthalb Meilen sein, also brauchen Sie Achtzehnpfünder.»

«General Lovell beharrt darauf, dass die Schiffe ausgeschaltet werden», erklärte Wadsworth, «und die einzige Art, auf die wir das tun können, ist, sie mit Kanonenkugeln zu versenken.»

«Oder indem wir unsere Schiffe in den Hafen bringen», sagte Carnes.

«Ob das wohl je geschehen wird?»

Carnes lächelte. «Der Commodore steht so hoch über mir, Sir, dass ich niemals auch nur eines seiner Worte höre. Aber wenn Sie den britischen Schiffsverband schwächen, kann ich mir vorstellen, dass er am Ende doch in den Hafen segelt.» Er richtete das Fernrohr auf die Schaluppen. «Sehen Sie diese zum Strand hin gelegene Schaluppe? Dort pumpen sie seit dem Tag unserer Ankunft pausenlos den Kielraum aus. Die sinkt im Handumdrehen.»

«Dann legen wir die Batterien an», sagte Wadsworth, «und hoffen, dass wir die Schiffe mit Kanonenkugeln zersieben können.»

«Und in einem hat General Lovell recht, Sir», sagte Carnes. «Sie müssen diese Schiffe loswerden.»

«Die Schiffsführer werden aufgeben, wenn wir das Fort erobern», sagte Wadsworth.

«Das werden sie zweifellos», sagte Carnes, «aber falls eine britische Entsatzungsflotte kommt, Sir, sollten wir alle unsere Schiffe im Hafen haben.»

Denn dann wäre der Spieß umgedreht, und es wären die Briten, die unter Kanonenbeschuss den Hafen angreifen mussten. Allerdings nur, wenn der Hafen in der Hand der Aufständischen war, und der einzige Weg, auf dem die Amerikaner an den Hafen kommen konnten, war, das Fort zu stürmen.

Es war alles so einfach, dachte Wadsworth, so unglaublich einfach, und doch machten es Lovell und der Commodore so kompliziert.

Wadsworth und Carnes wurden zu dem Strand am Steilufer von Majabigwaduce zurückgerudert. Als das Beiboot unterhalb der verankerten Kriegsschiffe vorbeikam, schaute Wadsworth angestrengt nach Süden Richtung Meer, von wo sowohl die britische als auch die amerikanische Verstärkung kommen musste.

Aber es war nichts zu entdecken.

«Ich glaube», McLean spähte durch ein Fernrohr südwärts, «da sehe ich meinen Freund, Brigadier Wadsworth.» Er beobachtete zwei Männer, einer trug eine grüne Uniformjacke, am Südufer des Hafens. «Ich glaube nicht, dass sie einfach nur spazieren gehen. Meinen Sie, der Gegner denkt über neue Geschützstellungen nach?»

«Das wäre sehr vernünftig von ihm, Sir», antwortete Lieutenant Moore.

«Ich bin sicher, dass Mowat sie gesehen hat, aber ich werde ihm trotzdem eine Nachricht schicken.» McLean senkte das Glas etwas und richtete es nach Westen aus. «Wenn es diesen Halunken einfällt, eine Batterie am Hafenufer einzurichten, dann fordern wir sie zu einem munteren Tänzchen auf. Und was machen diese Kerle dort?» Er deutete auf die verlassene Half-Moon-Batterie hinunter, wo etwa zwei Dutzend Aufständische anscheinend einen Graben aushoben. Es war schwer zu erkennen, weil ihm Jacob Dyce' Haus, die Scheune und das Maisfeld teilweise die Sicht nahmen.

«Darf ich, Sir?», fragte Moore und streckte die Hand nach dem Fernrohr aus.

«Gewiss. Sie haben jüngere Augen als ich.»

Moore beobachtete die Männer aufmerksam. «Sie arbeiten nicht gerade übermäßig eifrig, Sir», sagte er nach einer

Weile. Sechs Männer gruben, die anderen lungerten zwischen den zerstörten Resten der Batterie herum.

«Was machen sie also?»

«Die Schanzanlage der Batterie wiederherstellen, Sir?»

«Und wenn sie das tun wollten», sagte McLean, «warum schicken sie dann nicht gleich hundert Männer? Oder zweihundert? Dreihundert? Um den Wall so schnell wie möglich fertig zu bekommen. Warum schicken sie nur so wenige Leute?»

Moore antwortete nicht, weil er die Antwort nicht wusste. McLean ließ sich das Fernrohr zurückgeben und legte es zur Stabilisierung auf der Schulter des Lieutenant ab. Er warf noch einen kurzen Blick auf die halbherzig arbeitenden Männer und richtete das Fernglas dann zu den Bäumen auf Dyce's Head hinauf. «Aha», sagte er nach einigen Augenblicken.

«Aha, Sir?»

«Da oben sind Dutzende von Männern. Und normalerweise sind nicht so viele dort. Sie beobachten die anderen und warten ab.» Er schob das Fernrohr zusammen. «Ich vermute, Lieutenant, dass unser Gegner uns eine Falle stellen will.»

Moore lächelte. «Tatsächlich, Sir?»

«Was beobachten diese Kameraden so angestrengt? Wie ein Graben ausgehoben wird, ist ja nun kein sonderlich fesselndes Schauspiel!» Stirnrunzelnd warf McLean einen Blick nach Westen. Eine gegnerische Kanonenkugel flog über ihren Kopf. Er war den Kanonendonner inzwischen so gewöhnt, dass er ihn kaum noch wahrnahm, dennoch achtete er genau darauf, welche Schäden der Beschuss verursachte. Die meisten Kugeln jedoch trafen gar nichts, und es belustigte McLean, dass Captain Fielding diese Tatsache als echte Kränkung empfand. Als Artillerist erwartete der englische Captain bessere Leistungen von den gegnerischen Kanonieren, auch wenn McLean über die zahlreichen Fehlschüsse

434

der Aufständischen höchst erfreut war. Wenn sie auch nur eine Minute darauf verwendet hätten, ihre Kanonen korrekt auszurichten, hätten sie den westlichen Wall des Forts mittlerweile längst zerstört, doch anscheinend genügte es ihnen, ihre Geschütze einfach blind abzufeuern. Was also taten diese Männer auf Dyce's Head? Offenkundig beobachteten sie das Fort, aber was erwarteten sie zu sehen? Und warum waren nur so wenige Männer in der Half-Moon-Batterie? «Sie sollen uns herauslocken», schloss McLean aus seinen Beobachtungen.

«Die Grabengräber?»

«Sie wollen einen Angriff provozieren», sagte McLean, «und warum wollen sie das?»

«Weil sie irgendwo noch mehr Männer haben?»

McLean nickte. Er war davon überzeugt, dass die Kriegsführung zur Hälfte daraus bestand, die Gedanken des Gegners zu lesen, und diese Kunst war dem Schotten schon lange in Fleisch und Blut übergegangen. Er hatte in Flandern und in Portugal gekämpft, er hatte beinahe ein ganzes Leben lang damit verbracht, seine Gegner zu beobachten, und dabei gelernt, auch noch ihre kleinsten Bewegungen zu deuten, und dabei war er zu der Erkenntnis gekommen, dass diese Bewegungen sehr oft genau geplante Irreführungen des Gegners waren. Als die Aufständischen gekommen waren, hatten sie McLean erstaunt. Sie hatten so knapp davor gestanden, das Fort zu erobern, und trotzdem hatten sie sich für eine Belagerung und gegen eine Erstürmung entschieden, und McLean hatte sich darüber Gedanken gemacht, welcher kluge Schachzug mit dieser Taktik verschleiert werden sollte, doch inzwischen war er fast sicher, dass überhaupt keine Klugheit dahintersteckte. Der Gegner war einfach nur vorsichtig, und die beste Art, diese Vorsicht zu erhalten, war, ihm wehzutun. «Die Aufständischen fordern uns auf, nach ihrer Pfeife zu tanzen, Lieutenant.»

«Und wir lehnen diese Ehre ab, Sir?»

«Gütiger Gott, nein, nein! Ganz bestimmt nicht!», sagte McLean äußerst vergnügt. «Irgendwo da unten steht eine wesentlich größere gegnerische Einheit. Ich glaube, wir müssen mit ihnen das Tanzbein schwingen!»

«Wenn wir das tun, Sir, könnte ich dann ...», setzte Moore an.

«Sie wollen mittanzen?», unterbrach ihn McLean. «Natürlich, Lieutenant.» Es war Zeit, Moore von der Leine zu lassen, beschloss der General. Der junge Mann machte sich immer noch Vorwürfe, und zu Recht, für seine hirnlose Tapferkeit an dem Tag, an dem die Aufständischen die Anhöhe erobert hatten, doch nun war es an der Zeit, Moore die Möglichkeit zur Wiedergutmachung dieses Fehlers anzubieten. «Sie gehen mit Captain Caffrae», sagte McLean, «und Sie werden tanzen.»

Commodore Saltonstall erklärte sich für die Einrichtung der Geschützstellung auf Haneys Land zuständig, wenn General Lovell zwei Achtzehnpfünder-Kanonen zu der neuen Batterie schicken ließe. Saltonstall sprach nicht direkt mit Lovell, sondern schickte Captain Hoysteed Hacker von der *Providence* mit dem Angebot zu ihm. Hacker brachte Lovells Einverständniserklärung zum Commodore zurück, und so verließen an diesem Nachmittag acht Beiboote den Ankerplatz der Kriegsflotte und wurden südlich um Cross Island bis zu dem schmalen Landstreifen gerudert. Die Boote waren mit mehr als hundert Seeleuten besetzt, die Schaufeln und Hacken dabeihatten. Diese trugen sie, ebenso wie die Boote, über den Landstreifen. Auf der anderen Seite schoben sie die Boote wieder ins Wasser und ruderten zur östlichen Seite des weiten Hafenbeckens von Majabigwaduce hinüber. Anführer war Commodore Saltonstall, der den Standort der Batterie selbst bestimmen wollte.

436

Er entdeckte eine ideale Stelle, eine niedrige Landzunge, die wie ein Finger direkt auf die britischen Schiffe zeigte und genügend Platz für zwei Kanonen bot.

«Grabt hier», befahl er. Um die Landzunge sollte ein Wall angelegt werden. Er wusste, dass Mowat beizeiten Kanonen auf die Backbordseite seiner Schiffe bringen würde, um das Feuer zu erwidern. Also musste der Wall hoch und stabil genug sein, um die Kanoniere zu schützen.

Offenbar war Mowat sehr beschäftigt, denn Saltonstall sah, dass ständig Boote zwischen den Schiffen und dem Ufer unterwegs waren. Ein neues, kleineres Fort wurde östlich von Fort George angelegt, und Saltonstall vermutete, dass es die Verteidigung des Hafens verstärken sollte. «Wir fahren mit unseren Schiffen dort rein», erklärte er seinem Ersten Lieutenant, «und sie beschießen uns von oben.»

«Das würden sie bestimmt tun, Sir», sagte Lieutenant Fenwick fügsam.

Saltonstall deutete auf die neue Befestigung, die von den Briten angelegt wurde. «Sie werden dort oben Kanonen in Stellung bringen. Sie können es kaum erwarten, uns unter ihren Kanonen entlangfahren zu sehen. Das ist eine Todesfalle.»

«Es sei denn, Lovell bekommt das Fort in die Hand, Sir.»

«Er soll das Fort in die Hand bekommen?», sagte Saltonstall gehässig. «Der bekommt ja noch nicht mal seinen eigenen Schwanz zu fassen, wenn er pissen will.»

«Was tun sie da?» Fenwick zeigte auf die britischen Schaluppen, von denen gerade vier Beiboote abgelegt hatten. Alle waren dicht mit Rotröcken der königlichen Marine besetzt, die nun nach Nordosten in Richtung des Flusses Majabigwaduce ruderten.

«Hierher kommen sie jedenfalls nicht», sagte Saltonstall.

«Ich vermute, dass wir hier eine Marinetruppe postieren, Sir?», fragte Fenwick.

«Das müssen wir allerdings.» Die neue Batterie lag isoliert und konnte, falls es den Briten einfiel, leicht angegriffen werden. Doch die Kanonen mussten nicht lange auf Haneys Land stehen. Jedes Mal, wenn der Beschuss zu heftig geworden war, hatten die britischen Schiffe ihre Position gewechselt, und Saltonstall war überzeugt davon, dass eine Batterie auf Haneys Land und eine weitere im Norden Mowat dazu zwingen würde, seine Position erneut aufzugeben. Der Schotte würde seine Schaluppen entweder nordwärts in den engen Wasserlauf des Majabigwaduce verlegen oder aber Deckung in den südlichsten Bereichen des Hafenbeckens suchen. Doch von keiner dieser beiden Stellen aus konnte er das Fort mit seinen Kanonen unterstützen, und wenn die Schaluppen erst einmal weg waren, konnte Saltonstall darüber nachdenken, ob er seine Schiffe in den Hafen bringen und das Fort auf dem Hügelkamm beschießen sollte. Aber nur, wenn Lovell zur gleichen Zeit angriffe. Saltonstall beobachtete die Boote der königlichen Marine, die stetig weiter den Majabigwaduce hinaufgerudert wurden. «Ob sie Verpflegung beschaffen wollen?», überlegte er. Die Boote verschwanden hinter einer Landspitze.

Die Seeleute hatten schwer zu tun. Den Commodore langweilte es, bei dieser stumpfsinnigen Arbeit zuzusehen, also ließ er Lieutenant Fenwick als Aufsicht da und ging einen Weg hinauf, der zu dem Bauernhaus führte. Es war eine elende Kate, kaum mehr als eine flechtenbewachsene Blockhütte mit einem Feldsteinkamin, einer morschen Scheune, ein paar Maisfeldern und einer steinigen Weide mit zwei mageren Kühen, und alles war dem dichten Wald ringsherum abgerungen worden. Der Holzstapel war höher als das Haus und der Misthaufen sogar noch höher. Rauch stieg aus dem Kamin, also war vermutlich jemand zu Hause, aber Saltonstall hatte keinerlei Verlangen nach einer Unterhaltung mit einem bettelarmen Bauern. Also machte er einen Bogen um das Haus, ging stattdessen am Rand der Kuhweide entlang und stieg den Hügel östlich des Hauses hinauf, von wo man vermutlich einen guten Blick auf das gegnerische Fort hatte.

Er wusste, dass Solomon Lovell ihn kritisierte, weil er die britischen Schiffe nicht angriff, und dafür verachtete er ihn. Dieser Mann war ein Bauer aus Massachusetts, kein Soldat, und er hatte nicht den Hauch einer Ahnung von der Marinekriegsführung. Für Solomon Lovell sah alles ganz einfach aus. Die amerikanischen Segler sollten in den Hafen fahren und mit ein paar Breitseiten den gegnerischen Schiffsverband vernichten, doch Saltonstall wusste, was bei einem solchen Manöver passieren würde. Der Wind und die Flut würden die *Warren* langsam voranschieben, ihr Bug wäre Mowats sämtlichen Kanonen ausgesetzt, und die Geschütze des Forts würden ihre Kugeln in den Rumpf jagen, und aus den Speigatten würde das Blut laufen, bevor er genügend Zeit gehabt hatte, sein Schiff in den Wind zu drehen, um eine Breitseite auf den Gegner abfeuern zu können. Dann, das allerdings traf zu, könnte er eine der Schaluppen mit seinem Beschuss zur Aufgabe zwingen, und die größeren amerikanischen Schiffe würden ihn unterstützen, aber selbst wenn alle britischen Schiffe erobert wurden, würde vom Fort aus immer noch geschossen. Und höchstwahrscheinlich mit erhitzten Kugeln. McLean war kein Narr, und inzwischen hatte er sicher einen Ofen gebaut, um die Kugeln rotglühend zu erhitzen, und wenn solch eine Kugel in die Planken einer Fregatte einschlug, konnte Feuer ausbrechen, das allzu schnell das Munitionslager erreichte, und dann würde die *Warren* explodieren, und das kostbare Schiff würde in Einzelteilen über dem Hafen niederregnen.

Also war Saltonstall nicht gewillt anzugreifen, nicht, wenn nicht die Besatzung des Forts durch einen gleichzeitigen Angriff abgelenkt würde. Und General Lovell zeigte keinerlei

Verlangen danach, das Fort zu stürmen. Und kein Wunder, dachte der Commodore, denn nach seiner Meinung waren Lovells Miliztruppen nicht viel besser als bewaffneter Pöbel. Wenn richtige Soldaten kamen, wäre ein Angriff möglich, doch bis dieses Wunder geschah, würde Saltonstall seine wertvolle Flotte außerhalb der Reichweite gegnerischer Kanonen halten. Mittlerweile hatte der Commodore den Gipfel des niedrigen Hügels erreicht und nahm sein Fernrohr aus der Schoßtasche. Er wollte die Kanonen in Fort George zählen und nach dem verräterischen Hitzewabern Ausschau halten, das aus einem Kugelofen aufstieg.

Er stabilisierte das Fernrohr, indem er es auf einem Fichtenzweig ablegte. Es dauerte einen Moment, bis die Linsen richtig eingestellt waren, dann sah er Rotröcke aus dem Fort kommen und den Weg zum Dorf hinuntergehen. Er hob das Fernrohr etwas, um das Fort in den Blick zu bekommen. Die Linsen waren leistungsstark, und Saltonstall sah, wie eine Kanone abgefeuert wurde, als stünde er dicht dabei. Er sah, wie die Lafette einen Satz machte und im Rückstoß nach hinten schlingerte, sah die quellende Rauchwolke und beobachtete, wie die Kanoniere zu dem Geschütz zurückkamen, um den nächsten Schuss vorzubereiten. Er wartete darauf, dass der Knall bei ihm ankam.

Stattdessen hörte er Musketenschüsse.

Captain Caffraes Männer hatten das Fort nicht gemeinsam verlassen, sondern waren in kleinen Gruppen ins Dorf gegangen, um keinem Aufständischen, der sie von der Anhöhe im Westen aus beobachtete, einen Hinweis darauf zu geben, dass sie eine Kompanie zusammenstellten.

Caffrae versammelte seine Männer beim Haus der Perkins, in dem die neugeborene Temperance weinte. Er inspizierte ihre Waffen, sagte seinen beiden Trommlern und den drei Pfeifern, dass sie vorerst nicht spielen durften, und dann führte er seine Kompanie westwärts. Sie hielten sich auf den Wegen, die von der Anhöhe aus nicht einsehbar waren, und erreichten bald Aaron Banks Haus, wo ihnen eine große Scheune Deckung bot. «Gehen Sie mit einem Spähtrupp ins Maisfeld», befahl Caffrae Lieutenant Moore, «und ich will keine Heldentaten, Mister Moore!»

«Wir sollen uns nur umsehen», sagte John Moore.

«Nur umsehen», bestätigte Caffrae, «und beten dürfen Sie auch, wenn Sie möchten, aber nicht mit geschlossenen Augen.»

Moore nahm sechs Männer mit. Sie ließen die Scheune hinter sich und überquerten ein kleines Rübenfeld neben dem Haus. Aaron Banks' zwei hübsche Töchter, Olive und Esther, starrten mit weitaufgerissenen Augen durchs Fenster heraus, und Moore, der sie bemerkte, legte einen Finger auf die Lippen. Olive grinste, und Esther nickte.

Der Spähtrupp stahl sich zwischen die hochgewachsenen Maispflanzen. «Es wird nicht geraucht», sagte Moore zu seinen Männern, weil er nicht wollte, dass sie von aufsteigenden Rauchfäden verraten wurden. Die Männer glitten geduckt vorwärts und bemühten sich, die hohen Pflanzenschäfte möglichst nicht zu berühren. Als sie das westliche Ende des Feldes beinahe erreicht hatten, verbargen sie sich hinter den letzten Reihen der Maispflanzen. Sie sollten nach Hinweisen auf Bewegungen der Aufständischen Ausschau halten, die Caffraes Männer gefährlich werden könnten, doch im Moment verhielt sich der Gegner ruhig. Moore sah sechzehn Milizionäre in der Half-Moon-Batterie. Inzwischen hatte sie jeglicher Arbeitseifer verlassen, und sie saßen hinter den alten Wällen zusammen. Ein paar schliefen auch tief und fest.

Auf Moores linker Seite lag Jacob Dyce' Haus, während sich zu seiner Rechten, etwa hundert Schritt den Hang hinauf, das Maisfeld des Holländers befand. Vor ihm stieg der langgezogene Hügel zu der Steilklippe an. Ganz oben standen Männer, die offensichtlich darauf warteten, dass in der Batterie etwas Sehenswertes geschah. Die Kanonen der Aufständischen waren von Moores Standort aus nicht zu sehen, doch sie schossen von der Hügelkuppe aus, und ihr Donnern rollte durch den Nachmittag, und ihr Rauch zog weißliche Schlieren in den Himmel.

Nach einer Weile kam Jacob Dyce aus seinem Haus. Er war ein gedrungener Mann mittleren Alters mit einem Prophetenbart. Er hatte eine Hacke bei sich, mit der er nun anfing, im Bohnenfeld zu jäten. Er arbeitete sich langsam immer näher an das Maisfeld seines Nachbarn heran. «Die Halunken sind in meinem Mais», sagte er unvermittelt, ohne von seiner Arbeit aufzusehen. Er beugte sich noch weiter hinunter, um an einer besonders hartnäckigen Unkrautpflanze zu ziehen. «Sind ziemlich viele von den Kerlen in dem Feld. Hört ihr mich?» Er sah immer noch nicht in die Richtung Moores und seiner Männer.

«Ich höre Sie», sagte Moore leise. «Wie viele sind es?»

«Viele», sagte der Holländer. Wild schlug er die Hacke in den Boden. «Viele! Das ist die reine *duivelsgebroed*!» Er sah kurz zu Moores Versteck hin. «*De duivelsgebroed!*», wiederholte er und ging dann langsam zu seinem Haus zurück.

Moore schickte Corporal MacRae, einen verlässlichen Mann, mit der Nachricht zu Caffrae, dass sich die Teufelsbrut in dem Maisfeld hügelaufwärts versteckte. Moore spähte zu dem Feld hinüber und glaubte, er habe die Pflanzen verdächtig schwanken sehen, aber sicher war er nicht. Caffrae selbst kam zu Moore und musterte das Maisfeld. «Die Bastarde wollen uns in die Flanke fallen», sagte er.

«Wenn wir vorrücken», sagte Moore.

«Oh, wir müssen vorrücken», sagte Caffrae wölfisch, «wozu sind wir sonst hergekommen?»

«Dort könnten sich dreihundert Mann verstecken», gab Moore zu bedenken.

442

«Vermutlich sind es bloß hundert, und denen würde ein bisschen Dresche bestimmt nicht schaden.»

Das war Brigadier McLeans Taktik. Jedes Mal, wenn die Aufständischen ein Manöver ausführen wollten, mussten sie so schwer getroffen werden, dass ihre Moral noch weiter sank. McLean wusste, dass er es hauptsächlich mit Milizionären zu tun hatte, und diese Tatsache hatte er seinen Offizieren ausführlich in den Schädel gehämmert. «Ihr seid ausgebildete Kämpfer, echte Soldaten», hatte er wiederholt gesagt, «und sie nicht. Lehrt sie das Fürchten! Sie sind nicht mehr als Fencibles.» Die Fencibles waren eine Art Bürgerwehr, in England bedarfsweise aufgestellte Zivilmilizen, Dilettanten auf dem Schlachtfeld, die, jedenfalls nach McLeans Meinung, nur ein bisschen Soldat spielten. «Sie könnten aber auch Marineeinheiten dabeihaben», wandte Moore ein.

«Denen verpassen wir dann eben auch gleich eine Abreibung», sagte Caffrae selbstbewusst. «Besser gesagt, Sie verpassen ihnen die Abreibung.»

«Ich?»

«Ich bringe die Kompanie hierher, und dann übernehmen Sie das Kommando. Rücken Sie auf die Batterie vor, aber achten Sie dabei auf das Maisfeld. Wenn sie dadrin sind, werden sie angreifen, also schwenken Sie um, wenn es so weit ist, feuern eine Salve auf sie ab und fangen den Gegenangriff an.»

Moores Herz machte einen Satz. Ihm war klar, dass McLean Caffrae nahegelegt haben musste, ihn die Kompanie führen zu lassen, und ihm war ebenfalls klar, dass ihm hier eine Gelegenheit zur Wiedergutmachung angeboten wurde. Wenn er sich bei dieser Aufgabe bewährte, würden ihm die Sünden vergeben, die er am Tag der Landung der Amerikaner begangen hatte.

«Wir machen dabei so viel Lärm wie möglich», sagte

Caffrae. «Mit Trommeln und wildem Geschrei. Sie sollen wissen, wer der Hahn auf diesem Misthaufen hier ist.»

Was also konnte noch schiefgehen? Moore glaubte, dass es katastrophal wäre, wenn der Gegner mit ein paar Hundertschaften in dem Maisfeld stand, aber was McLean sehen wollte, war Moores Fähigkeit, seinen gesunden Menschenverstand einzusetzen. Seine Aufgabe war es, dem Gegner einen Schlag zu versetzen, nicht, den Krieg zu gewinnen. «Trommeln und Geschrei», sagte er.

«Und Bajonette», sagte Caffrae mit einem Lächeln. «Viel Vergnügen, Lieutenant! Ich hole die Hunde, und Sie können den Fuchs aus dem Unterholz jagen.»

Der Tanz sollte beginnen.

Die Musketen waren so nahe, dass Saltonstall vor Schreck unwillkürlich zusammenzuckte. Um ein Haar hätte er sein Fernrohr fallen lassen.

Am Fuße des Hügels, zwischen ihm und dem Hafenbecken, schwärmten Rotröcke herum. Sie rückten in loser Ordnung vor. Sie hatten offenkundig eine Salve abgefeuert, denn hinter ihnen zog Rauch durch die Luft. Sie waren nicht zum Nachladen stehen geblieben, sondern ließen der Salve einen Bajonettangriff folgen. Saltonstall begriff, dass diese Männer die königlichen Marinesoldaten sein mussten, die er in Booten den Majabigwaduce hinauf hatte verschwinden sehen. Offenbar waren sie weiter oben am Ostufer des Flusses an Land gegangen, hatten sich südwärts durch den Wald geschlagen, und nun vertrieben sie die Männer, die auf Haneys Land an der Batterie arbeiteten. Sie feuerten sich gegenseitig durch lautes Gebrüll an. Sonnenstrahlen wurden blitzend von den Bajonetten zurückgeworfen. Saltonstall sah seine Männer nach Süden flüchten, dann entdeckte einer der britischen Marinesoldaten den Commodore auf dem Hügel, und ein halbes Dutzend Männer drehte sich zu ihm um. Eine Muskete wurde abgefeuert, und die Kugel jagte durchs Laubwerk.

Saltonstall rannte. Er lief auf der östlichen Seite den Hügel hinunter, sprang über steile Abschnitte, stürmte durch Gebüsch, so schnell er konnte. Ein Hirsch mit weißer Blesse jagte vor ihm dahin, aufgeschreckt von den Schreien und Schüssen. Saltonstall stolperte durch einen Wasserlauf, schlug einen Haken nach Süden und rannte weiter, bis er eine Niederung mit dichtem Unterholz entdeckte. Er hatte Seitenstechen, und er keuchte. Er kroch unter das dunkle Blattwerk und versuchte seine Atmung zu beruhigen.

Von seinen Verfolgern war nichts zu hören. Möglicherweise hatten sie die Jagd aber auch aufgegeben. Weitere Musketen knallten, ihr knatterndes Abschussfeuer war unverwechselbar, doch die Schüsse klangen weit entfernt, ein bösartiger Diskant zu den tiefen Basstakten der großen Kanonen jenseits des Hafens.

Saltonstall wagte sich erst aus seinem Versteck heraus, als das Tageslicht zu schwinden begann. Dann bewegte er sich, allein bis auf einen Moskitoschwarm, vorsichtig westwärts weiter. Er ging sehr langsam, achtete auf jedes Geräusch, doch als er den Strand erreichte, sah er, dass sämtliche Rotröcke von dort verschwunden waren.

Ebenso wie seine Beiboote. Er konnte sie sehen. Sie waren gekapert und zu den gegnerischen Schaluppen gerudert worden. Die Briten hatten sich nicht einmal die Mühe gemacht, den begonnenen Wall zu zerstören, den Saltonstalls Männer für die neue Batterie aufgeworfen hatten. Sie wussten, dass sie diese Stellung jederzeit wieder erobern könnten, und den niedrigen Wall unangetastet zu lassen war eine Einladung an die Aufständischen, wiederzukommen und sich noch einmal davonjagen zu lassen.

Saltonstall war gestrandet. Das weite Hafenbecken voller Gegner lag zwischen ihm und seiner Flotte. Er hatte keine andere Wahl, als zu Fuß zu gehen. Er rief sich die Landkarte ins Gedächtnis, die in seiner Kajüte auf der *Warren* an der Wand hing. Wenn er dem Ufer des weiten Hafenbeckens folgte, würde er zum Penobscot zurückkommen. Fünf Meilen? Vielleicht sechs, und es war beinahe dunkel, die Moskitos feierten ein Festmahl, und der Commodore war nicht sehr glücklich.

Er begann seinen Marsch.

Richtung Norden, jenseits der Landenge, hatte Peleg Wadsworth auf dem Gelände von Westcots Bauernhof eine Bodenstufe auf dem Weideland entdeckt. Er hatte keine Wälle anlegen lassen müssen, um sie zu verteidigen, weil sie mit einem steilen Gefälle aufragte, das Deckung genug bot. Fünfzig Milizionäre, angetrieben und befehligt von Captain Carnes von der Marine, hatten eine von Colonel Reveres Achtzehnpfünder-Kanonen auf einen Leichter gehievt, der nach Norden gerudert worden war. Am Nordufer wurde die Kanone an Land gebracht und über eine Meile weit bis zu dem Bauernhof durch den Wald geschleppt. Es hatte einen Moment der Unsicherheit gegeben, denn kurz nachdem Wadsworth und Carnes die Stelle entdeckt hatten, waren vier mit britischen Marinesoldaten besetzte Beiboote auf dem Majabigwaduce aufgetaucht, und Wadsworth hatte befürchtet, dass sie in der Nähe an Land gehen würden, doch stattdessen hatten sie das jenseitige Ufer des Flusses angesteuert, wo sie für die große Kanone keine Bedrohung darstellten, die schließlich bis auf die Weide geschafft worden war. Die Milizionäre hatten auch dreißig Kugeln für die Kanone beigebracht, die Carnes im abnehmenden Tageslicht ausrichtete. «Das Rohr ist kalt», erklärte er der Geschützmannschaft, «also fliegt die Kugel etwas niedriger.»

Die Entfernung schien Peleg Wadsworths ungeübtem Auge viel zu weit zu sein. Vor ihm lag ein Streifen seichtes

Wasser und dahinter der niedrige, sumpfige östliche Ausläufer der Halbinsel von Majabigwaduce. Die Kanone wurde über diesen Ausläufer hinweg auf die britischen Schiffe ausgerichtet, die gerade eben noch im Hafen jenseits des Ausläufers zu sehen waren. Carnes zielte auf die mittlere Schaluppe, die HMS *Albany*, doch Wadsworth bezweifelte, dass er auf diese Entfernung überhaupt eines der Schiffe sicher treffen konnte.

Peleg Wadsworth ging ein gutes Stück Richtung Osten, bis er weit genug von der großen Kanone entfernt war, damit ihr Rauch ihm nicht die Sicht nehmen würde. Er hatte sich erneut Captain Carnes' starkes Fernrohr ausgeliehen, und nun setzte er sich auf den feuchten Boden und stützte die Ellbogen auf die Knie, um das lange Fernrohr ruhiger halten zu können. Er sah viele Beiboote, die an der *Albany* vertäut waren, über deren Reling sich gerade ein Seemann lehnte. Die Schaluppe erbebte bei jedem Schuss, der von ihren Geschützen auf die Batterie auf Cross Island abgefeuert wurde, wo man das Störfeuer weiterhin aufrechterhielt. Der splitternde Klang von Musketenschüssen schallte aus einiger Entfernung zu ihm herüber, aber Wadsworth widerstand der Versuchung, das Fernrohr in die entsprechende Richtung zu schwenken. Wenn die Schüsse mit der Falle zu tun hatten, die Lovell dem Gegner gestellt hatte, würde ihm der Hügelkamm ohnehin die Sicht auf die Geschehnisse nehmen. Wadsworth hielt das Fernrohr weiter auf die *Albany* gerichtet.

Carnes nahm sich viel Zeit, um die Kanone genau auszurichten, doch schließlich war er zufrieden. Er hatte ein paar Holzpflöcke mitgebracht und neben jedem der drei Lafettenräder einen in die Erde gerammt. «Wenn die Zielausrichtung gut ist», erklärte er der Mannschaft, «finden wir nach dem Rückstoß damit die Position wieder. Und wenn sie nicht gut ist, haben wir Orientierungspunkte bei der Zielkorrektur.» Dann befahl er der Mannschaft, zurückzutreten und sich die Ohren zuzuhalten. Er blies auf die Spitze eines Zündeisens, sodass die glühende Spitze aufschimmerte, und dann beugte er sich zu der Kanone hinüber, um damit den pulvergefüllten Schilfhalm zu berühren, der im Zündloch steckte.

Die Kanone sprang zurück. Ihr krachendes Donnern stieg in den Himmel hinauf. Rauch schoss vom Rand des Riffs nach vorn und breitete sich über dem Wasser aus. Eine Flamme zuckte durch den Rauch und verlosch. Der Knall kam so unvermittelt, dass Wadsworth zusammenfuhr und einen Augenblick die *Albany* aus der Sicht verlor. Dann aber sah er durch das Fernrohr wieder den Seemann, der pfeiferauchend an der Reling stand, und dann, zu seinem Erstaunen und seiner Freude, sah er den Seemann in dem Moment zurücktaumeln, in dem sich eine tiefe Furche aus frisch gesplittertem Holz knapp oberhalb der Wasserlinie im Rumpf der Schaluppe zeigte. «Treffer!», rief er. «Captain! Gut gemacht! Volltreffer!»

«Neu laden und in Stellung bringen!», rief Carnes.

Er war Marineoffizier. Er schoss nicht daneben.

Solomon Lovell glaubte, sein sorgfältig geplanter Hinterhalt sei gescheitert. Er wartete und wartete, und aus dem Morgen wurde Nachmittag, und der Nachmittag ging in den frühen Abend über, und die Briten hatten die Männer in der verlassenen Batterie beim Hafen immer noch nicht angegriffen. Eine kleine Zuschauermenge hatte sich auf der Ostseite von Dyce's Head angesammelt. Einige der Männer waren Schiffsführer vor Anker liegender Segler, die gehört hatten, dass die Briten jetzt einmal eine richtige Abreibung bekommen würden, und an Land gerudert waren, um dieses Schauspiel nicht zu verpassen. Commodore Saltonstall war nicht da, offenbar war er mit zu dem abgelegenen Ostufer des weiten Hafenbeckens gefahren, um die neue Batterie anzulegen, und Peleg Wadsworth war mit der gleichen Aufgabe nordwestlich der Landenge beschäftigt. «Neue Batterien!», frohlockte Lovell gegenüber Major Todd, «und heute noch ein Sieg! Morgen werden wir in einer viel besseren Position sein.»

Todd warf einen Blick südwärts, wo weitere Schiffe auftauchen konnten, doch in der langgestreckten Tidenzone des Flusses war nichts zu sehen. «General Wadsworth hat nach einer Achtzehnpfünder geschickt», sagte er zu Lovell. «Sie müsste inzwischen bei ihm sein.»

«Schon?», fragte Lovell erfreut. Er hatte das Gefühl, dass bei dieser Expedition eine Wende erreicht war, die zu neuen Hoffnungen berechtigte. «Jetzt muss nur noch McLean den Köder schlucken», sagte Lovell unruhig. Er sah zu der Batterie hinunter, in der die Milizionäre, die so tun sollten, als errichteten sie einen Verteidigungswall, träge die letzten Sonnenstrahlen genossen.

«Er wird den Köder bestimmt nicht schlucken, wenn wir alle hier stehen und dort runterstarren», sagte jemand schroff.

Lovell wandte sich um und hatte Colonel Revere vor sich. «Colonel», grüßte er ihn argwöhnisch.

«Sie haben hier ein Publikum wie die Bostoner Hautevolee, die sich die *Pope Night* ansieht», sagte Revere. Major Todd übersah er absichtlich.

«Dann hoffen wir, dass die Vernichtung genauso gründlich ausfällt wie bei der *Pope Night*», gab Lovell leutselig zurück. An jedem fünften November bauten die Bostoner riesige Papstpuppen, die in einem Umzug durch die Straßen getragen wurden. Die Unterstützer der rivalisierenden Puppen kämpften gegeneinander, es gab eine erstklassige Rauferei mit Knochenbrüchen und Platzwunden auf der Stirn, und am Schluss, wenn es Nacht wurde, wurden die Puppen verbrannt, während sich die einstigen Rivalen gemeinsam um den Verstand soffen.

«McLean ist kein Dummkopf», sagte Revere. «Er wird ahnen, dass irgendetwas nicht stimmt, wenn er all die Leute hier oben sieht.»

Lovell befürchtete, dass sein Artilleriekommandant recht hatte. In der Tat war ihm auch selbst schon der Gedanke gekommen, dass die Anwesenheit so vieler Zuschauer die Briten auf die Idee bringen könnte, dass etwas Ungewöhnliches vorging. Aber er wollte diese Männer mit ansehen lassen, wie die Falle erfolgreich zuschnappte. Er wollte, dass bei den Landtruppen und bei der Flotte darüber geredet wurde, dass McLeans Rotröcke besiegbar waren. Die Männer schienen ihren großen Erfolg, der die Eroberung des Steilufers bedeutete, schon vergessen zu haben. Die ganze Expedition drohte in Pessimismus zu versinken, also musste die Begeisterung wieder hochgepeitscht werden.

«McLean ist also kein Dummkopf, ja?», sagte Todd ätzend.

Denn am Fuße des Hügels, zwischen einer Scheune und einem Maisfeld, waren die Rotröcke aufgetaucht.

Nun musste Solomon Lovells Falle nur noch zuschnappen.

«Sie gehören Ihnen, Mister Moore!», rief Captain Caffrae.

Nun war Moore für fünfzig Männer, zwei Trommler und drei Pfeifer verantwortlich. Die Kompanie hatte sich auf der Nordseite von Jacob Dyce' Haus aufgestellt. Sie standen in drei Reihen, hinter denen die Musiker kamen. Caffrae hatte seinen Männern, bevor er sie aus dem Versteck holte, befohlen, die Musketen zu laden und ihre Bajonette aufzustecken. «Ich will den ‹British Grenadier› hören!», rief Moore. «Los geht's!»

Ein Trommelwirbel ertönte, dann fielen die Pfeifer ein

und spielten die lebhafte Melodie. «Niemand schießt, bevor ich Befehl dazu gebe!», sagte Moore. Er ging an der kurzen ersten Reihe entlang, und als er sich umdrehte, sah er, dass die Aufständischen in der Half-Moon-Batterie auf die Füße gekommen waren. Sie beobachteten ihn. Er zog sein Schwert, und sein Herzschlag wurde schneller bei dem Geräusch, mit dem die lange Klinge aus der Scheide fuhr. Er war unruhig, und er war aufgeregt, und er hatte Angst, und ein Hochgefühl erfüllte ihn. Captain Caffrae hatte sich neben den Musikern eingereiht, zweifellos jederzeit bereit, das Kommando zu übernehmen, falls Moore etwas Falsches tat. Oder falls er starb, dachte Moore und spürte einen Kloß in der Kehle. Plötzlich musste er dringend pissen. O Gott, dachte er, lass mich jetzt nicht in die Hosen machen. Er ging zur rechten Seite der Kompanie. «Wir verjagen diese Halunken», sagte er und versuchte gelassen zu klingen. Er nahm auf der rechten Seite der Formation Aufstellung und hob die Klinge über die Schulter. «Kompanie vorrücken! Rechtsum! Marsch!»

Die Pfeifer spielten, und die Trommeln wurden geschlagen, und die Rotröcke setzten sich in gleichmäßigem Marsch in Bewegung und zertrampelten Jacob Dyce' frisch gejätetes Bohnenfeld. Die erste Reihe hielt die Musketen gesenkt, die Bajonettspitzen bildeten eine blinkende Zeile aus geöltem Stahl. Kanonen donnerten auf dem Hügelkamm über ihnen, und andere Kanonen grollten jenseits des Hafenbeckens, doch diese Gefechte schienen weit weg zu sein. Moore vermied es, nach rechts zu schauen, weil er den versteckten Gegnern nicht verraten wollte, dass er ihren Plan kannte. Er rückte auf die Half-Moon-Batterie vor, und die wenigen Amerikaner dort sahen ihn kommen. Einer hob eine Muskete und feuerte, doch die Kugel flog hoch über Moores Kompanie hinweg. «Nicht schießen!», rief Moore seinen Männern zu. «Vertreibt sie mit den Bajonetten!»

Die wenigen Aufständischen wichen zurück. Die Männer der anrückenden Kompanie waren weit in der Überzahl, und ihr Befehl lautete, die Rotröcke so dicht heranzulocken, dass ihnen McCobbs zweihundert Mann aus dem Maisfeld in die Flanke fallen konnten. Also zogen sie sich über den halbkreisförmigen Wall auf den Hang dahinter zurück.

«Weiter vorrücken!», rief Moore. Er konnte der Versuchung nicht widerstehen, einen schnellen Blick nach rechts zu werfen, aber nichts rührte sich in dem etwas höher gelegenen Maisfeld. Hatten die Aufständischen den Hinterhalt aufgegeben? Vielleicht hatte sich der Holländer geirrt, und es versteckte sich niemand in dem Maisfeld. Eine Kanone brüllte auf dem Hügel und sandte eine Rauchwolke in den Himmel, über der weiße Möwen flogen wie Papierschnipsel im Windzug. Moores Gedanken jagten ebenso durcheinander wie die Möwen. Was, wenn dort zweihundert Aufständische versteckt waren? Dreihundert? Was, wenn die Marinesoldaten mit den grünen Uniformröcken dabei waren?

Dann hörte er einen Ruf von rechts, der Mais wurde niedergetrampelt, noch mehr Rufe wurden laut, und Lieutenant Moore überkam eine merkwürdige Ruhe. «Kompanie stillgestanden!», hörte er sich rufen. «Stillgestanden!» Er wandte dem Gegner den Rücken zu, um seine Männer anzusehen. Sie hatten die Aufstellung beibehalten, und ihre Reihen waren ordentlich ausgerichtet. «Rechtsum!», kommandierte er laut. «Rechts schwenkt! Halb!» Er blieb stehen, während die drei kurzen Reihen herumschwangen wie ein Weidegatter, bis sie nach Norden ausgerichtet waren. Moore drehte sich wieder zu dem Hang um, über den aus dem Maisfeld die Horde der Gegner auf ihn zulief. Lieber Gott, dachte Moore, denn es waren viel mehr, als er erwartet hatte. «Ich will die Trommeln und Pfeifen hören!», rief er. «Kompanie rückt vor! Rechtsum! Marsch!»

Und jetzt direkt auf den Gegner zuhalten, dachte er.

Ohne zu zögern. Wenn er zögerte, würde der Gegner seine Angst spüren, und das würde ihn beflügeln. Also musste er mit gehobenem Bajonett vorrücken. Und der «British Grenadier» erfüllte die Luft mit seiner herausfordernden Melodie, und der Gegner kam ohne Formation auf ihn zu, es tauchte einfach eine Masse von Männern aus dem Maisfeld auf, noch zu weit weg, um mit einer Musketensalve etwas auszurichten, also rückte Moore den Hang hinauf weiter auf sie zu, und es schoss ihm der Gedanke durch den Kopf, dass ihm der Gegner zahlenmäßig weit überlegen und es deshalb seine Pflicht war, sich zurückzuziehen. Wäre es das, was McLean wollte? Caffrae gab ihm keinen Rat, und Moore spürte, dass er sich nicht zurückziehen musste. Der Gegner hatte mit Musketenbeschuss angefangen, aber die Entfernung war immer noch zu groß. Eine Kugel zischte neben Moore durchs Gras. Einer der Aufständischen feuerte versehentlich seinen Ladestock ab, und der lange Stock wirbelte durch die Luft und landete auf der Wiese. Inzwischen war der Gegner teilweise von dem Musketenrauch verdeckt, der langsam nach hinten über das zertrampelte Maisfeld getrieben wurde, aber Moore sah, wie schlecht die Aufständischen organisiert waren. Die Männer schauten nach rechts und links, um festzustellen, was ihre Freunde taten, bevor sie den schrillen Befehlsrufen ihres Offiziers Folge leisteten. Einem Mann reichte das weiße Haar beinahe bis zur Taille, ein anderer trug einen weißen Bart, und manche sahen aus wie Schuljungen, denen man eine Muskete in die Hand gedrückt hatte. Sie waren augenscheinlich äußerst aufgeregt.

Und mit einem Mal begriff Moore, dass die Disziplin seiner Männer selbst eine Waffe war. Die Aufständischen, müde und hungrig nach einem Tag in dem Maisfeld, waren verängstigt. Sie sahen jedoch nicht fünfzig ebenso verängstigte junge Männer vor sich, sie sahen eine Tötungsmaschine in roten Uniformjacken. Sie sahen Selbstvertrauen. Und obwohl sie aus dem Maisfeld gestürmt waren, hatten sie nicht hügelabwärts angegriffen, sondern wurden nun von ihren Offizieren und Sergeants in Reihenformation gescheucht. Sie hatten einen Fehler gemacht, dachte Moore. Sie hätten angreifen sollen. Stattdessen griff er an, und sie waren in der Defensive, und jetzt musste er ihnen noch mehr Angst einjagen. Aber nicht zu weit vorrücken, dachte Moore. Er beschloss, nicht abzuwarten, bis er auf die Reichweite der Musketen herangekommen wäre. Wenn er ihnen zu nahe kam, konnte den Aufständischen klarwerden, wie leicht sie seine fünfzig Mann überwältigen könnten, also ließ er seine Kompanie halten, als er seiner Schätzung nach noch achtzig Schritt von den Aufständischen entfernt war.

«Erste Reihe kniet!», rief Moore.

Ein Mann in der hintersten Reihe fiel rücklings um, unvermittelt war eine rote Blüte auf seiner Wange aufgetaucht, wo ihn eine Musketenkugel gestreift hatte. «Reihen schließen!», rief Caffrae.

«Kompanie!» Moore zog die letzte Silbe in die Länge. Er beobachtete den Gegner. «Anlegen!» Die Musketen wurden gehoben. Die Mündungen schwankten leicht, weil die Männer es nicht gewohnt waren, mit den schweren Bajonetten am Lauf zu schießen. «Feuer!», rief Moore.

Die Musketen stießen Flammen und Rauch aus. Schusspflaster, die mit dem Abfeuern aus den Läufen gejagt wurden, setzten kleine Stellen der Wiese in Brand. Die Salve fuhr in Aufständische und das Maisfeld. «Kompanie weiter vorrücken! Marsch! Marsch!»

Moore wollte keine Zeit mit Nachladen verschwenden. «Marsch!» Am Rand des Maisfeldes lagen Tote. Blutvergießen am Abend. Ein Mann kroch zurück in den hinteren Teil des Maisfeldes, wo die Pflanzen nicht niedergetrampelt waren, und hinterließ dabei eine Blutspur auf dem Boden. Der Pulverrauch war so dicht wie Nebel.

«Bajonett!», rief Moore. Das war kein Befehl, denn seine Männer hatten ihre Bajonette schon aufgesteckt, sondern ein Wort, mit dem er den verängstigten Gegner noch mehr ängstigen wollte. «Für immer Schottland!», rief er, und seine Männer jubelten und hasteten durch die Rauchwolken weiter auf den Gegner zu. Die Trommelschläge trieben sie voran und ein Gutteil trotziger Stolz, und die Aufständischen begannen zu flüchten. Die gegnerischen Milizionäre flohen in Richtung der Steilklippe. Alle liefen davon, als würden sie einen Wettlauf veranstalten. Einige warfen sogar ihre Musketen weg, um schneller rennen zu können. Keiner von ihnen trug einen grünen Uniformrock, stellte Moore fest. Seine Schotten jubelten, und ihre Formation drohte sich aufzulösen, doch Moore wollte die Disziplin aufrechterhalten. «Kompanie halt!», rief er. «Halt!» Sein lauter Ruf rief die Rotröcke zur Ordnung. «Sergeant Mackenzie! Die Reihen ausrichten, wenn es recht ist. Wir wollen schließlich wie die Soldaten Seiner Majestät auftreten und nicht wie eine königliche Lotterarmee!» Moore klang streng, doch er grinste. Er konnte nicht anders. Seine Männer grinsten auch. Sie wussten, dass sie es gut gemacht hatten, und die erfahreneren unter ihnen wussten, dass sie gut geführt worden waren. Moore wartete, bis alle wieder in Reih und Glied standen. «Kompanie schwenkt links!», rief er. «Links schwenkt! Halb!»

Die Schotten grinsten immer noch, als sie umschwenkten und damit die Zuschauer auf dem Dyce's Head in den Blick bekamen. Vom Fort drangen Jubelrufe herüber. Der Hang vor Moore war voller Aufständischer, die rennend und hinkend flüchteten. Die toten und verwundeten Aufständischen, es waren vier Männer, lagen auf der Wiese. Moore schob sein Schwert in die Scheide. Er sah den Hang hinauf. Wenn ihr Bastarde unser Fort wollt, dachte er, dann versucht ruhig, zu kommen und es euch zu holen.

«Glückwunsch, Moore», sagte Caffrae, doch dieses eine Mal gab der sonst so wohlerzogene Moore keine Höflichkeit zurück. Er hatte ein äußerst dringendes anderweitiges Bedürfnis, und so ging er rasch bis zum Rand des Maisfeldes, knöpfte den Hosenschlitz auf und pisste erst einmal lange und kräftig. Die Männer der Kompanie lachten, und Moore war glücklicher denn je. Er war ein Soldat.

Auszüge aus der Proklamation General Solomon Lovells an seine Truppen vom 12. August 1779:

Wir müssen nun den Teil unserer Unternehmung abschließen, mit der wir, wenn wir Erfolg haben, und ich bin zuversichtlich, dass wir es sein werden, und nachdem wir in der Überzahl sind und der Freisinnigen Maxime «Söhne der Freiheit und der Tugend» leben, wiederhole ich noch einmal dass wir über den teuflischen Strom des Sklavenhandels triumphieren müssen, und über die Monster die gesandt wurden, um seine Ketten zu schmieden ... Ist auch nur ein kampffähiger Mann hier in diesem Lager? der sich am Tag der Schlacht verstecken würde; ist hier ein einziger Amerikaner von solchem Charakter? Ist hier ein einziger Mann der so wenig Ehre im Leib hat? ... Wenn jeder Mann an der Seite seines Offiziers steht, und jeder Offizier, der diesen Titel verdient, das angestrebte Ziel entschlossen verfolgt, dann werden wir den selbstgerechten Gegner, der uns mit einer kleinen Parade schrecken will, dann werden wir Furcht und Entsetzen unter dem Stolz Britanniens verbreiten.

Aus einem Schreiben des Flottenstabs der Kontinentalarmee an Commodore Saltonstall, 12. August 1779:

Unsere Befürchtungen für Ihre Gefahrenlage hing immer mit einer Verstärkungseinheit des gegners zusammen. Sie können

nicht erwarten, dass sie noch lange auf sich warten lässt …
Aufgrunddessen lautet unsere Anordnung dass Sie sobald
Sie diese nachricht erhalten Unverzüglich die Wirksamsten
Maßnahmen ergreifen um die Gegnerischen Schiffe zu Er-
obern oder zu Zerstören und zwar mit dem größten Truppen-
einsatz den die Art und Lage der Dinge Zulässt.

Aus einer Regierungsverordnung, Boston, 8. August 1779:

Befohlen dass Thomas Cushing und Samuel Adams Esqrs
als Besuchskomitee dem Capt der Französischen Fregatte ihre
Aufwartung machen um von ihm zu erfahren ob er bereit
wäre mit seinem Schiff nach Penobscot weiterzufahren um die
Amerikanische flotte zu verstärken – von der berichtet wurde
dass sie ihrer Exzellenz den Chevalier De la Luzerne ihre
Aufwartung gemacht haben, der sie darüber informiert hat
dass der mit dem Capt besagter Fregatte sprechen und wenn
möglich seinen einfluss für seine weiterfahrt nach Penobscot
geltend machen würde.

Aus einem in Boston eingegangenen Bericht, 9. August
1779:

Gilbert Richmond Erster Offizier der Argo, erklärt, dass er
am 6. d. M. vor Marthas Vineyard – mit acht Segelschiffen
antrat – die bewaffnet sein sollten – und So Und Luvwärts
in Richtung der Untiefen im S von Nantucket steuerte – Der
Commodore führte eine Hecklaterne. Der Informant schätzt –
sie waren etwa 40 Meilen So der Westküste von Vineyard.

ZWÖLF

Plötzlich gab es Hoffnung.

Nach der Enttäuschung des vorangegangenen Tages, nach der schmählichen Flucht der Miliz vor einer gegnerischen Einheit, die kaum ein Viertel ihres Verbandes ausgemacht hatte, verbreitete sich plötzlich neuer Mut, der Glaube an eine zweite Gelegenheit, die Erwartung eines Erfolges.

Der Grund dafür war Hoysteed Hacker. Captain Hacker war der große Flottenhauptmann, der die HMS *Diligent* erbeutet hatte, und er war im ersten Morgenlicht ans Ufer gerudert worden und zu der Waldlichtung hinaufgestiegen, auf der Lovell sein Hauptquartier eingerichtet hatte. «Der Commodore ist verschwunden», berichtete er Lovell, der gerade an einem auf Böcken stehenden Tisch sein Frühstück einnahm.

«Verschwunden?» Lovell sah zu dem Flottenhauptmann auf. «Wie meinen Sie das? Verschwunden?»

«Weg», sagte Hacker mit seiner ausdruckslosen, tiefen Stimme, «verschwunden. Er war mit den Seeleuten zusammen, die gestern angegriffen wurden, und ich vermute, dass er gefangen genommen wurde.» Hacker hielt inne. «Vielleicht auch getötet.» Er zuckte mit den Schultern, als kümmere ihn weder das eine noch das andere besonders.

«Setzen Sie sich, Captain. Haben Sie schon etwas gegessen?»

«Ja.»

«Trinken Sie wenigstens eine Tasse Tee. Wadsworth, haben Sie das gehört?»

«Gerade eben, Sir.»

«Setzen Sie sich auch», sagte Lovell. «Filmer? Eine Tasse für Captain Hacker.» Wadsworth und Todd teilten sich die Sitzbank Lovell gegenüber. Hacker setzte sich neben den General, der den großen, leidenschaftslos wirkenden Flottenoffizier ansah, als sei er der Erzengel Gabriel, der mit einer himmlischen Verkündigung aufgewartet hatte. Nebel zog durch den Wald auf der Anhöhe. «Meiner Seel», Lovell hatte endlich begriffen, was diese Neuigkeit bedeutete, «also ist der Commodore in Gefangenschaft?» Er klang kein bisschen entsetzt.

«Oder tot», sagte Hacker.

«Werden Sie dadurch zum kommandierenden Flottenoffizier?», fragte Lovell.

«So ist es, Sir.»

«Wie ist es passiert?», fragte Wadsworth und hörte Hackers Bericht von dem Überraschungsangriff der britischen Marinesoldaten an, durch den die Seeleute Richtung Süden von der Batterie auf Haneys Land vertrieben worden waren. Der Commodore war im Moment des Angriffs vom Rest der Einheit getrennt gewesen, deren Mitglieder es sämtlich sicher zurück auf das südliche Ufer von Cross Island geschafft hatten. «Also keine Verluste?», fragte Wadsworth nach.

«Keine, Sir, außer vielleicht der Commodore. Er ist möglicherweise verletzt worden.»

«Oder schlimmer», sagte Lovell und fügte hastig hinzu: «Gebe Gott, dass dem nicht so ist.»

«Das gebe Gott», sagte Hacker gleichermaßen pflichtgetreu.

Lovell zuckte zusammen, als er in ein Stück Zwieback biss. «Aber Sie», sagte er, «haben jetzt das Flottenkommando?»

«Davon gehe ich aus, Sir.»

«Haben Sie den Befehl auf der *Warren* übernommen?»», fragte Wadsworth.

«Nicht offiziell, Sir, nein, aber ich bin jetzt der kommandierende Flottenoffizier, also bin ich heute Vormittag auf die *Warren* umgezogen.»

«Nun, wenn Sie die Flotte kommandieren», sagte Lovell ernst, «dann muss ich Sie um etwas ersuchen.»

«Sir?», fragte Hacker.

«Ich muss Sie bitten, Captain, den gegnerischen Schiffsverband anzugreifen.»

«Aus diesem Grund bin ich hergekommen», sagte Hacker bedächtig.

«Wirklich?» Lovell wirkte äußerst überrascht.

«Es scheint mir, Sir, dass wir bald angreifen sollten. Heute noch.» Hacker zog ein knittriges Blatt Papier aus der Tasche und glättete es auf dem Tisch. «Dürfte ich eine Vorgehensweise empfehlen, Sir?»

«Bitte», sagte Lovell.

Auf dem Blatt befand sich eine Bleistiftskizze des Hafens. Auch die vier gegnerischen Schiffe waren eingezeichnet, obwohl Hacker ein Kreuz über die *Saint Helena* gemalt hatte, den Transportsegler, der am südlichen Ende von Mowats Sperrlinie lag. Die *Saint Helena* sollte lediglich verhindern, dass die Amerikaner um Mowats Flanke herumsegelten, und ihre Bewaffnung mit sechs kleinen Kanonen war zu leicht, um Grund zur Sorge zu geben. «Wir müssen die drei Schaluppen angreifen», sagte Hacker, «also schlage ich vor, dass die *Warren* die *Albany* angreift.» Er tippte auf die Karte, um die anderen auf das mittlere der drei Kriegsschiffe hinzuweisen. «Ich werde von der *General Putnam* und der *Hampden* unterstützt. Sie werden neben der *North* und der *Nautilus* ankern, Sir, und ihnen Feuerschutz geben. Die *General Putnam* und die *Hampden* werden schwer getroffen werden, Sir,

461

das ist unvermeidlich, aber ich glaube, die *Warren* wird die *Albany* recht schnell kampfunfähig machen, und dann können wir unsere schweren Geschütze benutzen, um die beiden anderen Schaluppen zur Aufgabe zu zwingen.» Hacker trug das alles mit so ausdrucksloser Stimme vor, dass man ihn beinahe für einfältig halten konnte, doch Wadsworth wusste, dass dieser Eindruck vollkommen falsch war. Hacker hatte sich ausführliche Gedanken über die Lage gemacht. «Nun, Sir», fuhr der Flottenhauptmann fort, «die Hauptsorge des Commodore war immer das Fort mit seinen Kanonen. Sie können unsere Schiffe von oben herab beschießen, und nach allem, was wir wissen, könnten sie erhitzte Kugeln benutzen.»

«Erhitzte Kugeln?», fragte Lovell.

«Das ist keine angenehme Vorstellung, Sir», sagte Hacker. «Wenn eine glühende Kanonenkugel die Schiffsbeplankung trifft, Sir, kann Feuer ausbrechen. Schiffe und Feuer passen nicht besonders gut zusammen, also möchte ich den gegnerischen Beschuss so weit möglich von unseren Führungsschiffen fernhalten. Ich schlage vor, dass die *Sally*, die *Vengeance*, die *Black Prince*, die *Hector*, die *Monmouth*, die *Sky Rocket* und die *Hunter* uns in den Hafen folgen und hier eine Kampflinie bilden.» Er deutete auf eine gepunktete Linie, die er parallel zum Nordufer des Hafens gezogen hatte. «Sie können das Fort unter Beschuss nehmen, Sir. Sie werden nicht besonders viel Schaden anrichten, aber sie können sehr wohl die gegnerischen Kanoniere beschäftigen und ihr Feuer von der *Warren*, der *General Putnam* und der *Hampden* ablenken.»

«Das wäre machbar?», fragte Lovell, der kaum zu glauben wagte, was er da hörte.

«Die Flut kommt heute Nachmittag», sagte Hacker sehr sachlich. «Ich schätze, wir werden anderthalb Stunden brauchen, um die ersten drei Schiffe in Position zu bringen, und eine weitere Stunde, um ihre Schaluppen zu zerstören. Aber was mir Sorgen macht, ist, dass der beste Teil unserer Flotte im Hafen liegt und wir auch dann noch weiter vom Fort aus beschossen werden, wenn die gegnerischen Schiffe geschlagen sind.»

«Also möchten Sie, dass wir das Fort angreifen?», riet Wadsworth.

«Ich denke, das wäre ratsam, Sir», sagte Hacker respektvoll. «Und ich plane, hundert Marineinfanteristen an Land zu bringen, Sir, um Ihren Angriff zu unterstützen. Dürfte ich vorschlagen, dass Sie zusammen mit einigen Ihrer Milizionäre die Niederung unterhalb des Forts besetzen?» Er legte seinen breiten, teerfleckigen Finger auf die Karte, um auf das Areal zwischen dem Fort und den britischen Schiffen zu zeigen.

«Warum dort?», fragte Lovell.

«Um die gegnerischen Marinesoldaten auszuschalten, die von den besiegten Schiffen an Land kommen», erklärte Hacker, «und wenn unsere Marinesoldaten das Fort von Süden her attackieren, Sir, dann könnten Sie mit Ihren übrigen Einsatzkräften von Westen angreifen.»

«Ja», sagte Peleg Wadsworth begeistert, «ja!»

Lovell schwieg. Der Nebel war zu dicht, als dass die Kanoniere gezielt schießen konnten, also schwiegen die Geschütze auf beiden Seiten. Eine Möwe schrie. Lovell dachte an die Schande des Vortages, den Anblick von McCobbs flüchtender Miliztruppe. Bei der Erinnerung runzelte er die Stirn.

«Dieses Mal wird es anders laufen», sagte Wadsworth. Er hatte Lovells Mienenspiel beobachtet und die Gedanken des Generals erraten.

«Und wie?», fragte Lovell.

«Wir haben noch nie all unsere Männer zu einem Angriff auf das Fort eingesetzt, Sir», sagte Wadsworth. «Wir haben nur kleinere Vorstöße unternommen. Dieses Mal nutzen wir alle unsere Kräfte! Wie viele Kanonen werden wir in den Hafen bringen?» Diese Frage war an Hoysteed Hacker gerichtet.

«Unsere Schiffe verfügen über zweihundert Kanonen, Sir, also können wir hundert Breitseitkanonen einsetzen.»

«Hundert Kanonen, Sir», sagte Wadsworth zu Lovell.

«Hundert Kanonen im Hafen! Schon der Lärm allein wird den Gegner irre werden lassen. Und die Marinesoldaten, Sir, führen den Kampf an. Wir werfen uns mit tausend Mann auf den Feind, alle zugleich.»

«Damit sollte die Angelegenheit erledigt sein», sagte Hacker in einem Ton, als würde er darüber sprechen, wie er ein Segel einholte oder eine Tonne Ballast umschichtete.

«Hundert Marineinfanteristen», sagte Lovell klagend. Er hätte am liebsten sämtliche Marinesoldaten an Land gehabt.

«Ein paar brauche ich, um die gegnerischen Schiffe zu entern», sagte Hacker.

«Selbstverständlich», räumte Lovell ein.

«Aber die Marinesoldaten sehnen sich nach einem richtigen Kampf», sagte Hacker. «Sie können es nicht erwarten, ihr Können unter Beweis zu stellen. Und sobald die gegnerischen Schiffe erobert oder zerstört sind, Sir, werde ich auch die anderen Marinesoldaten und jeden Seemann, den ich entbehren kann, zur Unterstützung Ihres Angriffs an Land schicken.»

«See- und Landstreitkräfte», sagte Wadsworth, «werden wie ein Mann kämpfen.»

Lovells Blick zuckte unsicher zwischen Wadsworth und Hacker hin und her. «Und Sie glauben, das ist machbar?», fragte er den Flottenhauptmann erneut.

«Sobald die Flut kommt», sagte Hacker. «Heute Nachmittag.»

«Dann soll es geschehen!», entschied Lovell. Er legte die geballten Hände auf den Tisch. «Erledigen wir die Sache! Holen wir uns unseren Sieg!»

«Sir? Captain Hacker, Sir?» Ein Seekadett tauchte am Rand der Lichtung auf. «Sir?»

«Keil!», grüßte Hacker den atemlosen Mann. «Was gibt's denn?»

«Beste Empfehlungen von Commodore Saltonstall, Sir, und würden Sie bitte auf die *Providence* zurückgehen, Sir.»

Die Männer am Tisch starrten den jungen Mann an. «Commodore Saltonstall?», brach Lovell schließlich das Schweigen.

«Er wurde heute Morgen entdeckt, Sir.»

«Entdeckt?», fragte Lovell mit hohl klingender Stimme.

«Am Flussufer, Sir!» Der Seekadett glaubte offensichtlich, eine gute Nachricht zu bringen. «Er wurde sicher an Bord der *Warren* gebracht, Sir.»

«Sagen Sie ihm …», begann Lovell, doch dann fiel ihm nichts ein, was er Saltonstall sagen wollte.

«Sir?»

«Nichts, nichts.»

Hoysteed Hacker zerknüllte langsam die handgezeichnete Karte und warf sie ins Lagerfeuer. Dann grollte der erste Kanonenschuss des Tages.

Lieutenant John Moore, Zahlmeister des 82sten Infanterieregiments Seiner Majestät, klopfte unsicher an die Haustür. Eine Katze beobachtete ihn von dem Holzstapel aus. Drei Hühner in einem Gehege aus Weidenruten gackerten ihn an. In dem Garten des Nachbarhauses Richtung Hafen klopfte eine Frau einen Teppich aus, der über einer Leine hing, die zwischen zwei Bäumen aufgespannt worden war. Sie beobachtete ihn ebenso misstrauisch wie die Katze. Moore lüftete seinen Hut in Richtung der Frau, aber sie drehte sich bei dieser Höflichkeit bloß von ihm weg und klopfte mit noch kräftigeren Schlägen den Staub aus dem Teppich. Im Fort wurde eine Kanone abgefeuert, der Knall wurde von den Bäumen gedämpft, die um die kleinen Blockhäuser standen.

Bethany Fletcher öffnete die Tür. Sie trug ein schäbiges braunes Kleid unter einer weißen Schürze, an der sie ihre Hände abwischte, die rot vom Wäscheschrubben waren. Ihr Haar war durcheinander, und John Moore fand sie wunderschön. «Lieutenant», sagte sie überrascht und blinzelte ins Tageslicht.

«Miss Fletcher», sagte Moore und lüftete mit einer Verbeugung seinen Hut.

«Bringen Sie Neuigkeiten?», fragte Beth, die mit einem Mal ängstlich geworden war.

«Nein», sagte Moore, «keine Neuigkeiten. Ich habe Ihnen das hier gebracht.» Er hielt ihr einen Korb hin. «Das ist von General McLean, mit seinen Empfehlungen.» In dem Korb lagen ein Schinken, eine kleine Tüte Salz und eine Flasche Wein.

«Warum?», fragte Beth, ohne den Korb zu nehmen.

«Der General mag Sie», sagte Moore. Er hatte Mut genug besessen, sich gegen eine vierfache Übermacht der Aufständischen zu stellen, aber sein Mut reichte nicht, um nun hinzuzufügen: «ebenso wie ich».

«Er weiß, dass Sie und Ihre Mutter es nicht leicht haben, Miss Fletcher», erklärte er stattdessen, «besonders nun, da Ihr Bruder nicht da ist.»

«Ja», sagte Beth, nahm das Geschenk aber immer noch nicht an. Die einfachen Verpflegungsrationen, die von der Garnison an die Bewohner von Majabigwaduce ausgegeben wurden, hatte sie nie abgelehnt, das Mehl, das Salzfleisch, Trockenbohnen, Reis und Fichtenbier, aber McLeans Großzügigkeit beschämte sie. Sie ging ein paar Schritte vom

466

Haus weg, sodass ihre Nachbarin sie deutlich sehen konnte. Sie wollte keinen Anlass zum Tratsch bieten.

«Der Wein ist Portwein», sagte Moore. «Haben Sie schon einmal Portwein probiert?»

«Nein», sagte Beth verwirrt.

«Er ist stärker als Claret», sagte Moore, «und süßer. Der General liebt ihn. Er hat in Portugal gedient und Geschmack an diesem Wein gefunden, der auch als Stärkungsmittel gilt. Mein Vater ist Arzt und verschreibt seinen Patienten häufig Portwein. Kann ich ihn hier hinstellen?» Moore stellte den Korb auf die Türschwelle. Durch eine offene Tür am Ende eines Ganges erhaschte er einen Blick auf Beths Mutter. Ihr Gesicht war eingefallen, ihr Mund stand offen, und ihr Haar lag in weißen Strähnen auf dem Kissen. Sie sah aus wie eine Tote, und Moore wandte sich hastig ab. «Bitte sehr», sagte er, weil ihm nichts weiter einfiel.

Beth schüttelte den Kopf. «Ich kann dieses Geschenk nicht annehmen, Lieutenant», sagte sie.

«Gewiss können Sie das, Miss Fletcher», sagte Moore mit einem Lächeln.

«Der General würde nicht ...», begann Beth, überlegte sich dann aber noch einmal, was sie gerade hatte sagen wollen, und schwieg lieber. Sie schob eine verirrte Locke unter ihre Haube. Sie vermied es, Moore anzusehen.

«General McLean wäre sehr gekränkt, wenn Sie das Geschenk ablehnten», sagte Moore.

«Ich bin ihm ja auch dankbar», sagte Beth, «aber ...» Wieder unterbrach sie sich. Sie nahm einen Fingerhut aus der Schürzentasche und drehte ihn zwischen den Händen. Dann zuckte sie mit den Schultern. «Aber ...», sagte sie erneut und sah Moore immer noch nicht an.

«Aber Ihr Bruder kämpft für die Aufständischen», sagte Moore.

Sie wandte ihm ihren Blick zu, die Augen vor Überraschung weit aufgerissen. Was für blaue Augen, dachte Moore, was für sprühende blaue Augen. «Weiß der General es auch?», fragte sie.

«Dass Ihr Bruder für die Aufständischen kämpft? Ja, gewiss weiß er das», sagte Moore mit einem beruhigenden Lächeln. Er bückte sich und hob den Fingerhut auf, der ihr aus den Händen gefallen war. Er wollte ihn ihr geben, aber Beth rührte sich nicht, also legte er ihn in den Korb. Beth drehte sich um und sah zwischen den Bäumen zum Hafen hinunter. Der Nebel hatte sich verzogen, und die Gewässer von Majabigwaduce glitzerten in der Sommersonne. Sie sagte nichts. «Miss Fletcher …», begann Moore.

«Nein!», unterbrach sie ihn. «Ich kann es nicht annehmen.»

«Es ist ein Geschenk», sagte Moore, «nicht mehr und nicht weniger.»

Beth biss sich auf die Unterlippe, dann wandte sie sich trotzig zu dem Lieutenant im roten Rock um. «Ich wollte, dass James sich dem Aufstand anschließt», sagte sie. «Ich war es, die ihn dazu ermutigt hat! Ich habe Informationen über Ihre Kanonen und Mannschaften zu Captain Brewer gebracht! Ich habe Sie verraten! Glauben Sie, der General würde mir ein Geschenk machen, wenn er all das wüsste? Glauben Sie das wirklich?»

«Ja», sagte Moore.

Bei dieser Antwort schrak sie zusammen. Sie schien leicht in sich zusammenzusacken, ging zu dem Holzstapel, setzte sich darauf und begann mit abwesender Miene die Katze zu streicheln. «Ich wusste nicht, was ich davon halten sollte, als Sie alle hierherkamen», sagte sie. «Am Anfang war es aufregend.» Sie hielt inne und dachte nach. «Es war neu und etwas anderes, aber irgendwann liefen hier viel zu viele Soldaten herum. Das ist unsere Heimat, nicht Ihre. Sie haben uns unsere Heimat genommen.» Sie sah ihn zum ersten Mal direkt an, seit sie sich auf den Holzstapel gesetzt hatte. «Sie haben uns unsere Heimat genommen», wiederholte sie.

«Es tut mir leid», sagte Moore, der nicht wusste, was er sonst hätte sagen sollen.

Sie nickte.

«Nehmen Sie das Geschenk an», sagte Moore. «Bitte.»

«Warum?»

«Weil der General ein ehrenhafter Mann ist, Miss Fletcher. Weil er Ihnen dieses Geschenk als Zeichen seiner Freundschaft machen will. Weil er Sie wissen lassen will, dass Sie sich auf seinen Schutz verlassen können, ganz gleich, welche Meinung Sie vertreten. Weil ich den Korb nicht zum Fort zurücktragen möchte.» Beth lächelte über dieses letzte Argument, und Moore wartete ab. Er hätte hinzufügen können, dass er dieses Geschenk brachte, weil McLean genauso anfällig wie jeder andere Mann für ein blondes Mädchen mit einem bezaubernden Lächeln war, doch er zuckte nur mit den Schultern. «Weil», sagte er abschließend.

«Weil?»

«Bitte nehmen Sie es», sagte Moore.

Beth nickte und wischte sich mit einem Schürzenzipfel über die Augen. «Richten Sie dem General meinen Dank aus.»

«Das werde ich.»

Sie stand auf und ging zum Haus zurück. Dort angekommen, drehte sie sich zu ihm um. «Auf Wiedersehen, Lieutenant», sagte sie, nahm den Korb und war sofort im Haus verschwunden.

«Auf Wiedersehen, Miss Fletcher», sagte Moore zu der geschlossenen Haustür.

Langsam und mit dem Gefühl, eine Niederlage erlitten zu haben, ging er zurück zum Fort.

Die drei Schiffe legten sich in den Wind, neigten sich in der langen Dünung, die Vordersteven zerschnitten die Wellen, die Segel blähten sich, und eine lebhafte Brise trieb sie vorwärts. Backbords lag Cape Anne, wo die Brecher schäumend an die Felsen liefen. «Wir müssen nah an der Küste bleiben», erklärte Captain Abraham Burroughs Colonel Henry Jackson.

«Warum?»

«Weil die Bastarde irgendwo da draußen sind», sagte der Captain und nickte Richtung Steuerbord, wo sich die Nebelbank südöstlich zurückgezogen hatte und nun wie eine langgezogene fahle Wolke über dem endlosen Ozean lag. «Wenn wir einer britischen Fregatte begegnen, Colonel, ist Ihr Regiment verloren. Falls ich da draußen eine Fregatte sichte, steuere ich so schnell es geht einen Hafen an.» Er wedelte mit der Hand zu den beiden anderen Schiffen hinüber. «Wir sind keine Soldaten, wir sind Handelsschiffer.»

Doch die drei Transportsegler hatten Henry Jacksons Regiment an Bord, und seine Männer konnten sich mit jedem Regiment auf der Welt messen, und er war mit ihnen auf dem Weg nach Majabigwaduce.

Und draußen im Nebel, dort, wo es keine Orientierungsmarken gab, beobachteten Fischer auf einem Boot aus Cape Cod, wie andere Schiffe aus den weißen Nebelschleiern auftauchten. Die Fischer fürchten, die Großsegler würden sie gefangen nehmen oder zumindest ihren Fang beschlagnahmen, doch keines der britischen Schiffe kümmerte sich um den kleinen Gaffelsegler. Eines der großen Schiffe nach dem anderen glitt vorbei, die sonst leuchtenden Farben der bemalten Galionsfiguren und die Vergoldungen am Heck schimmerten im Nebel nur matt. Alle führten blaue Flaggen.

Die gewaltige *Raisonable* war das Führungsschiff, dem fünf Fregatten folgten: die *Virginia*, die *Blonde*, die *Greyhound*, die

Galatea und die *Camille*. Der letzte Segler der Entsatzungsflotte, die zierliche *Otter*, hatte den Anschluss verloren und
fuhr den anderen weiter südwestlich hinterher, doch ihre Abwesenheit nahm der Kriegsflotte Sir George Colliers kaum
etwas von der schieren Zusammenballung von Kampfkraft,
die sie darstellte. Schweigend sahen die Fischer dem geister-
haften Vorbeizug des Schlachtschiffs und der fünf Fregatten
im Nebel zu. Sie rochen den beißenden Geruch, der von der
Flotte ausging, den Gestank Hunderter Männer, die sich in
den kanonenbeladenen Schiffsrümpfen drängten. Einhun-
dertsechsundneunzig Kanonen, ein paar davon schiffeeer-
senkende Zweiunddreißigpfünder, waren auf dem Weg nach
Majabigwaduce.

«Gottverdammte Hundesöhne», knurrte der Kapitän des
Fischerbootes, als das vergoldete Heck der *Camille* vom Nebel verschluckt worden war.

Dann war der Ozean wieder glatt und leer.

Die Aufständischen waren seit neunzehn Tagen in der Bucht
von Penobscot und hielten die Anhöhe seit sechzehn Tagen.
Es waren mehr als zwanzig Sitzungen des Kriegsrates abgehalten worden, einige nur für die Flottenhauptleute, andere
nur für die führenden Armeeoffiziere und ein paar für alle
gemeinsam. Es hatte Abstimmungen gegeben, Standpunkte
waren ausgetauscht worden, und noch immer war der Gegner weder gefangen genommen noch getötet.

Die Auferstehung und Wiederkehr des Commodore hatte
Lovell vollkommen entmutigt. In den vorangegangenen Tagen hatten Saltonstall und er nur noch brieflich verkehrt,
doch Lovell hatte sich verpflichtet gefühlt, Saltonstall auf der
Warren zu besuchen und ihm zu seinem Überleben zu gratulieren. Der Commodore aber, dessen langes Gesicht mit roten Moskitostichen übersät war, wirkte nicht gerade dankbar
angesichts von Lovells Anteilnahme. «Es ist der göttlichen

Vorsehung zu verdanken, dass Ihnen eine Gefangenschaft oder Schlimmeres erspart wurde», sagte Lovell steif.

Saltonstall knurrte bloß dazu.

Mit einigem Unbehagen sprach Lovell das Thema vom Einlaufen der Flotte in den Hafen an. «Captain Hacker glaubte …», begann er.

«Hackers Ansichten sind mir bekannt», unterbrach ihn Saltonstall.

«Er hielt das Manöver für machbar.»

«Er kann glauben, was er verdammt noch mal will», sagte Saltonstall hitzig, «aber ich fahre meine Schiffe nicht in dieses verdammte Loch.»

«Und solange die Schiffe nicht erobert sind», drängte Lovell dennoch weiter, «glaube ich nicht, dass das Fort mit irgendeiner Aussicht auf Erfolg angegriffen werden kann.»

«Auf eins können Sie sich hundertprozentig verlassen, General», sagte Saltonstall. «Ich werde meine Schiffe nicht im Hafen aufs Spiel setzen, solange das Fort in der Hand des Gegners ist.»

Die beiden Männer starrten sich an. Es dröhnten wieder Kanonenschüsse, auch wenn die Schussfrequenz der Aufständischen aufgrund der Munitionsknappheit inzwischen viel niedriger war. Pulvergeruch lag über Cross Island, über den Höhen von Majabigwaduce und über der Bucht nördlich der Halbinsel. Und noch mehr Rauch stieg von der Niederung bei der Half-Moon-Batterie auf. Lovell war so wütend darüber gewesen, dass Banks' Haus und seine Scheune den schottischen Truppen Deckung verschafft hatten, denen es gelungen war, seine Männer so schmachvoll davonzujagen, dass er befohlen hatte, zur Strafe die Gebäude niederzubrennen. «Und das Haus dieses Holländers auch», hatte er hinzugefügt. Also waren vierzig Mann beim ersten Tageslicht den Hügel hinuntergegangen und hatten die Häuser und die Scheunen in Brand gesetzt. Sie hatten sich nicht lange aufgehalten, da sie einen Gegenangriff von McLeans Männern befürchteten, und zogen sich sofort zurück, nachdem sie die Feuer gelegt hatten.

«Ich werde meinen Offizieren die Umstände darlegen», sagte Lovell nun steif, «und wir werden die Machbarkeit eines Angriffs auf das Fort durchsprechen. Sie können darauf zählen, dass ich Ihnen unsere Entscheidung unverzüglich übermitteln werde.»

Saltonstall nickte. «Meine Empfehlung, General.»

An diesem Nachmittag ging Lovell auf die *Hazard*, eines der Schiffe aus der Flotte von Massachusetts, und berief dort seine Brigademajore, die Milizkommandeure, Colonel Revere und General Wadsworth zum Kriegsrat ein. Sie tagten in der bequemen Heckkajüte der Brigg, wo sich keine glotzenden Soldaten herumdrückten, die sie belauschen konnten. Captain John Williams, der Kommandooffizier der *Hazard*, war der Höflichkeit halber ebenfalls eingeladen worden, und Lovell bat ihn zu erklären, weshalb die Flotte so sehr zögerte, in den Hafen einzulaufen. «Nicht alle teilen diese Haltung», sagte Williams und dachte an seinen eigenen First Lieutenant, George Little, der zur Meuterei bereit war, wenn er damit erreichen konnte, dass die kleine Brigg in den Hafen von Majabigwaduce segeln würde, um die Briten anzugreifen. «Aber der Commodore verhält sich vorausschauend.»

«In welcher Hinsicht?», fragte Wadsworth.

«Man kann ohne Schwierigkeiten in den Hafen einlaufen», sagte Williams, «aber es könnte eine teuflische Angelegenheit werden, wieder herauszukommen.»

«Das Ziel», sagte Wadsworth leise und nachdrücklich, «ist, im Hafen zu bleiben. Ihn zu erobern.»

«Was bedeutet, dass man die Kanonen des Forts zerstören muss», sagte Williams. «Und dann ist da noch etwas. Der Flotte gehen die Männer aus.»

«Wir haben in Boston genügend Leute zwangsverpflichtet!», widersprach Lovell.

«Und sie desertieren, Sir», sagte Williams. «Und die Kapitäne der Freibeuter? Die sind auch nicht gerade sehr glücklich. Jeder Tag, den sie hier zubringen, ist ein Tag, an dem sie auf See keine Beute machen können. Es heißt schon, dass sie nicht bleiben wollen.»

«Warum sind wir denn mit dieser ganzen Flotte hierhergekommen?», fragte Wadsworth. Er hatte die Frage Williams gestellt, der nur mit den Schultern zuckte. «Wir haben eine Kriegsflotte hergebracht, und nun setzen wir sie nicht ein?», fragte Wadsworth hitzig.

«Diese Frage müssen Sie dem Commodore stellen», sagte Williams gleichmütig. Danach breitete sich Stille aus, nur unterbrochen von dem endlosen Rasseln der Pumpen, die auf der *Hazard* in Gang waren. Die Schäden, die entstanden waren als Lieutenant Little sie zu nahe an Mowats Schaluppen gesegelt hatte, waren immer noch nicht vollständig repariert. Die Brigg würde aufs Ufer gezogen werden müssen, damit alle beschädigten Planken ersetzt und kalfatert werden konnten, doch mit den Pumpen blieb sie auch so flott.

«Also müssen wir das Fort erobern», sagte Peleg Wadsworth, brach damit das unbehagliche Schweigen und sprach dann lauter weiter, um den Chor der Stimmen zu übertönen, die anmeldeten, dass ein solcher Kraftakt scheitern musste. «Wir müssen Truppen hinter das Fort bringen», erklärte er, «und von Südwesten angreifen. Die Wälle dort sind nicht fertig, und beim östlichen Wall gibt es, soweit ich gesehen habe, keine Kanonen.»

«Ihre Männer werden nicht angreifen», sagte Revere verächtlich. Seit einer Woche hatte Lieutenant Colonel Revere bei jedem Kriegsrat auf einen Abbruch der Belagerung gedrängt, und nun legte er den Finger in die Wunde. «Die Männer werden sich dem Feind nicht stellen! Das haben wir

474

ja gestern gesehen. Drei Viertel der kleineren Munitions-kartuschen sind verbraucht, und die Hälfte der Männer versteckt sich im Wald!»

«Also wollen Sie klein beigeben?», fragte Wadsworth.

«Niemand darf sich die Behauptung erlauben, ich würde klein beigeben!»

«Dann, verdammt, kämpfen Sie!» Wadsworths Wut verschaffte sich schließlich Luft, und allein die Tatsache, dass er geflucht hatte, sorgte in der Kajüte für Totenstille. «Gottverdammt noch mal!», brüllte er und schlug mit der Faust so heftig auf Captain Williams' Tisch, dass einer der Kerzenleuchter aus Zinn umfiel. Die Männer starrten ihn überrascht an, und Wadsworth hatte sogar sich selbst mit der plötzlichen Heftigkeit seines Ausbruchs und seiner unflätigen Sprache überrascht. Er versuchte sich zu beruhigen, doch es gelang ihm nicht. «Warum sind wir denn hier?», wollte er wissen. «Nicht, um Batterien anzulegen oder Schiffe zu beschießen! Wir sind hier, um ihr Fort zu erobern!»

«Aber ...», setzte Lovell an.

«Wir bitten den Commodore um Marinetruppen», fiel ihm Wadsworth ins Wort, «und wir stellen jeden Mann auf, und dann greifen wir an! Wir greifen an!» Er ließ seinen Blick durch die Kajüte schweifen und sah viel zu viele skeptische Mienen. Diejenigen, die unter Führung Colonel Reveres die Aufgabe des Kriegszugs favorisierten, vertraten ihren Standpunkt leidenschaftlich, während diejenigen, die für die Fortsetzung der Belagerung waren, allenfalls lauwarme Befürwortung äußerten. «Der Commodore», fuhr Wadsworth fort, «will nicht in den Hafen einlaufen, solange die Kanonen seine Flotte bedrohen. Wir werden Männer auf die Rückseite der gegnerischen Befestigungsanlage bringen, und wir werden angreifen! Und der Commodore wird uns unterstützen.»

«Der Commodore ...», begann Lovell.

Erneut unterbrach ihn Wadsworth. «Wir haben dem Commodore nie unsere uneingeschränkte Unterstützung angeboten», sagte er energisch. «Wir haben ihn gebeten, den Schiffsverband zu zerstören, bevor wir angreifen, und er hat uns gebeten, das Fort zu zerstören, bevor er angreift. Warum also schließen wir keinen Kompromiss? Wir greifen beide an. Wenn er weiß, dass unsere Infanterie den Angriff macht, hat er keine andere Wahl, als uns zu unterstützen!»

«Vielleicht kommen ja auch Truppen von der Berufsarmee», warf McCobb ein.

«Die *Diligent* hat keine Nachricht geschickt», sagte Lovell. Die *Diligent*, die schnelle Brigg aus der Flotte der Kontinentalarmee, die von den Briten erbeutet worden war, hatte an der Mündung des Penobscot Posten bezogen, um als Wachschiff vor ankommenden Schiffen warnen zu können, doch ihr Captain, Philip Brown, hatte keine Botschaft geschickt. Also mussten eventuelle Verstärkungstruppen für beide Seiten noch mindestens einen Tag entfernt sein.

«Wir können nicht darauf warten, dass uns Boston Truppen schickt», beharrte Wadsworth. «Übrigens ist es genauso wahrscheinlich, dass die Briten Verstärkung bekommen! Wir wurden hierhergeschickt, um eine Aufgabe zu erfüllen, also tun wir es in Gottes Namen endlich! Und zwar, bevor der Gegner Verstärkung bekommt.»

«Ich bezweifle, dass wir es jetzt sofort machen können», sagte Lovell. «Vielleicht morgen?»

«Dann morgen!», sagte Wadsworth gereizt. «Nur sollten wir es endlich tun! Tun wir, wofür wir hierhergekommen sind, tun wir, was unser Land von uns erwartet! Tun wir es!»

Das anschließende Schweigen wurde von Lovell gebrochen, der strahlend sagte: «Wir haben etwas zu besprechen.»

476

«Und wir besprechen es nicht», sagte Wadsworth schroff, «wir entscheiden es.»

Lovell wirkte leicht aufgeschreckt von der Entschlossenheit seines Stellvertreters. Einen Augenblick lang wirkte es so, als wolle er die Gesprächsführung wieder an sich reißen, doch Wadsworth wirkte äußerst grimmig, sodass Lovell seiner Meinung folgte. «Nun gut», sagte er steif, «wir sollten eine Entscheidung treffen. Würden all diejenigen, die General Wadsworths Vorschlag befürworten, dies nun bitte anzeigen?» Wadsworths Hand schoss in die Höhe. Lovell zögerte, dann hob er seine eigene Hand ebenfalls. Andere Männer schlossen sich Lovell an, sogar diejenigen, die sich sonst für den Abbruch der Belagerung aussprachen. Alle, bis auf einen.

«Und wer ist dagegen?», fragte Lovell. Lieutenant Colonel Revere hob die Hand.

«Ich erkläre den Antrag als angenommen», sagte Lovell, «und wir werden den Commodore bitten, unseren morgigen Angriff zu unterstützen.»

Der nächste Tag war ein Freitag. Freitag, der dreizehnte August.

Dieser Freitag, der Dreizehnte, brach mit einem heiteren Morgen an. Der Wind wehte sanft, und es herrschte kein Nebel, was bedeutete, dass die Batterie der Aufständischen auf Cross Island beim ersten Tageslicht das Feuer eröffnete, ebenso wie die Achtzehnpfünder auf dem nördlichen Ufer hinter der Halbinsel. Die Kugeln trafen mit aller Gewalt auf die Rümpfe der britischen Schaluppen.

Captain Mowat hatte sich mit dem Beschuss abgefunden. Er hatte seine Schiffe zweimal verlegt, doch nun konnte er sich nicht weiter zurückziehen, es sei denn, er brachte die Schaluppen weit vom Fort weg. Die Pumpen aller drei Schaluppen waren ununterbrochen im Einsatz, bemannt von

Seeleuten, die Shantys sangen, während sie die großen Hebelarme auf und nieder bewegten. Der Schiffszimmermann der *Albany* flickte den Rumpf so gut er es vermochte, doch die enormen Achtzehnpfünder-Kugeln rissen die Eichenverplankung mit wilder Gewalt auf. «Ich halte sie flott, Sir», versprach er Mowat, als der Tag anbrach. Er hatte drei hässlich gesplitterte Löcher knapp oberhalb der Wasserlinie gestopft, doch mit einer ordentlichen Reparatur würde er warten müssen, bis die Schaluppe auf den Strand gezogen oder aufs Trockendock gebracht werden konnte.

«Glücklicherweise schießen sie immer noch recht hoch», sagte Mowat.

«Ich bete, dass sie das auch weiterhin tun, Sir.»

«Ich will verdammt noch mal auch sehr hoffen, dass Sie beten!», sagte Mowat.

«Tag und Nacht, Sir, Tag und Nacht.» Der Zimmermann war Methodist, und in der Tasche seiner Zimmermannsschürze steckte immer eine sehr zerlesene Bibel. Er runzelte die Stirn, als eine Kugel die Heckreling streifte und einen Schauer aus Holzsplittern über das Achterdeck jagte. «Ich kümmere mich um die oberen Schäden, wenn wir mit den Planken an der Wasserlinie fertig sind, Sir.»

«Was über Wasser ist, kann warten», sagte Mowat. Es war ihm gleichgültig, wie mitgenommen sein Schiff aussah, solange es nur flott blieb und er die Kanonen benutzen konnte. Im Augenblick aber schwiegen die Schiffskanonen. Mowat vermutete, dass er der Batterie auf Cross Island mit seinen Neunpfündern kaum gefährlich werden konnte, und keine seiner Kanonen war groß genug, um die neue Batterie im Norden zu erreichen, also verschwendete Mowat weder Pulver noch Kugeln. Eine von Captain Fieldings Zwölfpfündern, die oben im Fort aufgestellt worden war, feuerte Kugeln auf Cross Island, doch damit wurde kaum mehr erreicht, als dass sich die Aufständischen weiter im Wald versteckten.

Das Knattern von Musketenschüssen klang vom Ufer herüber. In den vergangenen Tagen war dieses Geräusch ständig zu hören gewesen, weil McLeans Männer durch den Wald bei der Landenge streiften oder auf den Feldern und in den Scheunen der Siedlung nach Patrouillen der Aufständischen suchten. Das taten sie ohne Befehl, und McLean hatte, auch wenn er die Haltung schätzte, die hinter dieser Jagd auf die Aufständischen stand, angeordnet, dass damit Schluss sein müsse. Mowat vermutete, dass die Schüsse von Captain Caffraes Leichter Kompanie stammten, die ihre Störmanöver vor der gegnerischen Linie fortsetzte.

«Deck ahoi!», rief ein Ausguck auf dem Fockmast. «Schwimmer!»

«Mann über Bord?», fragte Mowat den wachhabenden Offizier.

«Nein, Sir.»

Mowat ging nach vorn und sah, dass ein Mann aus Richtung des Hafeneingangs auf die *Albany* zuschwamm. Er wirkte höchst erschöpft. Er schwamm ein paar Züge, dann trat er Wasser, bevor er die nächsten schwachen Schwimmzüge tat. Mowat rief dem Bootsmann zu, er solle dem Mann ein Tau zuwerfen. Es dauerte eine Weile, bis der Mann das Tau zu fassen bekam, dann wurde er an der Seite der Schaluppe heraufgezogen und an Deck gehievt. Es war ein Seemann, dem ein langer Zopf über den nackten Rücken hing und dessen Brust und Unterarme mit Tätowierungen von Walen und Ankern geschmückt waren. Er stand einen Moment lang tropfend und zitternd vor Entkräftung da und setzte sich dann auf eine der Neunpfünder-Lafetten. «Wie heißen Sie, Seemann?», fragte Mowat.

«Freeman, Sir. Malachi Freeman.»

«Holt ihm eine Decke», befahl Mowat. «Und Tee. Mit einem Schuss Rum. Wo sind Sie her, Freeman?»

«Nantucket, Sir.»

«Ein schönes Fleckchen Erde», sagte Mowat. «Weshalb sind Sie da hierhergekommen?»

«Ich wurde zwangsverpflichtet, Sir. In Boston.»

«Auf welchen Segler?»

«Die *Warren*, Sir.»

Freeman war jung, Mowat hielt ihn für kaum älter als zwanzig Jahre, und er war im Schutze der nächtlichen Dunkelheit von der *Warren* weggeschwommen. Unentdeckt hatte er den Strand unterhalb von Dyce's Head erreicht und zitternd abgewartet, bis sich die Wachboote in der Morgendämmerung zurückzogen. Dann war er zu den Schaluppen geschwommen.

«Was sind Sie, Freeman?», fragte Mowat. Er sah, dass Freemans Hände vom ständigen Klettern in der geteerten Takelage schwarze Flecken hatten. «Vortoppmann?»

«Aye, aye, Sir, seit vier Jahren.»

«Seine Majestät weiß einen guten Vortoppmann immer zu schätzen», sagte Mowat. «Sind Sie bereit, Seiner Majestät zu dienen?»

«Aye, aye, Sir.»

«Dann schwören wir Sie ein», sagte Mowat und unterbrach sich, als dem Deserteur eine Decke um die Schultern gelegt und ein Becher heißer Tee mit Rum in die Hand gedrückt wurde. «Trinken Sie zuerst.»

«Sie haben Sie im Visier, Sir», sagte Freeman mit vor Kälte klappernden Zähnen.

«Im Visier?»

«Der Commodore, Sir. Er greift heute an, Sir. Das haben sie uns gestern Abend gesagt. Und er baut ein Schanzkleid an den Bug der *Warren*, Sir.»

«Schanzkleid?»

«Sie verstärken den Bug, Sir, und sie verstärken das Vorschiff mit drei Holzlagen, um die Marinesoldaten zu schützen.»

Mowat betrachtete den zitternden Mann. Er spielte mit dem Gedanken, dass die Aufständischen Freeman geschickt hatten, um ihn mit falschen Informationen in die Irre zu führen, doch das ergab keinen Sinn. Wenn Saltonstall Mowat täuschen wollte, würde er bestimmt vorgeben, sich zurückzuziehen, und nicht etwa, einen Angriff zu planen. Also würden es die Aufständischen zu guter Letzt tatsächlich noch wagen? Mowat schaute Richtung Westen, wo er hinter Dyce's Head gerade noch die ankernden Kriegsschiffe sehen konnte. «Mit wie vielen Schiffen kommen sie?», fragte er.

«Weiß ich nicht, Sir.»

«Das hätte mich auch erstaunt», sagte Mowat. Er ging zu den Hauptwanten und legte sein Fernrohr zur Stabilisierung auf einer der Webleinen ab. Allerdings, er erkannte deutlich, dass am Bug der *Warren* Männer arbeiteten. Sie zogen anscheinend neue Taue am Bugspriet auf, während andere Männer Holzbalken aus einem Beiboot heraufhievten. Würden sie nun tatsächlich angreifen? «Sie kommen frühestens heute Nachmittag mit der Flut», sagte er zu seinem First Lieutenant.

«Also haben wir noch mehr als den halben Tag, um uns vorzubereiten, Sir.»

«Ganz recht.» Mowat schob das Fernrohr zusammen und sah zum Himmel hinauf. «Barometer?», sagte er.

«Immer noch fallender Luftdruck, Sir.»

«Also bekommen wir auch noch schlechtes Wetter», sagte Mowat. Noch war der Himmel klar, doch er schätzte, dass Wolken, Nebel und Regen aufziehen würden, noch bevor es Abend wurde und er, das wusste er, entweder tot oder gefangen genommen sein würde. Mowat machte sich keinerlei Illusionen. Seine kleine Flottille konnte dem amerikanischen Verband zwar erhebliche Schäden zufügen, aber besiegen konnte sie ihn nicht. Wenn die *Warren* erst einmal ihre Breitseite auf die Schaluppen ausgerichtet hatte, konnte sie mit einer doppelt so schweren Schiffsartillerie schießen, als die Briten sie hatten, und damit war die Niederlage unausweichlich. Die *Warren* würde verwundet werden, doch die *Albany* würde sterben. Das war unvermeidlich, und deshalb war alles, worauf Mowat hoffen konnte, dass er die *Warren* so schwer wie irgend möglich treffen würde, um dann seine Männer an Land in Sicherheit zu bringen, wo sie McLean bei der Verteidigung des Forts unterstützen konnten. «Sämtliche Marinesoldaten sollen an Bord zurückkommen», sagte er zu seinem First Lieutenant. «Und alle Kanonen sollen mit doppelter Ladung bestückt werden. Und streuen Sie die Decks mit Sand aus. Der Arzt soll seine verdammten Messer schleifen. Wir werden untergehen, aber bei Gott, sie werden wissen, dass sie gegen die königliche Marine gekämpft haben.»

Dann schickte er eine Nachricht an McLean.

Die Aufständischen greifen an.

Peleg Wadsworth bat um freiwillige Meldung. Die Miliz, das musste er leider zugeben, war eine Enttäuschung gewesen und hatte – abgesehen vom ersten Tag, an dem sie das Steilufer erklettert hatten, um die gegnerischen Posten zurückzudrängen – keinen großen Einsatz beim Kampf gezeigt. Doch das hieß nicht, dass nicht tapfere Männer darunter waren, und Wadsworth wollte nur die Tapferen. Er ging im Wald herum, redete mit Grüppchen von Männern, sprach mit den Soldaten der Feldposten an den Wällen beim Waldrand, und er erklärte allen, was er plante. «Wir gehen am Ufer des Hafens entlang», sagte er, «und wenn wir hinter der Linie des Gegners sind, greifen wir an. Wir werden den Kampf nicht allein führen. Der Commodore segelt in den Hafen, nimmt die gegnerischen Schiffe unter Feuer und beschießt das Fort, während wir angreifen. Ich brauche

Männer, die wirklich bereit sind, diesen Angriff mitzutragen, Männer, die bereit sind, mit mir auf den Hügel zu gehen und die gegnerischen Wälle zu stürmen. Ich brauche tapfere Männer.»

Vierhundertvierundvierzig Männer meldeten sich freiwillig. Sie sammelten sich im Wald bei Dyce's Head, wo sie von Lieutenant Downs und fünfzig Marinesoldaten erwartet wurden. Wadsworth teilte die Freiwilligen von der Miliz in vier Kompanien auf. Die Indianerkrieger bildeten ihre eigene kleine Kompanie. Es war früher Nachmittag. Der Tag war so klar heraufgezogen, doch nun bewölkte sich der Himmel, und später Nebel zog die Tidenzone des Flusses herauf.

«Der Nebel wird uns Deckung geben», stellte Wadsworth fest.

«Also ist Gott Amerikaner», sagte Lieutenant Downs und brachte Wadsworth damit zum Lächeln. Dann verkündete der Marinelieutenant mit einem Blick über Wadsworths Schulter: «Da kommt General Lovell, Sir.»

Als sich Wadsworth umdrehte, sah er Solomon Lovell und Major Todd näher kommen. Gab es schlechte Neuigkeiten? Hatte Commodore Saltonstall seine Meinung geändert? «Sir», grüßte er den General zurückhaltend.

Lovell war blass und abgespannt. «Ich habe beschlossen», sagte er langsam, «mit Ihnen vorzurücken.»

Wadsworth zögerte. Er hatte geplant, diesen Angriff zu führen, während Lovell einen eigenen Vorstoß über den Hügelkamm führen sollte, doch etwas an Lovells Gesichtsausdruck brachte ihn dazu, die Entscheidung des Älteren zu akzeptieren. Lovell wollte an diesem Angriff teilnehmen, weil er sich selbst beweisen musste, dass er alles getan hatte, was er konnte. Oder vielleicht, dachte Wadsworth weniger wohlwollend, hatte Lovell die Nachwelt im Blick und wusste, dass Ruhm nur denjenigen erwartete, der den erfolgreichen Angriff auf Fort George geführt hatte. «Selbstverständlich, Sir», sagte er.

Lovell sah ihn unglücklich an. «Ich habe gerade Befehl gegeben, dass die großen Kanonen von der Anhöhe abgezogen werden», sagte er und deutete nordwärts auf den Wald, wo Reveres Kanonen in Stellung gebracht worden waren.

«Sie haben befohlen ...», begann Wadsworth verständnislos.

«Wir haben keine Munition», unterbrach ihn Lovell niedergeschlagen.

Wadsworth wollte darauf hinweisen, dass Munitionsnachschub wenn nicht aus Boston, so möglicherweise von der *Warren* beschafft werden konnte, doch dann begriff er, weshalb Lovell den scheinbar defätistischen Befehl gegeben hatte, die Kanonen wegzubringen. Der General hatte verstanden, dass die Aufständischen nun ihre letzte Chance hatten. Wenn dieser Angriff scheiterte, würden sie keinen weiteren mehr führen können, jedenfalls nicht, bevor Verstärkung da war, und bis dahin würden keine schweren Geschütze mehr gebraucht werden. «Colonel McCobb und Colonel Mitchell werden den Angriff über den Hügelkamm leiten», fuhr Lovell fort. Weder Lovell noch Wadsworth erwarteten viel von diesem zweiten Angriff, der von den Männern geführt werden würde, die sich nicht freiwillig gemeldet hatten, doch ihre sichtbare Anwesenheit auf dem Hügelkamm würde einige der britischen Verteidiger auf der westlichen Seite des Forts binden, und das war der Grund, aus dem dieser zweite Angriff geplant worden war.

«Wir fühlen uns von Ihrer Anwesenheit geehrt, Sir», sagte Wadsworth großmütig.

«Ich werde mich nicht in Ihre Einsatzführung einmischen», versprach Lovell.

Wadsworth lächelte. «Nun hängt alles von Gottes Gnade ab, Sir.»

484

Und wenn Gott gnädig war, würden die Aufständischen in voller Sicht des Forts und unter seinem Kanonenbeschuss den langen Hügel hinuntergehen. Sie würden an den rauchenden Überbleibseln der verbrannten Häuser und Scheunen vorbeikommen und dann durch Getreidefelder, Obstgärten und die kleinen Gemüsebeete weiter vorrücken. Wenn sie die Deckung des Dorfes erreicht hatten, würden sie in Richtung einer Häusergruppe weiterziehen, die zwischen dem Fort und den britischen Schiffen stand, und dort würde Wadsworth warten, bis der Angriff des Commodore die Verteidiger des Forts ablenkte und das Hafenbecken mit Lärm, Rauch und Flammen erfüllte.

Zusammen mit den Marinesoldaten und den Indianern führte Wadsworth nun fünfhundert Mann. Die besten. Waren es genügend? McLean hatte zumindest siebenhundert Soldaten im Fort, doch die Truppen unter Colonel McCobb und Colonel Mitchell würden einige der Verteidiger am westlichen Wall des Forts beschäftigt halten, und sobald die britischen Schiffe erobert oder versenkt waren, würden die amerikanischen Marinesoldaten an Land kommen. Dann wären die Kampfkräfte etwa ausgeglichen, schätzte Wadsworth. Doch schließlich beschloss er, dass er diese Schlacht nicht mit Kopfrechnen gewinnen konnte. Er konnte sein Vorrücken bis zum Hafen recht genau planen, aber danach würde der Teufel seine Würfel rollen lassen, und alles wäre erfüllt von Rauch und Flammen, Schreien und Stahl, dem Chaos von Wut und Schrecken, und was sollten da mathematische Berechnungen helfen? Wenn Wadsworths Enkel eines Tages von diesem Tag und von seinem Sieg erfahren würden, sollten sie etwas über den Mut und über Männer lernen, die eine große Tat vollbracht hatten. Und wenn es keine große Tat werden würde, dann würde dieser Tag auch nicht erinnerungswürdig sein. An irgendeinem Punkt musste er also alle Berechnungen fahrenlassen und sich stattdessen in wütende Entschlossenheit hineinsteigern. Es gab keinen einfachen Weg. Sowohl Lovell als auch Saltonstall waren einem Kampf ausgewichen, weil sie nach einer sicheren Lösung suchten, doch solch eine einfache Antwort existierte nicht. Die Expedition würde nur Erfolg haben, wenn sie die Vorsicht aufgaben und die Männer dazu herausforderten, große Taten zu vollbringen. Also, dachte er, ja, fünfhundert Männer genügten, denn mehr standen ihm nicht zur Verfügung, um diese Aufgabe zu erledigen, und diese Aufgabe musste erledigt werden, im Namen der Freiheit Amerikas. «James?», sagte er zu Fletcher. «Lassen Sie uns gehen.»

Vierzig der Freiwilligen hängten sich an Zugseile, die an zwei der Vierpfünder-Kanonen befestigt worden waren, die sie bisher kaum eingesetzt hatten. Sie waren zu schwach, um Wirkung bei weiter entfernten Zielen zu zeigen, doch an diesem Tag konnten sie den Kampf entscheiden. Lieutenant Marett, einer von Reveres Offizieren, führte den Befehl über die beiden Kanonen, die mit einem reichlichen Vorrat an Kugeln ausgestattet waren. Dennoch hatte Captain Carnes vor seiner Rückkehr auf die *General Putnam* darauf bestanden, dass noch Traubengeschosse mitgenommen werden sollten. Er hatte die Munition selbst anfertigen lassen. Seine Leute hatten Steine am Strand gesammelt und sie in grobe Beutel aus Segeltuch eingenäht. Die Beutel konnten über einer Kugel ins Kanonenrohr geladen werden, sodass die Steine nach dem Abschuss wie tödlicher Vogelschrot wirken würden. Lieutenant Marett hatte beunruhigt eingewandt, dass die Steine die Kanonenrohre zugrunde richten würden, doch unter Carnes' drohendem Blick hatte er schnell wieder geschwiegen. «Scheiß auf die Rohre», hatte Carnes gesagt, «worauf es ankommt, ist, dass sie britische Eingeweide zugrunde richten!»

Die ersten Nebelschwaden zogen über den Abhang, als die Männer zum Ufer hinuntergingen. Sie liefen in loser

Ordnung, hasteten über die Wiesen und zwischen den spärlichen Bäumen hindurch. Eine Kanonenkugel vom Fort riss eine Wunde in die Wiese. Eine zweite Kanone wurde abgefeuert, dann eine dritte, doch alle Kugeln schlugen in den Boden, ohne weiteren Schaden anzurichten. Ein gutes Vorzeichen, dachte Wadsworth und war selbst davon überrascht, dass er nach guten Vorzeichen suchte. Am Morgen hatte er gebetet. Er dachte gern, dass der Glaube und das Gebet ausreichten und dass er nun in Gottes Hand war, und dennoch beobachtete er sich dabei, wie er in jeder Erscheinung nach einem Vorzeichen für den guten Ausgang des Angriffs suchte. Die britischen Schaluppen feuerten nicht, obwohl ihre Kanonen das Hafenufer treffen konnten, dabei musste doch die Vorsehung ihre Hand im Spiel haben. Der Rauch, der von den Ruinen der niedergebrannten Gebäude aufstieg, wurde auf Fort George zugetrieben, und obwohl Wadsworths Verstand ihm sagte, dass dies an dem stetigen Wind aus Südwest lag, wollte er doch glauben, ein Zeichen dafür vor sich zu haben, dass Gott den Gegner blind machen wollte. Sechs der Indianer kauerten bei dem Maisfeld, wo er die Sammlung der Kompanien befohlen hatte. Die Indianer bildeten einen Kreis, hatten ihre schwarzhaarigen Köpfe dicht zusammengesteckt, und Wadsworth fragte sich, zu welchem Gott sie wohl beteten. Er dachte an einen Mann namens Eliphalet Jenkins, der eine Mission bei den Wampanoag gegründet hatte und dessen Leiche ausgeweidet und gebleicht vom Meerwasser in Fairhaven ans Ufer gespült worden war. Warum musste er jetzt an diese alte Geschichte denken? Als Nächstes fiel ihm die Geschichte ein, die ihm James Fletcher über einen Mann und einen Jungen erzählt hatte. Beide waren Engländer gewesen und viele Jahre zuvor von den Indianern von Majabigwaduce kastriert und bei lebendigem Leibe verbrannt worden. War das auch ein Vorzeichen?

Die beiden Kanonen kamen sicher an. Zu jeder gehörte eine Kastenlafette mit der Munition, und auf einem dieser Kästen stand der Wahlspruch «Freiheit oder Tod». Das sagt sich leicht, dachte Wadsworth, und im Moment schien ihm eher der Tod unmittelbar bevorzustehen. Unmittelbar und unausweichlich. Die Worte dröhnten in seinem Kopf. Warum feuerten die gegnerischen Schaluppen nicht? Schliefen die Mannschaften? Eine Granate aus dem Fort landete in den schwelenden Ruinen von Jacob Dyce' Haus und explodierte untauglich mit einem dumpfen, harmlosen Knall und einer Eruption von Asche und glühenden Holzsplittern. Unmittelbar, unausweichlich, untauglich. Aus irgendeinem Grund musste Wadsworth an ein Bibelwort denken, das Hochwürden Jonathan Murray zur Grundlage seiner ersten Sonntagspredigt nach der Landung ihrer Truppen gemacht hatte. «Da ihr Wurm nicht stirbt und ihr Feuer nicht verlöscht.» Der Wurm, hatte Murray gesagt, war die teuflische britische Tyrannei und das Feuer die rechtschaffene Wut von Männern, die für ihre Freiheit kämpften. Aber warum haben wir diese Häuser verbrannt, fragte sich Wadsworth, und wie viele Männer aus Majabigwaduce haben sich aufgrund dieser Brandstiftung gegen uns gewendet und bemannen nun die Wälle des Forts? «Der Wurm wird zerschrumpfen», hatte Murray versprochen, «er wird zerschrumpfen und zischend verbrennen!» Doch die Bibel, dachte Wadsworth, versprach eine solche Bestrafung des Wurms keineswegs, sie sagte nur, dass der Wurm nicht starb. War das ein Vorzeichen?

«Gehen wir weiter, Sir?», fragte Fletcher.

«Ja, ja.»

«Sie sehen aus, als ob Sie träumen, Sir», sagte Fletcher grinsend.

«Ich habe mich gefragt, wie viele Zivilisten wohl das Fort unterstützen.»

«Oh, ein paar bestimmt», sagte Fletcher verächtlich. «Der alte Jacob zum Beispiel, aber der kann nicht mal ordentlich geradeaus schießen. Und Doktor Calef natürlich.»

«Ich kannte Calef in Boston», sagte Wadsworth.

«Er ist kein schlechter Kerl. Ein bisschen aufgeblasen. Aber er wird sie als Arzt unterstützen, nicht als Soldat.»

«Rücken wir weiter vor», sagte Wadsworth, und die Situation erschien ihm mit einem Mal unwirklich. Die Schiffskanonen feuerten noch immer nicht, und der Beschuss aus dem Fort war eingestellt worden, weil die Amerikaner in der Niederung angekommen waren und vor den Kanonen des Forts durch einen Hügelabsatz geschützt wurden. Zudem bewegten sie sich in der Deckung von Häusern, Maisfeldern und Bäumen. Lilien blühten in den Vorgärten. Eine Frau holte eilig die Wäsche von der Leine, weil sich der Himmel immer stärker mit dunklen Regenwolken zuzog. Die Marinesoldaten rückten auf der linken Seite in Zweierreihen vor, jederzeit bereit, einen Ausfall aus dem Fort abzuwehren, doch McLean schickte keine Männer zum Angriff heraus. Ein angeketteter Hund bellte die vorbeikommenden Soldaten an, bis ihn eine Frau zur Ruhe rief. Wadsworth blickte den Hügel hinauf, doch alles, was er von dem Fort sehen konnte, war die träge im Wind hängende Fahne an der Spitze ihres Mastes. Er überquerte den neuen Weg, der vom Strand zum Fort hinaufführte. Wenn ich McLean wäre, dachte Wadsworth, würde ich meine Männer zum Angriff herunterschicken, doch der Schotte tat nichts dergleichen, noch feuerte Mowat von seinen Schaluppen aus, obwohl er gesehen haben musste, dass die Aufständischen durch die Siedlung vorrückten. «Er will keine Kugeln an uns verschwenden», lautete Lieutenant Downs Vermutung, nachdem Wadsworth sein Erstaunen darüber geäußert hatte, dass die Kanonen auf den britischen Schiffen schwiegen.

«Weil wir ihm nicht gefährlich werden können?»

«Weil er seine Kanonen zum Empfang unserer Schiffe schon mit doppelten Ladungen versehen hat. Das ist das Einzige, was für ihn zählt, Sir, die Schiffe.»

«Er kann nicht wissen, dass sie ihn angreifen wollen», widersprach Wadsworth.

«Wenn sie gesehen haben, dass wir unsere Vorschiffe verstärkt haben», sagte Downs, «dann haben sie es bestimmt erraten.»

Und was war, wenn die Schiffe doch nicht kamen? Saltonstall hatte sich nur nach langem Zögern zu dem Angriff bereit erklärt, was war, wenn er seine Meinung geändert hatte? Wadsworths Männer waren nun auf einer Höhe mit den Schiffen, was bedeutete, dass sie sich zwischen Mowat und McLean befanden, und Wadsworth sah die roten Uniformjacken der königlichen Marinesoldaten an Deck der HMS *North*. Der Nebel wurde dichter, und erster Sprühregen setzte ein.

Dann rannte ein blondes Mädchen aus einem Haus und schlang ihre Arme um James Fletcher, und Wadsworth wusste, dass sie an Ort und Stelle waren. Er gab Befehl, die beiden Kanonen auf den Hafen auszurichten. Sie sollten das Feuer eröffnen, sobald die königlichen Marinesoldaten von den Schiffen kamen. Die übrigen seiner Männer hielten sich in der Deckung von Pflanzungen, Obstgärten und einem großen Maisfeld. Sie waren etwa eine Viertelmeile südwestlich des Forts. Sie waren an Ort und Stelle. Sie waren bereit. Falls McLean sie sehen konnte, schien er nichts darauf zu geben, denn keine der Kanonen aus dem Fort wurde abgefeuert, und die Breitseiten der Schaluppen waren auf die andere Seite ausgerichtet. Wir gehen von hier aus auf den Hügel, dachte Wadsworth. Durch das Maisfeld und die Freifläche und über den Graben und über den Wall und zum Sieg, und das klang einfach, aber es würde Kanonenkugeln geben und Traubengeschosse, Schreie und Blut,

Rauch und Musketensalven, Todesqualen, kreischende Männer, Stahl, der sich in Eingeweide bohrte, verschissene Kniehosen und das Gelächter des Teufels, der seine Würfel klappern ließ.

«Sie wissen, dass wir hier sind.» Solomon Lovell hatte nichts gesagt, seit sie von der Anhöhe gekommen waren, doch nun, während er zu der Flagge hinaufsah, die über dem Fort wehte, klang er beunruhigt.

«Ja, sie wissen es», sagte Wadsworth. «Kapitän Burke!» William Burke, der Kapitän des Freibeuters *Sky Rocket*, war mit den Soldaten gekommen, und nun war es seine Aufgabe, zu Commodore Saltonstall zurückzukehren und ihm zu melden, dass die Angriffseinheiten der Aufständischen in Stellung waren. Saltonstall hatte darauf bestanden, dass ihm ein Seemann diese Meldung brachte. Wadsworth schloss daraus, dass der Flottenoffizier der Infanterie nicht traute. «Sind wir Ihrer Meinung nach bereit und in Stellung, Mister Burke?», fragte Wadsworth.

«Allerdings, General.»

«Dann richten Sie dem Commodore bitte aus, dass wir angreifen, sobald er das Feuer eröffnet.»

«Aye, aye, Sir», sagte Burke und machte sich in Begleitung von vier Milizionären Richtung Westen auf den Weg. Ein Beiboot erwartete ihn unterhalb von Dyce's Head. Nach Wadsworths Schätzung würde es eine Stunde dauern, bis die Meldung abgegeben war. Es begann stärker zu regnen. Nebel und Regen an einem Freitag, dem Dreizehnten, doch Wadsworth war zuversichtlich, dass Saltonstalls Schiffe schließlich doch noch kommen würden.

Und das Fort würde mit Gottes Hilfe erobert werden.

«Wir tun natürlich gar nichts», sagte McLean.

«Gar nichts?», fragte John Moore.

«Wir könnten ein spätes Mittagessen einnehmen, meinen Sie nicht auch? Wie ich höre, gibt es Ochsenschwanz-suppe.»

Moore schaute von der südwestlichen Bastion des Forts Richtung Hafen hinunter. Die Aufständischen, mindestens vierhundert Mann, versteckten sich irgendwo bei Fletchers Haus. «Wir könnten zwei Kompanien hinunterschicken, um sie zu verscheuchen, Sir», schlug der Lieutenant vor.

«Sie haben eine Kompanie Marinesoldaten dabei», sagte McLean, «das haben Sie doch selbst gesehen.»

«Dann vier Kompanien, Sir.»

«Das wäre genau das, was sie wollen», sagte McLean. Regen triefte von den Ecken seines Dreispitzes herunter. «Sie wollen, dass wir die Besatzung des Forts schwächen.»

«Weil sie von der Anhöhe aus angreifen wollen?»

«Davon gehe ich aus», sagte McLean. «Ich esse gerne Ochsenschwanzsuppe, besonders, wenn sie mit einem Schuss Sherry gewürzt ist.» McLean ging vorsichtig die wenigen Stufen von der Bastion hinunter und stützte sich dabei mit seinem Schwarzdornstock ab. «Sie werden mit Captain Caffrae in den Einsatz gehen», erklärte er Moore, «aber denken Sie auch an Ihre andere Verpflichtung, falls die Aufständischen durchbrechen.»

«Die Treueide zu vernichten, Sir?»

«Genau das», sagte McLean, «allerdings versichere ich Ihnen, dass sie nicht durchbrechen werden.»

«Nein?», fragte Moore mit einem Lächeln.

«Unsere Gegner haben einen Fehler gemacht», sagte McLean, «indem sie ihre Truppen aufgeteilt haben, und ich wage zu behaupten, dass keines dieser Einzelkontingente stark genug ist, um unsere Verteidigung zu durchbrechen.» Er schüttelte den Kopf. «Es gefällt mir, wenn der Gegner mir die Arbeit abnimmt. Das sind keine Soldaten, John, ganz gewiss nicht, aber das bedeutet nicht, dass der Sieg einfach wird. Sie kämpfen für ihre Überzeugung, und sie sind bereit, dafür zu sterben. Wir werden gewinnen, aber es wird ein hartes Stück Arbeit werden.»

Die Brigadier wusste, dass die Entscheidung bevorstand, und war dankbar, dass es so lange gedauert hatte. Captain Mowat hatte melden lassen, dass die Schiffe der Aufständischen sich nun wohl tatsächlich Richtung Hafen aufmachten, und McLean wusste, dass der Angriff der Flotte von einem Vorstoß an Land begleitet werden würde. Er erwartete, dass der größte Verband von der Anhöhe aus vorrücken würde, also hatte er den größten Teil seiner Männer beim westlichen Wall des Forts in Position gebracht. Drei weitere Kompanien des 82sten Regiments waren abgestellt, um die Gegner abzuwehren, die sich in der Niederung am Ufer verborgen hielten. Diese drei Kompanien wurden von Kanonen aus der Flottenartillerie verstärkt, die schon mit Traubengeschossen geladen waren, durch die sich der Graben hinter dem niedrigen östlichen Wall in eine blutgefüllte Rinne verwandeln würde. Und der Kampf würde bestimmt sehr blutig werden. In ein oder zwei Stunden wäre Majabigwaduce in eine Wolke aus Lärm, Kanonenrauch und umherfliegende Musketenkugeln gehüllt. Mowats Schaluppen würden tapferen Widerstand leisten, doch am Ende würden sie zerstört oder erobert werden, und obwohl das bedauerlich war, würde es nicht die Niederlage bedeuten. Worum es an erster Stelle ging, war, das Fort zu halten, und McLean war fest entschlossen, das zu tun. Daher wollte er seine Rotröcke im Fort behalten, obwohl seine Offiziere unbedingt einen Ausfall machen und die versteckten Aufständischen angreifen wollten. McLean aber wollte sie kommen und unter den Kanonen und Bajonetten des Forts sterben lassen.

Denn darum hatte er Fort George ja gebaut, um die Gegner des Königs zu töten, und nun taten ihm diese Gegner den Gefallen. Also wartete er.

Der Regen nahm weiter zu, stetig und beinahe senkrecht

fielen die Tropfen, weil nahezu kein Wind herrschte. Der Nebel zog in manchmal dichten, manchmal dünner werdenden Bändern über Majabigwaduce, und wenn einmal ein Abschnitt des Flusses nebelfrei war, erblickte man eine matte graue Fläche, auf der die Regentropfen ungezählte kleine Dellen verursachten. Regen triefte von den Rahen und der Takelage, und die Decks der Kriegsschiffe wurden dunkel vor Feuchtigkeit.

«Sie vertrauen der Armee, Mister Burke?», fragte Saltonstall.

«Sie sind in Stellung, Commodore, und bereit zum Angriff. Ja, Sir, ich vertraue ihnen.»

«Dann werden wir vermutlich nachgeben müssen.»

Fünf Schiffe der Aufständischen würden in den Hafen von Majabigwaduce segeln. Die *General Putnam* würde den Angriff anführen, dicht gefolgt von der *Warren* und dem Schiff aus New Hampshire, der *Hampden*. Diesen drei Seglern würden die *Charming Sally* und die *Black Prince* folgen.

Es war Saltonstalls Einfall gewesen, die *General Putnam* als Führungsschiff einzusetzen. Sie war ein großer, stabil gebauter Segler, der mit zwanzig Neunpfünder-Kanonen ausgestattet war. Der Befehl der *General Putnam* lautete, direkt auf Mowats Linie zuzuhalten und dann gegen den Wind zu wenden, sodass sie auf gleicher Höhe mit der südlichsten Schaluppe, der *Nautilus*, ankern konnte. Dann würde die *General Putnam* die *Nautilus* mit voller Breitseite beschießen, während die *Warren*, mit ihren viel schwereren Geschützen, in Höhe des britischen Flaggschiffs, der *Albany*, festmachen würde. Die *Hampden*, mit ihrer gemischten Artillerie aus Neunpfündern und Sechspfündern, würde die *North* bekämpfen, und die beiden übrigen Schiffe würden mit ihren Breitseitengeschützen auf das Fort schießen.

«Der will uns wohl umbringen», kommentierte Thomas Reardon, der First Lieutenant der *General Putnam*, diese Schlachtordnung.

«Es ist aber auch sinnvoll, uns als Erste zu schicken», sagte Daniel Waters, der Kapitän, düster.

«Damit wir sterben?»

«Die *Warren* ist unser stärkstes Schiff. Es bringt nichts, sie halb versenken zu lassen, bevor sie Gelegenheit hat, das Feuer zu eröffnen.»

«Also sollen lieber wir uns halb versenken lassen?»

«Genau», sagte Waters, «das ist unsere Pflicht. Fasst das Ankerspill.»

«Er rettet seine Haut, das ist der einzige Sinn, der hinter diesem Befehl steckt.»

«Das reicht jetzt! Ankerspill!»

Das Ankerspill knirschte, als die Anker eingeholt wurden. Die Bramsegel wurden als erste heruntergelassen und ließen dabei Wasserschauer übers Deck regnen, das mit Sand ausgestreut worden war, um den Kanonieren festen Stand auf den Planken zu geben, die bald schlüpfrig sein würden vor Blut. Die Kanonen waren mit Doppelladungen versehen. Auf den drei Führungsschiffen hatten die Marinesoldaten zudem ihre Musketen geladen, um die gegnerischen Kanoniere zu stören.

Die Mannschaften der anderen Schiffe jubelten, als die fünf Angreifer lossegelten. Commodore Saltonstall betrachtete beifällig, wie sein Außenklüver aufgezogen und dann back gesetzt wurde, um die *Warren* vom Wind wegzudrehen, worauf die Innenklüver und das Vorstengenstagsegel aufgezogen und die Schoten dichtgeholt wurden. Die Bramsegel fingen den schwachen Wind, und Lieutenant Fenwick befahl, dass die Marssegel gesetzt werden sollten. Männer glitten an der Takelage herunter, liefen auf den Rahen entlang und kämpften mit den regennassen Knoten, um die großen Segel zu lösen, die mehrere Gallonen Regenwasser, das sich in den Segeltuchfalten gesammelt hatte, auf das Deck hinunterstürzen ließen. «Schoten dichtholen!», rief Fenwick.

Und die *Warren* bewegte sich. Sie legte sich sogar leicht in den unbeständigen Wind. An ihrem Heck flatterte die Schlangenflagge an der Besangaffel, während die Flagge mit den Sternen und Streifen am Großmars hing, wo die stolzen Farben durch den tristen Regen und die Nebelschwaden leuchteten. Israel Trask, der Pfeifer, spielte auf dem Vorschiff. Er begann mit dem «Rogue's March», weil es eine muntere Weise war, eine Melodie, zu der Männer gerne tanzten oder kämpften. Die Kanoniere hatten sich Tücher um den Kopf gewickelt, um ihre Ohren vor dem Kanonendonner zu schützen, und die meisten hatten trotz des kühlen Wetters ihre Oberkörper entblößt. Falls sie verwundet wurden, wollten sie vermeiden, dass eine Musketenkugel oder ein Holzsplitter Kleidungsfasern in die Verletzung trieb, denn alle wussten, dass dadurch Wundbrand ausgelöst werden konnte. Die Kanonen glänzten schwarz im Regen. Saltonstall hielt sein Schiff gerne blitzsauber, doch er hatte den Kanonieren erlaubt, mit Kalkfarbe auf die Kanonenrohre zu schreiben. «Tod allen Königen» stand auf einem, «Freiheit in Ewigkeit» auf einem anderen, während auf ein drittes rätselhafterweise «Zur Hölle mit dem Papst» geschrieben worden war. Das schien mit dem Vorhaben dieses Tages nicht das Geringste zu tun zu haben, doch es entsprach den Vorurteilen des Commodore so sehr, dass er diesen Wahlspruch ebenfalls zugelassen hatte.

«Ein Grad Steuerbord», sagte Saltonstall zum Steuermann.

«Aye, aye, Sir, ein Grad Steuerbord», sagte der Steuermann und behielt den Kurs unverändert bei. Er wusste, was er tat, und er wusste außerdem, dass der Commodore nervös war, und nervöse Offiziere neigten dazu, unnötige

Befehle zu geben. Der Steuermann würde die *Warren* hinter der *General Putnam* halten, so dicht, dass der Klüverbaum der Fregatte beinahe die Heckflagge des kleineren Schiffs berührte. Die Hafenzufahrt war nun noch etwa eine Viertelmeile entfernt. Männer winkten von der Spitze von Dyce's Head herunter. Andere beobachteten das Manöver von Cross Island aus, wo die amerikanische Flagge wehte. Sämtliche Kanonen schwiegen. Eine Nebelbank wurde über den Hafeneingang getrieben, sodass die britischen Schiffe nur noch wie durch eine milchige Wand zu sehen waren. Das Fort war noch nicht in Sicht. Der Wind frischte leicht auf, sodass die Schiffe Fahrt gewannen und die Wellen mit leisem Plätschern an den Vorderstevern der *Warren* schlugen. Sie fuhren zwei Knoten, vielleicht zweieinhalb, dachte Saltonstall, und sie hatten noch eine Seemeile vor sich, bevor sie mit dem Ruder einschlagen und sich breitseits vor die *Albany* legen würden. Das Vorschiff der *Warren* war durch die Barrikaden aus Planken entstellt, die von den Marinesoldaten angebracht worden waren, um sich vor dem gegnerischen Beschuss zu schützen. Und dieser Beschuss würde einsetzen, sobald die Fregatte an Dyce's Head vorbei war, doch die meisten Kanonenkugeln würden die *General Putnam* treffen, ohne dass sie das Feuer erwidern konnte, eine halbe Seemeile lang. Bei zwei Knoten würde diese halbe Seemeile in fünfzehn Minuten zurückgelegt sein. Jede britische Kanone würde in dieser Zeit fünf- oder sechsmal feuern. Also würden dreihundert Schüsse auf den Bug der *General Putnam* abgegeben werden, den Kapitän Waters ebenfalls mit schweren Planken verstärkt hatte. Saltonstall wusste, dass ihn einige Männer dafür verachteten, die *General Putnam* diesem Beschuss auszusetzen, doch welchen Sinn hätte es gehabt, das stärkste Schiff der Flotte zu opfern? Die *Warren* war der mächtigste Segler in der gesamten Bucht, die einzige Fregatte und das einzige Schiff mit Achtzehnpfünder-Kanonen, und es wäre töricht, sie vom Gegner mit dreihundert Kanonenkugeln beschädigen zu lassen, bevor sie imstande war, ihre zerstörerische Breitseite einzusetzen.

Und was würde dieser Angriff überhaupt bringen? Saltonstall musste seinen Ärger darüber unterdrücken, dass er überhaupt darum gebeten worden war. Lovell hätte das Fort schon vor Tagen angreifen und erobern sollen! Die Kontinentalflotte sollte der Miliz von Massachusetts die Arbeit abnehmen, und Lovell, der verdammte Hund, musste sich bei seinen Vorgesetzten in Boston beschwert haben, die ihrerseits den Flottenstab dazu gebracht hatten, Saltonstall einen schriftlichen Tadel zu schicken. Was wussten die schon? Sie waren nicht vor Ort! Die Aufgabe bestand darin, das Fort zu erobern, nicht darin, drei Schaluppen zu versenken, die, wenn das Fort erobert war, ohnehin keine Chance mehr hatten. Doch nun mussten tapfere Marinesoldaten und gute Seeleute sterben, weil Lovell ein ängstlicher Trottel war. «Der wäre noch nicht mal als Schweinevogt eines Bauerndorfes zu gebrauchen», knurrte Saltonstall.

«Sir?», fragte der Steuermann.

«Nichts», zischte der Commodore.

«Bei drei Faden!», rief ein Seemann vom Vorschiff aus, der mit einer bleibeschwerten Schnur die Tiefe auslotete.

«Wir haben ausreichend Wasser unter dem Kiel, Sir», sagte der Steuermann ermutigend. «Das weiß ich noch vom letzten Mal, als wir unsere Nase hier reingesteckt haben.»

«Ruhe, verdammt», schnarrte Saltonstall.

«Ruhe, aye, aye, Sir.»

Die *General Putnam* war nun beinahe auf einer Höhe mit Dyce's Head. Der Wind ließ nach, doch die Schiffe fuhren weiter. An Bord der britischen Schiffe würden die Kanoniere nun hinter ihren Geschützen knien und die Zielausrichtung überprüfen.

«Commodore, Sir!», rief Seekadett Ferraby von der Heckreling.

«Was?»

«Signal von der *Diligent*, Sir. Fremde Segel in Sicht.»

Saltonstall wandte sich um. Dort, im Süden, gerade noch hinter einer Nebelbank sichtbar, die Long Island beinahe vollständig einhüllte, lag sein Wachschiff, die *Diligent*, und an einer Rah waren deutlich die Signalflaggen zu erkennen. «Fragen Sie, wie viele», befahl er.

«Sie melden drei Schiffe, Sir.»

«Warum haben Sie das nicht gleich gesagt, Sie Tölpel? Was für Schiffe sind es?»

«Das wissen sie nicht, Sir.»

«Dann senden Sie Befehl, dass sie es herausfinden sollen!», bellte Saltonstall. Dann nahm er das Sprechrohr vom Haken am Kompasshäuschen und hob es an den Mund. «Abdrehen!», rief er. Dann sah er wieder den Signalkadett an. «Mister Ferraby, Sie verdammter Idiot, geben Sie den anderen Schiffen Signal, dass sie an den Ankerplatz zurücksegeln sollen!»

«Wir segeln zurück, Sir?» Lieutenant Fenwick konnte die Frage nicht unterdrücken.

«Benehmen Sie sich nicht auch noch wie ein verdammter Idiot. Natürlich segeln wir zurück! Wir tun nichts, bevor wir nicht wissen, was das für Schiffe sind!»

Und so wurde der Angriff abgebrochen. Die Schiffe der Aufständischen drehten ab, und ihre Segel schlugen dabei wie riesenhafte, nasse Flügel. Drei fremde Schiffe waren in Sicht, und das bedeutete, dass Verstärkung angekommen war.

Doch Verstärkung für wen?

Aus Lieutenant George Littles eidesstattlicher Aussage vor dem Ermittlungsausschuss von Massachusetts, 25. September 1779:

> *Auf Befehl von Cpt. Williams bin ich mit 50 Männern an Bord der Hamden, um sie, wie ich annahm, für den großen Angriff auf den Gegner zu bemannen Ungefähr um dieselbe Zeit waren die Beiboote des Commodore damit beschäftigt Planken herzuschaffen um eine Brustwehr für sein Vorschiff zu bauen – ich hab Cpt. Williams oft sagen hörn dass vom ersten Kriegsrat an der Commodore immer gegen einen Angriff im Hafen gewettert hat um den gegnerischen verband Anzugreifen.*

Aus Brigadegeneral Lovells Meldung an Jeremiah Powell, Vorsitzender des Regierungsrats im Staat Massachusetts Bay, datiert vom 13. August 1779:

> *Ich erhielt Ihrer Gnaden Schreiben vom 6. August heute, in dem Sie um einen Bericht über den Zustand der Armee unter meinem Kommando bitten … Die Lage meiner Armee, ich kann es nicht anderes sagen, ist derzeit sehr kritisch … Viele meiner Offiziere und Soldaten sind mit dem Dienst unzufrieden, wenn es auch einige gibt, denen die größte Anerkennung für ihre Einsatzbereitschaft und soldatisches Benehmen zu zollen ist … Beigefügt erhalten Sie die Protokolle*

von fünf Sitzungen des Kriegsrates, Sie können meine Lage wohl Selbst beurteilen, wenn die meisten bedeutenden Schiffe der Flotte und beinahe sämtliche Schiffe in Privatbesitz gegen die Belagerung sind.

DREIZEHN

Ein Soldat der königlichen Marine feuerte von der Heckreling der *North* aus mit seiner Muskete auf eine Gruppe
Amerikaner, die sich am oberen Ende des Strandes zusam-
mengeschart hatte. Die Musketenkugel zischte über ihre
Köpfe hinweg und grub sich in einen Fichtenstamm. Keiner
der Amerikaner achtete besonders auf den Schuss, sie hatten
ihre Blicke unverwandt auf die Hafenzufahrt geheftet. Ein
Marinesergeant rief dem Mann zu, er solle seine Munition
sparen. «Das ist zu weit, Dummkopf.»

«Wollte nur mal guten Tag sagen, Sergeant.»

«Die sagen Ihnen noch früh genug guten Tag.»

Captain Selby, der Kommandooffizier der HMS *North*,
beobachtete die heransegelnden Schiffe der Aufständischen.
Seine Sicht war durch die Nebelschwaden und den Regen
behindert, doch er wusste, was die eingerollten Hauptsegel
der Gegner zu bedeuten hatten. Die Aufständischen wollten
freie Sicht nach vorn haben, sie waren bereit zur Schlacht.
Selby ging auf dem Deck der Schaluppe entlang und wech-
selte ein paar Worte mit seinen Kanonieren. «Trefft sie ordentlich, Männer. Sorgt dafür, dass jeder Schuss ein Treffer wird. Zielt auf die Wasserlinie und versenkt die Bastarde,
bevor sie uns entern können! So können wir sie schlagen!»
Selby glaubte nicht daran, dass die drei Schaluppen eines
der gegnerischen Kriegsschiffe versenken konnten, jedenfalls nicht, bevor die Aufständischen nicht das Feuer eröffnet hatten, doch es war seine Pflicht, zuversichtlich zu klin-

gen. Er sah fünf gegnerische Schiffe auf die Hafeneinfahrt zukommen, und alle sahen größer aus als seine Schaluppe. Er vermutete, dass der Gegner versuchen würde, die *North* zu entern, und deshalb hatte er die Piken, Äxte und Entermesser bereitlegen lassen, mit denen seine Mannschaft gegen die Angreifer kämpfen würde.

Im Bug der *North* blieb er neben einem großen Lagerbalken stehen, an dem eines der Siebzehn-Zoll-Taue befestigt war, die seine Schaluppe mit der *Albany* verbanden. Er sah Captain Mowat im Heck der *Albany*, doch er widerstand der Versuchung, über die schmale Lücke hinweg ein paar Worte mit ihm zu wechseln. Ein Mann fiedelte auf Mowats Schaluppe, und die Mannschaft sang, und seine eigenen Männer fielen in den Gesang ein.

Wir toben und brüllen wie echte britische Matrosen,
wir ziehen und schweifen über jedes Meer,
bis wir wieder den Kanal unseres alten Englands befahren,
von Ushant nach Scilly sind's fünfunddreißig Leugen.

Waren es wirklich fünfunddreißig Leugen?, fragte er sich. Er erinnerte sich an das letzte Mal, als er von Ushant aus nordwärts gesegelt war, das Meer ein graues Ungeheuer, und der Atlantiksturm hatte durch die Wanten gepfiffen. Es war ihm weiter vorgekommen als fünfunddreißig Leugen. Er beobachtete den Gegner und lenkte sich ab, indem er fünfunddreißig Leugen in Seemeilen umrechnete. Die Zahlen wirbelten in seinem Kopf herum, und er zwang sich zur Konzentration. Etwas unter einundneunzigeinviertel Seemeilen, also ein bequemer Segelgang vom Morgen bis zur Abenddämmerung mit seiner Schaluppe, sofern er mittleren bis lebhaften Wind hatte. Ob er Ushant wohl jemals wiedersehen würde? Oder würde er hier sterben, in dieser nebeligen, verregneten, gottvergessenen Bucht an der Küste der Aufständischen? Noch immer beobachtete er den Gegner. Ein schönes Schiff mit dunklem Rumpf führte den Verband an, und dicht dahinter kamen der größere Schiffskörper und die höheren Masten der *Warren*. Der Gedanke an die schweren Geschütze der Fregatte verursachten Selby ein hohles Gefühl im Magen, und um seine Unruhe zu überspielen, hob er das Fernrohr und richtete es auf die herankommenden Schiffe. Er sah Marinesoldaten in grünen Uniformjacken und dachte an die Musketenkugeln, die auf sein Deck niederprasseln würden, und dann, unerklärlich, sah er ein paar der Segel des Gegners flattern. Er senkte das Fernrohr, starrte aber weiter zu den Schiffen hinüber. «Guter Gott», sagte er.

Die amerikanische Fregatte drehte ab. Hatte sie ihr Ruder verloren? Selby betrachtete das Manöver erstaunt, dem sich bald sämtliche Schiffe der Aufständischen anschlossen. Sie drehten sich aus dem Wind, und ihre gelockerten Segel flatterten. «Sie werden doch wohl nicht von dort aus das Feuer eröffnen?», fragte er sich laut. Beinahe erwartete er, den Rumpf des Führungsschiffs in einer Wolke aus Pulverrauch verschwinden zu sehen, doch nichts dergleichen geschah. Das Schiff drehte sich träge und hatte bald ganz gewendet.

«Die Bastarde laufen weg!», rief Henry Mowat von der *Albany*. Der Gesang auf den Schaluppen erstarb nach und nach, immer mehr Männer sahen ungläubig zu, wie ihre Gegner abdrehten. «Sie sind zu feige zum Kämpfen!», rief Mowat.

«Lieber Gott», sagte Selby fassungslos. Sein Fernrohr zeigte ihm das Heck des Schiffes, das den Angriff angeführt hatte und nun der letzte Segler der abziehenden Flotte war. «*General Putnam*», las er laut. «Und wer zum Teufel ist General Putnam?», fragte er. Doch wer immer dieser General auch sein mochte, das Schiff, das nach ihm benannt worden war, segelte nun vom Hafen weg, ebenso wie die Fregatte der Aufständischen und die drei anderen Schiffe. Sie mussten gegen die hereinkommende Flut fahren, um ihren Ankerplatz wieder zu erreichen. «Das gibt es doch nicht», sagte Selby und schob sein Fernrohr zusammen.

An Bord der *North* und an Bord der *Albany* und auf dem sandigen Deck der *Nautilus* jubelten die Männer. Ihr Gegner hatte sich zurückgezogen, ohne einen einzigen Schuss abzufeuern. Sogar der üblicherweise so grimmige Mowat lachte. Und Captain Selby ließ unverzüglich eine Sonderration Rum ausgeben.

Weil es so aussah, als würde er Ushant möglicherweise doch wiedersehen.

Die Amerikaner am Strand waren die Generäle Lovell und Wadsworth, Lieutenant Downs von der Kontinentalmarine und die vier Majore, die den Angriff der Miliztruppen auf dem Hügelkamm anführen sollten. Nur dass es jetzt so aussah, als würde es keinen Angriff geben, weil Commodore Saltonstalls Schiffe abdrehten. General Lovell starrte mit offenem Mund zu dem Verband, der langsam vor dem Hafeneingang wegmanövrierte. «Nein», protestierte er, ohne sich an irgendwen im Besonderen zur richten.

Wadsworth schwieg. Er schaute einfach bloß durch sein Fernrohr.

«Er hat abgedreht!», sagte Lovell ungläubig.

«Lassen Sie jetzt angreifen, Sir», drängte Downs.

«Jetzt?», fragte Lovell wie betäubt.

«Die Briten achten gerade nur auf die Hafeneinfahrt», sagte Downs.

«Nein», sagte Lovell, «nein, nein, nein.» Er klang vollkommen niedergeschlagen.

«Bitte, greifen Sie an!», bat Downs. Er sah von Lovell zu Wadsworth. «Rächen Sie Captain Welch! Greifen Sie an!»

«Nein.» Peleg Wadsworth unterstützte Lovells Entscheidung. Er schob das Fernrohr zusammen und starrte düster zur Hafeneinfahrt hinüber. Er hörte die britischen Mannschaften an Bord der Schaluppen jubeln.

«Sir», flehte Downs.

«Wir brauchen jeden Mann für diesen Angriff», erklärte Wadsworth. «Wir brauchen Männer, die über den Hügelkamm angreifen, und wir brauchen Kanonenfeuer vom Hafen aus.» Als Zeichen zum Beginn des Vorstoßes für Colonel Mitchell und Colonel McCobb war der Beginn des amerikanischen Angriffs auf die britischen Schaluppen vereinbart worden, und dieses Zeichen würde es nun nicht mehr geben. «Wenn wir allein angreifen, Lieutenant», fuhr Wadsworth fort, «kann McLean seine sämtlichen Truppen gegen uns einsetzen.» Es gab eine Zeit für Heldentaten und eine Zeit für verzweifelte Vorstöße, die als ruhmvolle Berichte eine neue Seite der amerikanischen Geschichtsbücher füllen würden, doch jetzt war nicht diese Zeit. Jetzt würde ein Angriff nur zu sinnlosem Sterben führen und McLean zu einem weiteren Sieg verhelfen.

«Wir müssen uns auf die Anhöhe zurückziehen», sagte Lovell.

«Ja, wir müssen uns auf die Anhöhe zurückziehen», echote Wadsworth.

Es begann noch heftiger zu regnen.

Es dauerte über zwei Stunden, bis die Männer und die beiden Vierpfünder-Kanonen zurück auf der Anhöhe waren, und mittlerweile war es dunkel geworden. Der Regen hielt weiter an. Lovell trat in das Segeltuchzelt, das seinen früheren Unterstand ersetzt hatte. «Es muss eine Erklärung dafür geben!», jammerte er, doch es waren keine Meldungen von der Flotte gekommen. Saltonstall war zum Angriff auf den Feind losgesegelt, und dann, im letzten Moment, hatte er umgedreht. Es gab Gerüchte darüber, dass weiter unten auf dem Fluss fremde Schiffe gesichtet worden waren, doch dafür gab es keinerlei Bestätigung. Also wartete Lovell weiter auf eine Erklärung, doch der Commodore schickte keine, und deshalb wurde Major William Todd losgesandt, um in Erfahrung zu bringen, was geschehen war. Ein Beiboot wurde vom nächstgelegenen Transportsegler herbeigerufen, und Todd wurde südwärts gerudert, wo die Laternen der Kriegsschiffe durch die feuchte Dunkelheit glitzerten. «*Warren* ahoi!», rief der Steuermann des Beibootes, als sie bei der Fregatte angekommen waren, und Seeleute von der *Warren* halfen Major Todd an Bord.

«Warten Sie auf mich», rief Todd der Mannschaft des Beibootes zu, dann folgte er Lieutenant Fenwick das Deck der Fregatte entlang, vorbei an den großen Kanonen, die immer noch ihre Beschriftungen aus Kalkfarbe trugen, und bis in die Kajüte des Commodore. Wasser tropfte von Todds Mantel und seinem Hut, und seine Stiefel schmatzten, als er über den karierten Teppich ging.

«Major Todd», lautete Saltonstalls Begrüßung. Der Commodore saß bei einem Glas Wein am Tisch. Vier Walrat-Kerzen in schönen Silberleuchtern erhellten das Buch, in dem er gerade las.

«General Lovell schickt seine Empfehlungen, Sir», begann Todd mit einer höflichen Lüge, «und lässt anfragen, warum der Angriff heute nicht stattgefunden hat.»

Saltonstall erschien diese Frage offensichtlich äußerst rüde, denn er warf ärgerlich den Kopf zurück. «Ich habe eine Meldung geschickt», sagte er und sah an Todd vorbei zu der getäfelten Tür.

«Ich bedaure sagen zu müssen, dass keine Meldung eingetroffen ist, Sir.»

Saltonstall legte ein Seidenband als Lesezeichen in sein Buch und richtete seinen Blick dann erneut auf die Tür. «Es wurden fremde Schiffe gesichtet», sagte er. «Sie können wohl kaum erwarten, dass ich den Gegner angreifen, wenn ich einen unbekannten Schiffsverband im Rücken habe.»

«Schiffe, Sir?», fragte Todd und hoffte, dass es sich um die Verstärkung aus Boston handelte. Er wollte ein Regiment erfahrener Soldaten ankommen sehen, mit Flaggen und Trommeln, ein Regiment, das imstande war, das Fort anzugreifen und es der Landkarte von Massachusetts zu tilgen.

«Gegnerische Schiffe», sagte Saltonstall düster.

Einen Moment lang herrschte Stille. Der Regen trommelte auf das Deck über ihnen, und von einem Chronometerkasten ging ein kaum hörbares Ticken aus. «Gegnerische Schiffe?», wiederholte Todd kraftlos.

«Drei Fregatten in der Vorhut», fuhr Saltonstall erbarmungslos fort, «und ein Linienschiff, was, wie Sie sicher wissen, die schwersten Kriegsschiffe sind, die es zurzeit gibt. Und dahinter kommen noch zwei weitere Fregatten.» Darauf wandte er sich wieder seinem Buch zu und nahm das Seidenband heraus.

«Sind Sie sicher?», fragte Todd.

Saltonstall ersparte ihm einen mitleidigen Blick. «Captain Brown von der *Diligent* ist durchaus in der Lage, gegnerische Schiffe zu erkennen, Major.»

«Und was soll nun …», begann Todd. Doch dann fand er, es habe keinen Sinn, den Commodore zu fragen, was nun geschehen solle.

«Wir ziehen uns natürlich zurück», beantwortete Saltonstall die nur halb ausgesprochene Frage. «Wir haben keine andere Wahl, Major. Der Gegner hat für die Nacht Anker gesetzt, aber was geschieht morgen? Morgen früh müssen wir flussauf fahren und eine Stelle suchen, an der wir uns verteidigen können.»

«Ja, Sir.» Todd zögerte. «Bitte entschuldigen Sie mich nun, Sir, ich muss General Lovell Bericht erstatten.»

«Ja, das müssen Sie. Guten Abend», sagte Saltonstall, während er eine Seite umblätterte.

Todd wurde zum Ufer zurückgerudert. Im Dunkeln stolperte er den schlüpfrigen Weg hinauf und fiel dabei zweimal hin, sodass er durchnässt und schlammverschmiert in Lovells Zelt ankam. Seine Miene sagte Lovell schon alles, doch Todd erstattete dennoch peinlich genau Bericht. Regen schlug gegen das Segeltuch und verzischte draußen im Lagerfeuer, während der Major von der frisch eingetroffenen britischen Flotte erzählte, die etwas südlich vor Anker gegangen war. «Anscheinend sind sie mit einem sehr starken Verband gekommen, Sir», sagte Todd, «und der Commodore ist der Ansicht, dass wir uns zurückziehen müssen.»

«Rückzug», sagte Lovell trostlos.

«Wenn es genügend Wind gibt», sagte Todd, «ist der Gegner morgen Vormittag hier, Sir.»

«Eine Flotte?»

«Fünf Fregatten und ein Linienschiff, Sir.»

«Mein Gott.»

«Der hat uns anscheinend verlassen, Sir.»

Lovell sah aus, als wäre er geohrfeigt worden, doch dann straffte er sich. «Jeder Mann, jede Kanone, jede Muskete, jedes Zelt, jeder kleinste Rest Vorräte – alles! Noch heute Nacht auf die Schiffe damit! Rufen Sie General Wadsworth und Colonel Revere. Sagen Sie ihnen, dass wir dem Gegner nichts hierlassen werden. Geben Sie Befehl, dass die Kanonen von Cross Island geholt werden. Haben Sie verstanden? Wir werden dem Gegner nichts hierlassen! Überhaupt nichts!»

Eine Armee musste gerettet werden.

Es regnete. Es war eine windstille Nacht, und deshalb fiel der Regen senkrecht vom Himmel, und er verwandelte den groben Pfad, der sich im Zickzack an der nördlichen Seite des Steilufers hinaufwand, in eine schlammige Rutschbahn. Mondlicht gab es keines, doch Colonel Revere kam auf den Gedanken, am Rand des Pfades Lagerfeuer anzünden zu lassen, und in ihrem Licht wurden Vorräte und Ausrüstung zum Strand hinuntergetragen, wo weitere Feuer die Beiboote erhellten, die mit dem Bug auf dem Kiesstrand lagen.

Auch die Kanonen mussten den Pfad hinuntergeschafft werden. Für jede Achtzehnpfünder waren fünfzig Männer erforderlich. Jeweils mehrere Männer hängten sich an Seile, um zu verhindern, dass die schweren Kanonen auf ihren Lafetten ungesteuert den Steilhang hinunterrasten, während andere die riesigen Lafettenräder auf der richtigen Spur zum Strand hielten, wo Leichter warteten, um die Artillerie zurück zur *Samuel* zu bringen. Hinter den Regenvorhängen schimmerten Lichter auf den Schiffen. Zelte, Musketenkartuschen, Mehlfässer, kistenweise Kerzen, Hacken, Schaufeln, Waffen, alles wurde zum Strand hinuntergetragen, wo Seeleute ihre Boote beluden und ihre Fracht zu den Transportschiffen ruderten.

Peleg Wadsworth stolperte durch den dunklen, triefenden Wald, um zu überprüfen, ob auch wirklich alles weggeholt worden war. Er hatte eine Laterne, doch ihr Licht war schwach. Einmal rutschte er aus und fiel tief in einen verlassenen Graben am Waldrand. Er griff nach der Laterne, die erstaunlicherweise nicht ausgegangen war, und spähte ostwärts in die Dunkelheit, die Fort George einhüllte. Ein paar winzige, vom Regen verwässerte Lichtsplitter zeigten sich in der Siedlung unterhalb des Forts, McLeans Stellung aber blieb unsichtbar, bis eine Kanone abgefeuert wurde, deren Zündflamme einen Moment lang den gesamten Hügelkamm erhellte, bevor sie wieder erlosch. Die Kanonenkugel rauschte zwischen den Bäumen hindurch. Die Briten feuerten in jeder Nacht ein paar Kanonen ab, weniger, weil sie hofften, damit ein paar Gegner töten zu können, sondern mehr, um sie an ruhigem Schlaf zu hindern.

«General? General?» Das war die Stimme James Fletchers.

«Ich bin hier, James.»

«General Lovell möchte wissen, ob die Kanonen von Cross Island geholt worden sind, Sir.»

«Ich habe Colonel Revere gesagt, dass er es tun soll», antwortete Wadsworth. Warum hatte Lovell Revere nicht selbst damit beauftragt? Er ging den Graben entlang und stellte fest, dass sich dort nichts mehr befand. «Helfen Sie mir heraus, James», sagte er und streckte eine Hand aus.

Sie gingen durch den Wald zurück. General Lovells Tisch wurde weggetragen, und Männer zerlegten den Unterstand, in dem Wadsworth so viele Nächte geschlafen hatte. Zwei Milizionäre stapelten die Äste und das Buschwerk des Unterstandes auf die Lagerfeuer, die hell aufloderten. Sämtliche Lagerfeuer wurden weiter unterhalten, um die Briten nicht auf den Gedanken kommen zu lassen, dass die Aufständischen abzogen.

Als es hell wurde, ließ der Regen nach. Irgendwie war es den Aufständischen trotz der Dunkelheit und des Regens gelungen, alles von der Anhöhe herunterzuschaffen. Es gab allerdings noch Aufregung, als McCobb feststellte, dass die Zwölfpfünder-Kanone der Miliz von Lincoln County auf Dyce's Head vergessen worden war. Während Wadsworth vorsichtig den schlüpfrigen, regennassen Pfad hinunterging, wurden schon Männer nach oben geschickt, um die Kanone zu holen. «Wir haben ihnen nichts übrig gelassen», begrüßte Major Todd ihn am Strand. Wadsworth nickte erschöpft. Das war fraglos eine beachtliche Leistung, doch Wadsworth konnte nicht anders, als sich über die Begeisterung zu wundern, mit der die Männer die Waffen und Vorräte der Truppen gerettet hatten – ein Begeisterung, die sie nicht gezeigt hatten, als sie kämpfen sollten. «Haben Sie die Zahlkasse gesehen?», fragte Todd unruhig.

«War die nicht im Zelt des Generals?»

«Dann wird sie wohl bei dem zusammengepackten Zelt sein», sagte Todd.

Schließlich hörte der Regen ganz auf, und eine graue, feuchte Morgendämmerung kroch über den östlichen Horizont. «Wir sollten jetzt los», sagte Wadsworth. Aber wohin? Er schaute nach Süden, doch dort waren die Ausläufer der Bucht von Penobscot von so dichtem Nebel eingehüllt, dass er keines der gegnerischen Schiffe entdecken konnte. Ein Leichter wartete, um den fehlenden Zwölfpfünder aufzunehmen, und das einzige andere Boot am Strand sollte Todd und Wadsworth zur *Sally* bringen. «Wir sollten jetzt los», wiederholte Wadsworth. Er stieg in das Boot und überließ Majabigwaduce den Briten.

Beim Hellwerden wurden keine Kanonen abgefeuert. Die nächtlichen Regenfälle hatten geendet, die Wolken hatten sich verzogen, es herrschte kein Wind, und kein Nebel lag über dem Hügelrücken von Majabigwaduce. Und dennoch wurden aus keiner Stellung der Aufständischen Kanonen abgefeuert, und nicht einmal das leisere Geräusch der Feldposten, die das feuchte Pulver aus ihren Musketenläufen schossen, war zu hören. Brigadier McLean musterte durch sein Fernrohr die Anhöhe. Alle paar Augenblicke schwang er das Fernrohr in südliche Richtung, doch noch immer hing Nebel über dem unteren Flussabschnitt, und es war unmöglich zu sagen, welche Schiffe dort lagen. Die Garnison hatte die fremden Schiffe im Zwielicht ankommen sehen, aber niemand war sicher, ob es britische oder amerikanische Segler waren. McLean schaute wieder zum Wald hinüber. «Sie sind sehr ruhig», sagte er.

«Sind vielleicht abgehauen», meinte Lieutenant Colonel Campbell, der Kommandooffizier des 74sten.

«Dann wären das Schiffe von uns.»

«Und dann hätten unsere Gegner längst die Schwänze eingekniffen», sagte Campbell, «und wären in die Hügel geflüchtet.»

«Meiner Treu, Sie könnten sogar recht haben.» McLean setzte das Fernrohr ab. «Lieutenant Moore?»

«Sir?»

«Meine Empfehlungen an Captain Caffrae, und bitten Sie ihn doch darum, mit seiner Kompanie die gegnerische Linie in Augenschein zu nehmen.»

«Ja, Sir, und, Sir?»

«Und ja, Sie dürfen ihn begleiten, Lieutenant», sagte McLean.

Die fünfzig Mann glitten durch den Verhau und arbeiteten sich westlich über den Hügelkamm. Dabei hielten sie sich am nördlichen Rand, wo der Wald nach all dem Regen schwarz und undurchdringlich wirkte. Zur Linken hatten sie die Stümpfe der gefällten Kiefern, von denen viele durch zu kurze Kanonenschüsse zerschmettert worden waren. Etwa auf halber Strecke zwischen dem Fort und den Gräben der Aufständischen führte Caffrae die Kompanie in den Wald. Sie bewegten sich nun sehr vorsichtig, rückten immer noch Richtung Westen vor, aber sehr langsam und ständig darauf gefasst, auf einen gegnerischen Feldposten zu treffen. Moore wünschte sich, er trüge einen grünen Waffenrock wie die gegnerischen Marinesoldaten. Einmal blieb er mit klopfendem Herzen stehen, weil er zu seiner Rechten ein Geräusch gehört hatte, doch es war nur ein Eichhörnchen gewesen, das einen Stamm hinauflief. «Ich glaube, sie sind weg», sagte Caffrae leise.

«Oder vielleicht haben sie sich was Schlaues einfallen lassen», sagte Moore.

«Die und schlau?»

«Vielleicht laufen wir ja gerade in eine Falle.»

«Das werden wir bald herausfinden, was?», sagte Caffrae. Er spähte nach vorn. Dieser Waldabschnitt war sein Spielplatz gewesen, als er die Aufständischen mit seinen Störmanövern gereizt hatte, doch er war nur selten so weit über den Hügelkamm vorgedrungen. Er lauschte, doch er hörte nichts Verdächtiges. «Hier rumzustehen verschafft uns keine Sauce zu unserem Beefsteak, oder?», sagte er. «Gehen wir weiter.»

Sie schlichen sich zwischen den tropfenden Bäumen hindurch, immer noch darauf bedacht, keinerlei Geräusch zu verursachen. Caffrae führte sie etwas nach links zurück, sodass er die abgeholzte Fläche übersehen konnte, und er stellte fest, dass sie ein gutes Stück hinter den vordersten Gräben der Aufständischen waren, und diese Gräben waren leer. Wenn dies eine Falle war, dann hätte sie inzwischen zuschnappen müssen. «Sie sind weg», sagte er und konnte es selbst kaum glauben.

Sie gingen nun schneller, rückten weiter vor und kamen an eine Lichtung, auf der sich offenkundig ein gegnerisches Lager befunden hatte. Holzstämme lagen um die durchnässten Überreste dreier Lagerfeuer, grobe Unterstände aus Zweigen und Erdschollen befanden sich am Rand der Lichtung, und dahinter im Wald stank eine Latrinengrube. Caffraes Männer spähten in die Unterstände, fanden jedoch nichts. Dann folgten sie Caffrae auf dem Pfad, der zum Fluss führte. Moore entdeckte ein Stück Papier, das sich im Unterholz verfangen hatte, und stocherte es mit seinem Schwert heraus. Das Papier war nass und fiel beinahe auseinander, doch er konnte noch erkennen, dass jemand den Namen eines Mädchens darauf geschrieben hatte. Adelaide Rebecah. Der Name war wieder und wieder in runder, kindlicher Schrift auf das Papier geschrieben worden. Adelaide Rebecah.

«Irgendwas Interessantes?», fragte Caffrae.

«Nur ein missglückter Liebesbrief», sagte Moore und warf das Papier weg.

Am Wegrand zwischen zwei Stellungen fanden sie eine Gräberreihe. Jedes Grab war mit einem Holzkreuz gekennzeichnet und mit einem Hügel aus Steinen beschwert, damit die Toten nicht von Tieren aus der Erde gescharrt wurden. Mit Kohle waren Namen auf die Kreuze geschrieben worden. Isaac Fulsome, Nehemiah Eldredge, Thomas Snow, John Reardon. Es waren siebzehn Namen und siebzehn Kreuze. Jemand hatte «für die Freiheit» hinter Thomas Snows Namen geschrieben, allerdings hatte der Platz nicht ganz ausgereicht, und die Buchstaben «it» drängten sich eng und schmal in die letzte Ecke des Querholzes.

«Sir!», rief Sergeant Logie. «Sir!» Caffrae rannte zu dem Sergeant. «Hören Sie mal, Sir», sagte Logie.

Einen Moment lang hörte Caffrae nichts außer dem Tropfen der Bäume und dem leisen Plätschern der niedrigen Wellen am Strand des Steilufers. Aber dann vernahm er Stimmen. Also waren die Aufständischen doch nicht weg? Die Stimmen schienen vom Fuß des Steilufers zu kommen, und Caffrae führte seine Männer weiter, bis sie einen Pfad entdeckten, der auf dem steilen Abhang angelegt worden war. Der Pfad war von tiefen Räderspuren zerfurcht. Also hatten sie die Kanonen auf diesem Weg auf die Anhöhe und wieder herunter geschafft, und eine der Kanonen war noch am Strand. Caffrae, der nun an der Kante des Steilufers stand, sah ein Boot mit dem Bug auf dem Kies liegen, und er sah Männer, die am Ende des Pfades an einer Kanone zerrten. «Diese Kanone holen wir uns, Männer», sagte er. «Los geht's!»

Ein Dutzend Aufständische zogen die Kanone auf den Strand, doch die Furchen, die der Transport der anderen Kanonen hinterlassen hatten, standen voll Wasser, die Kanone war schwer, und die Männer waren müde. Dann hörten sie Geräusche oberhalb von ihnen und sahen die Rotröcke zwischen den Bäumen. «Das Kanonenrohr von der Lafette heben!», befahl der Offizier der Aufständischen. Sie stellten sich im Kreis auf, hoben das schwere Rohr von der Lafette und schwankten mit ihrer Last über den Kiesstrand. Die Rotröcke rannten johlend zum Strand hinunter. Die Aufständischen versenkten beinahe den Leichter, als sie die Kanone in sein Heck fallen ließen, doch das Boot blieb flott, und sie kletterten an Bord, und die Seeleute legten sich in die Riemen, während die ersten Schotten den Strand erreichten. Einer der Aufständischen stolperte, als er den Leichter anschob, und fiel der Länge nach ins Wasser, als die ersten Ruderschläge den Leichter vom Ufer wegtrugen. Seine Kameraden streckten die Arme nach ihm aus, und er versuchte wasserspritzend das Boot zu erreichen, doch es entfernte sich weiter, und dann befahl ihn eine schottische Stimme zurück an den Strand. Er war nun ein Gefangener, aber das Kanonenrohr war gerettet. Der Leichter war in sicherer Entfernung, als Caffraes letzte Männer den Strand erreichten, wo einer von ihnen, ein Corporal, seine Muskete hob. «Nein!», rief Caffrae scharf. «Lasst sie!» Das war kein Ausdruck der Milde, sondern der Vorsicht, denn einige der Transportschiffe führten leichte Kanonen, und der Strand war in ihrer Reichweite. Eine Muskete abzufeuern hieß, eine Reaktion in Gestalt eines Traubengeschosses herauszufordern. Die Muskete wurde gesenkt.

Moore blieb bei der zurückgelassenen Lafette stehen. Vor ihm lagen die Bucht von Penobscot und die Flotte der Aufständischen. Es war windstill, deshalb lag die Flotte noch vor Anker. Inzwischen war die Sonne aufgegangen, und der Tag war kristallklar. Der Morgennebel hatte sich aufgelöst, sodass Moore nun die zweite, wesentlich kleinere Flotte sehen konnte. Sie lag ein gutes Stück südlich, und in ihrer Mitte ragte ein großes Schiff empor, ein Schiff mit zwei Kanonendecks, ein wesentlich größeres Schiff als jedes, über das die gesamten Streitkräfte der Aufständischen verfügten, und damit konnte Moore aus der Größe dieses Schiffes schließen, dass die königliche Marine eingetroffen war.

Und die Aufständischen hatten sich aus Majabigwaduce zurückgezogen.

Peleg Wadsworth hatte General Lovell eindringlich gebeten, für solch einen Notfall Vorkehrungen zu treffen. Er hatte Erkundungen flussaufwärts vorgeschlagen, die Suche nach einer Landspitze, auf der Kanonen in Stellung gebracht werden sollten, sodass sie sich, falls die Briten eine Verstärkungsflotte schickten, hinter diese neue Verteidigungsstellung zurückziehen und die Verfolgerschiffe mit einem Kanonenhagel begrüßen konnten. Doch Lovell hatte jegliche Vorschläge dieser Art abgelehnt.

Und nun wollte Lovell ganz genau das, worum Wadsworth so oft gebeten hatte. James Fletcher wurde auf das Achterdeck der *Sally* gerufen und gefragt, was flussauf zu erwarten war. «Die Bucht zieht sich etwa sechs oder sieben Meilen hin, General», erklärte Fletcher Lovell, «dann verengt sich der Fluss. Man kann ihn etwa zwanzig Meilen hinauffahren, bevor er zu schmal wird.»

«Und hat der Flussverlauf auf diesen zwanzig Meilen Kehren und Schleifen?», fragte Lovell.

«An manchen Stellen», sagte James. «Es gibt gerade Abschnitte, aber auch Biegungen, die so scharf sind, als wäre der Fluss der Schwanz des Satans.»

«Und sind die Ufer hügelig?»

«Ja, überall, Sir.»

«Dann ist es unser Ziel», sagte Lovell, «eine Flussschleife zu finden, an der wir eine Stellung anlegen können.» Die Schiffe der Aufständischen wären nördlich der

Flussschleife in Deckung, und die Kanonen könnten an Land gebracht und oben auf den Hügeln des Ufers aufgestellt werden, um die britischen Verfolgerschiffe unter Feuer zu nehmen. Auf diese Weise würde die Flotte gerettet und die Armee geschont. Lovell sah Wadsworth reumütig an. «Tadeln Sie mich nicht, Wadsworth», sagte er, «ich weiß, dass Sie die Möglichkeit eines solchen Verlaufs vorhergesehen haben.»

«Ich habe gehofft, es würde nicht so kommen, Sir.»

«Aber es wird alles gutgehen», sagte Lovell mit noblem Selbstvertrauen. «Mit etwas Tatkraft und Einsatz befreien wir uns aus dieser Lage.»

Bevor Wind aufkam, konnte allerdings wenig getan werden. Lovell aber freute sich an den Ergebnissen des Nachteinsatzes. Alles, was von der Anhöhe geholt werden konnte, alles mit Ausnahme einer Kanonenlafette, war an Bord der Schiffe geschafft worden, und diese Leistung, die im Durcheinander einer Regennacht erbracht worden war, forderte Bewunderung. Das musste als gutes Vorzeichen für das Schicksal der Armee betrachtet werden. «Wir haben alle unsere Kanonen», sagte Lovell, «alle unsere Männer und unsere gesamte Verpflegung.»

«Fast alle unsere Kanonen», korrigierte Major Todd den General.

«Fast?», fragte Lovell ungehalten.

«Die Kanonen von Cross Island sind nicht zurückgeholt worden», sagte Major Todd.

«Nicht zurückgeholt! Aber ich habe ausdrücklichen Befehl gegeben, dass sie geholt werden sollen!»

«Colonel Revere sagte, er sei zu beschäftigt gewesen, Sir.»

Lovell starrte den Major an. «Zu beschäftigt?»

«Colonel Revere sagte außerdem, Sir», fuhr Todd fort, der ein gewisses Behagen dabei verspürte, die Verfehlungen seines Gegners aufzuzählen, «dass Ihre Befehle für ihn nicht mehr gelten würden.»

Lovell blieb beinahe der Mund offen stehen. «Er hat *was* gesagt?»

«Er hat behauptet, dass die Belagerung aufgegeben wurde, Sir, und er deshalb nicht länger verpflichtet sei, Ihren Befehlen zu gehorchen.»

«Nicht verpflichtet, meinen Befehlen zu gehorchen?», fragte Lovell ungläubig.

«Das hat er jedenfalls gesagt, Sir», bemerkte Todd eisig. «Daher, fürchte ich, sind diese Kanonen verloren, Sir, es sei denn, wir haben heute Vormittag Gelegenheit, sie zu holen. Außerdem bedaure ich Ihnen mitteilen zu müssen, dass die Zahlkasse vermisst wird.»

«Die wird schon wiederauftauchen», sagte Lovell unaufmerksam, der sich immer noch über Lieutenant Colonel Reveres dreiste Unverfrorenheit aufregte. Nicht verpflichtet, den Befehlen nachzukommen? Für wen hielt sich Revere eigentlich?

«Wir brauchen die Zahlkasse», beharrte Todd.

«Sie wird gefunden werden, ganz bestimmt», sagte Lovell gereizt. Die nächtliche Aktion war zum Teil sehr ungeordnet durchgeführt worden, und es war unvermeidlich, dass manche Gegenstände auf dem falschen Transportschiff gelandet waren, aber das alles konnte geregelt werden, sobald ein geschützter Ankerplatz gefunden und abgesichert war. «Zunächst müssen wir diese Kanonen von Cross Island holen», sagte Lovell. «Ich will den Briten keine Geschenke zurücklassen. Haben Sie verstanden? Wir machen den Briten keine Geschenke!»

Doch es war keine Zeit mehr, die Kanonen zu holen. Die ersten sanften Windstöße begannen, niedrige Riffelwellen über die Bucht zu treiben, und die britische Flotte holte schon die Anker ein und ließ die Segel herunter. Die Flotte der Aufständischen musste fort, und ein Anker nach dem anderen wurde eingeholt, die Segel gesetzt, und die Schiffe zogen sich, unterstützt von der hereinkommenden Flut, nordwärts zurück. Der Wind war schwach und böig, kaum stark genug, um die Flotte zu bewegen, also wurden auf einigen der kleineren Schiffe lange Ruder eingesetzt, um voranzukommen, und andere Segler wurden von Beibooten ins Schlepptau genommen.

Die Kanonen auf Cross Island wurden aufgegeben, doch alles andere war gerettet worden. Sämtliche Kanonen und Vorräte der Aufständischen waren in der verregneten Dunkelheit den schlammigen Pfad hinuntergebracht und anschließend zu den Transportseglern gerudert worden, und nun schoben sich diese Schiffe nordwärts, nordwärts auf den engeren Flussverlauf zu und nordwärts in Sicherheit.

Und hinter ihnen, zwischen den Transportseglern und Sir George Colliers Flottille, machten sich die Kriegsschiffe der Aufständischen zum Einsatz bereit, indem sie sich langsam über die Bucht verteilten. Wenn die Transporter die Schafe waren, dann waren Saltonstalls Kriegsschiffe die Schäferhunde.

Und die Wölfe kamen.

Britische Soldaten in ihren roten Uniformröcken standen auf Dyce's Head zusammen, um sich das bevorstehende Spektakel anzusehen. Brigadier McLeans Bediensteter war so fürsorglich gewesen, einen Melkschemel bis auf die Steilklippe zu bringen, und McLean ließ sich mit einem Dank an ihn darauf nieder, um die Schlacht zu beobachten. Sie hatten von dort oben aus einen außerordentlich guten Blick auf ein seltenes Schauspiel, dachte McLean. Siebzehn Kriegsschiffe der Aufständischen erwarteten sechs Segler der königlichen Marine. Drei britische Fregatten führten den Verband an, während der große Zweidecker und die übrigen beiden Fregatten etwas langsamer segelten. «Ich glaube, das ist die *Blonde*», sagte McLean, der durch sein Fernrohr sah. «Das ist unser alter Freund, Captain Barkley!» Zu McLeans Rechter schoben sich die neunzehn Transportschiffe der Aufständischen nordwärts. Von McLeans Entfernung sah es so aus, als ob die Segel schlapp und kraftlos herabhingen, doch Minute um Minute waren die Schiffe weiter entfernt.

Die *Blonde* feuerte ihre Buggeschütze ab. Für die Zuschauenden an Land wirkte es, als würden an ihrem Bugspriet mit einem Mal Rauchblüten erblühen. Einen Augenblick später erreichte das Geräusch des Kanonenknalls das Steilufer. Ein paar weiße Fontänen zeigten die Stellen, an denen die Kanonenkugeln recht weit vor der *Warren* ins Wasser eingeschlagen waren, die in der Mitte der Linie der Aufständischen fuhr. Der Rauch wurde dünner und löste sich über den britischen Schiffen auf.

«Sehen Sie sich das an!», rief Lieutenant Colonel Campbell aus. Er deutete auf die Hafenzufahrt, in der Mowats drei Schaluppen aufgetaucht waren. Sie wurden gegen den Wind aus dem Hafen verholt. Sobald Mowat vom Abbruch der Belagerung erfuhr, hatte er seine Schiffskanonen von den Geschützstellungen am Ufer zurückholen lassen. Seine Männer hatten schwer und schnell gearbeitet, weil sie unbedingt darauf aus waren, an dem Kampf in der Bucht teilzunehmen, und nun, mit wieder eingerichteten Breitseitengeschützen, schoben sich die drei Schaluppen auf Sir Georges Flottille zu. Beiboote zogen Schleifen, um die Anker so weit wie möglich vor den Bug der Schaluppen zu bringen, dort wurden die Anker geworfen, dann wurden die Schaluppen an den Ankertauen vorwärtsgezogen, während ein weiterer Anker noch weiter nach vorn gebracht wurde, um den nächsten Schritt des müheseligen Weges vorzubereiten. Anker um Anker bewegten sie sich damit wie beim Bocksprung aus dem Hafen heraus, und immer noch rumpelten die Pumpen der *North* und spien Wasser, und alle drei Schiffe zeigten Rumpfschäden von den langen Kanonaden der Aufständischen, doch ihre Geschütze waren geladen und ihre erschöpften Mannschaften kampfeslustig. Die *Blonde* feuerte erneut, und erneut ging die Kugel weit vor den Schiffen der Aufständischen ins Wasser.

«Es heißt», sagte McLean, «dass der Wind kommt, wenn man Kanonen abfeuert.»

«Ich dachte, es wäre umgekehrt», sagte Campbell, «dass Kanonenschüsse zur Windstille führen.»

«Nun ja, entweder das eine oder das andere», sagte McLean heiter, «oder vielleicht auch keins von beiden? Aber ich erinnere mich an einen Seemann, der mir hoch und heilig versichert hat, dass es stimmt.» Und womöglich hatte das Abfeuern zweier Buggeschütze auf der HMS *Blonde* tatsächlich für Wind gesorgt, denn die britischen Schiffe, die auf die Flotte der Aufständischen zuhielten, schienen nun mehr Geschwindigkeit zu machen. «Das wird eine blutige Angelegenheit werden», sagte McLean. Die vorderste der drei Fregatten war den Aufständischen in der Bewaffnung klar unterlegen, doch die enorme *Raisonable* fuhr dicht dahinter, und ihre schweren Unterbatterien konnten jedes der gegnerischen Kriegsschiffe mit einer einzigen Breitseite von der Wasseroberfläche fegen. Sogar die *Warren* mit ihren Achtzehnpfündern wurde von den Zweiunddreißigern des Zweideckers bei weitem übertroffen. «Freilich», fuhr McLean fort, «erzählen einem Seeleute die seltsamsten Sachen! Ich hatte einen Captain auf dem Portugalfeldzug, der Stein und Bein geschworen hat, dass die Erde eine Scheibe ist. Er behauptete, den Regenbogen gesehen zu haben, der sich von einem Rand bis zum anderen spannt!»

«Der Kamerad, der uns nach Halifax gebracht hat», sagte Campbell, «erzählte uns Geschichten von Meerjungfrauen. Er meinte, sie würden Herden bilden wie Schafe und dass die Südmeere von einem Horizont zum anderen voller Titten und Schwänze sind.»

«Wahrhaftig?», erkundigte sich Major Dunlop äußerst interessiert.

«Genau das hat er gesagt! Titten und Schwänze!»

«Meiner Treu», sagte McLean, «ich glaube, ich muss auch einmal in die Südsee.» Dann richtete er sich auf seinem Schemel auf und beobachtete die drei Schaluppen. «Oh, gut gemacht, Mowat!», sagte er begeistert. Die drei Schaluppen hatten sich mit ihren Ankern mühsam selbst aus dem Hafenbecken gezogen und setzten nun Segel.

«Und was hat das dort zu bedeuten?», fragte Major Dunlop. Er hatte einige Signalflaggen in leuchtenden Farben am Besanmast der *Warren* auftauchen sehen. Den Zuschauern auf dem Steilufer hatte sich mittlerweile der größte Teil der Einwohnerschaft von Majabigwaduce angeschlossen, um ein Ereignis mit anzusehen, das ihr Dorf zweifellos berühmt machen würde. Die britischen Soldaten konnten die Flaggenzeichen nicht deuten.

«Er führt seinen Verband in die Schlacht, nehme ich an», lautete Campbells Vermutung.

«Das wird es wohl sein», pflichtete ihm McLean bei, auch wenn er nicht recht einsah, warum die Aufständischen ein Flaggensignal für einen Einsatz brauchten, den sie schon begonnen hatten. Commodore Saltonstalls siebzehn Kriegsschiffe lagen mit ihren Breitseiten in Gefechtslinie den heransegelnden britischen Schiffen gegenüber, und das verschaffte den Aufständischen einen enormen Vorteil. Sie konnten schießen und schießen und hatten dabei die Sicherheit, dass nur die Buggeschütze der drei vorderen Fregatten das Feuer erwidern konnten. Die königliche Marine, dachte der Brigadier, würde einige schmerzliche Verluste einstecken müssen, bevor das Zweidecker-Kriegsschiff den amerikanischen Widerstand brechen konnte.

Nur dass die Amerikaner keinen Widerstand leisteten. «Was um alles in der Welt ...?», fragte McLean.

«Du lieber Himmel», sagte Campbell ebenso erstaunt.

Denn die Bedeutung von Saltonstalls Signalflaggen war mit einem Mal klargeworden. Es würde keinen Kampf geben, jedenfalls keinen Kampf, den der Commodore führen wollte. Eines nach dem anderen drehten die Kriegsschiffe der Aufständischen ab. Sie hatten die Segel gesetzt und fuhren vor dem schwachen Wind. Fuhren nordwärts. Fuhren davon. Fuhren, um in die sichere Deckung der Flussschleifen zu kommen.

Sechs Schiffe und drei Schaluppen jagten siebenunddreißig Segler.

Drei Schiffe aus der Flotte der Aufständischen versuchten einen Ausbruch Richtung Meer. Die *Hampden*, mit ihren zwanzig Kanonen, war das größte davon, während die *Hunter* achtzehn Kanonen führte und die *Defence* gerade einmal vierzehn. Der Befehl des Commodore hatte gelautet, dass jedes Schiff alles versuchen sollte, um dem Gegner zu entkommen, und deshalb kreuzten die drei Schiffe westwärts über die Bucht und wollten über den etwas abgelegenen Wasserlauf an Long Island vorbei flussabwärts den Ozean erreichen, der etwa sechsundzwanzig Seemeilen südlich lag. Die *Hunter* war ein neues Schiff und hatte einen Ruf als schnellster Segler an der Küste, und Nathan Brown, ihr Captain, war ein gewitzter Mann, der wusste, wie er seinem Schiff auch noch das Letzte an Geschwindigkeit abgewinnen konnte. Es gab nur herzlich wenig Wind, nicht annähernd so viel, wie Brown gerne gehabt hätte, doch auch so bewegte sich sein schlankes Schiff deutlich schneller als die größere *Hampden*, die normalerweise das raschere Schiff hätte sein müssen.

Signalflaggen wehten auch an einer Querrah der HMS

Raisonable. Eine Zeitlang war schwer zu sagen, was diese Flaggen bedeuteten, denn in der britischen Flotte änderte sich nichts. Dann aber sah Brown die beiden Fregatten am Ende des britischen Verbandes langsam nach Westen einschwenken. «Die Bastarde wollen ein Wettrennen», murmelte er vor sich hin.

Es war ein ungleicher Wettkampf. Die beiden kleineren Schiffe der Aufständischen mochten schnelle und wendige Segler sein, doch sie hatten den Nachteil, näher am Wind zu segeln, und die beiden Fregatten schlossen mühelos die Lücke, durch die sie kreuzen mussten. Zwei Kanonenschüsse von der HMS *Galatea* waren Warnung genug. Die Schüsse waren aus großer Entfernung abgegeben worden, und beide verfehlten den Bug der *Defence*, doch die Botschaft dieser beiden knappen Fehlschüsse war klar: Versucht, durch die Lücke zu segeln, und eure kleinen Schiffe bekommen die vollen Breitseiten unserer Fregatten ab. Und um an diesen beiden Fregatten vorbeizukommen, mussten die Aufständischen durch den Wasserlauf kreuzen, an dem die Fregatten sie erwarteten. Sie wären gezwungen, in der Reichweite eines Pistolenschusses vorbeizusegeln, und John Edmunds, der Captain der *Defence*, konnte sich nur allzu deutlich vorstellen, wie seine zwei Masten fielen, wie Blut über sein Deck lief und wie sein Schiff unter den erbarmungslosen, schweren Einschlägen erbebte. Er hatte nur kleine Vierpfünder-Kanonen, und was konnten Vierpfünder schon gegen die volle Breitseite einer Fregatte ausrichten? Da hätte er ebenso gut mit Brotkrümeln nach dem Gegner werfen können. «Aber ich will verdammt sein, wenn die Bastarde mein Schiff kriegen», sagte er.

Er wusste, dass sein Versuch gescheitert war, die *Defence* an den Fregatten vorbeizusegeln, und deshalb drehte er den Bug seiner Brigg aus dem Wind und fuhr sie dann mit vollstehenden Segeln direkt auf das westliche Ufer des Penobscot zu. «Joshua!», rief er seinen Ersten Maat heran. «Wir verbrennen sie! Die Pulverfässer aufbrechen!»

Die *Defence* lief auf den Strand. Ihre Masten neigten sich nach vorn, als der Bug schabend auf das Kiesufer fuhr. Edmunds war sicher, dass die Masten brechen würden, doch die Achterstagen hielten, und die Segel schlugen knallend an den Rahen. Edmunds nahm die Heckflagge ab und faltete sie zusammen. Seine Mannschaft verteilte Pulver und Öl über die Decks. «Geht an Land, Jungs», rief Edmunds, und dann ging er ihnen voran, vorbei an den unnütz gewordenen Schiffskanonen, und blieb im Bug stehen. Er hätte am liebsten geweint. Die *Defence* war ein wundervolles Schiff. Ihre Heimat war das weite Meer, wo sie ihrem kriegerischen Namen hätte gerecht werden können, indem sie fette britische Händler jagte, um ihre Eigner reich zu machen, doch stattdessen saß sie nun in einem Binnengewässer fest, und es war an der Zeit, ihr Lebewohl zu sagen.

Er schlug einen Feuerstein an Stahl und warf das brennende Leinenzeug aus seiner Zunderbüchse auf eine Schießpulverspur, die bis in den Bug gestreut worden war. Dann kletterte er über die Reling und sprang auf den Strand hinunter. Seine Augen waren feucht, als er sich umdrehte, um sein Schiff verbrennen zu sehen. Es dauerte lange. Zuerst entwickelte sich mehr Rauch als Feuer, doch dann leckten Flammenzungen die geteerte Takelage hinauf, und die Segel gerieten in Brand, und die Masten und Rahen standen mitten im Feuer, sodass die *Defence* aussah wie ein Satansschiff, ein mit Flammen getakelter Zweimaster, ein trotziges Kampfschiff, das geradewegs in die Hölle segelte. «Oh, diese gottverdammten Bastarde», sagte Edmunds untröstlich, «diese gottverdammten Hundesöhne!»

Die *Hunter* suchte Schutz in einer engen Bucht. Ihr Captain Nathan Brown ließ sie vorsichtig in dem engen Gewässer auf Grund laufen, befahl, dass ein Anker gesetzt und die

Segel eingeholt werden sollten, und als das Schiff gesichert war, erklärte er seinen Männern, sie sollten sich an Land einen Unterschlupf suchen. Die *Hunter* war ein schnelles Schiff, doch nicht einmal sie hätte den Breitseiten zweier gegnerischer Fregatten davonsegeln können, und ihre Vierpfünder-Kanonen konnten nicht mit der britischen Schiffsartillerie mithalten. Dennoch brachte es Nathan Brown nicht über sich, sein Schiff zu verbrennen. Das wäre gewesen, als würde er seine Frau ermorden. Die *Hunter* hatte Magie in ihren Planken, sie war schnell und wendig, ein bezauberndes Schiff, und Nathan Brown wagte zu hoffen, dass die Briten sie nicht weiter beachten würden. Er betete darum, dass die Verfolger ihren Nordkurs beibehalten würden, und wenn die Schiffe der königlichen Marine erst einmal vorbei waren, könnte er die *Hunter* vielleicht aus der schmalen Bucht manövrieren und mit ihr zurück nach Boston segeln. Doch seine Hoffnungen lösten sich in nichts auf, als er sah, dass zwei vollbesetzte Beiboote von den britischen Fregatten ablegten.

Brown hatte seine Männer für den Fall an Land geschickt, dass die Briten die *Hunter* mit einer Kanonade zerstören wollten, doch nun sah es so aus, als sei der Gegner mehr an Beute als an Zerstörung interessiert. Die Beiboote kamen näher. Zumindest die Hälfte der hundertdreißigköpfigen Mannschaft der *Hunter* war mit Musketen bewaffnet, und sie begann zu schießen, als die Beiboote das Schiff erreichten. Wasser spritzte um die Ruderer herum auf, als Musketenkugeln einschlugen, und wenigstens ein britischer Seemann wurde getroffen, und die Ruder des Bootes schlugen einen Moment lang ungeordnet aneinander, doch dann verschwanden die Beiboote hinter der *Hunter*. Einen Moment später waren die gegnerischen Seeleute an Bord des Schiffes und befestigten Schlepptaue am Heck. Die trügerische Flut hob sie von dem Kiesstrand, und eine andere Flagge, die verhasste Flagge, tauchte an der Spitze der Besangaffel auf, während sie zurück in den Fluss geschleppt wurde. Die *Hunter* war nun ein Schiff Seiner Majestät. Etwas südwärts, durch einen bewaldeten Landvorsprung für Brown und seine Mannschaft nicht zu sehen, explodierte das Pulvermagazin der *Defence*, worauf eine schwarz quellende Rauchwolke in Richtung Land zog und ein Schauer aus brennenden Planken und Balken niederging, der in der Bucht verzischte und an Land kleine Feuer verursachte.

Die *Hampden* war das größte der drei Schiffe, die versucht hatten, aufs Meer zu entkommen. Ihr Captain, Titus Salter, hatte mit angesehen, welches Schicksal die *Hunter* und die *Defence* ereilte. Er selbst entschloss sich, sein Schiff in die Deckung des oberen Flusslaufs zu bringen. Die *Hampden* war ein Geschenk des Staates New Hampshire, und sie war stabil gebaut, gut bemannt und besaß eine kostspielige Ausstattung, allerdings war sie kein schneller Segler, und im Laufe des Nachmittags kam die HMS *Blonde* auf Schussweite an sie heran und eröffnete das Feuer. Titus Salter wendete die *Hampden*, sodass er den Beschuss mit den zehn Kanonen seiner Backbordbreitseite erwidern konnte. Sechs Neunpfünder-Kanonen und vier Sechspfünder stritten gegen die viel schwereren Zwölf- und Achtzehnpfünder der *Blonde*. Die HMS *Virginia* folgte hinter der *Blonde* und feuerte ebenfalls eine Breitseite ab. Die Kanonenschüsse hallten über die Bucht, und dichter Rauch verhüllte das untere Takelwerk der Schiffe. Feuerzungen schnellten aus den Kanonenrohren. Männer schwitzten und zerrten an den Kanonen, wischten die Rohre aus, luden sie neu, rannten die Kanonen aus, und die Kanoniere hielten Zündeisen an die Lunten, und die schweren Kanonen sprangen zurück, und die Kanonenkugeln schlugen unbarmherzig in den Rumpf der *Hampden* ein. Die Schüsse zertrümmerten Planken und Spanten und trieben den Männern scharfkantige Splitter in die Leiber.

Blut ergoss sich auf die Decksplanken. Kettenkugeln wirbelten pfeifend durch den Rauch, zerschnitten Wanten, Stage und Taue. Die Segel zuckten und rissen, als Barrengeschosse das Segeltuch zerfetzten. Der Fockmast fiel zuerst, kippte über den Bug der *Hampden* und deckte die vordersten Kanonen mit zerrissenem Segeltuch zu, doch noch immer wehte die amerikanische Flagge, und noch immer beschossen die Briten das kleinere Schiff. Die Fregatten schoben sich noch näher an ihre wehrlose Beute heran. Die schwersten Geschütze wurden auf den Rumpf des amerikanischen Schiffes gerichtet, und der Rauch aus den Achtzehnpfündern hüllte die *Hampden* ein. Die Schüsse der Aufständischen kamen langsamer und langsamer, da immer mehr Männer verwundet oder getötet wurden. Ein abgerissener Brustkorb, zerschmettert von einer Achtzehnpfünder-Kugel, rutschte über das Deck. Eine Männerhand lag im Speigatt. Ein Schiffsjunge versuchte nicht zu weinen, als ein Seemann eine Aderpresse um seinen blutigen Oberschenkelstumpf legte. Der übrige Teil seines Beines lag, von einer Zwölfpfünder-Kugel zu einer breiigen Masse zerquetscht, zehn Fuß von ihm entfernt. Eine weitere Achtzehnpfünder-Kugel traf eine Neunpfünder-Kanone, und das Geräusch klang wie ein gewaltiger Glockenschlag, der noch auf dem Steilufer von Majabigwaduce zu hören war. Die Kanone wurde von ihrer Lafette geschleudert und stürzte auf einen Kanonier, der schreiend und mit zerquetschten Beinen liegen blieb, und die nächste Kugel brach durch die Reling und traf den Hauptmast, der zunächst nur schwankte, dann aber, begleitet von Bersten und Kreischen, zerbrechenden Stags und Wanten, und Warnrufen der Männer Richtung Heck stürzte. Und immer noch ging der unbarmherzige Kugelhagel nieder.

Fünfzehn Minuten nachdem die *Blonde* den Kampf eröffnet hatte, beendete ihn Titus Salter. Er holte seine Flagge ein, und die Kanonen schwiegen. Der Rauch trieb über das sonnenglänzende Wasser fort, und ein Prisenkommando kam von der *Blonde* und enterte die *Hampden*.

Die übrigen Schiffe aus der Flotte der Aufständischen segelten weiter nordwärts.

Auf die Flussengen zu.

Die Aufständischen hatten in Majabigwaduce keine Gebäude besetzt, und Doktor Eliphalet Downer, der oberste Militärarzt, hatte sich darüber beschwert, dass er Schwerverwundete in Behelfsunterkünften aus Ästen und Segeltuch unterbringen musste. Daher hatten die Aufständischen ihr Lazarett in den Gebäuden eingerichtet, die von dem ehemaligen Fort Pownall bei Wasaumkeag Point übrig geblieben waren. Fort Pownall lag etwa fünf Meilen flussaufwärts auf dem Majabigwaduce gegenüberliegenden Ufer. Weil nun die Kanonen flach über die Bucht schossen, stellte Peleg Wadsworth vierzig Männer ab, um die Verletzten auf die Schaluppe *Sparrow* zu evakuieren, die direkt am Ufer lag. Viele der Männer hatten bandagierte Arm- oder Beinstümpfe, und sie wurden, wenn sie nicht gehen konnten, auf Bahren aus Rudern und Uniformjacken getragen. Doktor Downer stand neben Wadsworth und betrachtete, wie in der Ferne die Fregatten die *Hampden* beschossen. «Und was jetzt?», fragte er niedergeschlagen.

«Wir gehen flussaufwärts», sagte Wadsworth.

«In die Wildnis?»

«Sie fahren mit der *Sparrow* so weit nordwärts wie möglich», sagte Wadsworth, «und suchen ein Haus, in dem Sie Ihr Lazarett einrichten können.»

«Diese Vorkehrungen hätten schon vor zwei Wochen getroffen werden sollen», sagte Downer wütend.

«Da haben Sie recht», sagte Wadsworth. Er hatte versucht, Lovell von diesen Vorsichtsmaßnahmen zu überzeugen, doch der General hatte jegliche Unternehmungen dieser Art als Schwarzmalerei angesehen. «Sie wurden aber nicht getroffen», fuhr Wadsworth entschlossen fort, «also müssen wir eben jetzt unser Bestes tun.» Er drehte sich um und deutete auf eine kleine Weide. «Diese Kühe müssen entweder geschlachtet oder weggetrieben werden», sagte er.

«Ich sorge dafür», sagte Downer. Die Kühe wurden gehalten, um die Verletzten mit frischer Milch zu versorgen, doch Wadsworth wollte nichts zurücklassen, was für den Gegner irgendeinen Wert haben konnte. «Also werde ich jetzt zum Viehhirten und Schlachter», sagte Downer verbittert, «und dann soll ich flussauf ein Haus suchen und warten, bis die Briten uns entdecken?»

«Ich habe vor, einen befestigten Stützpunkt einzurichten», erklärte Wadsworth geduldig, «und den Gegner damit auf dem unteren Flussabschnitt festzuhalten.»

«Wenn Sie damit genauso erfolgreich sind wie mit allem anderen, was Sie in den letzten drei Wochen unternommen haben», sagte Downer rachsüchtig, «dann können wir uns allesamt gleich hier eine Kugel in den Kopf schießen.»

«Führen Sie einfach meine Befehle aus, Doktor», gab Wadsworth unmutig zurück. Er hatte zwar ein paar Stunden Schlaf bekommen, als die *Sally* nach Norden gesegelt war, doch er war immer noch unglaublich müde. «Es tut mir leid», entschuldigte er sich.

«Wir sehen uns flussaufwärts», sagte Downer in einem Ton, der erkennen ließ, dass auch er seine Worte von zuvor bedauerte. «Gehen Sie und tun Sie Ihre Pflicht, General.»

Die Transportschiffe waren inzwischen im nördlichen Teil der Bucht. Die meisten hatten während der Ebbe Anker geworfen und nutzten nun die Flut und den schwachen Wind, um näher an den eigentlichen, engeren Fluss heranzukommen. James Fletcher hatte erklärt, dass vor der Verengung des Flusses ein Hindernis namens Odom's Ledge lag, das mitten aus dem Wasser ragte. Zu beiden Seiten des Felsens lagen schiffstaugliche Fahrrinnen, doch der Fels selbst konnte jedem Schiff gefährlich werden. «Er reißt einem den Unterboden auf», hatte James zu Wadsworth gesagt, «und die Briten versuchen ganz bestimmt nicht, bei Dunkelheit daran vorbeizukommen. Niemand kommt im Dunkeln am Odom's Ledge vorbei.»

Wadsworth benutzte das Beiboot der *Sally*, und er hatte sich mit Fletcher von Wasaumkeag Point nordwärts rudern lassen. Die Ruderer schwiegen, ebenso wie die Kanonen der gegnerischen Fregatten, und das bedeutete, dass die *Hampden* besiegt worden war. Wadsworth drehte sich um und betrachtete den Anblick, der sich ihm bot. Es war noch früh an diesem Sommerabend, und er befand sich in der Mitte der größten Flotte, die von den Aufständischen jemals versammelt worden war, eine enorme Flotte, deren Segel das Licht der langsam sinkenden Sonne wundervoll einfingen, und sie alle flohen vor einer viel kleineren Flotte. Die Schiffe der Aufständischen näherten sich den gefährlichen Felsen in der Mitte des Flusses. Die britischen Fregatten feuerten gelegentlich ein Buggeschütz ab, und die Kugeln schlugen knapp hinter den letzten Seglern der Aufständischen ein. Die Wölfe treiben die Schafe zusammen, dachte Wadsworth bitter, und die *Warren*, größer und schöner als alle anderen Schiffe, flüchtete wie die übrigen, wo es doch ganz gewiss ihre Pflicht gewesen wäre, umzudrehen und sich ihren Platz in der Geschichtsschreibung zu erkämpfen.

«Da ist die *Samuel*, Sir.» James Fletcher deutete auf die Brigg, die beinahe die enge Zufahrt in den Fluss erreicht hatte.

«Bringt mich zur *Samuel*», befahl Wadsworth dem Bootsmann.

Die Brigg hatte sowohl Reveres Barkasse als auch einen flachen Leichter im Schlepptau. Wadsworth stand auf und hielt die Hände als Schalltrichter um den Mund, als sein

Beiboot bei der *Samuel* angekommen war. «Ist Colonel Revere an Bord?»

«Ich bin hier», rief eine Stimme zurück.

«Weiterrudern», sagte Wadsworth zum Bootsmann und legte erneut die Hände um den Mund. «Schaffen Sie eine Kanone auf den Leichter, Colonel!»

«Was haben Sie gesagt?»

Wadsworth bemühte sich um eine deutlichere Aussprache. «Schaffen Sie eine Kanone auf den Leichter! Ich suche eine Stelle, um sie an Land zu bringen!» Revere rief etwas zurück, doch Wadsworth verstand ihn nicht. «Haben Sie gehört, Colonel?», rief er.

«Ich habe Sie gehört!»

«Schaffen Sie eine Kanone auf den Leichter! Wir müssen Geschütze an Land bringen, wenn wir eine Stelle gefunden haben, die wir verteidigen können!»

Auch dieses Mal war Reveres Antwort nur undeutlich zu hören, doch nun war das Beiboot an der Samuel vorbei, und Wadsworth ging davon aus, dass Revere seinen Befehl verstanden hatte. Er setzte sich wieder und musterte das unruhige Wasser oberhalb der Felsbank, wo die Ufer, flankiert von steilen, bewaldeten Hügeln, übergangslos sehr nahe zusammenrückten. Es herrschte stehendes Wasser zwischen dem Gezeitenwechsel, und die Hügel nahmen dem schwachen Wind den größten Teil seiner Kraft. Ein Schoner und ein weiteres Schiff hatten sicher oberhalb der Felsbank festgemacht, während hinter ihnen viele der anderen Segler noch immer von erschöpften Männern in Ruderbooten weitergeschleppt wurden.

«Was wir tun müssen», sagte Wadsworth ebenso zu sich selbst wie zu den Männern in seinem Boot, «ist, eine Stelle zu finden, die wir verteidigen können.» Er hatte sich sagen lassen, dass der Fluss starke Windungen hatte, und er stellte sich eine scharfe Kehre vor, an deren flussauf gelege-

nem Ufer er die Kanonen an Land bringen wollte. Den Anfang würde er mit einer von Reveres Kanonen machen, denn
wenn sie erst einmal in Stellung gebracht war, würde sie die
neue Position der Aufständischen bezeichnen. Und wenn die
anderen Schiffe auf ihrer Fahrt flussauf vorbeikamen, konnte
er auch von ihnen Kanonen, Männer und Munition anfordern, sodass er am nächsten Vormittag eine starke Artillerie-
stellung befehligen würde, deren Geschütze direkt flussab
ausgerichtet wären. Den Briten bliebe nichts anderes übrig,
als geradewegs auf die Kanonen zuzufahren. Der Fluss war
viel zu schmal, als dass sie ihre Schiffe hätten wenden und
ihre Breitseitengeschütze einsetzen können, und so würden
sie entweder in die wütende Kanonade hineinsegeln oder,
und das war wahrscheinlicher, Anker werfen und die Herausforderung zum Kampf ablehnen. Die Flotte der Aufständischen konnte sich hinter die neue Befestigung zurückziehen, und die Armee konnte ihr Lager an Land aufschlagen
und ihre Disziplin wiederherstellen. Ein Weg konnte westwärts durch den Wald angelegt werden, sodass frische Truppen, Munition und Kanonen gebracht werden konnten, um
einen erneuten Angriff auf Majabigwaduce vorzubereiten.
Als Kind hatte Wadsworth eine Anekdote geliebt, die man
über Robert the Bruce erzählte, den großen schottischen
Helden, der von seinen englischen Gegnern besiegt worden
war und in eine Höhle flüchtete, wo er eine Spinne beobachtete, die ein Netz webte. Der Spinne misslangen dabei mehrere Versuche, doch sie hatte immer wieder neue Anläufe
genommen, bis sie schließlich Erfolg hatte. Und die Beharr-
lichkeit der Spinne hatte Bruce dazu angeregt, einen neuen
Anlauf zu wagen, und damit hatte er seinen großen Sieg errungen. Also mussten die Aufständischen nun die Rolle der
Spinne übernehmen und es immer wieder versuchen, bis die
Briten aus Massachusetts vertrieben waren.

Doch während ihn die Ruderer stetig weiter stromauf

534

brachten, kam es Wadsworth so vor, als hätte der Fluss überhaupt keine Biegungen. Eine Insel, Orphan Island, teilte den Fluss in zwei Fahrrinnen, und Odom's Ledge lag im schiffbaren westlichen Wasserlauf. Einmal vorbei an Orphan Island, war der Flussverlauf sanft geschwungen. Die Flut half den Ruderern des Beibootes. Sie waren den Seglern nun weit voraus, fuhren durch das späte Licht des lauen Sommerabends einen leise dahinströmenden Fluss hinauf, an dessen Ufern hohe, dunkle Bäume standen. «Wo sind denn diese scharfen Biegungen?», erkundigte sich Wadsworth unruhig bei James Fletcher.

«Noch ein Stück weiter oben», sagte James. Die Ruderblätter tauchten ein, wurden durchs Wasser gezogen und kamen tropfend wieder über die Oberfläche, und dann, ganz unvermittelt, lag die perfekte Stelle vor ihnen. Vor Wadsworth machte der Fluss eine abrupte Kehre ostwärts, beinahe im rechten Winkel, und der Hügelabhang oberhalb davon war steil genug, um jeden Angriff abzuwehren, aber auch nicht zu steil, um dort Kanonen in Stellung zu bringen.

«Wie heißt diese Stelle?», fragte Wadsworth.

Fletcher zuckte mit den Schultern. «Die Flussbiegung?»

«Sie wird einen Namen bekommen», sagte Wadsworth leidenschaftlich. «Einen Namen, der in den Geschichtsbüchern stehen wird. Spinnenbiegung.»

«Spinne?»

«Das ist eine alte Geschichte», sagte Wadsworth, ohne weiter darauf einzugehen. Er hatte den Platz gefunden, an dem er seine Geschützstellung einrichten konnte, und nun musste er hier Truppen, Kanonen und Kampfgeist aufbauen. «Wieder zurück», befahl er der Mannschaft.

Denn Peleg Wadsworth würde zurückschlagen.

Die Kriegsschiffe der Aufständischen waren schneller als die Transporter, überholten die langsameren Segler einen nach dem anderen und fuhren an Odom's Ledge vorbei in den engeren Flussverlauf. Sämtliche Kriegsschiffe und beinahe die Hälfte der Transporter passierten die Engstelle, doch ein Dutzend langsamere Schiffe lagen immer noch in der Bucht, wo der Gezeitenwechsel einsetzte, der Wind abflaute und der Gegner näher kam. Jeder Seemann wusste, dass an den Spitzen eines Mastes mehr Wind herrschte als unten, und die Masten der britischen Schiffe waren höher als die der Transporter, und die Fregatten hatten alle ihre Bramsegel gesetzt und konnten so die schwache Brise besser ausnutzen, die in der ersten Dämmerung noch vorhanden war. Die Sonne stand nun tief, sodass die Schiffskörper der Fregatten im Schatten lagen, doch ihre hohen Segel leuchteten in den hellen Sonnenstrahlen. Sie schoben sich nordwärts, immer näher an die Transporter heran, die mit Männern, Kanonen und Proviant voll beladen waren. Und dahinter, als Königin des Flusses, ragte die *Raisonable* mit ihren schweren Geschützen auf.

Kurz unterhalb von Odom's Ledge befand sich am westlichen Flussufer eine Bucht. Sie wurde Mill Cove, Mühlenbucht, genannt, weil an dieser Stelle, an der ein kleiner Fluss in die Bucht mündete, eine Sägemühle gestanden hatte. Inzwischen gab es diese Mühle längst nicht mehr, nur noch ein Balkenskelett und einen gemauerten, von Kletterpflanzen überwucherten Rauchabzug. Das Dutzend Transportsegler, das sich in dem schwachen Wind kaum weiterbewegte und immer stärker von den Fregatten bedroht wurde, nahm Kurs auf die Bucht. Die Schiffe wurden an Schlepptauen gezogen, doch nun nahm die natürliche Strömung des Penobscot der Flut die letzte Kraft, und die Transporter schafften es nicht mehr durch die schmalen Fahrrinnen bei Odom's Ledge. Also wurden sie quer zur Flussströmung in das flache Wasser der Mill Cove geschleppt und nutzten den letzten Wind, um mit dem Bug aufs Ufer zu fahren. Männer sprangen über die Relings. Sie trugen ihre Musketen und Tornister, wateten an Land, sammelten sich niedergeschlagen bei den Ruinen der Mühle und sahen zu, wie ihre Schiffe verbrannten.

Einer nach dem anderen gingen die Transporter in Flammen auf. Jedes einzelne Schiff war sehr wertvoll. Die Bootsbauer von Massachusetts waren für ihr Können berühmt, und es hieß, dass ein Schiff, das in New England gebaut worden war, jeden Segler aus der Alten Welt überrunden konnte und dass die Briten diese Schiffe nur allzu gern erbeuten würden. Sie würden nach Kanada gebracht werden oder vielleicht nach England, und sie würden versteigert werden, und der Erlös würde unter den Mannschaften derjenigen Schiffe aufgeteilt werden, die sie erobert hatten. Die Kriegsschiffe mochten von der Admiralität erstanden werden, so wie auch die Fregatte *Hancock* gekauft worden war, und so würde die *Hampden* als HMS *Hampden* enden, und die HMS *Hunter* würde ihre Geschwindigkeit aus New England und ihre Kanonen aus New England nutzen, um Schmuggler von der englischen Kanalküste zu vertreiben.

Doch die Kapitäne der amerikanischen Transportsegler verweigerten ihrem Gegner einen solchen Sieg. Sie würden ihre Schiffe keinem britischen Prisengericht ausliefern. Stattdessen verbrannten sie die Transporter, und auf den Ufern der Mill Cove zuckte der Widerschein der hellen Flammen. Zwei der brennenden Schiffsrümpfe trieben in den Fluss zurück. Ihre Segel und Takelagen und die Masten loderten. Als ein Hauptmast fiel, beschrieb er eine glühende Feuerkurve, und Funken stoben in den Abend, als die Taue und Rahen und Spieren in den Fluss stürzten.

Und das Feuer bewirkte, was der *Warren* und den anderen Kriegsschiffen nicht gelungen war. Sie stoppten die Briten. Kein Kapitän würde seinen Segler in die Nähe eines brennenden Schiffes bringen. Segel, geteertes Takelwerk und hölzerne Rümpfe fingen nur allzu leicht Feuer, und ein vom Wind herübergewehter Funke konnte eines der stolzen Schiffe Seiner Majestät in ein verkohltes Wrack verwandeln. Und so ging die britische Flotte vor Anker, während der letzte Abendwind erstarb.

Weiter flussauf, oberhalb von Odom's Ledge, kämpfte sich der Rest der amerikanischen Rebellenflotte nordwärts, bis die Strömung und die zunehmende Dunkelheit sie zum Ankern zwangen. Und bei Mill Cove machten sich Hunderte Männer, die keine Befehle erhalten hatten und deren Offiziere unsicher waren, was nun getan werden sollte, zu Fuß in Richtung Westen auf. Sie wollten sich durch die Wildnis bis in ihre weitentfernte Heimat durchschlagen.

Zur gleichen Zeit hob im Fort George Brigadegeneral Francis McLean ein Glas und lächelte die Gäste an, die sich um seinen Tisch versammelt hatten. «Auf die königliche Marine, Gentlemen», sagte er, und seine Offiziere erhoben sich mit ihren Weingläsern und gaben den Toast des Brigadiers zurück. «Auf die königliche Marine!»

Aus einem Brief General Artemis Wards, Kommandant der Miliz von Massachusetts, an Colonel Joseph Ward, 8. September 1779:

Der Flottenkommandant sei verwünscht, er gehört mit allem Zeremoniell exkommuniziert ... Und Lieutenant Colonel Paul Revere steht wegen Befehlsverweigerung und unsoldatischen Verhaltens, das an Feigheit grenzt, unter Arrest.

Aus dem Kriegstagebuch Brigadegeneral Solomon Lovells, 14. August 1779:

Als die britischen Schiffe herankamen waren die Soldaten gezwungen an Land zu gehen und ihre Segler in Brand zu setzen, ich bin außerstande eine Beschreibung dieses grauenvollen Tages zu liefern es könnte nur einem Meister des wortes gelingen all die schrecklichen einzelheiten auszumalen, zu sehen wie vier Schiffe siebzehn bewaffnete Segler verfolgen von denen neun wehrhafte Schiffe waren, brennende Transporter, explodierende Kriegsschiffe, die Ausrüstung aller Art, und alle denkbaren Vorräte (jedenfalls in kleinen Mengen) ans Ufer schleudern, und ein heilloseres Durcheinander als man es sich vorstellen kann.

Auszug aus dem Brief des Brigadegenerals Francis McLean an Lord George Germaine, Seiner Majestät Kabinettsminister für die amerikanischen Kolonien, August 1779:

Mir bleibt nur zu versuchen die frohgemute Einsatzbereitschaft zu würdigen mit der es sämtliche Militärränge unserer kleinen Garnison bis an den Rand der Erschöpfung auf sich genommen haben unsere Stellung zu halten. Die Anstrengungen wurden auch unter dem gegnerischen Beschuss mit einem Kampfgeist durchgehalten, der den erfahrensten Soldaten Ehre gemacht hätte; von dem Moment an, in dem die Gegner ihre Schützengräben angelegt hatten, wurde der Kampfgeist der Männer täglich größer, sodass unsere letzte größere Schwierigkeit darin bestand, sie zurückzuhalten.

VIERZEHN

Peleg Wadsworth schlief am Ufer, besser gesagt, er lag wach am Fluss und musste wohl eingedöst sein, denn er wachte zweimal mit einem Ruck aus lebhaften Träumen auf. In einem war er in eine Ecke gedrängt worden, und zwar vom Minotaurus, der den Kopf Solomon Lovells hatte, aus dem ein paar albtraumhafte bluttriefende Hörner ragten. Schließlich setzte sich Wadsworth auf, legte sich seine Decke um die Schultern und lehnte mit dem Rücken an einen Baum, um den dunklen Fluss zu betrachten, der langsam und leise dem Meer zuströmte. Zu seiner Linken, Richtung Meer, erhellte ein Schimmer die Wolken, und er wusste, dass dieses rötliche Licht der Widerschein der noch immer brennenden Schiffe in Mill Cove war. Es sah aus wie eine Art zornroter Morgendämmerung, und es erfüllte ihn mit einer unendlichen Mattigkeit. Also schloss er die Augen und betete zu Gott, ihm genügend Stärke zu verleihen, um das zu tun, was notwendig war. Es galt immer noch, eine Flotte und eine Armee zu retten und einem Gegner zu trotzen, und lange vor dem ersten Tageslicht weckte er James Fletcher und seine anderen Gefährten. Diese Gefährten waren derzeit Johnny Feathers und sieben seiner Indianer, die zwei Kanus aus Birkenrinde hatten. Die Kanus glitten viel geschmeidiger übers Wasser als die schweren Beiboote, und die Indianer hatten bereitwillig zugestimmt, als Wadsworth fragte, ob er die Kanus verwenden könne, um die Verteidigung zu organisieren. «Wir müssen flussabwärts», erklärte er Feathers.

Es herrschte wieder Flut, und die Schiffe nutzten sie, um flussauf zu entkommen. Die Toppsegel waren gesetzt worden, doch es ging kein Wind, sodass die Segler entweder mit der Flut flussaufwärts fuhren oder von Beibooten geschleppt wurden. Die Kanus kamen an sechs Seglern vorbei, und Wadsworth rief den Mannschaften zu, sie sollten mit ihren Schiffen bis zu der starken Flussbiegung ostwärts fahren und dahinter Anker werfen. «Wir können den Fluss dort verteidigen», rief er, und mancher Kapitän antwortete gut gelaunt, doch die meisten Schiffsbesatzungen nahmen seine Befehle in mürrischem Schweigen zur Kenntnis.

Die *Warren* lag an einer Stelle auf Grund, wo sich der Fluss auf einer kurzen Strecke seeartig erweiterte. Drei weitere Kriegsschiffe ankerten in der Nähe. Die Fregatte wartete offenkundig darauf, dass die Flut sie von einer Sandbank hob.

«Möchten Sie an Bord gehen?», fragte Johnny Feathers.

«Nein.»

Wadsworth war nicht nach einer Auseinandersetzung mit Commodore Saltonstall, die nach seiner Einschätzung ohnehin fruchtlos verlaufen würde. Saltonstall kannte seine Pflichten schon, und Wadsworth glaubte, dass er nur höhnisches Lächeln und ausweichende Worte ernten würde, wenn er Saltonstall noch einmal auf diese Pflichten hinwies. Sollten die Flotte und die Armee gerettet werden, dann würden dies andere Männer tun, und Wadsworth suchte nach den Mitteln zu dieser Rettung.

Er fand sie eine Viertelmeile weiter flussab, wo die *Samuel*, die Brigg, auf der sich die Artillerie der Expedition befand, von zwei Beibooten nordwärts geschleppt wurde. Wadsworths Kanu ging längsseits, und er kletterte seitlich an der *Samuel* hinauf und über die Reling. «Ist Colonel Revere hier?»

«Er ist mit seiner Barkasse weggefahren, Sir», antwortete ein Seemann.

«Ich hoffe, das hat etwas Gutes zu bedeuten», sagte Wadsworth und ging zum Heck, wo Captain James Brown am Ruder stand. «Hat Colonel Revere auf dem Leichter eine Kanone verschifft?», fragte er.

«Nein», gab Brown knapp zurück und nickte Richtung mittschiffs, wo die Kanonen auf ihren Radlafetten dicht an dicht standen.

«Und wo ist er dann hin?»

«Das wüsste ich auch gern, verdammt. Er hat seine Bagage genommen und ist weg.»

«Er hat sein Gepäck mitgenommen?», fragte Wadsworth.

«Mit Sack und Pack.»

«Und seine Männer?»

«Ein paar sind hier, ein paar sind mit ihm gefahren.»

«Mein Gott», sagte Wadsworth. Einen Moment lang stand er unschlüssig da. Die *Samuel* schob sich quälend langsam flussauf. Der Fluss war an dieser Stelle so schmal, und die Bäume standen so dicht am Ufer, dass gelegentlich Äste an den unteren Rahen der Brigg entlangstreiften. Wadsworth hatte gehofft, dass Reveres Kanone, wenn sie bei der Spinnenbiegung in Stellung gebracht war, als Zeichen für die übrige Flotte wirken würde und dass sie nur die erste von vielen Kanonen wäre, mit denen die britischen Verfolger in Schach gehalten werden konnten. «Und Sie fahren trotzdem weiter flussauf?», fragte er Brown.

Der Captain der Samuel ließ ein freudloses, bellendes Lachen hören. «Was schlagen Sie denn stattdessen vor, General?»

«Zehn Meilen flussaufwärts», sagte Wadsworth, «macht der Fluss eine scharfe Biegung nach rechts. Dort brauche ich die Kanonen.»

«Wir können von Glück reden, wenn wir zwei Meilen schaffen, bevor die Ebbe kommt», sagte Brown, «oder bevor uns die verdammten Engländer eingeholt haben.»

«Also, wo ist Colonel Revere denn nun?», wollte Wadsworth wissen und erntete nur ein Schulterzucken. Wadsworth war Reveres weißer Barkasse nicht begegnet, als er den Fluss heruntergefahren war, also mussten der Colonel und seine Artilleristen weiter flussabwärts sein, und dieser Gedanke erweckte in Wadsworth einen Funken Hoffnung. Hatte Revere beschlossen, eine Stellung auf dem Ufer des Penobscot anzulegen? Suchte er gerade nach einer Stelle, von der aus eine Geschützbatterie die britischen Schiffe in Stücke schießen konnte? «Hat er Ihnen Befehle gegeben, was die Kanonen betrifft?», fragte Wadsworth.

«Er hat um sein Frühstück gebeten.»

«Die Kanonen, Mann! Was will er, dass mit den Kanonen gemacht wird?»

Brown wandte langsam den Kopf, spuckte einen Strahl Speichel und Kautabak ins Backbordspeigatt und richtete seinen Blick dann wieder auf Wadsworth. «Das hat er nicht gesagt.»

Wadsworth stieg wieder in das Kanu. Er brauchte Revere! Er brauchte die Artillerie! Er wollte eine Batterie Achtzehnpfünder-Kanonen, die schwersten Geschütze, die sie hatten, und er wollte Munition von der *Warren*, und dann wollte er sehen, wie sich die Kanonenkugeln in die Bugplanken der britischen Fregatten bohrten. Kurz überlegte er, ob er zur *Warren* zurückkehren sollte, die ebenfalls die schweren Kanonen führte, die er brauchte, doch dann beschloss er, zuerst festzustellen, was Colonel Revere plante. «Da lang, bitte», sagte er zu Feathers und deutete flussabwärts. Er würde später zur *Warren* fahren und Saltonstall darum bitten, der Artillerie so viele Achtzehnpfünder-Kugeln zu geben, wie sie brauchte.

Inzwischen war die Sonne ganz aufgegangen, der Morgen war klar und frisch, der Fluss glitzerte, und den Himmel beschmutzte nur ein Rauchstreifen, der von den schwelenden Schiffen südlich von Odom's Ledge aufstieg. Eine Viertelmeile unterhalb der *Samuel* ankerte eine ganze Gruppe Schiffe, sowohl Transporter als auch Kriegsschiffe, ungeordnet und dicht beieinander, dort, wo die Nordspitze von Orphan Island den Fluss teilte. Am östlichen Ufer, knapp oberhalb der Insel, befand sich eine kleine Siedlung, die etwa halb so groß war wie Majabigwaduce. «Wie heißt dieser Ort?», rief Wadsworth zu James Fletcher hinüber, der in dem anderen Kanu saß.

«Buck's Plantation», kam es von James zurück.

Wadsworth bedeutete den Indianern mit einer Geste, dass sie mit dem Paddeln aufhören sollten. Der Fluss machte auch hier eine Biegung, und Wadsworth fragte sich, warum er sich nicht für diese Stelle als Verteidigungsbasis entschieden hatte. Die Biegung war zwar nicht so stark wie die scharfe Kehre weiter flussauf, doch im Licht des neuen Tages sah die Biegung stark genug aus, und am westlichen Ufer, gegenüber von Buck's Plantation, ragte ein Steilufer empor, um dessen Fuß sich der Penobscot wand. Wadsworth brauchte eine Stelle am Westufer, sodass der Nachschub aus Boston ankommen konnte, ohne über den Fluss gebracht zu werden, und der Steilhang wirkte recht geeignet. Am Ufer waren schon Männer, und auf den Schiffen, die in der Nähe ankerten, befanden sich genügend Kanonen. Wadsworth hatte hier alles, was er brauchte, und er deutete auf den schmalen Strand an dem Steilufer. «Setzen Sie mich bitte dort an Land», sagte er. Dann rief er zu James Fletcher hinüber: «Fahren Sie flussauf zurück zur *Samuel*. Bitten Sie Captain Brown, sie hierherunter zu bringen. Sagen Sie ihm, dass ich die Kanonen hier brauche.»

«Ja, Sir.»

«Und danach fahren Sie zur *Warren*. Sagen Sie dem Commodore, dass ich hier eine Batterie einrichte.» Er deutete auf den Steilhang am Westufer. «Und sagen Sie ihm, ich erwarte, dass er sich uns mit seinem Schiff anschließt. Sagen Sie ihm, dass wir seine Achtzehnpfünder-Munition brauchen.»

«Das wird er nicht gerne von mir hören.»

«Sagen Sie es ihm trotzdem!», rief Wadsworth. Das Kanu lief knirschend aufs Ufer, und Wadsworth sprang auf den Strand. «Wartet auf mich, bitte», sagte er zu den Indianern und machte sich den Stand entlang auf den Weg zu den Männern, die verzagt an der Schwemmlinie der Flut saßen. «Offiziere!», rief er. «Sergeanten! Zu mir! Offiziere! Sergeanten! Zu mir!»

Peleg Wadsworth würde Ordnung in dieses Chaos bringen. Er kämpfte immer noch.

Lieutenant Fenwick befolgte Commodore Saltonstalls Befehle nur schweren Herzens. Das Hauptmagazin der *Warren* war halb geleert worden, und die Pulverladungen wurden in den Kielraum hinunter- und aufs Hauptdeck hinaufgetragen. Ein Berg aus Pulverbeuteln wuchs im Halbdunkel des Kielraums auf den Ballaststeinen um die Verankerung des Hauptmastes herum an, ein weiterer unter dem Vordeck und ein dritter unterhalb von Saltonstalls Kajüte. An Deck lagen Berge aus Pulverbeuteln um jeden Mast. Weiße Lunten führten von jedem dieser Berge weg, die Segeltuchstreifen wanden sich über das Schiff und liefen auf dem Vordeck zusammen. «Wir dürfen keinesfalls zulassen», erklärte Saltonstall, «dass dem Gegner das Schiff in die Hände fällt.»

«Selbstverständlich nicht.»

«Ich werde nicht zulassen, dass auf meinem Schiff die britischen Farben wehen.»

«Selbstverständlich nicht, Sir», sagte Fenwick erneut,

«aber könnten wir nicht weiter flussauf fahren, Sir?», fügte er angespannt hinzu.

«Wir sind auf Grund gelaufen», sagte Saltonstall sarkastisch.

«Die Flut kommt, Sir», sagte Fenwick. Er hielt inne, doch Saltonstall reagierte nicht. «Und da sind die französischen Schiffe, Sir.»

«Da sind französische Schiffe, Lieutenant?», fragte Saltonstall ätzend.

«Eine französische Flottille könnte ankommen, Sir.»

«Sind Sie in die Geheimnisse der französischen Flottenbewegungen eingeweiht, Lieutenant?»

«Nein, Sir», sagte Fenwick kläglich.

«Dann haben Sie bitte die Güte, meine Befehle zu befolgen und das Schiff zum Verbrennen vorzubereiten.»

«Aye, aye, Sir.»

Saltonstall ging zur Heckreling. Der frühe Morgen war vollkommen klar, und es herrschte Windstille. Langsam begann die Flut um die *Warren* zu gurgeln. Er blickte stromabwärts, wo eine Gruppe Schiffe vor einem Steilufer lag. Zwei Schaluppen nutzten die Flut, um weiter flussaufwärts zu kommen, doch wie es schien, hatten die meisten Schiffsführer beschlossen, bei dem Steilufer zu bleiben, an dem Beiboote und Leichter Ausrüstung ans Westufer brachten. Die britischen Schiffe waren außer Sicht, vermutlich waren sie noch unterhalb von Odom's Ledge, wo Rauch aufstieg und den reinen Himmel befleckte. Der Rauch stieg ganz gerade auf, doch Saltonstall wusste, dass, sobald der Wind diese Rauchsäulen verkrümmte, die gegnerischen Schaluppen und Fregatten ihren Weg flussaufwärts fortsetzen würden.

Das Ganze war ein Kuddelmuddel gewesen. Vom Anfang bis zum Ende, ein gottverdammte Kuddelmuddel, und in den Augen des Commodore war der einzige Erfolg von der Marine der Kontinentalarmee erzielt worden. Es war die Marineinfanterie gewesen, die Cross Island erobert hatte, und die Marineinfanterie, die den Kampf auf dem Steilufer bei Dyce's Head angeführt hatte, und danach hatte Lovell gezittert wie ein krankes Karnickel und von Saltonstall verlangt, den gesamten Kampf alleine zu führen. «Und was wäre gewesen, wenn wir die Schaluppen erobert hätten?», fragte der Commodore wütend.

«Sir?», fragte ein Seemann, der in der Nähe stand.

«Ich rede nicht mit Ihnen, verdammt noch mal.»

«Aye, aye, Sir.»

Hätte Lovell das Fort eingenommen, wenn die Schaluppen erobert worden wären? Saltonstall kannte die Antwort auf diese Frage. Lovell hätte einen anderen Grund gefunden, um nicht kämpfen zu müssen. Er hätte gejammert und gestöhnt und immer weiter gezögert. Er hätte eine Geschützstellung auf dem Mond verlangt. Er hätte noch mehr Gräben ausheben lassen. Was für ein Kuddelmuddel.

Die *Warren* erbebte, als sie von der Flut angehoben wurde. Sie bewegte sich ein paar Zoll, lief wieder auf Grund und erbebte noch einmal. In einem Moment würde sie mit dem Heck flussauf herumschwingen und am Ankertau zerren. Lieutenant Fenwick schaute den Commodore mit hoffnungsvollem Blick an, doch Saltonstall beachtete ihn nicht. Fenwick war ein guter Offizier, doch verstand er wenig davon, was hier auf dem Spiel stand. Die *Warren* gehörte zu den Kostbarkeiten der Flotte, sie war eine robust gebaute, sehr gut bewaffnete Fregatte, und die Briten würden nichts lieber tun, als ihre verdammte Flagge an ihrem Heck aufzuhängen und sie ihrer Marine einzuverleiben, aber Saltonstall würde eher in der tiefsten Hölle schmoren, ehe er das zuließ. Und aus ebendiesem Grund hatte Saltonstall am Vortag den Kampf abgelehnt. Oh, natürlich hätte er die *Warren* und die meisten anderen Kriegsschiffe der Aufständischen opfern können, um den Transportern mehr Zeit zum Entkommen zu verschaffen, doch bei diesem Opfer hätte er leicht geentert werden können, und dann wäre die *Warren* ein Schiff Seiner Majestät geworden. Und Fenwick mochte es schön und gut finden, weiter flussauf zu segeln, doch die Warren hatte den größten Tiefgang von allen Schiffen der Flotte, und sie würde nicht weit kommen, bevor sie erneut auf Grund lief, und dann würden die Briten alles tun, um sie zu erbeuten.

«Boot nähert sich, Sir!», rief ein Bootsmann von mittschiffs.

Saltonstall grunzte zum Zeichen, dass er die Meldung gehört hatte. Er stellte sich ans Ruder und sah ein Beiboot, das mit der Flut herankam. Weiter hinten wurde die *Pidgeon*, ein Transportschoner, flussauf geschleppt. Saltonstall registrierte, dass die Strömung des Flusses gegen die hereinkommende Flut kämpfte und den Ruderern die Arbeit sauer machte. Dann schlug das Beiboot an den Rumpf der Fregatte, ein Mann kletterte an Deck und eilte zu dem Commodore nach achtern. «Lieutenant Little, Sir», stellte er sich vor, «First Lieutenant auf der *Hazard*.»

«Ich weiß, wer Sie sind, Lieutenant», sagte Saltonstall reserviert. In seinen Augen war Little ein gefährlicher Hitzkopf, ein ungestümer, gedankenloser Hitzkopf aus der sogenannten Marine von Massachusetts, die, wenn man den Commodore fragte, nichts weiter war als eine Spielzeugmarine. «Wo ist die *Hazard*?», fragte Saltonstall.

«Flussauf, Sir. Ich habe auf der *Sky Rocket* ausgeholfen, Sir.» Die *Sky Rocket* war ein schöner Freibeuter mit Sechzehnpfünder-Bewaffnung und bei dem Steilufer auf Grund gelaufen, wo sie nun darauf wartete, mit der Flut wieder freizukommen. «Kapitän Burke schickt seine Empfehlungen, Sir», sagte Little.

«Ich sende ihm meine ebenfalls, Lieutenant.»

Little sah sich an Deck um. Er sah die Pulverbeutel, die Lunten und die Brennmaterialien, die um die Masten aufgeschichtet waren. Dann ließ er seinen Blick zu dem makellos uniformierten Commodore zurückwandern, der in glänzenden schwarzen Stulpenstiefeln, weißen Kniehosen, blauer Weste und der blauen Uniformjacke mit den Schwalbenschwanz-Rockschößen vor ihm stand und an dessen frisch abgebürstetem Dreispitz die Goldlitzen schimmerten. «Kapitän Burke erwartet Ihre Befehle, Sir», sagte Little schroff.

«Kapitän Burke hat Befehl, dem Gegner sein Schiff nicht in die Hände fallen zu lassen», sagte Saltonstall.

Little erschauerte und drehte sich dann so unvermittelt weg, dass Saltonstall unwillkürlich die Hand auf den Schwertgriff legte, doch der Lieutenant deutete lediglich auf ein Steilufer, um das der Fluss in einem Bogen verlief. «Dort sollten Sie jetzt sein, Sir!»

«Maßen Sie sich an, mir Befehle zu geben, Lieutenant?», fragte Saltonstall mit eisiger Stimme.

«Sie haben keinen einzigen Kanonenschuss abgegeben!», begehrte Little auf.

«Lieutenant Little …», begann Fenwick.

«Lieutenant Little kehrt auf sein Schiff zurück», unterbrach ihn Saltonstall. «Guten Tag, Lieutenant.»

«Sie sollten sich zum Teufel scheren!», rief Little, und die Seeleute hielten bei der Arbeit inne, um zuzuhören. «Bringen Sie Ihr Schiff an die Flussbiegung dort», zischte er und deutete erneut auf den Steilhang am Westufer des Flusses. «Setzen Sie Bug und Heckanker, sodass die Breitseite flussabwärts zeigt, und kämpfen Sie gegen die Bastarde!»

«Lieutenant …», begann Saltonstall.

«Verdammt noch mal, kämpfen Sie endlich!» Little, ein Offizier der Marine von Massachusetts, brüllte dem Commodore mittlerweile direkt ins Gesicht, Speicheltröpfchen landeten auf Saltonstalls Wangen. «Bringen Sie alle Achtzehner auf eine Seite! Wir müssen den Bastarden einen Schlag versetzten, der richtig wehtut!» Littles Gesicht war noch zwei Zoll von Saltonstalls entfernt, als er die letzten Worte brüllte. Weder Saltonstall noch Fenwick sagten etwas. Fenwick zog kraftlos an Littles Arm, und Saltonstall wirkte einfach bloß angewidert, so als sei mit einem Mal ein Scheißhaufen auf seinem sorgfältig mit Sandstein blankgescheuerten Deck aufgetaucht. «Verdammt», sagte Little und mühte sich, seinen Ärger unter Kontrolle zu bekommen, «der Fluss ist unterhalb dieser Biegung sehr schmal, Sir! Kein Schiff kann dort wenden! Die Briten werden gezwungen sein, einzeln hintereinander zu fahren, unmittelbar auf unsere Kanonen zu, und sie können unser Feuer nicht erwidern. Sie können es nicht erwidern! Sie können ihre großen Segler nicht hierherauf bringen, sie müssen Fregatten schicken, und wenn wir dort Kanonen haben, dann können wir die Bastarde niedermachen!»

«Ich bin Ihnen für Ihre Ratschläge überaus dankbar, Lieutenant», sagte Saltonstall mit unübersehbarer Verachtung.

«Ach, Sie sind ein feiger Hund!», brach es aus Little heraus.

«Lieutenant!» Fenwick klammerte sich an Littles Arm. «Sie vergessen, mit wem Sie da sprechen!»

Little schüttelte Fenwicks Hand ab. «Ich weiß sehr wohl, mit wem ich spreche», sagte er höhnisch, «und ich weiß, wer ich bin, und ich weiß verdammt genau, wo der Gegner ist! Sie können dieses Schiff nicht einfach kampflos verbrennen! Geben Sie die *Warren* mir! Ich werde mit ihr einen verdammt guten Kampf führen!»

«Guten Tag, Lieutenant», sagte Saltonstall eisig. Fenwick hatte zwei Besatzungsmitglieder herangewinkt, die sich nun bedrohlich dicht bei dem wütenden Little aufgebaut hatten. Während des Streits war offenkundig James Fletcher an Bord gekommen, denn auch er stand nun an Deck. «Verlassen Sie mein Schiff!», knurrte Saltonstall in Fletchers Richtung, dann wandte er sich wieder Little zu. «Ich führe hier den Befehl! Auf diesem Schiff folgen Sie meinen Befehlen! Und mein Befehl für Sie lautet, von Bord zu gehen, bevor ich Sie in Eisen legen lasse!»

«Kommen Sie an Land», forderte Little den Commodore auf. «Kommen Sie an Land, sie feiger Bastard, damit ich es gegen Sie aufnehmen kann. Mann gegen Mann, und der Gewinner bekommt das Schiff.»

«Schaffen Sie ihn weg», sagte Saltonstall.

Little wurde fortgezerrt. Er drehte sich noch einmal um und spuckte Saltonstall an, dann wurde er in sein Beiboot hinabgestoßen.

Die *Warren* befreite sich mit einem Ruck von der Sandbank. Eine Brise traf auf Commodore Saltonstalls Wange und ließ die Schlangenflagge am Heck wehen. Die Rauchsäule am Himmel verzog sich und begann, nordwestlich abzuziehen.

Und das bedeutete, dass die Briten kamen.

Die Männer am Strand unterhalb des Steilufers stammten von den Transportern, die im Fluss ankerten oder auf Grund gelaufen waren. Nun saßen sie niedergeschlagen und führungslos auf dem Kies. «Wie lauten Ihre Befehle?», fragte Wadsworth einen Sergeanten.

«Wir haben keine Befehle, Sir.»

«Wir gehen nach Hause!», rief ein Mann ärgerlich.

«Und wie?», fragte Wadsworth.

Der Mann hob abwägend eine Segeltuchtasche an. «Wie es eben geht. Wir laufen, schätze ich. Wie weit ist es?»

«Zweihundert Meilen. Und Sie gehen nicht nach Hause. Noch nicht.» Wadsworth wandte sich an den Sergeant.

«Schaffen Sie Ordnung in Ihrer Einheit. Wir stehen immer noch im Krieg.»

Wadsworth ging weiter am Strand entlang und rief Offiziere und Sergeants an, ihre Männer zu sammeln. Wenn die Briten an dieser Flussbiegung aufgehalten werden konnten, bestand gute Aussicht, die Armee flussauf neu aufzustellen. Bäume konnten gefällt, ein Lager eingerichtet und Kanonen aufgestellt werden, um jeglichen britischen Vorstoß zu verhindern. Die einzige Voraussetzung dafür war eine ordentliche Geschützstellung an diesem sonnenüberglänzten Vormittag. Während Wadsworth am Ufer entlang weiter stromab kam, sah er, wie der Fluss sich in ein Tal verengte, das beinahe schnurgerade südwärts auf Odom's Ledge zulief, das etwa vier Meilen entfernt lag. Der Fluss selbst war etwa dreihundert Schritt breit, doch das trog, denn die schiffbare Fahrrinne war wesentlich schmaler, und die britischen Schiffe mussten einzeln hintereinander diese Rinne hinaufkriechen, den verletzlichen Bug direkt auf das Steilufer gerichtet. Mit vier Kanonen konnte die Sache erledigt werden! Wadsworth befahl einigen Captains von der Miliz, einen Geländevorsprung auf dem Steilhang freizulegen, und als sie sich beschwerten, weder Äxte noch Schaufeln zu haben, fuhr er sie an, sich ein Boot zu suchen und auf den Transportschiffen die notwendigen Gerätschaften zu besorgen. «Tut etwas! Wollt ihr nach Hause gehen und euren Kindern erzählen, ihr wärt vor den Briten weggelaufen? Hat irgendwer Colonel Revere gesehen?»

«Er ist flussabwärts gefahren, Sir», antwortete ein Captain der Miliz verdrießlich.

«Flussabwärts?»

Der Captain deutete auf das lange, schmale Flusstal, wo das hinterste amerikanische Schiff, ein Schoner, den Rest der Flotte einzuholen versuchte, die unterhalb des Steilufers lag. Das große Besansegel war backbord ausgestellt, um das bisschen Wind einzufangen, das endlich über den Fluss strich. Vier Besatzungsmitglieder des Schoners versuchten mit Rudern die Fahrt zu beschleunigen, doch die Ruder bewegten sich in einem jämmerlich langsamem Takt ins Wasser. Dann sah Wadsworth, weshalb sie die langen Ruder eingesetzt hatten. Hinter dem Schoner kam ein viel größeres Schiff, ein Schiff mit mehr Segeln und höheren Masten, ein Schiff, auf dem unvermittelt die Buggeschütze abgefeuert wurden, sodass das Tal mit dem Rauch und dem Echo der beiden Kanonenschüsse erfüllt wurde. Die Kugeln hatten den Schoner nicht treffen sollen, sondern schlugen beidseits ins Wasser, und das war eine Aufforderung an die Besatzung, die Flagge einzuholen und die Briten den Schoner als Prise nehmen zu lassen.

Wadsworth rannte den Strand hinunter. Die Männer auf dem Schoner winkten verzweifelt. Sie hatten kein Beiboot, sie hatten überhaupt kein Boot, und sie mussten gerettet werden, und dort, keine fünfzig Schritt entfernt, fuhr Reveres weiße Barkasse mit einer Rudermannschaft. Sie ruderten flussaufwärts vor dem Schoner. Revere war demzufolge wohl flussab gefahren und hatte versucht, den britischen Schiffen aufs Meer zu entkommen, doch als er die Aussichtslosigkeit dieses Unternehmens begriffen hatte, war er gezwungen gewesen, sich wieder nordwärts zurückzuziehen. Wadsworth sah Lieutenant Colonel Revere selbst im Heck. Er blieb am Ufer stehen und legte die Hände trichterförmig an den Mund. «Colonel Revere!»

Revere winkte, um zu zeigen, dass er den Ruf gehört hatte.

Wadsworth deutete auf den Schoner, den er nun als die *Nancy* erkannte. «Die Mannschaft der *Nancy* braucht Hilfe! Nehmen Sie die Männer mit Ihrer Barkasse auf!»

Revere drehte sich auf seiner Bank um, betrachtete die *Nancy* und wandte sich dann wieder zurück zu Wadsworth.

«Sie haben nicht mehr das Recht, mir Befehle zu erteilen, General!», rief Revere. Dann sagte er etwas zu seiner Mannschaft, die weiter flussauf ruderte, weg von der *Nancy*, die eindeutig verloren war.

Wadsworth glaubte sich verhört zu haben. «Colonel Revere!» Er formte seine Worte langsam und deutlich, sodass kein Missverständnis möglich war. «Nehmen Sie die Männer von der *Nancy* mit Ihrer Barkasse auf!» Der Schoner war nur spärlich bemannt, und im Bug der Barkasse war reichlich Platz für sämtliche Seeleute.

«Ich stand unter Ihrem Kommando, solange die Belagerung lief», rief Revere zurück. «Aber jetzt ist die Belagerung vorbei, und damit hat auch Ihre Befehlsgewalt geendet.»

Einen Herzschlag lang glaubte Wadsworth nicht, was er da hörte. Er starrte den untersetzten Colonel an, Zorn und Empörung flammten in ihm auf. «Herr im Himmel, Mann, das sind Amerikaner! Retten Sie die Männer!»

«Ich habe mein Gepäck dabei», rief Revere und deutete auf einen Kistenstapel, über den eine Segeltuchplane gebreitet worden war. «Ich bin nicht bereit, mein Gepäck zu riskieren! Einen guten Tag noch, Wadsworth.»

«Sie …», begann Wadsworth, doch er war zu wütend, um den Satz zu Ende zu bringen. Er drehte sich um und ging am Ufer zurück, um auf gleicher Höhe mit der Barkasse zu bleiben. «Ich erteile Ihnen hiermit einen Befehl!», schrie er Revere an. Die Männer am Strand verfolgten die Szene aufmerksam. «Retten Sie diese Mannschaft!»

Die britische Fregatte achteraus der *Nancy* feuerte erneut ihre Buggeschütze ab. Die Kugeln flogen zischend an dem Schoner vorbei und ließen das Flusswasser hoch aufspritzen. «Sehen Sie?», rief Revere, als das Echo der Schüsse verhallt war. «Ich kann mein Gepäck nicht riskieren!»

«Ich bringe Sie in Arrest, Colonel», schrie Wadsworth außer sich, «wenn Sie meine Befehle nicht befolgen!»

«Sie können mir keine Befehle mehr geben!», gab Revere beinahe heiter zurück. «Damit ist es aus und vorbei. Guten Tag, General!»

«Ich will Ihre Kanonen auf dem Steilhang da vorn haben!»

Revere winkte lässig ab. «Weiterrudern», sagte er zu seinen Männern.

«Ich werde Sie festnehmen lassen!», brüllte Wadsworth.

Doch die Barkasse fuhr einfach weiter, und Lieutenant Colonel Paul Reveres Gepäck war in Sicherheit.

Die HMS *Galatea* führte die britischen Fregatten an. An ihrem Bug prangte eine geschnitzte Galatea als Galionsfigur, ihre Haut so weiß gemalt wie der Marmor, aus dem ihre mythische Gestalt geschnitzt worden war. In diesem Mythos war sie aus ihrer Marmorgestalt zum Leben erwacht, und nun kam sie flussauf, nackt bis auf ein hauchfeines Seidentuch um die Hüfte, den Kopf herausfordernd gehoben, den Blick aus ihren unglaublichen blauen Augen geradeaus gerichtet. Die Fregatte hatte nur Toppsegel und Bramsegel gesetzt, das Segeltuch hoch oben fing den leichten Wind aus Süden ein. Vor ihr herrschte Chaos, und die *Galatea* verschlimmerte dieses Chaos noch. Der Schoner *Nancy* war aufgegeben worden, doch ein britisches Prisenkommando sicherte den Segler und setzte die Ankertaue des erbeuteten Schoners ein, um ihn ans Ostufer des Flusses zu ziehen, sodass die *Galatea* und die HMS *Camille*, die der *Galatea* folgten, vorbeifahren konnten. Die Nymphe mit den blauen Augen verschwand mit einem Mal in einer Rauchwolke, als die beiden langläufigen Neunpfünder-Bugkanonen der Fregatte abgefeuert wurden. Die Kugeln sprangen über das Wasser auf den Schiffsverband der Aufständischen zu. Rotberockte königliche Marinesoldaten auf dem Vordeck der *Galatea* warteten, bis sich der Kanonenrauch verzogen hatte, dann begannen sie mit Musketen auf die Männer am West-ufer zu schießen. Die Entfernung war sehr groß, und keine der Kugeln traf ihr Ziel, doch der Strand war augenblicklich wie leer gefegt, weil die Männer Deckung zwischen den Bäumen suchten.

Und dann quoll noch mehr Rauch empor, viel mehr Rauch. Er kam nicht von den britischen Kanonen, sondern von den Decks der amerikanischen Schiffe. Die Kapitäne schlugen Flintstein an Stahl und legten Feuer an die Lunten, oder sie steckten das Kleinholz um die Brennmaterialien an, das sie im Unterdeck und um die Masten herum aufgeschichtet hatten. Beiboote legten Richtung Strand ab, als der Rauch begann, aus den Niedergängen emporzuquellen.

Die *Galatea* und die *Camille* setzten die Heckanker und holten die Toppsegel ein. Kein Schiff riskierte die eigene Existenz, indem es in ein Inferno hineinsegelte. Feuer liebte Balken, Teer und Segeltuch, und jeder Seemann fürchtete das Feuer mehr als das Meer, und so lagen die beiden Fregatten auf dem Fluss, hoben sich leicht mit der hereinkommenden Flut, und ihre Mannschaften sahen dabei zu, wie der Gegner sich selbst zerstörte.

Die stolzen Schiffe brannten. Die schlanken Freibeuter und die schweren Transporter brannten. Der Rauch verdichtete sich zu schwarzen Gewitterwolken, die in den Sommerhimmel hinaufquollen, und in dem Rauch züngelten wilde Flammen, die immer weiter übersprangen. Wenn das gierige Feuer neue Balken fand, ging das Holz berstend in Flammen auf, und Lichter funkelten über dem Wasser, während sich mit rasender Schnelle neue Flammen im Takelwerk ausbreiteten. Das Takelwerk stand lodernd in Brand, tauchte jedes Schiff und jede Brigg und jeden Schoner in Feuerschein, bis ein Mast durchbrannte, und dann, unglaublich langsam, neigte sich ein glühendes Gitter aus Mast und Rahen immer tiefer, und Funkenmeere schossen empor, während sich auch die Spieren und Taue immer weiter nach unten bogen, bis die Masten zischend und rauchend in den Fluss stürzten.

Die *Sky Rocket*, ein Freibeuter mit Sechzehnpfünder-Geschützen, war direkt unterhalb des Steilhangs auf Grund gelaufen, und bei der hastigen Räumung der alten Stellungen auf Majabigwaduce war sie mit der übrigen Munition beladen worden. Ihr Laderaum quoll über vor Schießpulver, und das Feuer fand den Laderaum, und die *Sky Rocket* explodierte. Die Gewalt der Explosion ließ den Rauch über den anderen brennenden Schiffen zittern, sie schleuderte Balken und brennende Segel hoch in die Luft, wo sie, wie die Himmelsraketen, nach denen das Schiff benannt worden war, in einem weiten Bogen über den Fluss flogen und dabei eine Myriade von Rauchspuren in den Himmel zogen. Der Lärm war ohrenbetäubend, ein Donnern, das noch in Fort George zu hören war, und dann explodierten andere Pulvermagazine, als solle das Beispiel der *Sky Rocket* nachgeahmt werden, und die Schiffsrümpfe bebten, Dampf mischte sich mit dem wirbelnden Rauch, und Ratten schrien in den dreckigen Kielräumen, während das gefräßige Feuer brüllte wie in einem außer Kontrolle geratenen Glutofen. Die Männer am Strand weinten um ihre verlorenen Schiffe, und die Gluthitze der Brände spürten noch die Seeleute im Gesicht, die das Schauspiel vom Vordeck der *Galatea* aus verwundert mitverfolgten. Brennende Rahen, die Taue durchgebrannt, stürzten auf lodernde Decks, und weitere Schiffsrümpfe wurden zerrissen, als noch mehr Schießpulver Feuer fing und explodierte. Ankertaue rissen, und Feuerschiffe trieben übers Wasser und stießen zusammen, ihre Flammen vereinten sich und wuchsen noch weiter, der Rauch wurde noch dichter und stieg noch höher. Auf einigen Schiffen waren die Kanonen geladen, und nun feuerten diese Kanonen in die brennende Flotte. Kanonenrohre brachen durch brennende Decks. Der Glutofen brüllte, die Kanonen donnerten, und der Fluss zischte, als die Wracks in aschebedecktes Wasser sanken, auf dem verkohlte Holztrümmer schwammen.

Oberhalb des Steilufers, immer noch vor Anker liegend, obwohl sie mit der Flut längst wieder flott geworden war, hatte man die *Warren* aufgegeben. Sie war größer als die *Galatea* und die *Camille*. Sie führte zweiunddreißig Kanonen, wenn auch keine nackte Nymphe ihren Bug beschützte. Sie war in Providence, Rhode Island, gebaut worden und nach Joseph Warren benannt, dem Bostoner Arzt, der den Funken der Rebellion entzündet hatte, indem er die Reiter losschickte, die Lexington und Concord vor den anrückenden Briten warnten. Warren war ein Patriot gewesen und ein leidenschaftlicher Kämpfer. Er wurde zum General in der Miliz der Aufständischen ernannt, doch weil sein Offizierspatent noch nicht eingetroffen war, kämpfte er bei Bunker Hill als Freiwilliger und fand dabei den Tod. Die Fregatte trug seinen Namen, um ihm Anerkennung zu zollen, und seitdem sie vom Stapel gelaufen war, hatte sie zehn reiche britische Handelsschiffe aufgebracht. Sie war eine tödliche Waffe, führte im Vergleich zu anderen Fregatten sehr schwere Geschütze, und ihre großen Achtzehnpfünder übertrafen jede Kanone auf den kleineren britischen Fregatten.

Doch nun, als die letzten Besatzungsmitglieder an Land ruderten, brannte die *Warren*. Dudley Saltonstall drehte sich nicht mehr nach seinem Schiff um, und als er am Ufer war, schlug er sich sofort in den Wald, sodass die Bäume den Anblick der brennenden Fregatte verdeckten, der Flammen, die sich rasend schnell das Takelwerk hinauffraßen, den Anblick der eingerollten Segel, die lodernd Feuer fingen, den Anblick der emporschießenden und niedersinkenden Funken.

Den ganzen Flussabschnitt entlang brannten die Schiffe. Kein einziges blieb verschont.

Peleg Wadsworth schaute schweigend zu. Die Kanonen, mit denen die Briten hätten in Schach gehalten werden sollen, sanken auf den Grund des Flussbettes hinab, und die Männer, die sich hätten sammeln und kämpfen sollen, liefen verstreut und führungslos umher. Die Panik hatte Oberhand gewonnen, bevor Wadsworth neuen Widerstandsgeist erwecken konnte, und nun verbrannte die große Flotte, und die Armee war geschlagen.

«Und jetzt?», fragte James Fletcher. Der Rauch lag wie ein Leichentuch über dem Himmel.

«Kennen Sie die Geschichte von Schadrach, Mesach und Abednego?», fragte Wadsworth. «Aus der Bibel?»

Mit solch einer Frage hatte James nicht gerechnet, und er musste einen Moment überlegen, bevor er nickte. «Mutter hat uns diese Geschichte erzählt, Sir», sagte er. «Waren das nicht die Männer, die in den Flammenofen geworfen wurden?»

«Und alle Männer des Königs sahen dabei zu, und sie sahen, dass die Glut des Flammenofens den dreien nichts anhaben konnte», sagte Wadsworth und dachte an die Predigt, die er in der Bostoner Christ Church gehört hatte, und zwar nur einen Tag bevor die Flotte in See gestochen war. «Die Bibel sagt uns, dass das Feuer keine Macht über diese Männer hatte.» Er hielt inne, den Blick auf die brennende Fregatte gerichtet. «Keine Macht», wiederholte er und dachte an seine liebe Frau und an das Kind, das darauf wartete, geboren zu werden. Dann lächelte er James an. «Jetzt kommen Sie», sagte er, «Sie und ich haben noch viel vor uns.»

Das restliche Pulver im Magazin der *Warren* explodierte. Der Fockmast wurde in die Luft geschossen, spie Rauch und Funken und Feuer, der Schiffsrumpf zerbarst an seinen flammenhellen Plankenfugen, der Widerschein des Feuers zuckte rot über den vibrierenden Fluss, und die Fregatte verschwand. Es war vorbei.

Aus einer Regierungsverordnung, Boston, datiert vom 6. September 1779:

Deshalb ergeht die Verordnung dass Lieutenant Colonel Paul Revere hiermit angewiesen ist Unverzüglich das Kommando über Castle Island ebenso wie der anderen Festungsanlagen im Hafen von Boston an Captain Perez Cushing abzugeben, und sich selbst von Castle Island und den vorerwähnten Festungsanlagen zu entfernen und sich in sein Wohnhaus in Boston zu verfügen und sich dort bereitzuhalten biss der Beschwerdesache ordnungsgemäß nachgegangen werden kann ...

Aus einer Petition Richard Sykes' an das Repräsentantenhaus von Massachusetts, 28. September 1779:

Der Antragsteller war ... Marinesergeant an Bord des Schiffes General Putnam als ein Angriff auf eine der Redouten stattfand ... Der Antragsteller geriet in Gefangenschaft und wurde auf dem Kriegsschiff Raisonable von Penobscot nach New York gebracht, wobei ihm nahezu sämtliche kleidung genommen wurde ... Der Antragsteller bittet euer Ehren ihm Sold für die Kleidung zu bewilligen, der er verlustig gegangen ist ... als da wären 2 Leinen Hemden 3 Paar Strümpfe 1 paar Hirsch Leder Kniehosen 1 paar Tuch Kniehosen 1 Hut 1 Knappsack 1 Taschentuch 1 paar schuhe.

NACHWORT DES AUTORS

Die Penobscot-Expedition von Juli und August 1779 hat tatsächlich stattgefunden, und ich habe versucht, unter den Bedingungen einer Romanhandlung zu erzählen, was dort geschehen ist. Mit der Besetzung von Majabigwaduce sollte eine britische Provinz namens New Ireland begründet werden, die als Flottenstützpunkt und als Zufluchtsmöglichkeit für Loyalisten dienen sollte, die von den Aufständischen verfolgt wurden. Die Regierung von Massachusetts beschloss, die Eindringlinge gefangen zu nehmen, zu töten oder zu vernichten, und startete deshalb diese Expedition, die oft als das schlimmste Flottendesaster der US-Geschichte vor Pearl Harbor bezeichnet wird. Die Flotte, die zum Penobscot segelte, war die größte, die von den Aufständischen im Unabhängigkeitskrieg jemals zusammengezogen wurde. Die Schiffslisten unterscheiden sich geringfügig in verschiedenen historischen Quellen, und ich vermute, dass zwei oder drei Transportschiffe schon vor Sir George Colliers Eintreffen weggesegelt waren, aber das Gros der Flotte war noch da, und so kam es zu einem schrecklichen Desaster sowohl für die Flotte der Kontinentalarmee als auch für Massachusetts. Die Brigg *Pallas*, die vierzehn Kanonen führte, war als Patrouillenschiff jenseits der Mündung des Penobscot eingesetzt worden und deshalb nicht vor Ort, als Sir George Colliers Entsatzungsschiffe ankamen, und sie allein überstand das Debakel. Zwei amerikanische Schiffe, die *Hunter* und die *Hampden*, wurden von den Briten erbeutet (einige Quellen führen auch den Schoner *Nancy* und neun weitere Transportsegler auf), und die übrigen Schiffe wurden verbrannt. Doktor John Calef listete in seiner Funktion als Schriftführer des Gemeinderats von Penobscot, zu dem ihn die Briten ernannt hatten, siebenunddreißig Schiffe der Aufständischen auf, die erbeutet wurden oder verbrannten, und das scheint im Großen und Ganzen zutreffend.

Die Schuld für diese Niederlage wurde nahezu einhellig Commodore Dudley Saltonstall angelastet. Saltonstall hat sich bei Penobscot nicht gerade heldenhaft verhalten, und er scheint ein schwieriger, ungeselliger Mann gewesen zu sein, doch ganz sicher trägt er die Verantwortung für das Scheitern der Expedition nicht allein. Saltonstall wurde vor dem Militärgericht angeklagt (allerdings existieren von der Verhandlung keinerlei Akten, sodass es möglicherweise niemals einberufen wurde), und er wurde aus dem Marinedienst bei der Kontinentalarmee entlassen. Der einzige andere Mann, der aufgrund seines Verhaltens bei Majabigwaduce vors Militärgericht kam, war Lieutenant Colonel Paul Revere.

Es ist ein höchst außergewöhnlicher Zufall, dass über gleich zwei der Männer, die im Sommer 1779 in Majabigwaduce dabei waren, berühmte Gedichte geschrieben wurden. Paul Revere wurde von Henry Longfellow gefeiert, und es ist auch Reveres Anwesenheit in Majabigwaduce, die diese Kriegsexpedition so interessant macht. Nur wenige Männer werden so sehr als Helden der amerikanischen Revolution verehrt wie Revere. In Boston steht eine schöne Reiterstatue von ihm, und er gilt, zumindest in New England, als unübertroffen vorbildhafter Patriot und Revolutionsheld. Doch diesen enormen Ruhm verdankt er nicht seinem Einsatz bei Majabigwaduce und auch nicht seinem Mitternachtsritt, sondern Henry Longfellows Gedicht, das 1861 in der Zeitschrift *The Atlantic Monthly* veröffentlicht wurde.

Aufgemerkt, Kinder, dann hört ihr von mir
Vom Mitternachtsritt des Paul Revere.

Und seitdem haben die Amerikaner immer von diesem Mitternachtsritt gehört, und die meisten wussten nichts davon,
dass das Gedicht die Wahrheit verzerrt und Revere die Heldentaten anderer Männer zuschreibt. Und das geschah absichtlich; Longfellow, der das Gedicht beim Ausbruch des
amerikanischen Bürgerkriegs schrieb, wollte eine patriotische Legende schaffen und nicht etwa korrekte Geschichtsschreibung betreiben. Revere ritt tatsächlich los, um Concord und Lexington zu warnen, weil britische Armeetruppen
aus Boston ausgerückt waren, doch er führte seinen Einsatz
nicht zu Ende. Viele weitere Männer ritten in dieser Nacht
ebenfalls los und wurden vergessen, während Paul Revere,
einzig dank Henry Longfellow, als unsterblicher Patriot und
Aufständischer in die Nachwelt galoppiert. Bevor das Gedicht veröffentlicht wurde, erinnerte man sich an Revere als
nur regional bekannten Volkshelden, einer von vielen, die
sich für die patriotische Sache engagiert hatten, doch 1861
wurde er zur Legende. Er war in der Tat ein leidenschaftlicher Patriot, und er war lange vor dem Ausbruch der Revolution ein entschiedener Gegner der Briten, doch die *einzige*
Gelegenheit, bei der er jemals gegen die Briten kämpfte, war
bei Majabigwaduce, und dort zeigte er, in General Artemas
Wards Worten, «unsoldatisches Verhalten bis an die Grenze
der Feigheit». Der General zitierte Marinehauptmann Thomas Carnes, der Revere während der Expedition genauesten
tens beobachtet hatte, und Carnes hielt, wie die meisten anderen Teilnehmer der Expedition auch, Reveres Verhalten
für schändlich. Reveres heutiges Ansehen hätte seine Zeit-
genossen erstaunt und in vielen Fällen wohl auch empört.
    Und auch über einen zweiten Mann, der bei Majabigwa-
duce dabei war, sollte ein berühmtes Gedicht geschrieben

werden. Dieser Mann starb bei La Coruña in Spanien, und der irische Dichter Charles Wolfe begann seine Hommage wie folgt:

> Kein Trommelwirbel, kein Grablied hohl,
> Als wir an den Wallrand lenkten,
> Kein Schuss rief über ihn hin: «Fahr wohl»,
> Als wir ihn niedersenkten;
> Wir senkten ihn nieder um Mitternacht,
> Sein Grab, ohne Prunk und Flimmer ...

Bei dem Gedicht handelt es sich natürlich um *General Sir John Moores Begräbnis.* Lieutenant John Moore fuhr damit fort, die britische Armee zu revolutionieren, und er ist der Mann, der die berühmte Leichte Infanterie-Division erfand, ein Verband, den Wellington in den napoleonischen Kriegen mit verheerender Wirkung gegen die Franzosen einsetzte. Lieutenant-General Sir John Moore starb 1809 bei der Verteidigung gegen Marschall Soult bei La Coruña, doch Lieutenant John Moores erster Kampf wurde an der nebelverhangenen Küste von Massachusetts ausgetragen. Moore hinterließ einen kurzen Bericht über seinen Dienst in Majabigwaduce, ich habe mir im Roman allerdings auch einiges für ihn ausgedacht. Seine außerordentliche Fähigkeit, eine Muskete fünf Mal in einer Minute zu laden und abzufeuern, ist schriftlich überliefert, und auch, dass er am Morgen des erfolgreichen amerikanischen Vorstoßes den Feldposten kommandierte, der am dichtesten bei Dyce's Head aufgestellt worden war. Lieutenant Moore, allein unter den Offizieren des Feldpostens, versuchte den Angriff einzudämmen und verlor dabei ein Viertel seiner Männer. Ich bezweifle, dass Moore Captain Welch getötet hat (auch wenn Moore eine Muskete trug und sehr nahe bei Welch gewesen sein muss, als der Marinehauptmann starb), doch es ist sicher, dass Moore das Pech hatte, die amerikanischen Marinesoldaten vor sich zu haben, die bei weitem die schlagkräftigsten Einheiten aufseiten der Aufständischen waren. Diese ersten Marinesoldaten trugen grüne Uniformjacken, und es ist ein verlockender, wenn auch nicht bewiesener Gedanke, dass diese Uniformen die Wahl grüner Jacken für die von Moore geförderten 60er und 95er Jägerbataillone bestimmte, die England in den langen Kriegen gegen Frankreich so große Dienste erwiesen. Welchs Tod auf der Anhöhe war eines der Missgeschicke, von denen die Expedition heimgesucht wurde. John Welch war ein außergewöhnlicher Mann, der aus englischer Gefangenschaft entkommen und über den Atlantik zurückgekehrt war, um für den Aufstand weiterzukämpfen.

Peleg Wadsworth erklärte das Desaster während seiner langen Ausführungen vor dem offiziellen Untersuchungsausschuss mit drei Gründen: «unserem späten Eintreffen vor dem Gegner, dem geringen Umfang unserer Landstreitkräfte und der gleichbleibend widerstrebenden Haltung des Flottenkommandeurs». Die Geschichtsschreibung hat sich auf den dritten Grund festgelegt, und Commodore Dudley Saltonstall wurde die gesamte Schuld zugeschoben. Er wurde aus der Kontinentalmarine entlassen, und es wurde sogar – ohne den geringsten Beweis – angedeutet, er sei ein Verräter in britischem Sold. Er war kein Verräter, und es scheint ungeheuerlich, sein Verhalten als Hauptgrund für das Scheitern der Expedition herauszustellen. Im Jahr 2002 hat die Naval Institute Press (Annapolis, Maryland) George E. Bukers gelungenes Buch *The Penobscot Expedition* veröffentlicht. George Buker diente als Flottenoffizier, und sein Buch stellt eine intelligente Verteidigung eines Offizierskameraden bei der Flotte dar. Der Hauptvorwurf gegen den Commodore bestand darin, dass er sich geweigert hatte, mit seinen Schiffen in den Hafen von Majabigwaduce zu fahren und die drei Schaluppen Captain Mowats zu eliminieren, und Saltonstalls Beschreibung des Hafens als «dieses verdammte Loch» ist oft als Grund für seine Weigerung angeführt worden. George Buker unternimmt große Anstrengungen, um die Schwierigkeiten aufzuzeigen, mit denen sich Saltonstall konfrontiert sah. Der britische Schiffsverband mochte sich gegen die Flottenstärke der Aufständischen zwar kümmerlich ausnehmen, doch sie hielten eine sehr bedeutende Stellung, und jeder Angriff an Dyce's Head vorbei hätte die amerikanischen Schiffe in einen Kessel aus Kanonenfeuer geführt, aus dem es kaum ein Entkommen gegeben hätte, sofern ihnen nicht ein unwahrscheinlicher Ostwind zu Hilfe gekommen wäre (der jedoch auch verhindert hätte, dass sie in den Hafen hätten einlaufen können). George Buker ist recht überzeugend, allerdings hatte es Nelson bei der Bucht Abukir mit einer in etwa vergleichbaren Situation zu tun (und noch dazu mit einem Gegner, der stärker war als er selbst), und er segelte in die Bucht und gewann, und John Paul Jones (der unter Saltonstall gedient und keine Achtung für diesen Mann übrighatte) wäre ganz sicher in den Hafen gesegelt, um Mowats Schaluppen zu versenken. Es ist grob unfair, einen Mann dafür zu verurteilen, dass er kein Nelson oder kein John Paul Jones ist, doch trotz George Bukers Argumenten ist es schwer zu glauben, dass sich irgendein Flottenkommandeur angesichts der eigenen haushohen Überlegenheit weigern könnte, den Gegner anzugreifen. Die zweiunddreißig Marineoffiziere, die den gemeinsamen Brief unterschrieben, mit dem Saltonstall zum Angriff gedrängt werden sollte, glaubten offenkundig nicht, dass die Umstände für einen Angriff zu unvorteilhaft waren. Saltonstalls Schiffe hätten Schaden genommen, aber sie hätten gewonnen. Die drei britischen Schaluppen wären erbeutet oder versenkt worden, und was dann?

Diese Frage ist niemals beantwortet worden, und es lag

auch nicht im Interesse von Massachusetts, sie zu beantworten. George Bukers Buch trägt den Untertitel *Commodore Saltonstall and the Massachusetts Conspiracy of 1779* (Commodore Saltonstall und das Massachusetts-Komplott von 1779), und sein Hauptgedanke besteht darin, dass die Regierung von Massachusetts konspirierte, um alle Schuld auf Saltonstall abzuwälzen, und dass sie dabei einen bravourösen Erfolg hatte. Die Expedition fand auf Initiative von Massachusetts statt, sie wurde ohne Rücksprache mit dem Kontinentalkongress in die Wege geleitet und beinahe vollständig vom Staat Massachusetts finanziert. Massachusetts versicherte alle Schiffe in privatem Besitz, bezahlte die Schiffsbesatzungen, versorgte die Miliz, stellte Waffen, Munition und sonstigen Bedarf und verlor jeden Penny. In Massachusetts war im Jahr 1779 noch immer britisches Geld in Gebrauch, und bei der offiziellen Anhörung wurde der Verlust auf 1 588 668 Pfund (und zehn Pence!) beziffert, und die tatsächliche Summe lag vermutlich viel dichter an zwei Millionen Pfund. Es ist ein unsicheres und schwieriges Unterfangen, historische Summen in aktuellen Geldwert umzurechnen, doch nach äußerst konservativer Schätzung belief sich der Verlust, wenn man den US-Dollar von 2010 zugrunde legt, auf rund 300 Millionen Dollar. Diese enorme Summe führte zum faktischen Staatsbankrott. Allerdings hatte Massachusetts Glück. Die *Warren* hatte im Hafen von Boston gelegen, als die Meldung von dem Einfall der britischen Armee kam, und es war sinnvoll gewesen, dieses mächtige Kriegsschiff und die beiden anderen Segler der Kontinentalflotte in Boston zu nutzen, und deshalb war die Genehmigung ihres Einsatzes beim Flottenstab der Kontinentalarmee beantragt und auch bewilligt worden. Das wiederum bedeutete, dass ein kleiner Teil der besiegten Streitkräfte aus der Kontinentalarmee stammte, also bundesstaatlich war, und wenn die Schuld auf diese bundesstaatliche Komponente geschoben

werden konnte, dann könnten die anderen Staaten dazu gebracht werden, Massachusetts für den Verlust zu entschädi-
gen. Das erforderte wiederum, dass Saltonstall als Sündenbock hingestellt werden musste. Massachusetts behauptete,
es sei Saltonstalls Verhalten gewesen, das die gesamte Expedition habe scheitern lassen, und mit Hilfe verlogener Beweise (besonders vonseiten Solomon Lovells) setzte sich
diese Behauptung durch. Es dauerte einige Jahre, doch 1793
erstattete die Bundesregierung der Vereinigten Staaten von
Amerika Massachusetts den größten Teil des finanziellen
Verlusts. Die gesamte Schuld Saltonstall anzulasten war also
politisch motiviert und höchst erfolgreich, denn am Ende
zahlten die amerikanischen Steuerzahler für die Fehler von
Massachusetts.

Warum also griff Saltonstall nicht an? Er hinterließ keinen Bericht, und sofern er tatsächlich jemals vor dem Militärgericht stand, sind die Akten verloren gegangen, sodass
wir von ihm keinerlei Aussagen haben. Es war sicherlich
keine Feigheit, die ihn am Handeln hinderte, denn er hatte
seinen Mut in anderen Kämpfen dieses Krieges ausreichend
bewiesen, und die Unterstellung, er habe sich von England
bezahlen lassen, entbehrt jeglicher Grundlage. Ich selbst
glaube, dass Saltonstall nicht bereit war, seine Männer und
höchstwahrscheinlich auch eine der wenigen Fregatten, die
der Kontinentalflotte noch geblieben waren, in einer Operation zu opfern, die selbst bei erfolgreichem Verlauf keinen Schritt näher an das eigentliche Ziel der Expedition
herangeführt hätte. Ja, er hätte die drei Schaluppen erobern
können, doch hätte Lovell an Land eine gleichwertige Leistung vollbracht? Ich vermute, dass Saltonstall die Miliz von
Massachusetts für unfähig hielt, und für diese Überzeugung
hatte er reichlich Belege, und die Zerstörung der Schaluppen hielt er, was den Zweck der Expedition anging, für be-
langlos, denn dieser Zweck bestand in der Einnahme von

Fort George. Wenn die Schaluppen erobert oder versenkt worden wären, hätte es das Fort immer noch gegeben, wenn es dann auch in einer weniger vorteilhaften Position gewesen wäre, wogegen die Einnahme des Forts unwiderruflich auch das Ende der Schaluppen bedeutet hätte. Dieser Umstand war Saltonstall klar bewusst. Damit soll der Commodore nicht von aller Verantwortung entbunden werden. Er war ein schwieriger, zänkischer Mann, er vertrat Lovell gegenüber eine vollkommen starre Position, und er versagte beim Rückzug den Fluss hinauf jämmerlich darin, die britische Verfolgung zu stoppen oder auch nur den Versuch zu unternehmen, sie zu verzögern. Dennoch war er nicht der Mann, der die Expedition scheitern ließ. Lovell war es.

Solomon Lovell wurde der Misserfolg der Expedition verziehen, doch es war Lovell, der Fort George nicht mit Angriffen bedrängte, das am Tag seiner Truppenlandung kaum in der Lage war, sich zu verteidigen. Es scheint zuzutreffen, dass McLean vollkommen auf eine Kapitulation eingestellt war und sich nicht auf ein blutiges Handgemenge über den unzulänglichen Wall hinweg einlassen wollte (zu dieser Zeit glaubte McLean immer noch, vermutlich gestützt auf die Anzahl der amerikanischen Transportschiffe, dass er dem Gegner mindestens vier zu eins unterlegen war). Doch Lovell zögerte. Und er zögerte immer weiter. Er lehnte Peleg Wadsworths überaus vernünftigen Vorschlag ab, weiter flussauf eine Befestigung anzulegen, sodass eine Rückzugsmöglichkeit vorhanden wäre, falls die Briten Verstärkung schicken sollten. Er unternahm keinen einzigen Versuch, das Fort zu stürmen, stattdessen berief er endlose Male den Kriegsrat ein (in dem per Abstimmung entschieden wurde) und beharrte darauf, in immer eigensinnigerem Ton von Saltonstall den Angriff auf die Schaluppen zu fordern, bevor die Miliz einen Vorstoß auf das Fort unternahm. Es ist offenkundig, dass die Milizionäre von Massachusetts schlechte

Soldaten waren, doch auch dafür war Lovell verantwortlich. Sie brauchten Disziplin, Ermutigung und Führung. Doch sie bekamen nichts dergleichen, und so kampierten sie verlassen auf der Anhöhe, bis der Befehl zum Rückzug kam. Es trifft zu, dass, nachdem die Wälle von Fort George erst einmal hoch genug waren, Lovells Aussichten, die Stellung einzunehmen, gegen null gingen, denn er hatte zu wenig Männer, und seinen Kanonieren war es nicht gelungen, eine Bresche in den Wall zu schießen. Doch zuvor, in der ersten Woche der Belagerung, hatte er die besten Aussichten auf einen erfolgreichen Sturmangriff. Ich glaube, Dudley Saltonstall wusste nur allzu gut, dass die Zerstörung der Schaluppen nicht zur Einnahme des Forts führen würde und dass deshalb bei einem Angriff auf die britischen Schiffe lediglich unnötige Verluste für die Flotte herauskommen würden. Schließlich ließ er sich doch noch davon überzeugen, an jenem Freitag, dem 13. August, in den Hafen einzulaufen, sah dann jedoch von einem Angriff ab, weil die Entsatzungsflotte Sir George Colliers angekommen war. Der aufgegebene Land-See-Angriff hätte Mowats Schaluppen höchstwahrscheinlich vernichtet, doch Lovells Kräfte wären von den Verteidigern des Forts stark dezimiert worden. Es war alles zu dürftig, und es kam alles zu spät, ein Fiasko, das durch miserable Führung und eine dramatische Entscheidungsschwäche herbeigeführt wurde.

Die Briten andererseits hatten eine sehr gute Führung in Gestalt zweier Berufssoldaten, die einander vertrauten und eng zusammenarbeiteten. McLeans Taktik, die einfach darin bestand, Fort George immer stärker auszubauen, während er zugleich durch Störmanöver von Caffraes Leichter Kompanie den Gegner verunsicherte, ging perfekt auf. Mowat stellte, wann immer nötig, Kanonen und Männer zur Verfügung. Die Briten mussten im Grunde nur durchhalten, bis Verstärkung kam, und sie hatten das Glück, dass Sir George

Collier (der tatsächlich das Musical geschrieben hatte, das im Drury Lane Theater aufgeführt worden war) vor Henry Jacksons Regiment der Kontinentalarmee den Penobscot erreichte. Brigadegeneral Francis McLean war ein sehr guter Soldat und, sogar nach Einschätzung seiner Gegner, ein sehr guter Mensch, und er erwies seinem König in Majabigwaduce beste Dienste. Nachdem die Sache entschieden war, scheute McLean keine Mühen, um sicherzustellen, dass die verwundeten Aufständischen, die weit oben am Fluss festsaßen, medizinisch versorgt wurden und ein Schiff zur Verfügung hatten, das sie nach Boston zurückbrachte. Es gibt Berichte von Aufständischen, die McLean begegnet waren, und immer wird er als human, großzügig und anständig beschrieben. Die beiden Regimenter, die er in Majabigwaduce führte, waren mindestens genauso unerfahren wie die Milizionäre, denen sie gegenüberstanden, doch seine jungen Schotten besaßen Führung, Kampfgeist und vorbildhaftes Benehmen. Peleg Wadsworth ist Francis McLean während der Belagerung nicht begegnet, somit ist ihre Unterhaltung vollkommen erfunden, doch ihr Anlass, die Verletzung und Gefangennahme Lieutenant Dennis', hat sich genau so zugetragen. Es waren Captain Thomas Thomas von der *Vengeance* und Lovells Sekretär John Marston, die mit einer Waffenstillstandsflagge auf das Fort zugingen, wo sie von Dennis' traurigem Schicksal erfuhren, doch ich wollte, dass sich McLean und Wadsworth treffen, und deshalb bin ich von den Tatsachen abgewichen.

Diese Abweichungen habe ich so gering wie möglich gehalten. Soweit ich weiß, wurde Peleg Wadsworth nicht beauftragt, der Unterschlagungsklage gegen Revere nachzugehen, eine Beschuldigung, die in dem viel größeren Schlamassel von Penobscot untergegangen ist. Ich habe einige Ereignisse der Belagerung zusammengefasst. Brigadier McLean hat einige Tage mit der Erkundung der Bucht von Penobscot verbracht, bevor er sich für Majabigwaduce als Standort für sein Fort entschied, diese Aufklärungsfahrt habe ich unbeachtet gelassen. Es gab zwei Versuche, die Briten bei der Half-Moon-Batterie in einen Hinterhalt zu locken, die beide katastrophal endeten, doch für Romanzwecke schien mir einer dieser Versuche ausreichend. Im Übrigen habe ich keinerlei Beweis dafür, dass John Moore an einem dieser Kämpfe beteiligt war. Die letztliche Selbstverbrennung der amerikanischen Flotte hat sich über drei Tage hingezogen, die ich auf zwei verkürzt habe.

Die Gesamtzahl der Opfer von Penobscot ist sehr schwer zu ermitteln. Lovell schätzt in seinem Kriegstagebuch, dass die Aufständischen bei ihrem Vorstoß auf das Steilufer nur vierzehn Tote und zwanzig Verwundete zu beklagen hatten, während Peleg Wadsworth in seinen schriftlich niedergelegten Erinnerungen für diesen Vorstoß von einhundert getöteten und verwundeten Aufständischen ausgeht. Die Berichte der Miliz helfen auch nicht viel weiter. Lovells Kräfte wurden von Freiwilligen aus der Gegend verstärkt (auch wenn Lovell notierte, dass in der Miliz von Penobscot ein allgemeines Widerstreben dagegen herrschte, die Waffen gegen die Briten zu heben), sodass die Armee der Aufständischen am Vortag von Sir George Colliers Ankunft im Vergleich zu den 873 dienstfähigen Männern drei Wochen zuvor nun 923 Männer zählte, und dies trotz Verlusten im Kampf und bedauerlich vielen Deserteuren. Die verlässlichsten Berichte gehen für die britische Seite von insgesamt fünfundzwanzig Toten, zwischen dreißig und vierzig Schwerverwundeten und sechsundzwanzig Gefangenen aus. Die Verluste der Aufständischen sind wesentlich schwieriger zu schätzen, doch eine zeitgenössische Quelle gibt weniger als 150 Tote und Verletzte an, eine andere allerdings zählt die Männer dazu, die den weiten Heimweg durch das dichtbewaldete Land nicht überlebten, und kommt auf insgesamt 474 Opfer. Meine Schlussfolgerung ist, dass die Verluste der Aufständischen etwa doppelt so hoch waren wie die der Briten. Das mag niedrig geschätzt sein, doch die Penobscot-Expedition war, wenn auch ein Desaster für die Aufständischen, glücklicherweise kein Blutbad.

Lieutenant George Littles Konfrontation mit Saltonstall gegen Ende der Expedition wird in zeitgenössischen Berichten bezeugt, ebenso wie Peleg Wadsworths Zusammentreffen mit Paul Revere während des Rückzugs flussaufwärts. Revere lehnte die Bitte, die Besatzung des Schoners zu retten, mit der persönlichen Begründung ab, er wolle nicht riskieren, dass sein Gepäck den Briten in die Hände fiele, und als allgemeine Begründung fügte er hinzu, dass er nach dem Ende der Belagerung keine Befehle ranghöherer Offiziere mehr ausführen müsse. Einige Quellen geben an, er hätte das Gepäck an Land gebracht und anschließend die Barkasse zu der Besatzung des Schoners zurückgeschickt. Das mag wohl stimmen, und die Mannschaft wurde gerettet, obwohl der Schoner selbst wahrscheinlich zu einer dritten britischen Prise wurde, doch danach verließ Revere ganz einfach ohne Befehl den Fluss, ließ die meisten seiner Männer zurück und machte sich auf den Rückweg nach Boston. Zu Hause angekommen, wurde er vom Kommando seines Artillerieregiments suspendiert, unter Hausarrest und schließlich vors Kriegsgericht gestellt. Peleg Wadsworth hatte Revere mit Arrest gedroht, und es war Reveres dreiste Anmaßung an dem Tag, an dem Wadsworth ihm befahl, die Besatzung des Schoners zu retten, die Revere den größten Ärger bereitete, doch es wurden von Brigademajor William Todd und Marinehauptmann Thomas Carnes auch noch andere Klagen vorgebracht. Diesen Beschuldigungen ging ein Untersuchungsausschuss nach, den der Allgemeine Gerichtshof von Massachusetts eingesetzt hatte, um die Gründe für das Scheitern der Expedition herauszufinden.

574

Todd und Revere standen sich, wie es auch der Roman beschreibt, schon lange feindselig gegenüber, und das färbte sicherlich auf Todds Anschuldigungen ab. Brigademajor Todd gab an, Revere habe sich oftmals nicht in der amerikanischen Kampflinie befunden, eine Anklage, die von anderen Zeugen und auch von Lovells Generalbefehl vom 30. Juli 1779 gestützt wurde (zitiert vor Kapitel neun). Dazu führte Todd zahlreiche Gelegenheiten an, bei denen Revere Befehle missachtet hatte, und zwar ganz besonders während des Rückzugs. Thomas Carnes wiederholte einige dieser Klagen. Ich weiß von keinem Grund, aus dem Carnes, anders als Todd, eine persönliche Abneigung gegen Revere gehegt haben sollte, wenn es vielleicht auch bezeichnend ist, dass Carnes Offizier in Gridleys Artillerie gewesen war und sich Richard Gridley, der Gründer des Regiments und sein Kommandooffizier, mit Revere wegen irgendeiner Freimaurer-Sache zerstritten hatte. Carnes beschwerte sich darüber, dass Revere bei der amerikanischen Landung seine Artillerietruppe als Infanterie-Reservekorps hätte anführen sollen, stattdessen aber auf die *Samuel* zurückgekehrt war, um zu frühstücken. Carnes' grundlegende Kritik aber betraf Reveres Fähigkeiten als Kanonier, ein Thema, zu dem sich Carnes als Experte äußern konnte. Revere, sagte Carnes, war nicht anwesend, um den Bau der Geschützstellungen zu überwachen, und gab seinen Kanonieren weder Anweisungen, noch betreute er sie ordentlich. Im Kreuzverhör brachte Carnes, ein erfahrener Artillerist, vor, es sei höchst befremdlich, dass Revere «so schlecht schoss und nicht mehr über die Artillerie wusste». Es war Carnes' schriftlich niedergelegte eidesstattliche Aussage, die Revere eines Verhaltens beschuldigte, «das an Feigheit grenzt». Wadsworth bezeugte Reveres häufige Abwesenheit von der Kampflinie, und er schilderte Reveres Befehlsverweigerung während des Rückzugs. Wadsworth merkte ebenfalls an, dass Revere, wann immer er Gelegenheit hatte, für oder gegen die Fortsetzung der Belagerung zu stimmen, beständig eine Gegenstimme abgegeben habe. Das ist kein Beweis für Feigheit, doch die Protokolle dieser Kriegsratssitzungen machen deutlich, dass sich Revere bei weitem am leidenschaftlichsten für den Abbruch der Belagerung äußerte.

Der Untersuchungsausschuss veröffentlichte seine Ergebnisse im Oktober 1779. Er kam zu dem Schluss, dass Commodore Saltonstall die gesamte Schuld am Scheitern der Expedition trug, und entlastete ausdrücklich die Generäle Lovell und Wadsworth, doch er gab trotz aller Beweise keinerlei Urteil über Paul Reveres Verhalten ab. George Buker argumentiert überzeugend, dass der Ausschuss seine absurde Beschuldigung nicht verwässern wollte, der zufolge einzig und allein die Kontinentalflotte in Person Dudley Saltonstalls für das Desaster verantwortlich war.

Revere aber war nicht zufriedengestellt. Zwar war er nicht verurteilt worden, doch sein Ruf war nicht wiederhergestellt, und in ganz Boston grassierten Gerüchte über sein «unsoldatisches» Verhalten. Er verlangte eine Verhandlung vor dem Militärgericht. Revere, so scheint es mir, war ein schwieriger Mann. Sogar einer seiner gutwilligsten Biographen räumt ein, dass es Reveres «persönliche Eigenschaften» gewesen seien, die seine Aussichten auf ein Offizierspatent in der Kontinentalarmee schwächten. Er war zänkisch, übertrieben empfindlich, wo es um seinen Ruf ging, und er fing mit jedem Streit an, der ihn kritisierte. Er stritt sich auch mit John Hancock, der während Reveres Abwesenheit in Penobscot auf Castle Island zur Inspektion gewesen war und es wagte, etwas an der Verteidigungsanlage zu bemängeln. Der Allgemeine Gerichtshof allerdings verweigerte Revere eine Verhandlung vor dem Kriegsgericht, sondern setzte stattdessen den Untersuchungsausschuss mit der Aufgabe wieder ein, Reveres Verhalten zu durchleuchten, und ein ausschlaggebendes Beweismittel war das «Tagebuch», das Revere angeblich in Majabigwaduce geführt hatte und das ihn, wie nicht anders zu erwarten, als ein Vorbild militärischer Gewissenhaftigkeit erscheinen lässt. Ich habe keinen Beweis dafür, dass dieses «Tagebuch» eigens für diese Untersuchung geschrieben wurde, es scheint allerdings sehr wahrscheinlich. Revere brachte außerdem viele Zeugen an, die der Anklage gegen ihn widersprachen, und seine energische Verteidigung war größtenteils erfolgreich, denn als der Ausschuss im November 1779 Bericht erstattete, sprach er Revere von dem Vorwurf der Feigheit frei, wenn er ihn allerdings auch milde dafür rügte, Penobscot ohne Befehl verlassen und sich mit «Brigadegeneral Wadsworth über die Befehle bezüglich des Bootes» gestritten zu haben. Reveres einzige Verteidigung gegen den letzteren Anklagepunkt war, dass er Wadsworths Befehle missverstanden habe.

Obwohl vom Vorwurf der Feigheit freigesprochen, war Revere immer noch nicht zufriedengestellt, und ein weiteres Mal erbat er eine Verhandlung vor dem Kriegsgericht. Dieses trat schließlich 1782 zusammen, und endlich erreichte Revere, was er wollte: die rechtliche Entlastung von allen Anklagepunkten. Die Vermutung liegt nahe, dass die Leute der ganzen Sache inzwischen überdrüssig waren und dass, im Februar 1782, also vier Monate nach dem großen Triumph der Aufständischen bei Yorktown, niemand die Erinnerung an die unglückselige Penobscot-Expedition wachrufen wollte, und so, wenn das Kriegsgericht Revere auch für seine Weigerung tadelte, die Besatzung des Schoners zu retten, sprachen sie ihn mit «den gleichen Ehren frei wie die anderen Offiziere», was unter den gegebenen Umständen ein recht schwaches Lob war. Die Kontroverse um Reveres Verhalten in Majabigwaduce wurde in einer Serie von Leserbriefen in der Bostoner Presse erbittert weitergeführt, doch all das war längst vergessen, als Revere 1861 unversehens in den Heldenstand erhoben wurde, den er bis auf den heutigen Tag genießt. Andere Vorwürfe, wie etwa dass Revere das Auslaufen der Flotte verzögert hatte, seine kleinliche Weigerung, jemand anderen die Barkasse von Castle Island benutzen zu lassen, und sein Versagen beim Zurückholen der Kanonen von Cross Island werden sämtlich von unterschiedlichen Quellen bestätigt.

Dudley Saltonstall wurde aus dem Marinedienst entlassen, konnte sich aber in einen Kaperer einkaufen, die *Minerva*, mit dem er eine der wertvollsten Prisen des gesamten Unabhängigkeitskriegs nahm. Nach dem Krieg besaß Saltonstall Handelssegler, von denen einige als Sklavenschiffe eingesetzt wurden, und er starb 1796 mit achtundfünfzig Jahren. Paul Revere war nach dem Krieg ebenfalls erfolgreich. Er eröffnete eine Glockengießerei und wurde zu einem der prominentesten Bostoner Unternehmer. Er starb 1818 im Alter von dreiundachtzig Jahren. Solomon Lovells politische Karriere wurde von dem Penobscot-Fiasko nicht beeinträchtigt. Er blieb weiterhin Stadtrat von Weymouth, Massachusetts, Abgeordneter beim Allgemeinen Gerichtshof, und er war an der Ausarbeitung der neuen Staatsverfassung beteiligt. Er starb neunundsechzigjährig im Jahr 1801. Bei einem Memoirenschreiber heißt es, dass Solomon Lovell «angesehen und geachtet (wurde und) … er als Staatsrat Respekt und Vertrauen genoss … sein Name wurde über Generationen hoch angesehen». Eine zutreffendere Beurteilung wurde sicher von einem jungen Marinesoldaten abgegeben, der in Majabigwaduce dabei war. Er schrieb: «Mister Lovell hätte als Dekan einer Provinzkirche Besseres bewirkt und eine wesentlich respektablere Figur abgegeben als an der Spitze eines amerikanischen Armeeverbandes.»

Captain Mowat blieb bei der königlichen Marine, zuletzt führte er das Kommando über eine Fregatte, auf der er 1798 vor der Küste von Virginia vermutlich an einem Herzinfarkt starb. Er ist auf dem St.-John's-Friedhof von Hampton, Virginia, beerdigt. Brigadegeneral Francis McLean kehrte zu seinem Kommando in Halifax, Nova Scotia, zurück, wo er im Alter von dreiundsechzig Jahren, nur zwei Jahre nach der erfolgreichen Verteidigung Fort Georges, starb. John Moores Ruhm sollte den seines alten Kommandeurs noch bei weitem übertreffen, und er wird heute als einer der bedeutendsten und menschlichsten Generäle angesehen, die je in der britischen Armee gedient haben. Er starb achtundvierzigjährig bei La Coruña genau so, wie er in Majabigwaduce gekämpft hatte: in der vordersten Linie.

Im Jahr 1780, ein Jahr nach der Expedition, wurde Peleg Wadsworth als Milizkommandant der Region Penobscot zurück nach Ost-Massachusetts geschickt. Die britische Garnison auf Fort George erfuhr von seiner Anwesenheit und sandte einen Stoßtrupp gegen ihn, der Wadsworth in einem kurzen Kampf verwundete und gefangen nahm. Wadsworth wurde in Fort George festgesetzt, wo seine Frau, die Besuchserlaubnis erhalten hatte, erfuhr, dass er in ein Gefängnis in England gebracht werden sollte. Wadsworth und ein zweiter Gefangener, Major Burton, erdachten daraufhin einen wagemutigen Ausbruch, den sie auch erfolgreich durchführten, und heute heißt die Bucht nördlich von Castine (wie Majabigwaduce nun genannt wird) und westlich der Landenge «Wadsworth Cove», weil die beiden Flüchtlinge hier ein Boot fanden. Peleg Wadsworth blieb in Ost-Massachusetts. Nach dem Krieg eröffnete er eine Eisenwarenhandlung, baute ein Haus in Portland, das noch immer steht (ebenso wie Paul Reveres Haus in Boston), und saß im Senat von Massachusetts sowie als Abgeordneter der Provinz Maine im US-Kongress. Er betrieb in Hiram einen Bauernhof und gehörte zu den Führern der Bewegung, die Maine zu einem eigenen Staat machen wollten, ein Ziel, das 1820 erreicht wurde. Er hatte mit seiner Frau Elizabeth zehn Kinder, und er starb 1829 mit einundachtzig Jahren. George Washington schätzte Peleg Wadsworth überaus hoch, und ein wertvolles Familienerbstück der Wadsworths ist eine Locke George Washingtons, die er Wadsworth als erster Präsident der Vereinigten Staaten schenkte. Peleg Wadsworth war meiner Ansicht nach ein echter Held und ein großer Mann.

Die Briten blieben in Majabigwaduce, und es sollte tatsächlich die letzte britische Stellung sein, die in den Vereinigten Staaten geräumt wurde. Viele Loyalisten zogen nach Nova Scotia, als die Briten gingen, einige bauten sogar ihre Häuser ab, um sie mitzunehmen, wenn sich interessanterweise auch eine ganze Reihe britischer Soldaten, einschließlich Sergeant Lawrence' von der königlichen Artillerie, nach dem Krieg in Majabigwaduce niederließen und allen Berichten zufolge herzlich willkommen geheißen wurden. Die meisten der versenkten Kanonen von der Flotte der Aufständischen wurden gehoben und beim britischen Militär eingesetzt, wodurch sich erklärt, weshalb an Kriegs-Gedenkstätten bis ins ferne Australien Kanonenrohre stehen, die das Staatssiegel von Massachusetts tragen. Dann, im Krieg von 1812, kehrten die Briten zurück und besetzten Majabigwaduce erneut, und erneut bemannten sie das Fort, das sie bis zum Kriegsende hielten. Während dieser zweiten Besetzung wurden die Wälle des Forts mit Mauerwerk verstärkt, und der «British Canal», der heute nur noch ein sumpfiger Graben ist, wurde als Verteidigungsanlage quer über die Landenge ausgehoben. Fort George gibt es immer noch, es ist inzwischen ein Nationaldenkmal. Es steht auf dem Hügelrücken oberhalb der Maine Maritime Academy in Castine, und es ist ein friedlicher, schöner Ort. Die Wälle sind größtenteils mit Gras überwachsen, und in Castine erzählen sich die Leute, dass in stillen Nächten der Geist eines Trommlerjungen zu hören sei, der in dem alten Fort seine Trommel schlägt. Eine andere Version dieser Legende behauptet, es sei der Geist eines britischen Jungen, der während der Räumung der Garnison im Jahr 1784 versehentlich in ein Pulvermagazin eingeschlossen wurde, und wieder andere sagen, es wäre ein amerikanischer Junge, der bei den Kämpfen von 1779 zu Tode kam. Die älteste Erwähnung, die ich finden konnte, steht in William Hutchings' Erinnerungen, in denen er beteuert, dass der Junge, ein Trommler der Aufständischen, bei der Half-Moon-Batterie getötet wurde. Es gibt einen Pfad, der sich den Steilhang bei Dice Head (wie Dyce's Head heute genannt wird) hinaufwindet, auf dem der Besucher bewundernd nachempfinden kann, welche Leistung die Amerikaner damals vollbrachten, als sie am 28. Juli 1779 diese Stellung eroberten. Der große Felsblock auf dem Strand heißt Trask's Rock, nach dem jungen Pfeifer, der während des Angriffs spielte. Castine erlebte im 19. Jahrhundert hauptsächlich durch den Holzhandel einen Aufschwung und ist heute eine malerische und ruhige Hafenstadt, in der man sich seiner faszinierenden Geschichte sehr bewusst ist. Bei einem meiner Besuche dort wurde mir erzählt, Paul Revere habe die Zahlkasse der Expedition gestohlen. Diese Beschuldigung wird von keinem einzigen direkten Beweis gestützt, doch sie zeigt, welche Verachtung mancher Einwohner dieses Teils von New England für einen Mann hegt, der anderswo in der Region so verehrt wird.

Die Zitate am Anfang der Kapitel empfinden soweit möglich die Schreibweise des Originals nach. Die meisten dieser Zitate habe ich der *Documentary History of the State of Maine*, Bände XVI und XVII, entnommen, die von der Maine Historical Society 1910 beziehungsweise 1913 veröffentlicht wurden. Diese beiden Quellensammlungen waren für mich außerordentlich wertvoll, ebenso wie C. B. Kevitts Buch *General Solomon Lovell and The Penobscot Expedition*, veröffentlicht 1976, das eine Darstellung des Expeditionsverlaufs zusammen mit ausgewählten zeitgenössischen Quellen enthält. Ich habe auch das Kriegstagebuch Solomon Lovells von der Expedition herangezogen, das von der Weymouth Historical Society 1881 veröffentlicht wurde, sowie John E. Cayfords *The Penobscot Expedition*, eine private Veröffentlichung von 1976. Ich habe George Bukers unschätzbares Werk *The Penobscot Expedition* schon erwähnt, in dem überzeugend dargelegt wird, dass die Untersuchungen zu dem Desaster Teil eines erfolgreichen Komplotts vonseiten Massachusetts waren, um sowohl die Schuld als auch die finanzielle Verantwortung auf die Bundesregierung abzuwälzen. Die lebendigste und leserfreundlichste Beschreibung der Expedition findet sich zweifellos in Charles Bracelen Floods Buch *Rise, and Fight Again*, das 1976 bei Dodd Mead and Company herauskam und vier bedeutende Rückschläge der amerikanischen Aufständischen auf ihrem Weg zur Unabhängigkeit behandelt. David Hackett Fischers fesselndes Buch *Paul Revere's Ride*, Oxford University Press, 1994, erwähnt die Expedition von 1779 nicht, doch es ist ein glänzender Wegweiser zu den Ereignissen, die zur Revolution und zu Paul Reveres einflussreicher Rolle in dieser Zeit führten. Für Leser, die sich für die Entstehung und die Reaktionen auf Longfellows Gedicht (das Fischer «grob verzerrend und vorsätzlich ungenau» nennt) interessieren, ist sein Essay «Historiography» unverzichtbar, das sich am Ende seines Buches findet. Die beste Biographie Reveres ist *A True Republican, the Life of Paul Revere*, von Jayne E. Triber, veröffentlicht von der University of Massachusetts, Amherst 1998. Dem berühmten *Life of Colonel Paul Revere* von Elbridge Goss, publiziert 1891, mangelt es an biographischen Einzelheiten, doch es geht ausführlich auf die Penobscot-Expedition ein. Eine neue Biographie über Sir John Moore ist dringend vonnöten, für mich wurde jedoch auch die zweibändige Biographie, die sein Bruder verfasste, zur wertvollen Quelle: *The Life of Lieutenant General*

Sir John Moore, K. B. von James Carrick Moore, veröffentlicht von John Murray, London 1834. Viele Details zu Majabigwaduce im 18. Jahrhundert entdeckte ich in George Wheelers großartiger *History of Castine, Penobscot und Brookville*, veröffentlicht 1875, und in den Wilson Museum Bulletins, die von der Castine Scientific Society herausgegeben werden. Das Wilson Museum an der Perkins Street in Castine ist jeden Besuch wert, ebenso wie natürlich Castine selbst. Ich bin Rosemary Begley und den anderen Bewohnern von Castine zu Dank verpflichtet, die sich die Zeit genommen haben, mich durch ihre Stadt und ihre Geschichte zu führen. Garry Gates aus meiner eigenen Heimatstadt Chatham, Massachusetts, danke ich dafür, dass er die Karte von Majabigwaduce gezeichnet hat, Shannon Eldredge dafür, einen abschreckenden Berg von Logbüchern, Briefen und Tagebüchern durchkämmt zu haben, sodass für die Geschehnisabfolge ein unüberschätzbarer Zeitplan erstellt werden konnte, Patrick Mercer, MP (und selbst ein talentierter Autor historischer Romane), dafür, dass er sein Wissen über den Militärdrill des späten 18. Jahrhunderts großzügig mit mir teilte, und der größte Dank gebührt meiner Frau Judy, die meine Penobscot-Obsession mit ihrer gewohnten Nachsicht ertragen hat.

Ein letzte Bemerkung, weil mir dies als die größte Ironie an der Penobscot-Expedition erscheint: Peleg Wadsworth, der Paul Revere unter Arrest stellen lassen wollte und den Reveres Verhalten in Majabigwaduce zweifellos bis aufs Blut gereizt hat, war Henry Wadsworth Longfellows Großvater mütterlicherseits, jenes Mannes, der Revere im Alleingang berühmt machte. Wadsworths Tochter Zilpha, die am Anfang meines Romans kurz auftaucht, war die Mutter des Dichters. Peleg Wadsworth wäre entsetzt gewesen, aber, wie er selbst bestimmt besser wusste als die meisten anderen: Die Geschichte ist eine launenhafte Muse und der Ruhm ihr ungerechter Nachkomme.

HINTER DEM MYTHOS

In diesem exklusiven Schlussabschnitt schreibt Bernard Cornwell über den Hintergrund von Das Fort – warum er dieses Buch schreiben wollte, über seine jahrelangen Recherchen und über die Gründe, aus denen Heldengeschichten aus der Vergangenheit eines Landes manchmal notwendig sind, um seine Zukunft zu beflügeln.

Die Penobscot-Expedition ist ein vergessener Feldzug des amerikanischen Unabhängigkeitskriegs, und so mancher wünscht sich vermutlich, dass sie auch vergessen bleibt. Für die Amerikaner war Penobscot ein Desaster, auch wenn es für den Ausgang des Krieges am Ende keine Rolle spielte, ebenso wenig wie für ihren letztlichen Erfolg, während es für die Briten ein Sieg war, der nichts dazu beitragen konnte, den demütigenden Verlust der dreizehn Kolonien abzuwenden.

Warum also über ein unbedeutendes Ereignis schreiben, das allenfalls als belangloses Kräuseln auf dem Fluss der Geschichte angesehen werden kann? Mein Interesse an der Penobscot-Expedition erwachte vor vielen Jahren, als ich eine Lebensbeschreibung Sir John Moores las, des Generals, der 1809 bei La Coruña gegen Marschall Soult kämpfte und starb. Ich dachte an meinen Romanhelden Richard Sharpe und den Spanischen Unabhängigkeitskrieg und fragte mich, ob Sharpe wohl jemals Sir John Moore begegnet sein könnte, der zu Recht als einer der fähigsten Generäle gilt, die jemals in der britischen Armee gedient haben. Letzten Endes sind sich Moore und Sharpe niemals begegnet, doch ich hatte gelesen, dass John Moore seine ersten Gefechtserfahrungen im Sommer 1779 an der nebligen Küste von New England gesammelt hatte. Er war damals ein achtzehnjähriger Lieutenant und überlebte mit mehr Glück als Verstand sein erstes Gefecht. Ich war fasziniert, wahrscheinlich vor allem, weil ich noch nie von der Penobscot-Expedition gehört hatte, und ich begann, mehr über diesen geheimnisvollen Feldzug zu lesen, der den großen Sir John Moore mit den Tatsachen des Kriegshandwerks bekannt machte.

Ich las über die Expedition nicht mit der Absicht, einen Roman darüber zu schreiben, sondern aus bloßem Interesse, doch dann, ein paar Jahre später, segelte ein enger Freund von mir mit seiner Shannon 38 (mit der wir noch gemeinsam den Atlantik überqueren sollten) die Küste von Maine hinauf. Von einer hübschen Hafenstadt namens Castine aus rief er mich an. «Du kannst dir nicht vorstellen, was hier passiert ist», sagte er und fügte hinzu: «Und hast du gewusst, dass Paul Revere einmal hier war?» Und da machte es klick. Es war nicht nur *ein* berühmter Soldat in Penobscot gewesen, sondern zwei, und da fing ich an, über einen Roman nachzudenken.

Paul Revere! In Amerika ist Revere unglaublich bekannt, ein Revolutionsheld, ein Symbol für den einfachen Durchschnittsbürger, der es mit dem größten Weltreich seiner Zeit aufgenommen und es gedemütigt hatte. Paul Revere, der Silberschmied, der Teekisten in den Bostoner Hafen geworfen hatte, der einen Ritt durch die Nacht unternommen hatte, um die Patrioten von Lexington und Concord vor den anrückenden Briten zu warnen, der bei Penobscot gekämpft und seines Kommandos enthoben worden war, der unter Hausarrest gestellt und wegen Unfähigkeit und Feigheit vors Kriegsgericht gestellt worden war. Wie bitte?

Zuerst konnte ich kaum glauben, was ich da entdeckte. Paul Reveres Ansehen kann kaum überschätzt werden, denn sein Name allein ist schon ein Symbol für den Erfolg der amerikanischen Revolution. Boston, seine Heimatstadt, ist eine Wallfahrtsstätte für Revere. Sein Haus wird liebevoll gepflegt, und eine Revere-Heldenstatue aus Bronze steht in der Paul Revere Mall, einer schönen Passage auf dem Freedom Trail zwischen der Hanover und der Salem Street. Die nahegelegene Stadt Revere wurde nach ihm benannt, und beinahe jedes Schulkind in Amerika erfährt von Paul Revere durch Henry Longfellows berühmtes Gedicht. In dem Pantheon der amerikanischen Helden nimmt Paul Revere einen ziemlich hohen Platz ein.

Und er wurde wegen Feigheit vors Kriegsgericht gestellt?

Im Jahr 1779 lief es im Krieg nicht sehr gut für England. Die Schlacht von Saratoga 1777 hatte zum Kriegseintritt Frankreichs geführt, und die Briten hatten ihre Kolonien in New England aufgegeben und ihre Kräfte auf New York und die südlichen Kolonien konzentriert. Massachusetts war in jeder Hinsicht schon unabhängig. Es befanden sich keine britischen Truppen im Staat, und in Boston saßen eine Regierung der Aufständischen mitsamt einer ausgeklügelten Staatsbürokratie, die von den massiven Hafenfestungen unter dem Kommando Lieutenant Colonel Paul Reveres geschützt wurde.

Dann, im Sommer 1779, unternahmen die Briten den kühnen Vorstoß, den der Roman beschreibt. Eine der Erklärungen für die Besetzung Castines (abgesehen von den offenkundigen Motiven, eine Flottenbasis und eine sichere Zuflucht für Loyalisten aufzubauen) ist, dass ein paar weitblickende Politiker in London schon wussten, dass der Krieg in Amerika verloren war. Nach Saratoga hatte sich das, was als Revolte begonnen hatte, in einen echten

Kampf verwandelt, in dem Frankreich die Seite der Aufständischen mit Schiffen und Truppen unterstützte und in dem sich dann auch noch Spanien auf die Seite der Amerikaner schlug. Falls die Briten ein größeres Territorium in Massachusetts besetzen und halten konnten, dann wäre diese Provinz, New Ireland, ein wertvolles Druckmittel bei den künftigen Friedensverhandlungen. Andere glaubten, dass die kanadische Grenze weiter nach Süden verlegt werden sollte, um das Gebiet zu schlucken, das heute Maine ist. Für Francis McLean hat all das freilich keine Rolle gespielt und ebenso wenig für Solomon Lovell, Peleg Wadsworth oder Dudley Saltonstall. Ihr Ehrgeiz beschränkte sich auf Fort George sowie Majabigwaduce und seinen Hafen, dieses «verdammte Loch».

Fort George hätte von den Aufständischen erobert werden müssen. Es wäre nicht unbedingt leicht geworden, doch es besteht kaum ein Zweifel, dass McLean am 28. Juli glaubte, die Angreifer seien bei weitem in der Überzahl und dass er, um ein Blutbad zu verhindern, wie es in seinen eigenen Worten überliefert ist, «ein oder zwei Kanonen auf sie abfeuern (wollte), um nicht als Feigling dazustehen, dann hätte ich meine Fahne eingeholt». Der Roman erzählt, wie es tatsächlich kam. Im Grunde entschied sich Lovell für eine Belagerung, weil ihm der Mut zu einem Frontalangriff auf Fort George fehlte. Nachdem die Belagerung beschlossen war, bekamen Reveres Kanonen natürlich ausschlaggebende Bedeutung. Die Aufständischen waren darauf angewiesen, dass ihre Artillerie die Wälle des Forts beschädigte oder besser noch zerstörte, aber die Kanonen versagten kläglich.

Revere versagte kläglich. Das ließ mir keine Ruhe. Wie konnte ein Mann, der in ganz Amerika so bewundert wurde, in Wahrheit so vollkommen erfolglos gewesen sein? Und schlimmer als erfolglos. Er war ständig unkooperativ, stellte sich quer und stritt sich mit seinen Kriegskameraden herum.

Und das, wohlgemerkt, während des Feldzugs, der sein einziger aktiver Einsatz im gesamten Krieg war. Was meine Recherchen zu Penobscot ergaben, war etwas, das mich schon immer fasziniert hat: die oft enorme Diskrepanz zwischen Mythos und Wirklichkeit.

Diese Diskrepanz ist nachvollziehbar, wenn wir es mit einer sozusagen historischen Gestalt wie «König» Artus zu tun haben, der seine Erfolge, wenn er überhaupt wirklich gelebt hat, in einem Zeitalter hatte, von dem es nahezu keine schriftlichen Zeugnisse gibt. Aber wie konnte das mit einem Mann wie Paul Revere passieren, der in einer Bildungsepoche und einer Zeit lebte, in der die Geschichtsverläufe von Zeitungen, offiziellen Berichten und Tagebüchern festgehalten wurden? Die Antwort lautet natürlich, dass der Mythos mächtiger ist als die Wirklichkeit und dass Mythen gebraucht werden.

Das Jahr 1861, in dem Henry Longfellow sein Gedicht veröffentlichte, war für die Vereinigten Staaten ein Krisenjahr. Der Bürgerkrieg fing an, und die Nation war durch das anscheinend unlösbare Problem der Sklaverei in zwei Lager aufgespalten. Die konföderierten Staaten begannen den Krieg, oder zumindest schossen sie zuerst, und die Reaktion im Norden war eine Woge des Patriotismus, und natürlich speiste sich die Leidenschaft dieses Patriotismus stark aus der Rückschau auf den Unabhängigkeitskrieg. Der unerlässliche Gründungsmythos der Vereinigten Staaten von Amerika war (und ist immer noch), dass es eine Koalition edelgesinnter Patrioten mit dem mächtigen britischen Empire aufnahm und diesen Gegner mit Tapferkeit und Klugheit besiegte. Was dieser Mythos ausklammert, oder jedenfalls bis zur Unkenntlichkeit verkleinert, ist die Anwesenheit einer großen französischen Armee und einer respekteinflößenden französischen Flotte. Bei Yorktown, dem Sieg, der dem amerikanischen Erfolg das Siegel aufdrückte, war der größte Truppenverband der französische unter Rochambeau (der heute vergessen ist), und der kleinste Verband bei Yorktown war der britische. Das ist eine lästige Wahrheit, und der Mythos klammert sie aus.

George Washington wird bekanntlich als «der Erste im Frieden und der Erste im Krieg» gerühmt, obwohl er in Wahrheit ein mittelmäßiger General war, der häufig besiegt wurde, jedoch das Glück hatte, zwei mächtige Verbündete, einen unbeugsamen Schicksalsglauben und glücklose Gegner zu besitzen. Im Jahr 1976, zum zweihundertsten Jahrestag der amerikanischen Revolution, gaben die Franzosen eine Briefmarke heraus, auf der Marianne, das Symbol Frankreichs, zu sehen war, die einen britischen Löwen niederschlägt, während zu ihren Füßen ein als Etats-Unis, die Vereinigten Staaten, bezeichnetes hilfloses Baby liegt. Darin besteht der französische Mythos (der die Wahrheit genauer trifft, als die meisten Amerikaner gern zugeben würden), dass nämlich der britische Verlust der dreizehn amerikanischen Kolonien ein Sieg der Franzosen war.

Aber Mythen wollen von Rochambeau nichts wissen und auch nichts von Washingtons groben Fehlern bei den Schlachten von Long Island oder Germantown. Mythen verlangen eine saubere Geschichte voll Edelmut, ohne Schönheitsfehler, und mitreißend soll sie auch sein. Das hat Longfellow geliefert. Er hat einen Namen aus der Vergangenheit benutzt und eine Geschichte erzählt, von der er wusste, dass sie nicht stimmte, aber äußerst mitreißend war. Die Geschichte eines einzelnen Mannes gegen eine ganze Nation, ein einsamer Mann, der durch die Nacht galoppiert, ein Patriot, der eine Provinz zum Widerstand aufruft. Es ist ein schönes Gedicht, eine großartige Erzählung, und eine unwahre, aber ihr Zweck bestand darin, eine Nation, oder jedenfalls einen Teil einer Nation, für eine neue Schlacht und einen neuen Krieg zu begeistern. Das war ein nobler Zweck, wie auch die Sache des Nordens nobel war, und das Gedicht erfüllte seinen Zweck bravourös. Und es verlieh Revere unvergänglichen Ruhm. Die Makel in Reveres Leben waren vergessen, und der Mitternachtsritt, an dem er immerhin teilgenommen hatte, wurde zum Bestandteil der Nationalmythen. Die Tatsachen, dass es viele Männer waren, die in jener Nacht losritten, dass Revere nie in Concord ankam, dass er von einer britischen Patrouille verhaftet wurde, die sein geliehenes Pferd konfiszierte, wurden allesamt vergessen. Stattdessen wurden die einsamen Hufschläge im Mondeslicht zum Trommelwirbel auf dem Weg zum Ruhm.

Warum also Revere in die Parade fahren? Warum nicht den Mythos weiterleben lassen? Er ist harmlos, eine gute Geschichte und ein phantastisches Gedicht. Für mich ist es eine Frage der Gerechtigkeit. Wir wissen nicht, weshalb sich Longfellow unter all den Mitternachtsreitern ausgerechnet Revere aussuchte. Er sagte, er hätte den Namen auf dem Grabstein gelesen, und ich vermute, dass ihm sein schöner Klang gefiel. Eine interessante Frage, die wohl niemals beantwortet werden kann, ist, ob Peleg Wadsworth jemals mit seinem Enkel über Revere gesprochen hat (Henry Longfellow war zweiundzwanzig, als sein Großvater starb). Ich vermute nicht, andernfalls wäre das Gedicht niemals geschrieben worden. Peleg Wadsworths Leben bot viele aufregende Geschichten, die er seinen Kindern und Enkeln erzählen konnte, sodass er es nicht nötig hatte, alten Groll hervorzuholen. Also hat sich Henry Longfellow den Namen aus der Vergangenheit geschnappt und eine Legende geschaffen, doch der Gegenstand dieser Legende scheint mir ihrer nicht würdig zu sein. John Welch hätte ihrer würdig sein können, Peleg Wadsworth ganz sicher, und auch Joseph Warren war ein Held, doch diese Männer sind vergessen, und der streitsüchtige, unkooperative und erfolglose Quertreiber Revere wird gefeiert. Das finde ich ungerecht, und ich glaube, dass

ein bisschen von Reveres geborgtem Ruhm diesen vergessenen Helden zurückgegeben werden sollte.

Es stimmt natürlich, dass Revere vor dem Kriegsgericht
freigesprochen wurde, eine Tatsache, die Reveres zahlreichen Unterstützern über all die Jahre als Trostpflaster gedient hat. Sein jüngster Biograph (Joel J. Miller, *The Revolu-
tionary Paul Revere*, veröffentlicht von Thomas Nelson, 2010)
räumt ein, dass die Episode, in der sich Revere weigerte,
die Besatzung des Schoners zu retten, nicht gerade «Pauls
Glanzstück» war, bezeichnet die anderen Anschuldigungen
jedoch als «Verleumdungen». «Kurz gesagt», schreibt Miller über das Urteil des Kriegsgerichts, «Revere hatte nichts
falsch gemacht. Er wurde für unschuldig erklärt.» Dies lässt
eine Menge Beweise außer Acht und unterstellt, wie es Reveres Verteidiger immer getan haben, dass seine Ankläger
aus niedrigen Beweggründen handelten. Es lässt beispiels-
weise die öffentliche Rüge Lovells während des Kriegszugs
außer Acht. Der Freispruch ist ein sehr starkes Argument
für Reveres Unterstützer, weil er sie in die Lage versetzt, die
Position aufrechtzuerhalten, dass Revere «nichts falsch gemacht» habe. Doch er hat vieles getan, was falsch war, und
eine Teilschuld für das Scheitern der Expedition liegt ganz
sicher bei ihm. Ich glaube, dass ihm bei dem Freispruch der
Grundsatz «Im Zweifel für den Angeklagten» zugutekam
(wie es vor Gericht ja auch sein sollte), dass es im Grunde
aber zu den Machenschaften der Behörden von Massachusetts gehörte, mit denen sichergestellt werden sollte, dass
ihren Streitkräften keinerlei Verantwortung zugeschrieben
werden konnte. Wenn sie ihren beträchtlichen finanziellen
Verlust wieder hereinbekommen wollten, war es notwendig,
alle Verantwortung Dudley Saltonstall anzulasten. Er war
der Sündenbock.

Heute hat, ganz besonders in den Vereinigten Staaten, das
Wort «Held» viel von seinem Wert verloren. Es ist Pflicht,

jeden Soldaten, Feuerwehrmann, Polizisten und jedes kranke Kind als «Held» oder «Heldin» zu bezeichnen. In Wirklichkeit aber sind Helden und Heldinnen natürlich Ausnahmeerscheinungen. John Welch verdient die Bezeichnung, und in meinen Augen auch Peleg Wadsworth, nicht aufgrund seiner Tapferkeit als Soldat, sondern vor allem aufgrund seines zutiefst ehrenhaften Charakters und seines selbstlosen Dienstes für seinen Staat und sein Land. John Moore war ganz zweifellos ein Held, allerdings nicht bei Penobscot, wo seine Tapferkeit unnötigerweise zum Tod einiger seiner Männer führte. Und die Übrigen? Sie waren «normale» Männer, manche von ihnen gut, manche schlecht, und Revere war einer von ihnen. Er war kein Schurke, aber er war auch kein Held. Er ist sicher mit großen Erwartungen nach Majabigwaduce gekommen, doch dann überwältigten ihn die Umstände. Die meisten von uns würden keine bessere Figur abgeben als er.

Ein Autor historischer Romane kann sich Phantasien erlauben, die den Historikern ein Gräuel sind, und eine dieser Phantasien (die ich nicht in den Roman aufgenommen habe) ist die Vorstellung, dass die Expedition, wenn Revere das Kommando gehabt hätte, wohl erfolgreich verlaufen wäre! Lovell war zu ängstlich, Saltonstall zu gleichgültig, und ich bin nicht sicher, ob Wadsworth diese leidenschaftliche Unvernunft besaß, die ein Mann braucht, der das Unmögliche wagen will. Revere war ein lausiger Untergebener, er hasste es, sich Befehle erteilen zu lassen, und zeigte es, indem er diese Befehle in Frage stellte (wie bei der unglaublichen Szene, die sich abspielte, als er den Befehl erhalten hatte, nach Cross Island zu gehen, stattdessen aber bei Lovell auftauchte und wissen wollte, warum das notwendig sei). Doch Revere hatte eine dunkle, unvernünftige Seite. Ich glaube, wenn er den Oberbefehl gehabt hätte, dann hätte diese Unvernunft gemeinsam mit seinem glühenden Patriotismus die

Armee vielleicht zum Erfolg führen können. Er scheint einen Komplex mit sich herumgetragen zu haben, seit es ihm nicht gelungen war, ein Offizierspatent in der Kontinentalarmee zu bekommen. Er wollte kämpfen, aber nur zu seinen eigenen Bedingungen, und er ärgerte sich ständig, wenn er Befehle erteilt bekam. Das machte ihn zu einem schlechten Soldaten, aber es hätte ihn zu einem bedeutenden Befehlshaber machen können. Dann wenigstens hätte er sich seinen Ruhm vielleicht verdient.

Zur Veranschaulichung der Entscheidungsschwäche, von der die Streitkräfte der Aufständischen heimgesucht wurden, folgt hier eine Kostprobe aus den Protokollen einer der vielen Sitzungen des Kriegsrates – dieser fand eine Woche vor dem Ende der Belagerung statt (die originale Schreibweise wurde soweit wie möglich nachempfunden):

Protokoll einer Kriegsratssitzung abgehalten an Bord der Brigg Hazard vor Majabigwaduce am 7. August 1779.

Anwesend Genl Lovell, Genl Wadsworth, und Feldoffiziere; Commodore Saltonstall und Cpte der bewaffneten Segler.

Der General eröffnet die Sitzung mit der Information dass sie zusammengerufen wurden um darüber zu beraten welche weiteren Maßnahmen sinnvollerweise zu ergreifen sind um dem Gegner zuzusetzen.

Der Commodore ist der Auffassung wir sollten entweder einen schweren Angriff ausführen, indem wir die gegnerische Stellung stürmen und mit den Schiffen einlaufen, oder die Belagerung aufheben.

Der General meint er ist mit seinen derzeitigen Truppen nicht in der Lage, einen Sturmangriff zu führen.

Der General fragt den Commodore ob die Männer an Bord in guter Verfassung sind und ob eine ausreichende Zahl derjenigen die zur Schiffsverteidigung da sind bei weiteren Operationen eingesetzt werden können.

Der Commodore antwortet aufgrund wiederholter Fälle von Desertion unter den zwangsverpflichteten Männern auf seinem Schiff sei das unwahrscheinlich.

Cpt Holmes sagt seine Leute sind äußerst unzufrieden, und er ist nicht imstande sie noch viel länger hier festzuhalten.

Die Cpts Carnes, Brown, West und Edmunds äußern sich gleichlautend.

Keine Schwierigkeiten melden andere namentl. Cpte Salter, Waters, Thomas, Williams, Burke, Hacker, Cathcart.

Der General meint wenn er den Landstreifen hinter der Hauptbefestigungsanlage besetzen könnte, der jetzt von dem gegnerischen Schiffsverband kontrolliert wird, dass vierhundert Männer die derzeitige Stellung halten und Siebenhundertundfünfzig von der anderen Seite aus operieren könnten.

Col Revere sagt wir haben nicht so viele Leute.

Der General sagt er hat Grund zu Annahme bald mit einer solchen Zahl rechnen zu können.

Kpt. Burke fragt die Feldoffiziere ob sie ihrer Meinung nach mit ihren Männern über das offene Feld auf den Gegner vorrücken können.

Lt Col Jordon ist der Meinung er kann. Col McCobb, Howard, Mitchell, Revere und Major Hunter sind der Meinung sie können nicht.

Der General fragt die Feldoffiziere ob sie es für zweckmäßig halten würden den Landstreifen im Rücken des Gegners zu besetzen und damit unsere Armee aufzuteilen.

Lt Col Howard ist der Meinung es wäre zweckmäßig, Col McCobb, Mitchell, Revere, Jordon und Major Hunter sind der Meinung, das wäre es nicht.

Der Commodore fragt den General ob er imstande ist den Gegner ohne Nachschub an Männern und Material zu schlagen.

Der General antwortet das kann er nicht.

Dann fragt der General den Kriegsrat ob wir die Belagerung unter den gegebenen Umständen fortsetzen oder nicht fortsetzen sollen.

Als die Frage gestellt und bestimmt war dass Zustimmung für die Fortsetzung der Belagerung zählen sollte folgten –

Jas Col McCobb Mitchell Lt Col Howard Jordon Major Hunter Genl Wadsworth Genl Lovell Cpt Salter Waters Cathcart Williams Thomas Hacker

Neins Lt Col Revere Cpt Carnes Holmes West Brown Burke Edmonds Commre Saltonstall

Col Revere ist aus folgenden Gründen für die Aufhebung der Belagerung –
1. Genl Lovell sagt er ist nicht imstande den Gegner mit den Truppen und Materialien zu schlagen, die er zur Verfügung hat
2. Dass es unter den gegebenen Umständen das beste ist eine Stellung im Westen anzulegen, um den Gegner daran zu hindern weiteres Land zu besetzen
3. Dass sechs Schiffskapitäne ihrer Meinung nach ihre Männer nur noch wenige Tage hier halten können.

Darauf wurde der Kriegsrat abgebrochen

Beglaubigt   John Marston, Sekr.

DER MITTERNACHTSRITT
DES PAUL REVERE

Von Henry Wadsworth Longfellow
1807–1882
Geschrieben am 19. April 1860;
Erstveröffentlichung 1863
in Longfellows Gedichtsammlung
Tales of a Wayside Inn

Die Geschichte des Gastwirts: Paul Reveres Ritt

Aufgemerkt, Kinder, dann hört ihr von mir
Vom Mitternachtsritt des Paul Revere.
Der achtzehnte April fünfundsiebzig war's;
Kaum einer lebt noch, der sich hier
Erinnert des ruhmreichen Tags und des Jahrs.

Er sprach zum Freund: «Wenn heut nacht die Briten
Zu Land oder Wasser aus der Stadt ausrücken,
Dann häng im Turm der Nordkirche droben
Eine Warnlaterne in den Fensterbogen, –
Wenn zu Land, eine, wenn zu Wasser, zween;
Ich will am anderen Ufer stehn,
Bereit zu reiten, und ich trag den Alarm
In jedes Middlesex-Dorf, jede Farm:
Das Landvolk muß auf und in Waffen gehn.»

597

Dann sagt er: «Gut Nacht!» Und mit umwickeltem Ruder
Paddelt er leise ans Charlestown-Ufer,
Grad wie der Mond über der Bucht aufgeht;
Dort draußen vertäut liegt am Ankerplatz
Ein britisches Kriegsschiff, die Somerset,
Ein Geisterschiff: jede Rah, jeder Mast
Wie ein Kerkergitter vor der Mondscheibe steht.
Und den riesigen Rumpf, die schwarze Masse,
Vergrößert sein Widerschein im Wasser.

Indes wandert der Freund durch alle Straßen,
Lauert und lauscht in allen Gassen;
Bis in der Stille sein waches Ohr
Den Appell vernimmt am Kasernentor,
Füßegetrappel und Waffenklirren,
Und dann den Gleichschritt von Grenadieren,
Die zum Strand zu den Booten hinuntermarschieren.

Drauf steigt er im Turm der Nordkirche auf,
Über hölzerne Treppen, verstohlenen Schritts,
Bis hoch zur Glockenstube hinauf;
Und schreckt die Tauben von ihrem Sitz
Auf dem düstern Gebälk – ihn umschwebten viele
Schemen und schwirrende Schattenspiele.
Über wacklige, steile Sprossen fand
Er zum obersten Fenster hoch in der Wand;
Dort hielt er ein, er horchte und tat
Einen Blick hinab auf die Dächer der Stadt,
Die vom Mondlicht umflossen unter ihm lag.

Drunten im Kirchhof, da schliefen die Toten
Im Nachtlager auf dem Hügel beisammen,
In tiefer Ruh und von Schweigen umfangen,
So daß, wie den Schritt eines wachsamen Boten

Er den Nachtwind vernahm, der durchs Lager strich,
Leise von Zelt zu Zelt sich schlich
Und zu flüstern schien: «Es steht alles zum Guten!»
Nur einen Augenblick spürt er den Zauber
Von Ort und Stunde, den heimlichen Schauder
Des einsamen Glockenturms und der Toten.
Denn plötzlich nimmt alle seine Gedanken
Ein düsteres Etwas weit draußen gefangen,
Wo der Fluß breit in die Bucht einmündet –
Ein schwarzer Streif, der dort schwimmt und sich windet
Auf der steigenden Flut: eine Brücke von Booten.

Indes voll Ungeduld und bereit zum Ritt,
Gestiefelt, gespornt und mit schwerem Schritt,
Am anderen Ufer stapft Paul Revere.
Bald tätschelt er sein braves Tier,
Bald schaut er ins Land, bald aufs Meer hinaus,
Dann stampft er auf, kehrt um und zurrt
Fester noch einmal den Sattelgurt;
Zumeist jedoch blickt er forschend aus
Nach dem Turm beim alten Gotteshaus
Über den Gräbern auf dem Hügel drüben,
Einsam, gespenstisch, düster, verschwiegen.
Und da! wie er späht, aus dem Turm heraus
Ein Glimmen – dann ein schimmerndes Licht!
Er springt in den Sattel, reißt den Zügel herum,
Zögert, schaut nochmals, bis aus dem Turm
Der Schein einer zweiten Lampe bricht!

Hastige Hufe den Dorfweg hinauf,
Ein Schatten im Mondlicht, ein Schemen im Dunkeln,
Darunter, wie es vorbeisprengt, ein Funken,
Den ein Roß aus dem Kies schlägt im kühnen Lauf.
Das war alles! Und doch, durch das Dunkel und Licht

Ritt jene Nacht eines Volkes Geschick.
Und der Funke, den das Roß schlug, ward zum Brand
Und setzte in Flammen das ganze Land.

Er ist aus dem Dorf schon und den Abhang hinan;
Unter ihm, tief, breit und langsam,
Vereint sich der Mystic mit des Ozeans Fluten.
Und unter den Erlen am Uferrand,
Bald laut auf dem Fels, bald leise im Sand,
Erklingt der Hufschlag seiner Stute.

Die Dorfuhr zeigte zwölf Uhr an,
Als über die Brücke er Medford erreicht.
Er hörte krähen den Gockelhahn
Und bellen eines Farmers Hund.
Und er fühlte den feuchten Nebel im Grund,
Der vom Fluß aufsteigt, wenn die Sonne sank.

Die Dorfuhr zeigte ein Uhr an,
Als er durch Lexington galoppierte.
Er sah den goldenen Wetterhahn
Im Mondlicht schwimmen, als er passierte,
Und die Fenster im Bethaus, leer und nackt,
Wie sie gespenstisch auf ihn starrten,
Als hätte sie schon das Entsetzen gepackt,
Ob der blutigen Taten, die ihrer harrten.

Die Dorfuhr zeigte zwei Uhr an,
Als er zur Brücke von Concord kam.
Er hörte das Blöken auf der Wiese
Und das Zwitschern der Vögel im Gebüsch,
Und fühlte den Hauch der Morgenbrise,
Die über die braunen Felder strich.
Und einer schlief ruhig wie in Abrahams Schoß,

Den's an der Brücke als ersten traf,
Der sterben sollte am selbigen Tag,
Durchbohrt von eines Briten Geschoß.

Das Übrige wißt ihr; habts of gelesen schon,
Wie die Briten erst feuerten und dann flohn, –
Wie hinter Hofmauern hervor und Zäunen
Die Farmer Kugel mit Kugel vergalten,
Und die Rotröcke den Dorfweg hinunterjagten,
Dann die Felder durchquerten, um unter den Bäumen,
Bei der Straßenbiegung, alsbald zu erscheinen,
Und nur zum Feuern und Laden zu halten.

So ritt durch die Nacht unser Paul Revere,
So schrie durch die Nacht er seinen Alarm
In jedes Middlesex-Dorf, jede Farm, –
Ein trotziger Schrei, ein Schlag an die Tür,
Eine furchtlose Stimme, die durchs Dunkel schallt
Und ein Wort, das immer noch widerhallt!
Denn der Nachtwind der Vergangenheit
Wehts durch die Geschichte für alle Zeit.
In dunkler Stund, wenn die Not zu groß,
Erwacht unser Volk, und dann hören wir
Den hastigen Hufschlag von jenem Roß
Und die Mitternachtsbotschaft des Paul Revere.

GENERAL
SIR JOHN MOORES BEGRÄBNIS
(RÜCKZUG VON CORUNNA, 1809)

Von Charles Wolfe
1791 – 1823

Kein Trommelwirbel, kein Grablied hohl,
Als wir an den Wallrand lenkten,
Kein Schuß rief über ihn hin: «Fahr wohl»,
Als wir ihn niedersenkten;
Wir senkten ihn nieder um Mitternacht,
Sein Grab, ohne Prunk und Flimmer,
Wir hatten's mit Bajonetten gemacht,
Bei Mond- und Windlicht-Schimmer.

Viel Zeit zum Beten hatten wir nicht,
Nicht Zeit zu Klagen und Sorgen,
Wir starrten dem Toten ins Angesicht
Und dachten: ‹Was nun morgen?›
Kein Grabtuch da, kein Priester nah,
Kein Sterbekleid und kein Schragen,
Wie ein schlafender Krieger lag er da,
Seinen Mantel umgeschlagen.

Und kaum noch, daß unser Tun vollbracht,
Heim rief uns die Glock' von den Schiffen,

Und über uns hin jetzt, durch die Nacht,
Des Feindes Kugeln pfiffen;
So ließen wir ihn auf *seinem* Feld,
Blutfeucht von Heldentume,
Da liegt er und schläft er *allein*, unser Held,
Allein mit seinem Ruhme.

Wir dachten, als wir den Hügel gemacht
Über seinem Bette der Ehre:
‹Bald drüber hin zieht Feindes Macht,
Und wir – weit, weit auf dem Meere;
Sie werden schwätzen viel auf und ab
Von Ehre, die kaum gerettet –
Doch nichts von allem dringt in sein Grab,
Drin wir Britischen ihn gebettet.›

Das für dieses Buch verwendete FSC®-zertifizierte Papier
Munkenprint Cream liefert Arctic Paper Munkedals, Schweden.

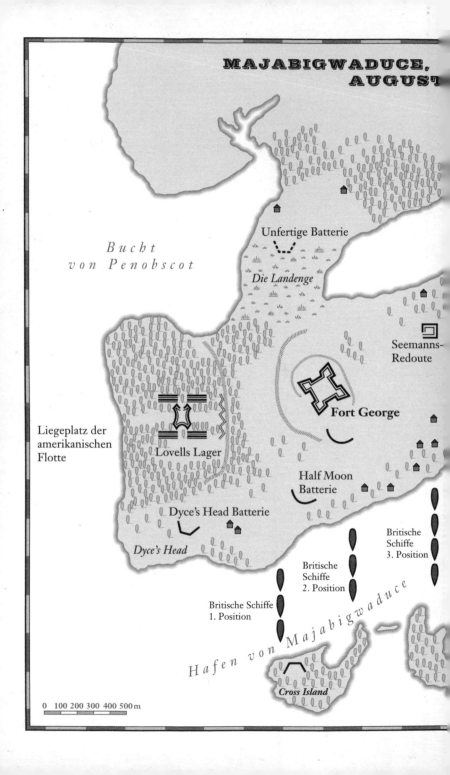

MAJABIGWADUCE,
AUGUST

*Bucht
von Penobscot*

Unfertige Batterie

Die Landenge

Seemanns-
Redoute

Liegeplatz der
amerikanischen
Flotte

Fort George

Lovells Lager

Half Moon
Batterie

Dyce's Head Batterie

Dyce's Head

Britische
Schiffe
3. Position

Britische
Schiffe
2. Position

Britische Schiffe
1. Position

Hafen von Majabigwaduce

0   100 200 300 400 500 m

Cross Island